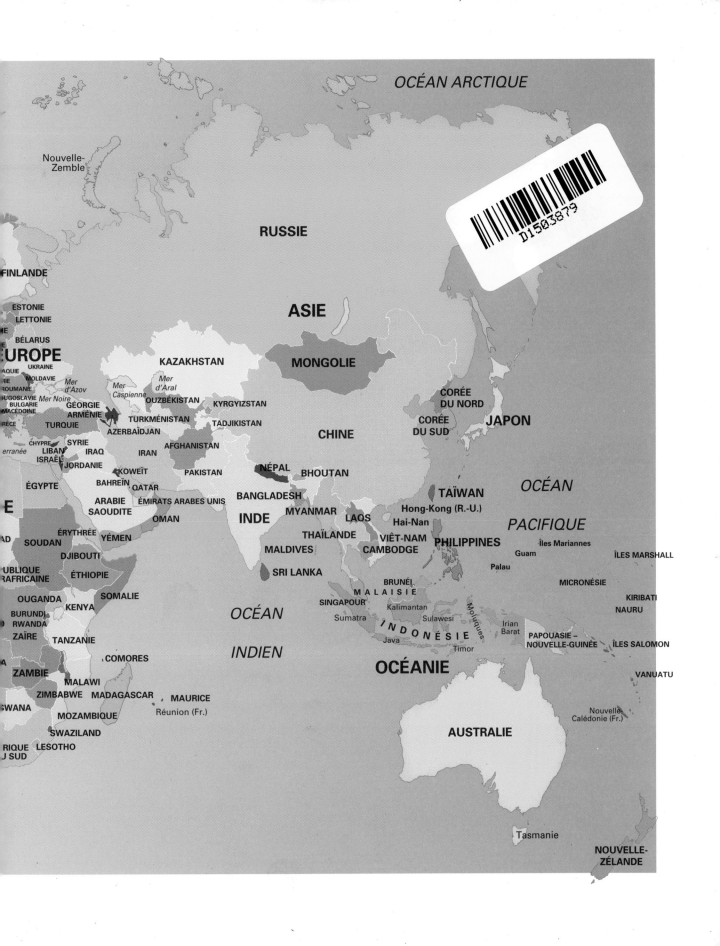

Marcel Roy • Dominic Roy

JE ME SOUVIENS

Histoire du Québec et du Canada

4e secondaire

ERPI ÉDITIONS DU RENOUVEAU PÉDAGOGIQUE INC.

5757, RUE CYPIHOT, SAINT-LAURENT (QUÉBEC) H4S 1X4 TÉLÉPHONE: (514) 334-2690 TÉLÉCOPIEUR: (514) 334-4720

Côtoyer des adolescents pendant trente ans laisse des traces indélébiles. Si j'ai eu le goût de me mettre à l'écriture de **Je me souviens**, *je le dois à tous ces étudiants qui m'ont permis de goûter le plaisir de l'enseignement. Je tiens à leur exprimer toute ma gratitude.*

Marcel Roy

Marcel Roy est enseignant à la commission scolaire Taillon.
Dominic Roy est enseignant au collège Brébeuf.

Les auteurs et l'éditeur remercient toutes les personnes qui, par leurs commentaires, ont contribué à la réalisation de cet ouvrage. Leur reconnaissance s'adresse tout particulièrement aux enseignants et conseillers pédagogiques suivants :

Denis Langlois, Commission des écoles catholiques de Montréal.
Jean-Paul Bohémier, commission scolaire de Jacques-Cartier.
Gilles Deschênes, commission scolaire Des Îlets.
Nicole Girard, commission scolaire Beauport.
Claude Lizotte, commission scolaire Beauport.
Pierre Pruneau, commission scolaire Chutes-Montmorency.
Raymond Duchesne, commission scolaire Jeune-Lorette.
Gilles Plamondon, commission scolaire de Charlesbourg.
Gilles Forget, Commission des écoles catholiques de Montréal.
Michel Bronsard, commission scolaire Samuel-de-Champlain.
René J. Lemire, commission scolaire Samuel-de-Champlain.
Sylvia Berberi, commission scolaire de la Chaudière-Etchemin.
Christian Gaudet, commission scolaire de Jacques-Cartier.
Gilles Roullier, commission scolaire de Jacques-Cartier.

Charge de projet et révision linguistique
Liane Montplaisir

Correction d'épreuves
Martin Des Rochers

Page couverture
Matteau, Parent Graphistes inc. et ÉDITIONS DU RENOUVEAU PÉDAGOGIQUE INC.

Conception et réalisation graphique
Matteau, Parent Graphistes inc.
Sylvie Bouchard *(infographie)*

Réalisation cartographique
Interscript

Recherche iconographique
Evelyne Amar

Révision scientifique
François Cantara, Université de Montréal

© Ottawa, Canada, 1995
ÉDITIONS DU RENOUVEAU PÉDAGOGIQUE INC.

Tous droits réservés. On ne peut reproduire aucun extrait de ce livre sous quelque forme ou par quelque procédé que ce soit – électronique, mécanique, photographique ou autre – sans avoir obtenu, au préalable, la permission écrite des ÉDITIONS DU RENOUVEAU PÉDAGOGIQUE INC.

Dépôt légal : 2e trimestre 1995
Bibliothèque nationale du Québec
Bibliothèque nationale du Canada

Imprimé au Canada
ISBN 2-7613-0599-X
2086 BCD CM12   3 4 5 6 7 8 9 0 II 0 9 8 7 6 5 4 3 2 1

AVANT-PROPOS

«On ne comprend l'état présent d'une société qu'en remontant à son passé. »
Fernand Dumont, sociologue, *Genèse de la société québécoise*, 1993

Je me souviens te convie à une exploration de l'histoire du Québec et du Canada qui va de l'arrivée des premiers habitants à nos jours. En découvrant tes racines, tu comprendras mieux le Québec et le Canada d'aujourd'hui et cette connaissance de ta propre histoire t'amènera à faire des choix plus éclairés pour bâtir l'avenir.

JE ME SOUVIENS

C'est le 9 février 1883 que la devise du Québec apparaît pour la première fois de façon officieuse. Dans ses plans, l'architecte Eugène-Étienne Taché prévoit apposer sur la façade du parlement de Québec les armes de la province accompagnées de la devise *Je me souviens*. Le 9 décembre 1939, cette expression devient la devise officielle du Québec.

Selon l'opinion la plus répandue, Taché aurait voulu, par cette devise, rendre hommage aux femmes et aux hommes importants de l'histoire du Québec. Le titre de ton manuel souligne également le caractère essentiel de la connaissance de l'histoire du Québec et du Canada dans le contexte actuel.

UNE PRÉSENTATION DIFFÉRENTE

Dans le manuel **Je me souviens**, on te propose une disposition quelque peu inhabituelle. La lecture du texte notionnel se fait d'une page de droite à l'autre. Les pages de gauche contiennent pour leur part des activités d'apprentissage portant essentiellement sur les textes des pages de droite correspondantes.

L'ORGANISATION DU MANUEL

Je me souviens comporte trois grandes sections divisées en sept modules et seize chapitres. De plus, il contient trois chapitres hors-modules: une introduction, un chapitre intitulé « Avant le Régime français » et une conclusion.

Chacun des chapitres de ton manuel comprend:

- Les objectifs du programme d'études du ministère de l'Éducation, placés au début de chaque partie de chapitre.
- Une page de mise en situation (première page de gauche), dont les activités ont pour but de te plonger dans l'atmosphère du chapitre.

- Le *Panorama*, une page de présentation du contenu du chapitre.
- Des activités d'apprentissage (pages de gauche), dont l'objectif est de te préparer à une meilleure lecture des pages de droite.
- Le texte notionnel (pages de droite). Dans ces pages, certains mots et expressions ont été mis en caractères gras afin de faciliter le repérage des points saillants du texte. De plus, le sens des mots placés dans un ovale près du texte notionnel est donné dans le glossaire-index, à la fin de ton manuel. Les textes correspondant à des objectifs d'enrichissement sont signalés par un rectangle de couleur marbrée placé en haut des pages de gauche et de droite ainsi que par un astérisque précédant l'objectif du programme d'histoire.
- Des activités portant sur le contenu du chapitre, dans la section *Le point*.
- *En résumé*, une synthèse du texte notionnel de tout le chapitre.

Dans chaque chapitre, de nombreux documents – schémas, photographies, tableaux, encadrés, cartes géographiques, illustrations, graphiques – viennent rendre ton apprentissage plus agréable, intéressant et même… amusant!

À la fin de chaque module, les activités de l'*Autoévaluation* te permettent de faire le point sur tes nouvelles connaissances.

DES OUTILS COMPLÉMENTAIRES

À la fin de ton manuel sont placées les annexes suivantes:

- Une liste des administrateurs et des populations couvrant trois périodes de notre histoire.
- Une liste des cartes géographiques figurant dans ton manuel.
- Une liste des tableaux et schémas.
- Un glossaire-index dans lequel sont définis les mots placés dans un ovale près du texte notionnel.
- Un index des noms de personnes.

Ces documents peuvent s'avérer fort utiles tout le long de ton apprentissage: n'hésite pas à les consulter.

UNE EXPLORATION AGRÉABLE

Ton manuel **Je me souviens** a été élaboré dans le but de te faciliter l'apprentissage de l'histoire, de te le rendre accessible et attrayant. Bon voyage dans le passé et… bon retour dans le présent!

L'équipe de **Je me souviens**

TABLE DES MATIÈRES

LE RÉGIME FRANÇAIS

LE RÉGIME BRITANNIQUE

1 COMPRENDRE LA SOCIÉTÉ QUÉBÉCOISE

LE QUÉBEC, C'EST...

1 Une manifestation étudiante.

2 De nouveaux Québécois arrivent à l'aéroport.

On peut percevoir le monde qui nous entoure de bien des façons. Chaque individu interprète la réalité à sa manière : un simple verre d'eau peut paraître à moitié vide pour l'un, alors que pour l'autre, il est à moitié plein. Au Québec, par exemple, l'arrivée de la saison froide suscite des réactions bien différentes. Nombreux sont ceux qui se réjouissent de voir tomber les premiers flocons ; d'autres y voient l'annonce des grands froids de janvier, de la grippe, des pieds gelés, etc.

Il en va de même de la société québécoise. Tous ne la perçoivent pas de la même façon. Pour certains, elle est avant tout une société accueillante et généreuse envers les nouveaux arrivants. Pour d'autres, elle est une communauté humaine dans laquelle on peut s'exprimer librement.

1 Trouve ou fabrique un document (photo, caricature, manchette, collage) qui représente ta vision du Québec et explique ton choix.

L'HISTOIRE DU QUÉBEC, TON HISTOIRE

Si on te demandait de trouver des images qui représentent ton coin de pays, tu choisirais:

- une scène d'hiver plutôt que des palmiers au bord d'une plage;
- un autobus scolaire plutôt qu'un chameau dans le désert;
- une affiche en français plutôt qu'une annonce en russe.

Tu te reconnaîtrais dans les premières images alors que les autres te seraient étrangères... à moins que tu ne sois un immigrant ou une immigrante et que l'une d'elles te rappelle ton pays d'origine.

Dans **Je me souviens**, tu apprendras à connaître et à comprendre davantage ton coin de terre: le Québec.

3 Sur le chemin de l'école, au Québec.

4 Balade en Égypte.

« JE ME SOUVIENS... »

Nous sommes tous marqués par les événements survenus dans nos vies. Ces événements, même s'ils ont eu lieu il y a longtemps, continuent d'exercer une influence sur nos attitudes, sur nos comportements.

2 Raconte une expérience marquante de ton enfance. Montre comment cet événement t'aide à comprendre certaines de tes attitudes, certains de tes comportements actuels.

3 Selon toi, qu'exprime la devise du Québec, « Je me souviens » ?

LE PASSÉ DANS LE PRÉSENT

Les événements historiques influencent notre présent.

4 Établis un lien entre les documents 5 et 6 et entre les documents 7 et 8.

5 Drapeau français du 17e siècle brandi par un porte-drapeau de l'armée.

6 Drapeau du Québec flottant au sommet du parlement de Québec.

8 Billet de cinq piastres de la banque Hart, émis sous le Régime anglais.

7 Billet canadien d'aujourd'hui.

UN VOYAGE DANS LE TEMPS

Pour t'aider à comprendre la société dans laquelle tu vis, nous t'invitons à un voyage dans le temps. Tout ce qui arrive a des antécédents. Et si tu connais ce qui est arrivé dans le passé, le présent te semblera plus clair, plus compréhensible. C'est un peu ce qui arrive lorsque quelqu'un que l'on connaît bien réagit d'une façon que l'on aurait pu deviner. On se dit « ça lui ressemble », car on connaît son passé, son histoire.

Les réalités énumérées ci-dessous te sont sans doute familières. Ton manuel d'histoire t'aidera à mieux les comprendre et à voir comment elles sont caractéristiques de la société québécoise.

- Au Québec, le chef du gouvernement est appelé le « premier ministre » et non le « président », comme aux États-Unis.
- Dans les villages du Québec, l'église est très souvent située au bord de l'eau.
- Au Québec, on parle français alors que l'anglais est la langue dominante dans tout le reste de l'Amérique du Nord.

9 Jacques Parizeau, devenu premier ministre du Québec en 1994.

VIVRE EN SOCIÉTÉ

Le Québec est un **territoire** immense. Il couvre une superficie de près d'un million et demi de kilomètres carrés. Sa **population**, concentrée dans la partie sud, s'élève à environ sept millions d'individus. Le territoire et la population qui y vit constituent les **fondements** de la société québécoise comme de toute société.

10 Le village de Saint-Jean, à l'île d'Orléans.

Quelle est la disposition du village par rapport au fleuve Saint-Laurent ?

LES COMPOSANTES D'UNE SOCIÉTÉ

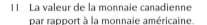

DOLLAR

MONTRÉAL (PC) — Le dollar canadien a clôturé à 72,60 cents US, jeudi, en baisse de 0,07 cent. Le dollar américain cotait à 1,3775$ CAN, en hausse de 0,15 cent.

La livre sterling cotait à 2,1585$ CAN, en hausse de 0,41 cent, et à 1,5670$ US, en hausse de 0,13 cent.

Ces données ont été fournies par la Banque de Montréal.

11   La valeur de la monnaie canadienne par rapport à la monnaie américaine.

12   Une maison québécoise sous la neige.

13   Une manifestation de la communauté gaie.

5 *a)* Quelle composante de la société chacun des documents de cette page représente-t-il?

b) Trouve trois autres documents représentant d'autres composantes.

6 Les immigrants ont parfois de la difficulté à s'adapter à certains aspects de la société qui les accueille.

Nomme deux de ces aspects et indique pourquoi il peut être difficile de s'y adapter.

Vivre en société, c'est vivre dans un monde organisé. Qui détient le pouvoir ? Jusqu'où ce pouvoir s'étend-il ? Comment les décisions concernant la collectivité sont-elles prises ? Comment fait-on accepter ces décisions ? Tous ces points relèvent de la **composante politique** d'une société.

Lorsqu'on vit en groupe, on se préoccupe de la survie et du bien-être de la collectivité. On produit donc des biens, on les consomme, on les échange. Ce processus relève de la **composante économique** d'une société.

14 Groupe d'adolescents en randonnée.

Dans une société, les gens se regroupent en fonction de certains critères : langue, âge, religion, origine ethnique, orientation sexuelle, etc. Ces groupes sociaux, malgré leurs différences et des frictions occasionnelles, choisissent de cohabiter en cherchant à créer une société respectueuse de leurs droits. Ils forment tous ensemble la **composante sociale** d'une société.

Enfin, ce qui différencie probablement le plus une société d'une autre, c'est sa **composante culturelle**. Avec le temps, une manière d'être, de parler, une façon de vivre, une mentalité unique se développent dans une société et prennent forme à travers diverses manifestations artistiques. Ce caractère particulier, qu'on appelle la culture d'un peuple, se transmet d'une génération à l'autre. Tu es donc, en grande partie, le produit de la société dans laquelle tu as grandi.

SOCIÉTÉ	
Fondements	**Composantes**
Territoire	Politique
Population	Économique
	Sociale
	Culturelle

15

LES PÉRIODES DE NOTRE HISTOIRE

Certains événements du présent ne sont compréhensibles que si l'on connaît leurs origines, parfois inscrites dans un lointain passé.

16　Le séminaire Saint-Sulpice, situé dans le Vieux-Montréal. Cet édifice a été construit entre 1684 et 1687. Son horloge date du début du 18ᵉ siècle.

17　Alphonse Desjardins, fondateur des caisses populaires. La première caisse populaire a été ouverte à Lévis, en 1900.

18　Pointes de flèches inuites.

19　Le campus de l'Université McGill, à Montréal.

7 *a*) De quelle période de notre histoire chacun des documents ci-dessus témoigne-t-il ?

b) Trouve des événements récents que l'on comprend mieux si on connaît bien les périodes historiques où ils ont pris naissance. Justifie ton choix.

UNE HISTOIRE EN QUATRE PÉRIODES

La population du Québec, aujourd'hui composée de gens d'origines diverses, s'est constituée progressivement depuis l'arrivée des premiers humains sur le continent. Il y a des milliers d'années, en effet, arrivaient les ancêtres des Amérindiens et des Inuits sur le territoire actuel du Québec. Puis, au 17e siècle, des colons français viennent s'établir le long des rives du Saint-Laurent, bientôt suivis par les Anglais, dès la deuxième moitié du 18e siècle. Enfin, depuis une cinquantaine d'années, des personnes des quatre coins du monde viennent s'installer au Québec. Tous ces gens ont contribué à transformer profondément et à enrichir la société québécoise.

LES QUATRE PÉRIODES DE L'HISTOIRE DU QUÉBEC	
8 000 av. J.-C. - 1534	Période autochtone : le territoire du Québec est occupé par les Amérindiens et les Inuits.
1534-1763	Période du Régime français : le territoire est une colonie française.
1763-1867	Période du Régime britannique : le territoire est sous la domination de l'Angleterre.
1867 à nos jours	Période contemporaine : le Québec est l'une des dix provinces du Canada.

20

Au cours de chaque période de son histoire, la société québécoise s'ajuste à des changements. Du « neuf » apparaît et du « vieux » lui cède la place… tout en luttant parfois pour demeurer ! Aussi l'évolution de notre société est-elle marquée par une certaine continuité dans le changement, phénomène qui persiste encore aujourd'hui.

L'école est l'un des lieux privilégiés où se transmet la connaissance du passé et où se prépare l'avenir. *Je me souviens* te propose de connaître le passé du Québec. À toi de construire son avenir !

8000 AV. J.-C.	1534	1763	1867
PÉRIODE AUTOCHTONE	PÉRIODE DU RÉGIME FRANÇAIS	PÉRIODE DU RÉGIME ANGLAIS	PÉRIODE CONTEMPORAINE

21

QUI EST QUÉBÉCOIS, QUÉBÉCOISE ?

« Au moment où le terme « Québécois » a remplacé l'expression « Canadien français », on parlait essentiellement des Québécois francophones. Aujourd'hui, il y a des Québécois qui portent des noms vietnamiens, italiens ou haïtiens, ou qui ont la peau noire. Le sens du mot « Québécois » s'est élargi pour englober tous ceux qui vivent ensemble sur la terre québécoise. L'accueil n'est peut-être pas encore systématique et bien organisé, mais nous avons appris, au cours des deux dernières décennies, à accepter le caractère pluraliste de notre société. »

Guy Rocher, sociologue, 1992

22

8 *a*) Dans le document 22, Guy Rocher note que le mot « Québécois » a remplacé l'expression « Canadien français ».

Selon toi, vers quelle date ce changement s'est-il fait ?

b) Le mot « Québécois » faisait-il alors davantage référence à la territorialité ou à l'ethnicité ?

c) Selon Guy Rocher, quel sens donne-t-on à cette expression aujourd'hui ?

d) De quelle nouvelle attitude ce changement de sens témoigne-t-il ?

« Nous, Québécois, devons nous battre pour sauver notre langue, le français. »

« Les Cris de la baie James bloquent le développement hydroélectrique des Québécois. »

« Les Québécois ne veulent pas de nous. »

« D'où viennent les ancêtres des Québécois ? D'Europe. »

23

9 *a*) Chacune des phrases du document 23 présente une déclaration fictive mais vraisemblable.

Dans chaque cas, qui est désigné par le mot « Québécois » ? qui est exclu ?

b) Pour toi, que désigne le mot « Québécois » ? Justifie ta réponse.

E JE SUIS QUÉBÉCOIS, QUÉBÉCOISE

Dans toute société, il existe des conflits. Des femmes luttent pour l'égalité des droits. Des défavorisés contestent la répartition inégale de la richesse. Des jeunes et leurs parents vivent l'éternel conflit des générations. À tout cela s'ajoute souvent le problème de l'identité. Au Québec, par exemple, on ne s'entend pas toujours sur le sens à donner au mot « Québécois ». Est-ce qu'il désigne les gens qui parlent français ? les gens dont les ancêtres étaient ici il y a 150 ans ? les gens qui votent pour un parti nationaliste ? L'identité québécoise est-elle fondée sur la langue ? sur l'origine ? sur l'orientation politique ?

24 De jeunes membres de la société québécoise.

Dans ce manuel, nous tiendrons pour acquise la définition suivante : est Québécois ou Québécoise celui ou celle qui habite le Québec. Les autochtones, les francophones et les anglophones de souche, les Néo-Québécois, bref, tous ceux qui demeurent au Québec sont Québécois. Le « nous » québécois a donc un sens inclusif : il signifie que, tous ensemble, nous travaillons à former une société respectueuse des gens et des groupes qui la constituent.

Dans le chapitre 16, tu trouveras quelques questions que l'on peut se poser sur le Québec d'aujourd'hui. Les réponses à ces questions dépendent beaucoup de ce que l'on pense des « autres » Québécois. Quelle place la société est-elle prête à reconnaître à ses premiers habitants ? C'est la **question amérindienne**. Dans un Québec français, à quel degré de tolérance doit-on arriver envers les autres langues, particulièrement envers l'anglais ? C'est la **question linguistique**. Quel niveau d'intégration peut-on exiger de la part des nouveaux venus ? C'est la **question de l'immigration**.

En 1994, le politologue Louis Balthazar souligne qu'au cours des dernières décennies, il s'est produit « une redéfinition graduelle de l'identité québécoise : la territorialité a succédé à l'ethnicité. »

DES POINTS DE VUE DIFFÉRENTS

En 1992, un magazine fait paraître dans ses pages une publicité payée par un fabricant d'automobiles. Sur une carte géographique sont présentées quelques villes canadiennes dans lesquelles se sont déroulés des événements historiques. À la lecture des documents 25 et 26, tu verras que les versions anglaise et française des textes accompagnant cette publicité diffèrent quelque peu...

VILLE DE QUÉBEC	
Texte anglais traduit	**Texte français**
Le 13 septembre 1759, les forces armées britanniques, sous le commandement de James Wolfe, infligent une défaite à l'armée française, dirigée par le marquis Louis-Joseph de Montcalm, sur les plaines d'Abraham – c'est la bataille décisive de la conquête de l'Amérique du Nord.	Berceau du Canada. Champlain y fonde en 1608 le premier établissement permanent d'Amérique du Nord. Les Jésuites y créent en 1634 le premier collège d'Amérique du Nord. Ouverture du premier Parlement du pays en 1792. Lieu de négociations sur la Constitution canadienne en 1864.

25

VILLE DE TORONTO	
Texte anglais traduit	**Texte français**
Après une courte bataille, le 27 avril 1813, les forces armées américaines pillent maisons et églises et incendient la maison du gouverneur et l'édifice du Parlement provincial. En 1837, William Lyon Mackenzie, à la tête des rebelles, descend la rue Yonge, mais ne réussit pas à prendre la direction du gouvernement.	Champlain explore la région en 1615-1616 et y passe l'hiver. Le petit établissement britannique de York sera brûlé et pillé en 1813 par les troupes américaines. Avec l'extension du Canada jusqu'au Pacifique, Toronto devient la métropole économique du Canada.

26

10 *a*) Dans un tableau comparatif, indique les informations communes à ces textes et les informations particulières à chacun.

    b) D'après toi, les informations contenues dans ces textes sont-elles toutes vraies? Justifie ta réponse.

    c) Selon toi, pourquoi les auteurs de ces textes ont-ils choisi des faits différents pour décrire les mêmes villes?

⬡F⬡ LA MÊME HISTOIRE POUR TOUS?

Nadia Fahmy-Eid ~ Micheline Dumont

Maîtresses de maison, maîtresses d'école

Femmes, famille et éducation dans l'histoire du Québec

Boréal Express

27

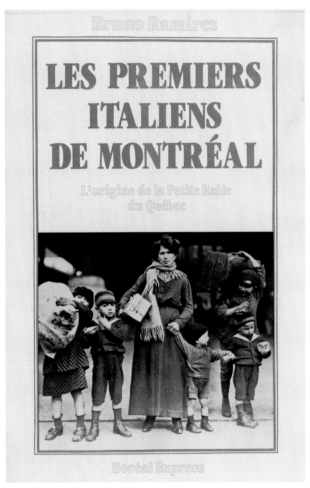

Bruno Ramirez

LES PREMIERS ITALIENS DE MONTRÉAL

L'origine de la Petite Italie du Québec

Boréal Express

28

De nouveaux regards sur l'histoire.

Il existe bien des façons d'écrire l'histoire. Il y a 50 ans, on parlait très peu des femmes et des immigrants dans les livres d'histoire. On y présentait parfois les Amérindiens comme des fauves qui avaient une véritable passion pour la guerre. Les exploits militaires y prenaient beaucoup plus de place que le développement économique ou culturel. Ces manuels, comme ceux d'aujourd'hui, sont le reflet d'une époque; ils témoignent de préoccupations et de mentalités qui appartiennent elles aussi à un contexte historique.

C'est pourquoi même aujourd'hui, les manuels d'histoire sont différents les uns des autres. Tous les historiens ne retiennent pas nécessairement les mêmes personnages et les mêmes événements. Leurs analyses du passé ne sont pas forcément identiques.

QUELQUES ASPECTS DE LA GÉOGRAPHIE DU QUÉBEC

1.1.2 Conditions géographiques qui ont influencé les premiers établissements de la vallée du Saint-Laurent et de la région des Grands Lacs.

NEIGE ET FROID

Des vacances au Canada : dehors par -35 °C

Suzanne (la Suze) et Denis (Brutus) viennent passer les Fêtes dans les Laurentides. Ces deux Français veulent connaître l'hiver québécois.

« Ils ont été servis, et royalement, ces « petits cousins français ». La Suze et son Brutus ont quitté Toulouse presque en bras de chemise et sont arrivés en pleine tempête, alors qu'un journal annonçait -65 °C la nuit en considérant le facteur éolien [...]

Des sondages du ministère du Tourisme ont montré que la popularité du Québec auprès des Français tient à la qualité de l'accueil, à notre « drôle d'accent », au prix des billets d'avion, mais surtout aux grands espaces et aux caprices surgelés du climat ».

Extrait d'un article de Stéphane Baillargeon paru dans *Le Devoir* du 14 janvier 1994.

29

11 *a*) Pourquoi, aujourd'hui, certains touristes sont-ils attirés par la neige et le froid ?

b) Compte tenu du climat rigoureux, qu'est-ce qui pouvait inciter les Français à venir en Nouvelle-France au 17ᵉ siècle ?

12 Fais un sondage auprès d'immigrants récemment installés au Québec. Demande-leur ce qu'ils pensent du climat, en particulier de leur premier hiver passé en sol québécois.

13 D'après le document 30, crois-tu que les Québécois apprécient l'hiver autant que les Français ? Justifie ta réponse.

30 Les plaisirs de l'hiver !

◭ LE QUÉBEC, C'EST D'ABORD UN TERRITOIRE

Au cours des siècles, les caractéristiques de la géographie physique du Québec n'ont guère changé. La présence abondante d'eau et la rigueur de l'hiver ont toujours été et sont encore aujourd'hui des éléments déterminants de la société québécoise.

L'ABONDANCE DE L'EAU

31 Un nombre infini de lacs...

Le Québec touche aux océans Atlantique et Arctique. Un nombre infini de lacs, de rivières et un grand fleuve, le Saint-Laurent, le parcourent.

«MON PAYS, C'EST L'HIVER»

Même si le Québec a l'avantage de connaître quatre saisons très différentes, c'est l'hiver qui impressionne le plus les étrangers. La neige, la poudrerie, le verglas, les eaux gelées, bref, le froid, qu'on le veuille ou non, fait partie de notre univers. Il façonne nos mentalités, nos habitudes de vie, notre culture.

LES RÉGIONS PHYSIOGRAPHIQUES

32 Les régions physiographiques
    de la province de Québec.

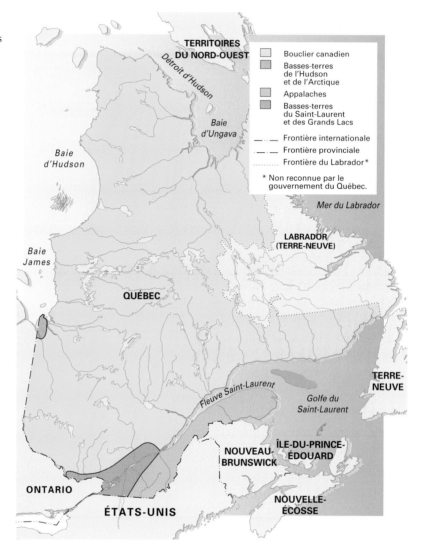

Légende:
- Bouclier canadien
- Basses-terres de l'Hudson et de l'Arctique
- Appalaches
- Basses-terres du Saint-Laurent et des Grands Lacs
- _.._ Frontière internationale
- ._.._ Frontière provinciale
- .... Frontière du Labrador*

* Non reconnue par le gouvernement du Québec.

14 À quelle région physiographique du Québec associes-tu chacune des phrases suivantes?

    a) Elle est la région la plus peuplée du Québec.

    b) Elle est constituée d'une chaîne de montagnes qui s'étend jusqu'aux États-Unis.

    c) L'hydroélectricité et le minerai y sont grandement exploités.

    d) L'agriculture y est un secteur de première importance.

    e) Elle constitue un réservoir important d'animaux à fourrure.

15 Nomme quelques richesses naturelles de chacune de ces régions.

Des régions physiographiques variées

On pourrait presque affirmer qu'il existe plusieurs Québecs, tant les régions physiographiques qui le composent sont différentes les unes des autres.

Le **Bouclier canadien** couvre la majeure partie du territoire québécois. Constitué d'un plateau sillonné de milliers de lacs et de rivières, il s'étend du nord du Québec à la vallée du Saint-Laurent, ce qui en fait un territoire propice à l'exploitation de l'hydroélectricité. On y retrouve également une grande quantité d'animaux à fourrure et un sous-sol extrêmement riche en minerais de toutes sortes.

Les **basses-terres du Saint-Laurent** forment un étroit corridor de terres fertiles réparties sur les deux rives du fleuve. Elles s'étendent de la ville de Québec à la frontière de l'Ontario et à l'État de New York. Cette région abrite la majeure partie de la population québécoise.

33 Paysage du Bouclier canadien.

Les **Appalaches**, vaste chaîne de montagnes, s'étendent de la Gaspésie à l'Estrie. Longtemps elles représentèrent un obstacle naturel à l'expansion des colonies anglaises vers l'ouest.

34 Vue des basses-terres du Saint-Laurent.

35 Paysage des Appalaches.

LA « VOIE ROYALE »

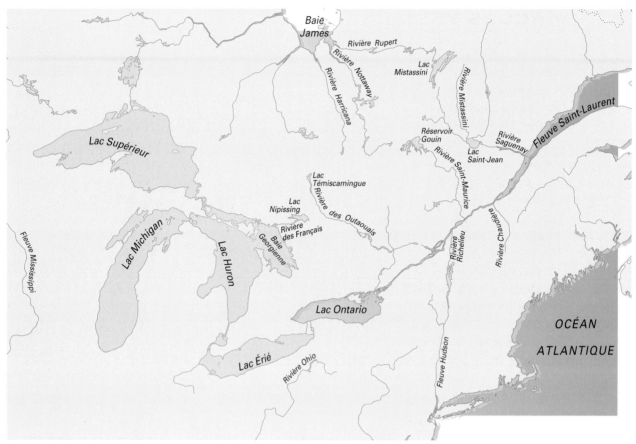

36 Le fleuve Saint-Laurent et
les Grands Lacs.

16 Au début de la colonisation, c'est par le fleuve Saint-Laurent que les Français pénètrent dans le continent nord-américain.

Quelle ville importante du Québec sert alors de lien entre le Canada et la France?

17 *a*) Après avoir consulté le document 36, crois-tu qu'il soit exact de dire que le Saint-Laurent constitue la « voie royale » d'accès vers l'intérieur du continent?

b) Quelle ville importante du Québec sert de point de départ aux explorateurs tentés d'aller plus loin vers l'ouest?

18 *a*) Décris trois itinéraires permettant d'atteindre la baie James depuis le fleuve Saint-Laurent.

b) Décris deux itinéraires permettant de se rendre du fleuve Saint-Laurent au lac Huron.

LES PRINCIPALES VOIES D'ACCÈS VERS LE QUÉBEC

Aujourd'hui, le Québec est accessible par voie maritime, terrestre ou aérienne. Cependant, à l'origine, les premières populations arrivent au Québec par la mer ou la terre.

Ces premiers habitants du Québec sont les Amérindiens, venus de l'ouest et du sud de l'Amérique du Nord il y a environ 10 000 ans. Progressivement, ils occupent la vallée du Saint-Laurent, puis presque tout le territoire du Québec. Ils sont suivis des Inuits, venus de l'ouest, qui occupent la partie la plus au nord.

Puis à partir du 16e siècle arrivent les Français, venus de l'est par l'océan Atlantique. D'importants cours d'eau leur permettent par la suite, au cours du 17e et du 18e siècle, de pénétrer profondément à l'intérieur du continent.

Parmis ces cours d'eau, le fleuve Saint-Laurent constitue la « voie royale » qui permet de se rendre aux Grands Lacs. De là, des affluents facilitent l'accès aux territoires de l'ouest.

Plus au nord, le réseau hydrographique de la baie d'Hudson et de la baie James facilite les explorations vers le nord-ouest.

Enfin, dans la partie sud du continent, le fleuve Mississippi constitue également une voie importante de pénétration.

37 Les principales voies d'accès vers le Québec.

DE NOUVELLES FRONTIÈRES

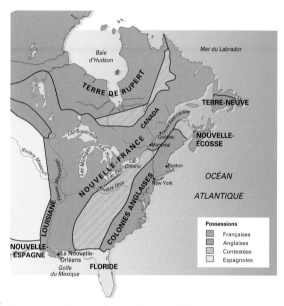

38   L'est de l'Amérique du Nord en 1713.

39   L'est de l'Amérique du Nord en 1763.

40   L'est de l'Amérique du Nord en 1774.

41   L'est de l'Amérique du Nord en 1791.

19   Compare les cartes 38 à 41 avec la carte 42 (page 21). Quels ont été les changements de noms de territoires ? de limites de territoires ? Quelles conclusions tires-tu de l'observation de ces changements ?

C DES FRONTIÈRES CHANGEANTES

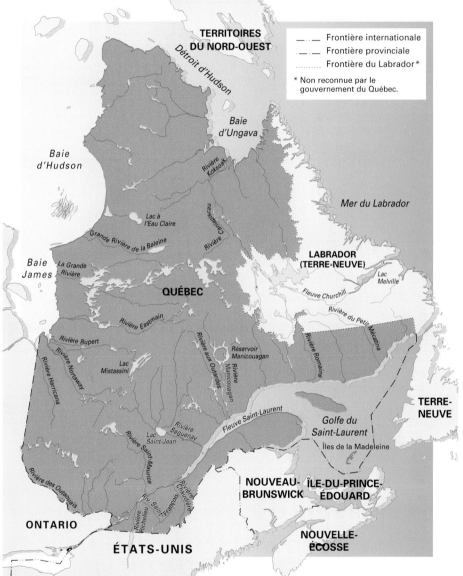

42 Les frontières actuelles de la province de Québec.

Légende :
- —·— Frontière internationale
- —··— Frontière provinciale
- ········· Frontière du Labrador *
- * Non reconnue par le gouvernement du Québec.

Au cours des siècles, les frontières du Québec ont été modifiées. Avant l'arrivée des Européens, les autochtones avaient fait leur propre répartition du territoire. Au moment de son expansion maximale, la Nouvelle-France couvrait la majeure partie de l'Amérique du Nord. En 1763, le Québec n'était qu'un étroit rectangle s'étendant sur les deux rives du Saint-Laurent. Ce n'est qu'en 1912 que les frontières actuelles ont été établies.

LES PREMIERS HABITANTS

LES HABITANTS DU BOUT DU MONDE

DES MONSTRES

À la fin du Moyen Âge, des savants européens représentaient le monde à l'aide de cercles concentriques. Jérusalem était située au centre du monde et, aux limites extrêmes de la Terre, existaient des êtres monstrueux dont certains avaient « un seul sein » et d'autres, « un pied plat et large qui pouvait couvrir la tête quand il pleut » !

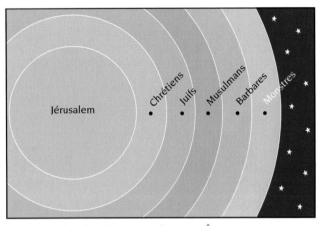

43 Le monde selon des savants du Moyen Âge.

Comment expliques-tu que plus une réalité est éloignée, plus on se l'imagine étrange ?

44   Des monstres du bout du monde.   45
Et toi, comment imagines-tu les extraterrestres ?

DES HOMMES BONS ET HEUREUX

Au 18e siècle, des philosophes déçus de leur civilisation traçèrent un portrait idéalisé de l'homme dit « primitif ».

46

 « Tant que les hommes se contentèrent de leurs cabanes rustiques, tant qu'ils se bornèrent à coudre leurs habits de peaux avec des épines et des arêtes, à se parer de plumes et de coquillages, à se peindre le corps de diverses couleurs, à perfectionner leurs arcs et leurs flèches, à tailler avec des pierres tranchantes quelques canots de pêcheurs [...] ils vécurent libres, sains, bons et heureux. »

Jean-Jacques Rousseau, philosophe, 1755

1 *a)* Laquelle des deux descriptions présentées ci-dessus te paraît le mieux désigner les « habitants du bout du monde » ? Cette description te semble-t-elle vraie en tous points ?

   b) Quels « habitants du bout du monde » sont désignés dans le document 46 ?

8000 AV. J.-C.		1534		1763	1867	
PÉRIODE AUTOCHTONE		PÉRIODE DU RÉGIME FRANÇAIS		PÉRIODE DU RÉGIME BRITANNIQUE	PÉRIODE CONTEMPORAINE	

PREMIERS HABITANTS

000 AV. J.-C.   1534

PANORAMA

Au 15ᵉ siècle, quand les Européens accostent en Amérique, ils sont surpris de constater que des humains physiquement semblables à eux habitent ce territoire. Aujourd'hui, grâce à des recherches, on commence à découvrir quelques traces du passé des premiers habitants de l'Amérique.

On a par exemple découvert dans l'Arctique des lunettes de soleil en ivoire vieilles de 1 000 ans. Des coquillages sont parfois retrouvés à 1 500 kilomètres de leur lieu d'origine.

Ces indices nous parlent, mais ils ne peuvent tout révéler. Comme il est impossible de remonter le temps, on ne peut savoir avec exactitude ce qui s'est passé il y a des milliers d'années. Pourtant, de nombreuses questions hantent nos esprits…

- *D'où venaient les premiers habitants de l'Amérique ?*
- *Quand sont-ils arrivés ?*
- *Étaient-ils des milliers ? des millions ?*
- *De quoi se nourrissaient-ils ?*
- *Fabriquaient-ils des outils ?*
- *Vivaient-ils en groupes organisés ?*
- *Quel était le rôle des femmes ?*
- *Croyaient-ils en une vie après la mort ?*

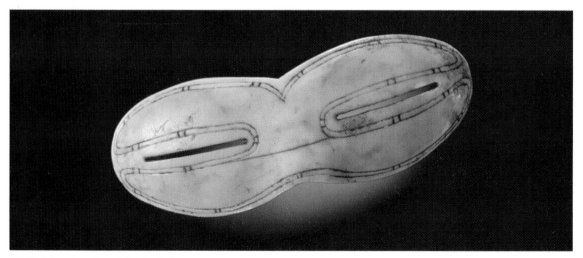

47 Des lunettes de soleil très âgées.

LA TERRE NOUS PARLE

L'ARCHÉOLOGIE, UN PASSEPORT POUR REMONTER LE TEMPS

L'être humain a inventé l'écriture il y a environ 5 500 ans. Pourtant, ses origines remontent à trois millions d'années. C'est dire que pendant 99 % de son existence, il n'a laissé que des traces matérielles de son passage. En étudiant les vestiges du passé enfouis dans le sol, l'archéologie nous aide à comprendre comment vivaient les gens des civilisations anciennes.

Parfois, les hypothèses des archéologues se révèlent incomplètes ou même fausses. Mais l'archéologie nous aide à ajuster nos idées sur le passé et parfois, à nous débarrasser de certains préjugés. Ainsi, à propos des Amérindiens, on sait maintenant :

- que leur histoire est beaucoup plus vieille qu'on ne le croyait ;
- qu'ils se sont toujours adaptés à de nouvelles conditions de vie ;
- qu'il existe de grandes différences entre les groupes d'Amérindiens.

2 « On croit que les Amérindiens sont arrivés en Amérique il y a 20 000 ans. »

« On sait que Christophe Colomb est arrivé en Amérique en 1492. »

a) Pourquoi utilise-t-on « on croit » dans la première phrase et « on sait » dans la deuxième ?

b) Peut-on dire que l'archéologie est une science ? Pourquoi ?

c) Crois-tu que l'archéologie ne serve qu'à dater les objets trouvés lors des fouilles ? Justifie ta réponse.

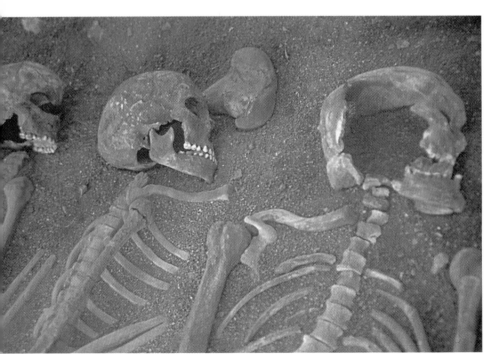

48   Squelettes découverts au cours de fouilles archéologiques.

DES FOUILLES UTILES

En fouillant le sol, un enfant de la région de Montréal trouve un fossile d'animal marin. Cette découverte est la preuve que l'actuelle vallée du Saint-Laurent a déjà été immergée. En effet, il y a environ 12 000 ans, une centaine de mètres d'eau recouvrait cet endroit, formant la mer de Champlain.

Au cours de l'été 1965, des étudiants du secondaire ont été invités par leur professeur à faire des fouilles archéologiques à Pointe-du-Buisson, près de Beauharnois. Sur une pointe de terre s'avançant dans le fleuve, ils ont minutieusement gratté la terre et ont découvert des traces d'occupation humaine. Leur professeur, un passionné d'**archéologie**, a pris en note toutes leurs observations. Après analyse de ces notes, il a conclu que ce site avait été occupé par des Amérindiens durant plusieurs centaines d'années. Aujourd'hui, Pointe-du-Buisson est un terrain-école pour les étudiants en archéologie de l'Université de Montréal.

Le sol nous parle. Il peut nous renseigner sur le passé si nous sommes à l'écoute de ce qu'il nous dit…

> Archéologie

49 Fouilles archéologiques à Pointe-du-Buisson.

Il y a 20 000 ans, des gens venus d'Asie...

L'arrivée des premiers habitants

50   L'arrivée des ancêtres des autochtones en Amérique.

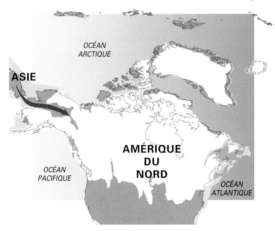

Il y a 20 000 ans.

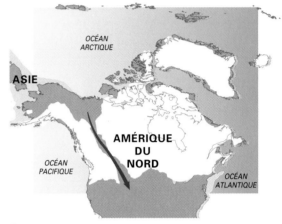

Il y a 15 000 ans.

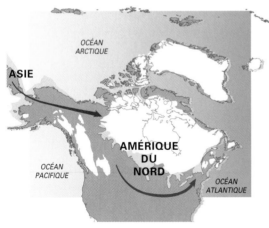

Il y a 10 000 ans.

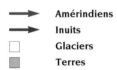

Amérindiens
Inuits
Glaciers
Terres

3 Fais une échelle de temps verticale allant de l'an 20 000 avant Jésus-Christ à l'an 2000 de notre ère. Sur cette échelle, situe:

a) l'arrivée des premiers Amérindiens en Amérique, aux États-Unis et au Québec;

b) l'arrivée des premiers Inuits au Canada;

c) l'arrivée des premiers Européens en Amérique.

4 *a*) Combien d'années séparent l'arrivée des Européens de celle des premiers Amérindiens en Amérique?

b) Pose les questions suivantes à quelques personnes de ton entourage.

• D'où viennent les ancêtres des Amérindiens?

• Quand sont-ils arrivés en Amérique?

Ⓐ UN PASSAGE À SEC : LA BÉRINGIE

Il y a des milliers d'années, des gens sont arrivés en Amérique. La plupart des spécialistes croient qu'ils sont passés de la Sibérie à l'Alaska vers la fin de la dernière glaciation, il y a environ 20 000 ans. Presque tout le territoire actuel du Canada était alors recouvert de glaciers de milliers de mètres d'épaisseur. Ces glaciers n'ayant pas encore fondu, le niveau de la mer était environ 100 mètres plus bas que son niveau actuel. Le détroit de Béring constituait alors un passage à sec de 1 000 kilomètres de largeur entre la Sibérie, en Asie, et l'Alaska, en Amérique. Des troupeaux d'animaux (mammouths, caribous) empruntaient ce passage appelé la Béringie. À leur suite, des chasseurs de l'époque paléolithique sont arrivés en Alaska et au Yukon. Cependant, ils ne purent descendre plus au sud car des glaciers leur barraient la route.

Il y a 15 000 ans, à la suite du réchauffement progressif du climat, un corridor terrestre est apparu entre le glacier de l'Est et celui de l'Ouest. Les animaux et les chasseurs ont alors pu s'y engager et atteindre les États-Unis actuels.

Époque paléolithique

L'arrivée des premiers habitants

À ce jour, il est impossible de dater avec précision l'arrivée des premiers habitants de l'Amérique.

Certains spécialistes croient que leur venue date d'environ 40 000 ans; d'autres estiment plutôt qu'elle a eu lieu il y a 20 000 ans.

Les plus anciennes traces d'occupation trouvées jusqu'à maintenant datent de 13 000 ans.

ASIE
Sibérie
OCÉAN ARCTIQUE
Béringie
Alaska
OCÉAN PACIFIQUE
AMÉRIQUE DU NORD
OCÉAN ATLANTIQUE
Routes migratoires

51 Un pont entre l'Asie et l'Amérique : la Béringie.
Aujourd'hui, serait-il possible d'utiliser ce passage ? Pourquoi ?

LES DROITS DES PREMIERS HABITANTS

5 On dit que les Amérindiens et les Inuits constituent deux peuples différents parce qu'ils n'ont en commun ni territoire, ni mode de vie, ni langue ni culture.

À partir de l'échelle de temps que tu as tracée à l'activité 3 (page 26), peux-tu dire quelle autre différence existe entre ces deux peuples autochtones?

52

 « Je ne sais pas si nous allons intégrer les Amérindiens. Leur situation est très différente de celle des immigrants auxquels nous avons le droit de demander de s'intégrer à notre société. Les Amérindiens ne demandent pas à être intégrés. Ils veulent être distincts, ils demandent leur autonomie au sein de notre propre autonomie. En tant que premiers occupants, ils ont des droits et des privilèges que nous devons respecter. Ce sont eux qui auraient pu nous intégrer. »

Guy Rocher, sociologue, 1992

53 Femmes autochtones revendiquant leurs droits.

6 *a*) Dans le texte du document 52, quel argument utilise Guy Rocher pour affirmer que les Amérindiens ont des droits qu'il faut respecter?

b) Crois-tu qu'il ait raison? Justifie ta réponse.

7 Si tu étais premier ministre du Canada, quelle position adopterais-tu au sujet des revendications des autochtones? Pourquoi?

B L'ARRIVÉE DES AMÉRINDIENS ET DES INUITS

Les glaciers reculaient de plus en plus et, 5 000 ans plus tard, la mer Champlain était formée. Lorsque l'eau de la mer de Champlain s'est écoulée dans l'Atlantique, les populations humaines ont remonté vers le nord. C'est ainsi qu'il y a environ 10 000 ans, sont arrivés sur le territoire du Québec les premiers habitants, que l'on nomme les **Amérindiens**.

À peu près à la même époque, d'autres immigrants, venus eux aussi de Sibérie, sont arrivés en Alaska. Contrairement aux premiers, ils ne sont pas descendus au sud, mais se sont peu à peu répandus vers l'est. Leurs descendants, les **Inuits**, occupent encore aujourd'hui la partie la plus au nord du Québec.

Ces deux groupes, Amérindiens et Inuits, constituent les **peuples autochtones**, c'est-à-dire ceux qui ont été les premiers habitants du territoire.

Amérindiens

Inuits

Peuples autochtones

54 Amérindien Népisingue du Canada.

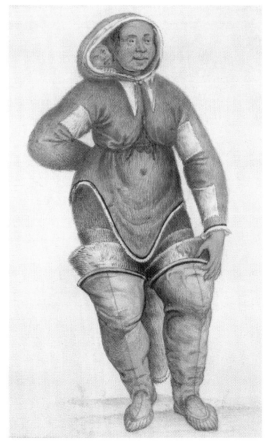

55 Femme inuite vêtue de peaux de bêtes.

LES AUTOCHTONES DE L'EST DU CANADA

CHICANES DE MOTS

Lors de leur arrivée en Amérique, les Européens qualifiaient de «sauvages» les autochtones. Les Amérindiens, de leur côté, traitaient les habitants du Grand Nord de «mangeurs de viande crue». Et il semble que les Inuits pouvaient aussi mépriser les étrangers, si l'on se fie à l'une de leurs légendes…

56

Légende des enfants-chiens

Un jour de grande tempête, un jeune homme entre dans un igloo. On l'invite alors à coucher dans le lit familial. Au réveil, on se rend compte qu'il a disparu. Voyant des traces d'animaux dans la neige, le père en conclut qu'il devait être un chien déguisé en homme.

Quand il constate que sa fille est enceinte, le père la conduit sur une île et l'y abandonne. Après quelques mois, elle accouche de six enfants. Trois d'entre eux ont les traits des Inuits et les trois autres ont de grandes oreilles et le nez en forme de museau. La jeune mère se débarrasse alors des trois derniers en les poussant vers le sud.

Et c'est ainsi que tous les Amérindiens et les Blancs descendent de ces enfants-chiens. C'est d'ailleurs le seul lien de parenté qui existe entre les Inuits et les autres humains.

8 Fais une enquête dans ton entourage pour savoir ce que tes parents et amis pensent des autochtones. Relève les mots qu'ils utilisent pour les désigner. Ces mots sont-ils:

a) valorisants?

b) neutres?

c) méprisants?

9 Quels mots neutres peut-on employer pour désigner les premiers habitants de l'Amérique?

NOURRITURE ET ENVIRONNEMENT

10 Pendant longtemps, les êtres humains se sont uniquement nourris des ressources de leur milieu naturel.

Quelles différences y a-t-il entre l'alimentation des Inuits et celle des Amérindiens?

TROIS GROUPES AUTOCHTONES

On estime qu'au 15ᵉ siècle, lorsque les Européens arrivent en Amérique après avoir traversé l'Atlantique, il y a environ un million d'habitants au Canada. Une multitude de groupes autochtones se partagent le territoire, chacun ayant son mode de vie.

À l'extrême-nord, sur les rives des eaux glaciales de la baie d'Hudson et de la baie d'Ungava, les **Inuits** ont développé un mode de vie basé sur la chasse et sur la pêche. Ils se déplacent par petits groupes à la recherche de nourriture. Ils vivent dans des huttes couvertes de peaux ou dans des maisons de neige, les igloos. Leur régime alimentaire est à base de viande crue. Aussi les autochtones du Sud les appellent-ils « Esquimaux », ce qui signifie « mangeurs de viande crue ». De nos jours, on utilise un mot de leur langue pour les désigner : Inuits, qui veut dire « les gens », « les personnes ».

Au sud vivent les **Amérindiens**, divisés en deux groupes.

Les **Algonquiens** occupent le Bouclier canadien et les Appalaches. Eux aussi ont un mode de vie basé sur la chasse et la pêche. Ils sont groupés en nations qui utilisent des langues différentes mais apparentées les unes aux autres. Ils forment une grande famille linguistique : la famille algonquienne.

Les populations de l'Amérique du Nord

On a longtemps estimé les populations de l'Amérique du Nord avant le 16ᵉ siècle à moins de un million d'habitants.

Aujourd'hui, bien que certains spécialistes estiment ces populations à 10 millions, la plupart s'entendent sur le chiffre de 3 millions.

Algonquiens

Iroquoiens

57 La répartition des autochtones de l'Est du Canada au 15ᵉ siècle.

Dans la vallée du Saint-Laurent et la région des Grands Lacs vivent les **Iroquoiens**, lesquels voient leur mode de vie se modifier au cours des millénaires. Peu à peu, ces peuples qui vivaient de chasse et de pêche en viennent à pratiquer l'agriculture comme principal mode de subsistance. Les Iroquoiens parlent aussi des langues différentes mais proches les unes des autres. Ils forment une grande famille linguistique : la famille iroquoienne.

ALGONQUIENS ET IROQUOIENS : DEUX SOCIÉTÉS DIFFÉRENTES

1.1.3 Organisation socio-culturelle des Iroquoiens et des Algonquiens.

58 Algonquiens de la vallée du Saint-Laurent au 15ᵉ siècle.

11 Observe attentivement le document 58. Il nous apprend beaucoup sur le mode de vie des Algonquiens.

a) Y voit-on des hommes et des femmes ?

b) Sont-ils nombreux ?

c) Qu'est-ce qui constitue la base de leur alimentation ? Justifie ta réponse.

d) Résume en trois phrases trois caractéristiques de la société algonquienne en mettant en évidence les liens existant entre ces caractéristiques.

12 Les Algonquiens doivent se déplacer pour trouver leur nourriture. Le nomadisme fait partie de leur mode de vie.

Quel lien existe-t-il entre les documents 59 et 60 et la vie nomade ?

59   Objets fabriqués par des Algonquiens.   60

ALGONQUIENS ET IROQUOIENS

Société

Au 15e siècle, les autochtones vivent dans des sociétés organisées qui sont en constante transformation. Grâce aux récits des premiers explorateurs et missionnaires blancs et aux recherches archéologiques, on est en mesure de décrire assez justement le mode de vie des Algonquiens et des Iroquoiens de cette époque.

 # LES ALGONQUIENS

La vie des Algonquiens est étroitement liée à leur milieu naturel. Comme ils mangent ce que la nature leur offre, leur alimentation varie selon les saisons.

DES NOMADES À LA RECHERCHE DE NOURRITURE

Les Algonquiens se nourrissent des produits de la **chasse**, de la **pêche** et de la **cueillette**.

En été, les cours d'eaux poissonneux sont faciles d'accès et les fruits sauvages (baies, noix, etc.) abondants. De petites bandes se regroupent près des rivières ou des lacs pour constituer pendant quelques mois des communautés de quelques centaines de personnes. On y vit en plein air ou dans de légères tentes d'écorce. L'été est le temps des retrouvailles, des mariages, des festivités et des échanges avec d'autres groupes.

L'automne est la saison au cours de laquelle les Algonquiens font des provisions et se préparent à « monter dans le bois ». Les bandes se divisent en petits groupes familiaux. Après quelques semaines, ils parviennent à leur territoire de chasse respectif, parfois situé à des centaines de kilomètres du campement d'été. Ils y installent de solides tentes recouvertes de peaux qui constituent des abris contre le vent et le froid.

En hiver, les hommes partent à la recherche de gros gibier (caribous, orignaux, chevreuils, ours). Les femmes s'occupent des enfants, de la confection des vêtements et de l'entretien de la tente.

Comme les Algonquiens se déplacent fréquemment, on dit qu'ils sont **nomades**. Les objets qu'ils fabriquent sont bien adaptés à leur mode de vie : tentes, canots, raquettes, toboggans, etc.

61 Répartition d'une bande algonquienne.
Pourquoi les bandes se divisent-elles en petits groupes familiaux en automne ?

Campement d'été (150 personnes)
Dispersion du groupe en automne
Campement d'hiver (10 à 20 personnes)
Cours d'eau

Nomade

LA RÉPARTITION DES TÂCHES CHEZ LES ALGONQUIENS

Dans nos sociétés modernes, on a de moins en moins tendance à répartir les tâches selon le sexe. Cependant, dans les sociétés traditionnelles, l'homme et la femme exécutaient des tâches très différentes.

Chez les Algonquiens, tout ce qui concernait le travail lié à la peau des animaux relevait des femmes. La confection des vêtements constituait donc une tâche féminine. Par contre, tout ce qui concernait le travail du bois relevait de l'homme. C'est lui qui était responsable de la fabrication des canots, par exemple.

62

DIVISION DU TRAVAIL CHEZ LES ALGONQUIENS		
Étapes de fabrication	**Mocassins**	**Canots**
Acquisition des matériaux	♂ Peaux	♂ Bois
Transformation des matières premières	♀ Tannage des peaux	♂ Préparation du bois
Confection	♀ Plis, empeigne et assemblage	♂ Assemblage du bois
♀ Tâche féminine ♂ Tâche masculine		

13 D'après le document 62, la fabrication des mocassins est une tâche féminine parce qu'ils sont faits de peaux d'animaux.

Comment expliques-tu que l'acquisition des peaux soit une tâche masculine ?

14 Sur le document 63, l'homme et la femme travaillent-ils la même partie de la raquette ? Pourquoi ?

63   Fabrication de raquettes chez des Montagnais d'aujourd'hui.

Une société patriarcale

Chez les Algonquiens, la répartition des tâches est faite en fonction des sexes, l'un et l'autre contribuant à la survie de la communauté. Mais comme ce sont les hommes qui chassent et rapportent l'essentiel de la nourriture, on dit que la société algonquienne du 15e siècle est une **société patriarcale**.

En consultant le document 57 (page 31), tu constateras que les Algonquiens se partagent la **majeure partie du territoire québécois**. Cependant, ils ne sont que 20 000 à occuper cette région : ils ont donc une **faible densité de population**. Ces chasseurs doivent couvrir un grand territoire pour arriver à trouver la quantité d'animaux nécessaire à la survie de leur famille.

Paix et liberté

Les guerres ne se produisent que très rarement chez les Algonquiens, chaque bande étant constituée de petits groupes souvent unis par des liens familiaux. De plus, ils ont peu de contacts avec les autres tribus. Les occasions de conflit sont donc assez rares, sauf en cas de rivalité pour un territoire de chasse.

Les Algonquiens connaissent **peu de règles** sociales. On peut même dire qu'ils n'ont pas de chef, sauf quand vient le temps d'organiser la chasse. Le plus expérimenté devient alors le dirigeant du groupe. Mais son autorité ne s'étend pas à d'autres domaines. Chacun est libre de faire ce qu'il veut dans la mesure où il apporte une contribution à la communauté.

> Société patriarcale

> Densité de population

64 L'organisation sociale chez les Algonquiens.

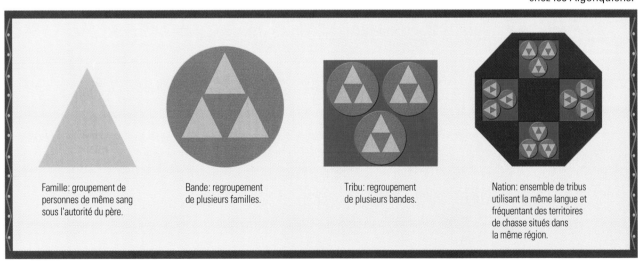

Famille : groupement de personnes de même sang sous l'autorité du père.

Bande : regroupement de plusieurs familles.

Tribu : regroupement de plusieurs bandes.

Nation : ensemble de tribus utilisant la même langue et fréquentant des territoires de chasse situés dans la même région.

DES AGRICULTEURS

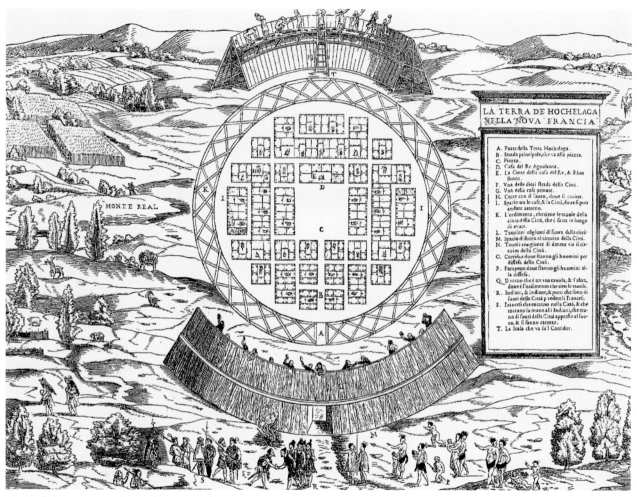

65 Hochelaga et ses environs tels qu'imaginés par un Européen du 16e siècle.

66 Vase d'argile iroquoien.

15 À ton avis, pourquoi peut-on affirmer que le document 65 représente un village iroquoien ? Justifie ta réponse en te référant aux éléments suivants.

a) Le type d'habitation.

b) La densité de population.

c) La base de l'alimentation.

d) Le mode de vie.

16 *a)* Les Iroquoiens pratiquent une activité stable pour se nourrir.

Laquelle ?

b) Quel lien y a-t-il entre le document 66 et cette activité ?

LES IROQUOIENS

Lors de leur arrivée dans la vallée du Saint-Laurent, il y a quelque 10 000 ans, tous les Amérindiens étaient des nomades qui vivaient de chasse, de pêche et de cueillette. Pourtant, vers l'an 1000 de notre ère, la plupart des Iroquoiens vivent des produits de l'agriculture. Comment ce changement a-t-il pu se produire ?

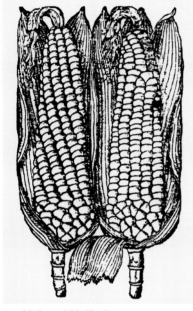

67 Maïs ou blé d'Inde.
D'où vient l'expression « blé d'Inde » ?

DES SÉDENTAIRES VIVANT D'AGRICULTURE

Avec le réchauffement progressif du climat, des plantes importées du Sud comme le maïs, la courge et la fève peuvent être cultivées. Au début, l'agriculture ne constitue pour les Iroquoiens qu'une activité complémentaire à la chasse. Avec le temps, les femmes, qui s'occupent des champs cultivés, réussissent à augmenter les réserves de maïs. Comme la nourriture est de plus en plus disponible, la saison de chasse d'hiver peut être retardée. Vient enfin un moment où l'**agriculture** fournit jusqu'à 80 % de l'alimentation du groupe. On demeure alors de plus en plus sur place. Les tentes se transforment en maisons solides et permanentes. Ainsi naît le village, qui peut regrouper jusqu'à 2 000 personnes. Les Iroquoiens sont devenus une société de **sédentaires** à **forte densité de population**.

Environ 100 000 Iroquoiens habitent les **basses-terres du Saint-Laurent et des Grands Lacs** et l'État de New York au 15e siècle. Ils fabriquent des objets qui illustrent bien leur mode de vie sédentaire. Des vases en terre cuite servent à transporter de l'eau, à faire bouillir les aliments et à conserver les grains. De nombreux outils leur permettent de cultiver la terre. De grands vases en bois et des pilons sont utilisés pour transformer les grains en farine avec laquelle on fait du pain.

L'herbe à Nicot

Quelle surprise pour un Européen comme Jacques Cartier de voir de la fumée « sortir par la bouche et les narines » d'un Amérindien « comme par un tuyau de cheminée » ! L'habitude du tabagisme se propagea chez les Blancs, puis chez tous les peuples de la Terre.

En 1559, Jean Nicot envoya à la cour du roi Henri II une plante pour guérir la reine de ses migraines. Par la suite, le tabac, ou « herbe à Nicot », est mentionné dans un livre intitulé *Trésor de santé*.

Aujourd'hui, les spécialistes croient que, loin de posséder des vertus médicinales, le tabac est plutôt une des causes importantes de mortalité dans le monde.

Sédentaire

LA SOCIÉTÉ IROQUOIENNE

68   Les mariages chez les Iroquoiens.

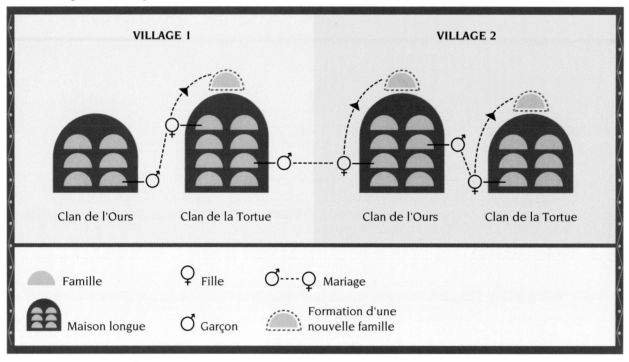

17 *a*) Observe attentivement le document 68 et complète le texte à l'aide
        des éléments suivants.

> maison longue – une jeune fille – le jeune homme – clans différents – sa mère –
> un autre village – ses soeurs – même clan – un village

Quand __*a*__ se marie, elle continue de vivre dans la même __*b*__
avec __*c*__ et __*d*__. C'est __*e*__ qui vient habiter avec elle. Les mariages
ne sont autorisés qu'entre jeunes de __*f*__. S'il n'y a pas assez de
candidates dans __*g*__, les garçons fréquentent les filles d' __*h*__.
D'un village à l'autre, on peut retrouver des familles appartenant
au __*i*__.

b) Qui joue le rôle le plus important dans la maison longue, l'homme
      ou la femme? Quel est ce rôle?

c) Qui joue le rôle le plus important à l'extérieur de la maison longue,
      l'homme ou la femme? Quel est ce rôle?

UNE SOCIÉTÉ MATRIARCALE

En plus de s'occuper des enfants et d'entretenir la maison, les femmes jouent un rôle économique important: elles s'occupent de la culture des champs. Contrairement aux hommes, qui vont à la chasse ou à la guerre, elles demeurent sur place et en viennent ainsi à assumer une grande part des responsabilités dans le village. Bien que ce soient des hommes qui composent le conseil du village, ces hommes sont choisis par les mères de clans. Celles-ci peuvent les destituer si elles les jugent inaptes à remplir leur fonction. À cause de la grande importance des femmes chez les Iroquoiens, on dit que ces peuples vivent dans une **société matriarcale**.

Société matriarcale

Le matriarcat se manifeste d'abord dans la maison longue. Toutes les femmes de cette maison sont issues de la même mère ou de la même grand-mère. Par contre, tous les hommes, sauf les garçons encore célibataires, y sont considérés comme des étrangers. Les enfants sont d'abord les enfants de la mère avant d'être ceux du père. Leurs oncles maternels ont une très grande responsabilité envers eux parce qu'ils partagent le même sang que leur mère.

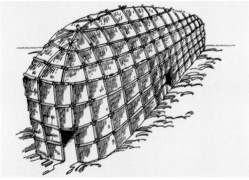

69 L'organisation sociale chez les Iroquoiens.

Quelles sont les différences entre l'organisation sociale des Algonquiens et celle des Iroquoiens? (Voir le document 64, page 35)

70 Maison longue amérindienne.

Un tel type d'habitation serait-il concevable chez des nomades? Pourquoi?

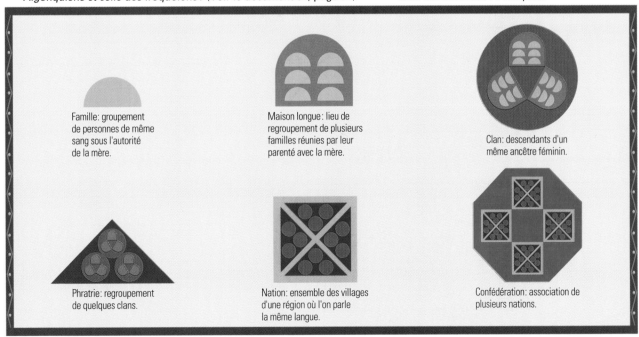

Famille: groupement de personnes de même sang sous l'autorité de la mère.

Maison longue: lieu de regroupement de plusieurs familles réunies par leur parenté avec la mère.

Clan: descendants d'un même ancêtre féminin.

Phratrie: regroupement de quelques clans.

Nation: ensemble des villages d'une région où l'on parle la même langue.

Confédération: association de plusieurs nations.

LES GUERRES D'EXTERMINATION

Les guerres d'extermination

Pendant longtemps, on a cru que l'arrivée des Blancs avait seule provoqué les guerres d'extermination entre Amérindiens. Le commerce des fourrures avec les Blancs aurait amené les Amérindiens à vouloir éliminer les tribus concurrentes parce qu'ils voulaient être les seuls à avoir accès aux produits européens.

Depuis quelques années, des historiens soutiennent que les « grandes guerres » entre Amérindiens existaient avant l'arrivée des Blancs. Quand l'agriculture (occupation féminine) a progressivement remplacé la chasse (occupation masculine), les jeunes hommes auraient cherché à se valoriser dans des expéditions guerrières. Ces raids se seraient multipliés et auraient dégénéré en guerres d'extermination.

71

18 *a*) Le document 71 met en parallèle deux explications de l'origine des guerres d'extermination.

Résume en une phrase l'essentiel de chacune de ces hypothèses.

b) Propose une explication qui tienne compte des deux interprétations.

c) Dans le deuxième texte, on établit un lien entre le goût de la guerre et le développement de l'agriculture.

Lequel de ces deux éléments est la cause de l'autre?

d) Selon toi, pourquoi les historiens s'entendent-ils sur le fait que les guerres d'extermination ont existé mais ne s'entendent-ils pas sur les causes de ces guerres?

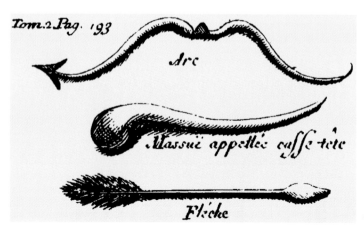

19 *a*) Quelle arme nouvelle les Européens ont-ils introduite chez les Amérindiens?

b) Quel impact aura l'usage de cette arme sur la chasse? sur la guerre?

72 Armes iroquoiennes.

GUERRE ET NÉGOCIATION

Les Iroquoiens s'adonnaient fréquemment à la guerre. Aujourd'hui, on croit que ce goût de la guerre venait du besoin qu'avaient les hommes, spécialement les jeunes gens, de prouver leur courage et leur vaillance.

Chez les Iroquoiens, il y a des chefs de guerre et des chefs de paix.

Les chefs de guerre, ou chefs militaires, dirigent les expéditions guerrières et décident du sort des prisonniers. Ceux-ci sont souvent torturés, ce qui leur permet de démontrer leur contrôle et leur mépris de la douleur. Ils suscitent ainsi l'admiration et l'estime de leurs tortionnaires, qui se souviennent parfois d'eux longtemps après leur mort.

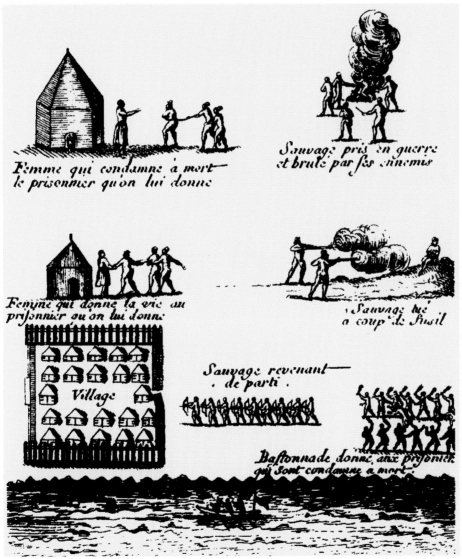

Femme qui condamne à mort le prisonnier qu'on lui donne

Sauvage pris en guerre et brulé par ses ennemis

Femme qui donne la vie au prisonnier ou on lui donne

Sauvage tué a coup de fusil

Village

Sauvage revenant de parti

Bastonnade donne aux prisonnier qui sont condamne a mort

73 Scènes de guerre.
D'après ce document, un prisonnier était-il nécessairement voué à la mort?
Ce document date-t-il d'avant ou d'après l'arrivée des Blancs? Pourquoi?

ENTENTES ET ALLIANCES

20 *a)* Selon le document 75, quelle est la caractéristique essentielle d'une confédération?

b) Crois-tu que les décisions d'une nation iroquoise entraînent nécessairement l'adhésion de toutes les autres nations iroquoises? Pourquoi?

c) Au Canada, nous vivons dans une confédération.

D'après toi, est-ce une véritable confédération? Donne un exemple pour illustrer ta réponse.

74 Réunion du Conseil des Iroquois en 1535, à Montréal.

La naissance d'une confédération

Selon une légende iroquoise, un enfant naquit un jour d'une mère vierge. Parvenu à l'âge adulte, il reçut du Grand Esprit la mission d'aller transmettre «la bonne nouvelle de paix et de justice». Il se rendit alors chez chacune des cinq nations iroquoises et les incita à former une grande union, une association de nations souveraines, soumise à une autorité civile appuyée par une force militaire. Ce fut la naissance de la Confédération iroquoise, dont la constitution (loi de base) serait inscrite dans la Grande Loi révélée par le «Messager céleste» au pied de l'arbre de la Paix, qui se trouve sur le site de l'Université de Syracuse, aux États-Unis. Il y serait dit que, si un jour un danger extrême menaçait la Confédération, il faudrait crier le nom du Messager céleste et qu'alors, celui-ci viendrait à son secours.

75

Les chefs de paix, ou chefs civils, règlent les disputes à l'intérieur du village, organisent les rituels et les cérémonies et négocient des ententes avec les autres groupes.

Des traités de paix et de commerce se font entre les différentes tribus. Celles-ci délèguent des ambassadeurs pour les représenter lors de conférences où les plus « beaux parleurs » s'expriment longuement. Pour concrétiser leurs ententes, ils s'échangent des colliers de perles ou de porcelaine de différentes couleurs. Certains de ces objets, les wampums, sont aujourd'hui conservés précieusement puisqu'ils ont en quelque sorte valeur d'archives.

Wampum

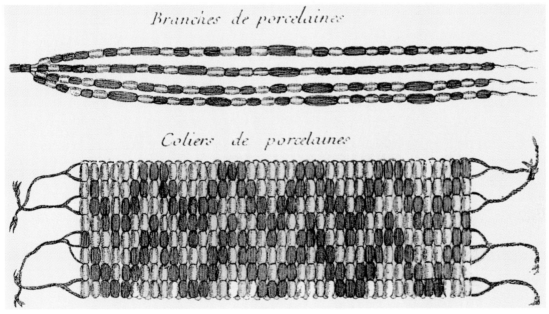

Branches de porcelaines

Coliers de porcelaines

76 Wampums.
À quoi servaient les wampums ?

Pour des raisons économiques ou militaires, il arrive que des villages ou des groupes de villages décident de faire des alliances. La plus connue de ces associations est la Confédération iroquoise, qui existe encore aujourd'hui. Les représentants de cinq nations, les 50 sachems, forment le Conseil de la Confédération. Cependant, les décisions qui y sont prises n'engagent pas les nations-membres. Chacune demeure libre de ses décisions et peut se dissocier en tout temps de ses nations-sœurs. Il s'agit donc d'une véritable confédération, c'est-à-dire d'une association de nations indépendantes.

Confédération

ALGONQUIENS ET IROQUOIENS

21 Quel document représente une scène de la vie des Algonquiens?
des Iroquoiens?

77   Un campement amérindien au bord de l'eau.

22 À l'aide des documents 77 et 78, remplis un tableau
semblable au suivant.

LES SOCIÉTÉS AMÉRINDIENNES		
	Société algonquienne	Société iroquoienne
Territoire Population Économie Mode de vie Objets techniques Type de société Politique Culture		

78   Le site Mandeville à Tracy, près de Sorel,
au 16e siècle.

DEUX SOCIÉTÉS DISTINCTES

Toute société est basée sur des composantes géographiques et démographiques, c'est-à-dire sur des lieux et sur la population qui y vit. De plus, le mode de vie d'une population et les objets qu'elle fabrique nous renseignent sur cette société. À ces composantes s'ajoutent des facteurs économiques, politiques, sociaux et culturels.

Les Algonquiens et les Iroquoiens vivent dans des sociétés très différentes l'une de l'autre. Le fait de s'adonner à la chasse et à la pêche ou à l'agriculture pour se nourrir influence tous les aspects de leur vie quotidienne.

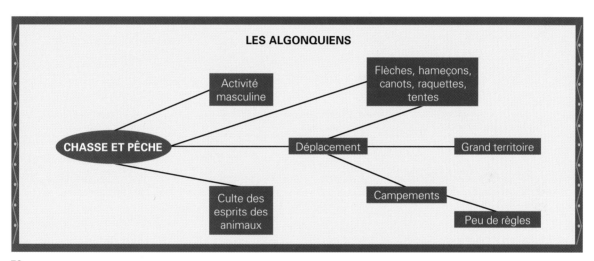

79

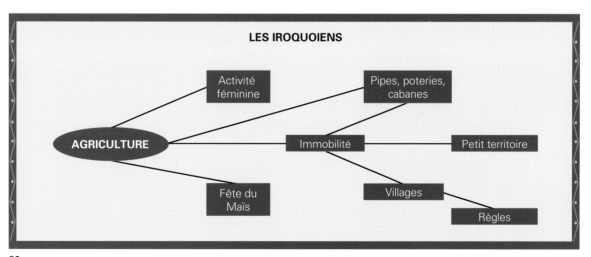

80

LA RELIGION CHEZ LES AMÉRINDIENS

LA TENTE TREMBLANTE : UNE CÉRÉMONIE RITUELLE

La tente tremblante

On fabrique la tente avec des matériaux de bois et de peau déterminés. Sinon, la cérémonie ne peut avoir lieu.

1° Après le coucher du soleil, le chaman, qui communique avec les esprits, s'approche de la tente et en fait trois fois le tour.

2° Il y pénètre ensuite par le côté du soleil levant. À l'intérieur se trouve une «colonne de vide» qui creuse indéfiniment vers le bas comme un puits et s'élève indéfiniment vers le haut comme une cheminée. Le chaman se trouve donc au centre de l'univers et peut communiquer avec tous les êtres vivants, proches ou lointains.

3° Le chaman se met à chanter et à pivoter sur lui-même.

4° L'esprit ou les esprits entrent alors dans la tente et demandent pourquoi on les y a fait venir.

5° La tente se met soudainement à trembler «si fortement et avec de telles violences» *(père Le Jeune)* qu'il est pratiquement impossible qu'un homme seul soit capable de la faire bouger à ce point.

6° À l'extérieur, «tout le peuple est autour de la cabane assis sur leur cul comme des singes» *(Champlain)*. Ces spectateurs constatent que les esprits se manifestent réellement, puisqu'ils entendent toutes sortes de bruits insolites (tonnerre, eau, etc.).

81

23 *a)* Dans une cérémonie rituelle, il y a habituellement un officiant et des fidèles.

Dans la cérémonie de la tente tremblante, qui est l'officiant ? qui sont les fidèles ?

b) Que penses-tu de la remarque du père Le Jeune ? de celle de Champlain ?

24 Crois-tu qu'il est facile de comprendre les croyances d'une autre société que la nôtre ? Pourquoi ?

Rêve, fétiche et chaman

Le contact permanent avec la nature fait partie intégrante de la vie des Amérindiens. La source de leur religion est la **nature** et ils cherchent à comprendre les phénomènes naturels. Ils doivent aussi s'attirer les bonnes grâces de leur environnement pour assurer leur survie.

Le monde des esprits

Les autochtones croient que le monde terrestre est le reflet du monde des **esprits**. Pour eux, toutes les réalités de notre monde ont leurs semblables dans l'autre monde. Il y a donc un esprit du vent, un esprit de l'eau, un esprit de l'ours, etc. Ils croient aussi au Grand Esprit, que certains appellent le Grand Manitou, et qui est le dieu créateur du monde.

Selon eux, il faut continuellement entrer en relation avec ces esprits parce que ceux-ci influencent tous les aspects de la vie, que ce soit la chasse, la santé ou le climat. La religion fait donc partie de la vie de tous les jours pour les autochtones.

Par exemple, pour que la chasse au caribou soit fructueuse, on invoque l'esprit du caribou. Une fois l'animal tué, le chasseur traite avec grand soin les os de l'animal par respect pour son esprit.

L'animal protecteur

À l'adolescence, chaque jeune homme fait un séjour prolongé dans le bois, seul, loin des siens. Jeûne, prière et purification doivent favoriser la rencontre avec son animal protecteur. Celui-ci le prend alors en pitié. Il peut se manifester à travers un véritable animal ou un rêve. Après être entré en contact avec son animal protecteur, le jeune homme porte sur lui un fétiche qui le représente et qui devient son porte-bonheur.

82 La tente tremblante, un lieu où on invoque les esprits.

As-tu une façon personnelle « d'invoquer les esprits » ?

LA RELIGION DES AMÉRINDIENS VUE PAR LES EUROPÉENS

83

 « Les Sauvages croient qu'un certain Atahocam aurait créé le monde. »

« Les Sauvages se persuadent que non seulement les hommes et les autres animaux, mais aussi que toutes les autres choses sont animées et que toutes les âmes sont immortelles. »

« Ils disent que tous les animaux de chaque espèce ont un frère aîné qui est comme l'origine de tous les individus [...] Si quelqu'un voit en dormant l'aîné ou le principe de quelques animaux, il fera une bonne chasse ; s'il voit l'aîné des castors, il prendra des castors. »

Père Le Jeune, missionnaire, 1634

25 Fais une comparaison entre les croyances des Amérindiens rapportées par le père Le Jeune et les croyances des chrétiens.

84

 « Ils ne reconnaissent aucune divinité et ne croient en aucun dieu ni chose quelconque, vivant comme des brutes [...] Il y a de certaines personnes entre eux qui font les Oqui ou Manitous, lesquels se mêlent de guérir les malades, panser les blessés et prédire les choses futures. »

Champlain, explorateur, 1616

26 *a*) Qui sont ces « Oqui ou Manitous » dont parle Champlain ?

b) Selon lui, quels sont les deux rôles que leur attribuent les Amérindiens ?

c) Est-ce qu'il porte un jugement sur ce qu'il voit ou est-ce qu'il le décrit ? Justifie ta réponse.

85

 « Ils croient en l'immortalité des âmes et disent qu'ils vont se rejoindre en d'autres pays, avec leurs parents et amis qui sont morts. »

Champlain, explorateur, 1616

27 *a*) Le paradis existe-t-il chez les Amérindiens ?

b) Est-il semblable au ciel des chrétiens ?

c) La conception de la vie après la mort des Amérindiens ressemble-t-elle à celle des Égyptiens de l'Antiquité ? De quelle façon ?

LE SPÉCIALISTE DES ESPRITS

Dans les sociétés autochtones, le chaman occupe une place très importante. Il est le spécialiste des communications avec l'au-delà, l'intermédiaire entre les deux mondes, puisqu'il est considéré comme «plus qu'humain» et «moins qu'esprit». Il arrive même qu'il puisse visiter l'autre monde en rêve ou dans des moments de transe. Grâce à un rituel, il peut aussi voir à distance et prévoir l'avenir.

Chaman

Pour les autochtones, il existe deux sortes de maladies. Certaines ont des causes naturelles. Elles appellent une guérison physique que l'on peut obtenir en utilisant des médicaments faits à partir de plantes. D'autres, par contre, sont introduites dans la personne par un sorcier. Il faut alors faire intervenir le chaman, qui tâchera d'extirper du corps le mauvais esprit. Le chaman est donc aussi un guérisseur.

LA VIE APRÈS LA MORT

Les autochtones croient qu'après la mort, la vie continue dans un autre monde situé à l'ouest. On y retrouve ses parents et amis et la vie y est douce et agréable.

RELIGION AUTOCHTONE ET CHRISTIANISME

Les traditions religieuses sont au coeur des cultures amérindiennes. Quand les Européens entreront en contact avec les autochtones, ils voudront les convertir à la religion des Blancs. Pour les christianiser, ils chercheront à leur faire abandonner leurs croyances, et ce faisant, s'attaqueront aux fondements de leur société.

86 La grande fête des Morts chez les Iroquois et les Hurons.

Timeline (left scale)

1534 PREMIER VOYAGE DE CARTIER AU CANADA

1492 PREMIER VOYAGE DE COLOMB EN AMÉRIQUE

1350 CULTURE DE LA COURGE ET DE LA FÈVE

500 CULTURE DU MAÏS

1000 AV. J.-C. PREMIERS OBJETS DE POTERIE

1500 AV. J.-C. ARRIVÉE DES INUITS AU QUÉBEC

8000 AV. J.-C. ARRIVÉE DES INUITS EN AMÉRIQUE ARRIVÉE DES AMÉRINDIENS AU QUÉBEC

13 000 AV. J.-C. ARRIVÉE DES AMÉRINDIENS AUX ÉTATS-UNIS

18 000 AV. J.-C. ARRIVÉE DE CHASSEURS SIBÉRIENS (PREMIERS AMÉRINDIENS) EN AMÉRIQUE PAR LA BÉRINGIE

LE POINT

1 Dans l'échelle de temps de gauche, tu peux voir que les premières personnes venues en Amérique du Nord sont passées par la Béringie. Que désigne le mot « Béringie » ?

2 Quel terme désigne tous les premiers habitants du Québec ?

3 La fabrication de la poterie et la culture du maïs, de la courge et de la fève sont apparues progressivement au Québec.
À quelle société – algonquienne, iroquoienne, inuite – sont liées ces activités ?

4 *a)* Combien de siècles séparent l'arrivée des Amérindiens de l'arrivée de Colomb en Amérique ? l'arrivée des Amérindiens de l'arrivée de Cartier au Québec ?

b) À quelle réflexion t'amènent ces constatations en ce qui concerne la « découverte » de l'Amérique ?

c) La connaissance de cette période de l'histoire te permet-elle de mieux comprendre ce que l'on appelle aujourd'hui la « question autochtone » ? Justifie ta réponse.

5 Sur une carte semblable au document 87, trace les limites du territoire occupé par chacun des trois groupes autochtones de l'Est du Canada.

87

88   Scènes de la vie quotidienne chez les Amérindiens.   89

6 Les documents 88 et 89 représentent des scènes de la vie quotidienne chez les Amérindiens.

a) Lequel représente des Algonquiens?

b) Lequel représente des Iroquoiens?

c) Dresse un tableau semblable au suivant dans lequel tu indiqueras ce qui distingue les Algonquiens des Iroquoiens dans différents domaines.

	Algonquiens	Iroquoiens
Territoire Population Économie Mode de vie Objets techniques Type de société Politique Culture		

7 La femme représentée dans le document 90 est-elle algonquienne ou iroquoienne? Pourquoi?

90   Femme utilisant un mortier et un pilon pour réduire des grains de maïs en farine.

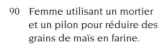

1 Les **peuples autochtones** de l'Amérique ont une origine asiatique. Leurs ancêtres sont passés de la Sibérie à l'Alaska en empruntant un passage appelé la Béringie.

91

ARRIVÉE DES PREMIERS HABITANTS		
Peuples	**Amérique**	**Québec**
Amérindiens	20 000 ans	10 000 ans
Inuits	10 000 ans	3 500 ans

2 L'**archéologie** est la science qui étudie les vestiges laissés par les humains. Elle nous permet notamment de comprendre le mode de vie des premiers autochtones.

3 Dans l'Est du Canada vivaient des Amérindiens que l'on divise en deux grands groupes linguistiques : la **famille algonquienne** et la **famille iroquoienne**.

92

LES DEUX GROUPES AMÉRINDIENS DE L'EST DU CANADA		
	Algonquiens	**Iroquoiens**
Territoire	Majeure partie du Québec	Basses-terres du Saint-Laurent et des Grands Lacs
Population	Faible densité de population	Forte densité de population
Économie	Chasse, pêche, cueillette	Agriculture
Mode de vie	Nomadisme	Sédentarité
Objets techniques	Tentes, canots, raquettes	Poterie, outils agricoles, armes
Type de société	Patriarcat	Matriarcat
Politique	Peu d'autorité, de chefs, de règles	Conseils de guerre et de paix
Culture	Croyance aux esprits Culte de l'ours	Croyance aux esprits Fête du Maïs Fête des Morts

4 Pour les autochtones, toutes les réalités terrestres ont une âme. Dans l'autre monde existent les **esprits** qu'il leur faut se concilier parce qu'ils influencent le monde. C'est pourquoi les autochtones accordent une grande importance :

• aux rêves, qui leur font voir les esprits ;

• aux animaux protecteurs, qui veillent sur eux ;

• aux chamans, qui sont les intermédiaires entre le monde terrestre et l'au-delà.

93 Chaman dansant pour guérir un malade.

POUR LA SUITE DE L'HISTOIRE...

Au 16e siècle, des Européens débarquent en Amérique du Nord. Ce territoire est déjà occupé par les autochtones. Les premiers contacts entre ces deux groupes provoquent autant d'étonnement chez les uns que chez les autres. Deux mondes très différents se rencontrent...

LE RÉGIME FRANÇAIS

MODULE **1**

L'EMPIRE FRANÇAIS D'AMÉRIQUE

Fondements de l'Empire français d'Amérique.

L'EXPLORATION FRANÇAISE EN AMÉRIQUE

1.1 Conditions de l'exploration française en Amérique.

LES EUROPÉENS AU NOUVEAU MONDE

Deux anniversaires

En 1984, de nombreuses manifestations soulignaient le 450ᵉ anniversaire de l'arrivée de Jacques Cartier au Canada.

En 1992, on célébrait le 500ᵉ anniversaire de l'arrivée de Christophe Colomb en Amérique.

1.1

1 *a*) En quelle année Jacques Cartier a-t-il fait son premier voyage au Canada?

    b) Crois-tu que le 450ᵉ anniversaire de l'arrivée de Cartier soit célébré chez les anglophones du Québec? Pourquoi?

2 *a*) En quelle année Christophe Colomb a-t-il fait son premier voyage en Amérique?

    b) L'arrivée de Colomb a-t-elle été un événement heureux ou malheureux? Justifie ta réponse.

3 *a*) Dans le document 1.2, sur quelle partie de l'Amérique peux-tu voir le mot «America»?

    b) Pourquoi ce mot ne désigne-t-il que cette partie de l'Amérique?

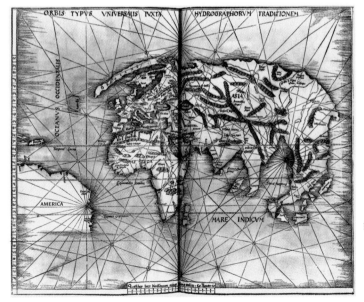

1.2 Carte du monde dessinée par Martin Waltzemüller en 1507. C'est la première fois que le mot «Amérique» apparaît sur une carte géographique.

| PÉRIODE AUTOCHTONE | PÉRIODE DU RÉGIME FRANÇAIS | PÉRIODE DU RÉGIME BRITANNIQUE | PÉRIODE CONTEMPORAINE |

GRANDES EXPLORATIONS

1492   1534

PANORAMA

1.3 Jacques Cartier plante une croix à Gaspé.

À la fin du 15ᵉ siècle, des Européens entreprennent la traversée de l'Atlantique pour trouver un passage vers l'Asie. De tous les pays qui partent en quête de ce passage, c'est la France qui aura le plus d'importance pour nous. La croix plantée par Jacques Cartier à Gaspé en 1534 a été, en quelque sorte, l'acte de naissance de la Nouvelle-France.

- *Quelles raisons ont poussé ces explorateurs à tenter la grande aventure que constitue la traversée de l'Atlantique ?*
- *Qu'ont-ils trouvé au-delà de l'Atlantique ?*
- *Quels ont été les résultats des voyages de l'un d'eux, Jacques Cartier ?*

LES GRANDES EXPLORATIONS

1.1.1 Expansion européenne en Amérique.

L'HISTOIRE DU CANADA D'AUTREFOIS

Dans la plupart des anciens manuels d'histoire du Canada, on racontait qu'à l'arrivée de Christophe Colomb et de Jacques Cartier, l'Amérique était déjà habitée par les «Sauvages». Pourtant on présentait ces explorateurs comme les découvreurs de l'Amérique et du Canada.

1.4 Portrait anonyme de Christophe Colomb datant du 16e siècle.

1.5 Portrait de Jacques Cartier tel qu'imaginé par le peintre québécois Théophile Hamel.

4 Si on te demandait aujourd'hui qui a découvert l'Amérique et le Canada, que répondrais-tu?

5 Pose cette question à des personnes de ton entourage et compare leur réponse à la tienne.

L'EUROPE DE LA RENAISSANCE

Au cours de la seconde moitié du 15e siècle, un vaste mouvement de transformation culturelle se répand en Europe : la Renaissance. De nouvelles interrogations sur l'univers et de nouvelles techniques font leur apparition pendant cette période de transition entre le Moyen Âge et les Temps modernes.

Renaissance

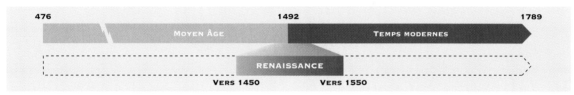

1.6 La Renaissance, une époque de transition.

LA SOIF DE SAVOIR

À cette époque, certains Européens sont possédés d'une telle **soif de connaissance** qu'ils deviennent de véritables touche-à-tout. Le modèle de ces êtres polyvalents est sans doute Léonard de Vinci, artiste, philosophe, inventeur et savant. Ce type d'homme nouveau croit que le monde est intelligible et qu'il faut le questionner pour trouver les réponses à nos interrogations.

Comme Léonard de Vinci, Christophe Colomb est un homme de la Renaissance. Il est convaincu que la Terre est ronde et qu'on peut donc atteindre l'Est en passant par l'Ouest. Alors qu'ils ont pour objectif la recherche d'une route vers l'Asie, ses voyages aboutiront à une « erreur géniale » : la découverte de l'existence d'un nouveau continent, l'Amérique.

A-T-ON PERDU LE NORD ?

1.7 Carte de
l'Amérique du
Nord dessinée par
Pierre Desceliers
en 1546.

6 *a*) Observe attentivement le document 1.7.

Que remarques-tu quant à la position de la Floride et du Labrador ?

b) Compare la côte est avec la côte ouest. Que remarques-tu ?

Aujourd'hui, quand ton enseignant ou ton enseignante te demande de situer le nord sur une carte géographique, tu désignes spontanément le haut de la carte.

Mais le nord n'a pas toujours été placé dans le haut des cartes. Au 11e siècle, en Europe, c'est l'est qui occupait cet espace tandis que dans le monde arabe, on y plaçait le sud.

Finalement, avec l'apparition de la boussole, les cartographes s'entendent pour placer le nord dans le haut des cartes géographiques.

DE NOUVELLES TECHNIQUES

La Renaissance est une période d'**innovations**, dont certaines auront des conséquences très importantes. Dans le domaine de la navigation, on réalise des progrès impressionnants. Les navires à voiles sont de plus en plus adaptés à la navigation en haute mer. La galère, utilisée en Méditerranée, cède la place au galion, à la nef et à la caraque dans l'Atlantique. Ces bateaux à grande voilure présentent des avantages certains, mais c'est surtout la caravelle qui permettra les

1.8 Réplique de la *Grande Hermine*, un des bateaux de Jacques Cartier.
De combien d'hommes était constitué l'équipage d'un tel bateau ?

voyages d'exploration dans l'Atlantique. Ce navire, minuscule par rapport à nos transatlantiques, glissait sur l'eau et « montait bien au vent ».

Mais ce n'est pas tout d'avoir un bon bateau, encore faut-il être capable de bien s'orienter quand on s'éloigne des rivages. La navigation « à l'estime » comporte beaucoup d'approximations. De nouveaux instruments, parmi lesquels l'astrolabe, le quadrant et le bâton de Jacob, permettent aux navigateurs d'observer la position du Soleil et donc, de situer avec précision leur position sur la carte. C'est le début de la navigation scientifique.

Grâce aux observations rapportées de voyages en mer, la cartographie se développe : on définit les côtes avec plus de précision, on localise des îles. Bien que théoriquement secrètes, ces informations sont véhiculées par les corsaires qui volent les cartes et les souverains qui corrompent les navigateurs. C'est ainsi qu'au début du 16e siècle, la route pour Terre-Neuve est connue et empruntée par des centaines de navires de pêche.

1.9 Utilisation du bâton de Jacob, instrument qui servait à calculer la latitude.

LE MONDE VU PAR LES EUROPÉENS

TERRES NOUVELLES

1.10   Le monde selon les Européens du 15e siècle.

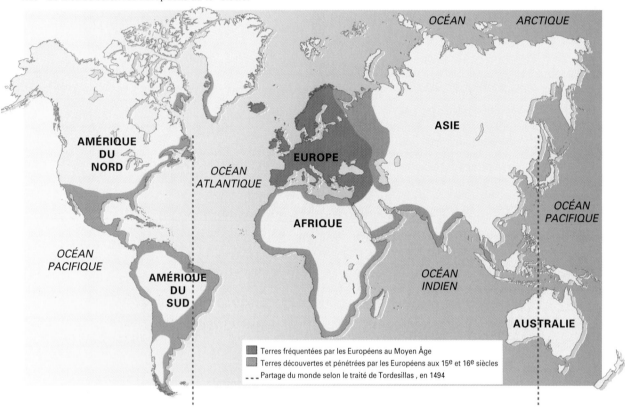

7 Selon le traité de Tordesillas, à qui appartiennent les « terres nouvelles » situées entre les deux lignes pointillées du document 1.10?

POLITIQUE ET RELIGION

En octobre 1533, le roi de France, François 1er, rencontre le pape Clément
VII à Marseille pour lui faire part de son intention d'envoyer des expéditions en Amérique. Pour obtenir son appui, il lui offre de marier son fils à
sa nièce. Satisfait, Clément VII déclare que la bulle (lettre du pape) *Inter
Cætera*, qui partage les nouvelles terres entre Espagnols et Portugais,
ne concerne que les terres découvertes en 1493.

8 *a)* De nos jours, est-ce qu'on consulte le pape pour établir les frontières
des pays?

   b) Pourquoi le faisait-on à l'époque?

Des gens très chrétiens

À l'époque de la Renaissance, l'Europe est un continent chrétien. La religion imprègne la vie de tous les jours : on assiste fidèlement aux cérémonies et on connaît par coeur la vie des saints. Quand Cartier entre dans notre grand fleuve, le 10 août 1535, il le nomme « fleuve Saint-Laurent », car le 10 août est le jour anniversaire du saint du même nom.

Les Européens croient en Dieu et au ciel. Ils ont une grande volonté de convertir tous les peuples au christianisme. Lors des voyages d'exploration, ils s'efforcent d'**évangéliser** les indigènes, que ceux-ci se montrent favorables ou hostiles à la « bonne nouvelle ».

Le pape représente Dieu sur la Terre. En plus d'être l'autorité suprême dans le domaine religieux, il exerce à cette époque une autorité politique. C'est à lui qu'on demande de décider à qui appartiennent les terres nouvelles. En 1493, dans la bulle *Inter Cœtera*, le pape Alexandre VI trace sur une carte une ligne allant du nord au sud. Il divise ainsi le Nouveau Monde en deux parties : les terres neuves de l'ouest appartiendront à l'Espagne et celles de l'est, au Portugal. L'année suivante, à la suite de négociations entre ces deux pays, le traité de Tordesillas situe plus à l'ouest la ligne de partage, attribuant le territoire du Brésil au Portugal. Plus tard, la France et l'Angleterre, exclues de ces ententes, revendiqueront leur part des territoires « découverts et à découvrir ».

1.11 Femme inca se confessant à un prêtre espagnol.
D'après toi, quel type de relation y a-t-il entre ces deux personnages ?

Christianisme et évangélisation

Jésus meurt en l'an 33 de notre ère. Ses disciples le considéraient comme un messie, un sauveur. En grec, « messie » se dit « khristos ». C'est de là que vient le mot « Christ », qui a donné les mots « christianisme » et « chrétien ».

Certains disciples du Christ ont écrit des textes sur sa vie et sa doctrine : les Évangiles. On y apprend entre autres que Jésus a demandé à ses disciples de répandre la « bonne nouvelle » chez tous les peuples de la Terre. Le mot « évangélisation » désigne la conversion des non-croyants au christianisme.

LE COMMERCE AVEC L'ASIE

DES PRODUITS RECHERCHÉS

À la fin du Moyen Âge, les produits asiatiques parviennent difficilement en Europe. Quelques pays veulent donc découvrir une nouvelle route qui leur permette d'aller chercher ces produits en Asie.

1.12   Les routes de la soie au 15ᵉ siècle.

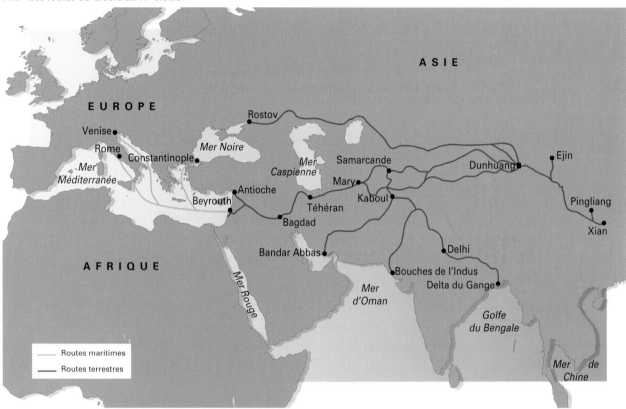

9 *a*) Au Moyen Âge, quelle mer sert de lien entre l'Asie et l'Europe ?

   b) Quel pays européen sert de porte d'entrée aux produits asiatiques ?

10 *a*) En 1453, les Turcs s'emparent de Constantinople et se mettent alors à contrôler le trafic méditerranéen.

   Que risque-t-il d'arriver aux produits asiatiques consommés en Europe ?

   b) Quelle solution permettrait d'assurer le commerce de ces produits en Europe ?

   c) Quel pays européen servirait alors de porte d'entrée à ces produits ?

DES NATIONS RIVALES

Au cours de la Renaissance, l'Europe se transforme en profondeur sur le plan politique. Les nations s'affirment, ce qui provoque des affrontements et des guerres. Même en temps de paix, chaque pays cherche à accroître son prestige et sa puissance. La découverte et la possession de nouveaux territoires deviennent des éléments de **puissance politique**.

1.13 Caravane de marchands en route vers le Cathay. *Quels inconvénients pouvait amener un tel moyen de transport?*

DE LA SOIE, DE L'OR ET DES ÉPICES

À cette époque, les **produits d'Orient** sont connus en Europe depuis plusieurs siècles. Les soieries, les pierres précieuses et les épices font le bonheur des gens riches. Mais la route est longue entre producteurs et consommateurs. Une partie de cette route emprunte une voie terrestre et l'autre, une voie maritime. La mer Méditerranée sert de point de jonction entre l'Orient et l'Occident.

Constantinople, plaque tournante du commerce, tombe aux mains des Turcs en 1453. Les produits exotiques circulent de plus en plus difficilement et leurs prix augmentent. Le seul moyen d'éviter les Turcs est de trouver une **nouvelle route vers l'Asie**. Les Européens se lancent alors à la recherche de cette route en passant par l'Ouest. Ils veulent atteindre le Cathay, en Chine, le Cipangu, au Japon, et Calicut, aux Indes, directement par la mer. De plus, ils espèrent rapporter des métaux précieux de ces régions, car la production européenne d'or et d'argent est insuffisante.

Épices, épiciers, épiceries

Au Moyen Âge, les épices étaient utilisées dans les domaines de l'alimentation et de la pharmacie. À cause de leur rareté, elles étaient très chères; seuls les gens riches pouvaient s'offrir du poivre, de la cannelle ou du gingembre. Les marchands d'épices, les épiciers, faisaient donc fortune. Les magasins où on pouvait se procurer des épices s'appelaient «épiceries».

LA BONNE DIRECTION

1.14 Les grandes explorations de la Renaissance.

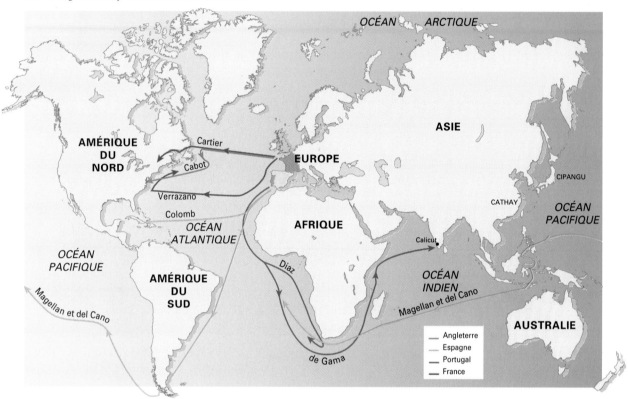

11 Observe le document 1.14 et associe chaque pays explorateur à la direction prise pour atteindre l'Asie et à la région atteinte.

Angleterre	Nord-ouest	Amérique du Nord
Espagne	Sud-ouest	Amérique du Sud
France	Sud-est	Afrique
Portugal		

LES LANGUES EUROPÉENNES EN AMÉRIQUE

12 Aujourd'hui, à cause des grandes explorations, quatre langues européennes sont parlées en Amérique.

Associe chaque langue à la région de l'Amérique où on la parle.

Anglais	Le Québec
Espagnol	La plus grande partie de l'Amérique du Nord
Français	Le Brésil
Portugais	La plus grande partie de l'Amérique du Sud

LA COURSE VERS L'ASIE

Quatre pays européens s'affrontent dans la course vers l'Asie:
le Portugal, l'Espagne, l'Angleterre et la France.

LE PORTUGAL

De tous les pays d'Europe, le Portugal est le plus avantagé dans
la quête d'une nouvelle route maritime vers l'Asie. Ce pays jouit
d'une situation géographique exceptionnelle et d'une tradition
maritime vieille de plusieurs siècles. Pour atteindre l'Orient, les
navigateurs devront poursuivre la route maritime déjà connue
vers le sud de l'Afrique. Barthélemy Diaz atteint le cap de Bonne-
Espérance en 1487. Dix ans plus tard, Vasco de Gama réussit à
atteindre Calicut, aux Indes. Du coup, les épices deviennent
accessibles et le prix du poivre
chute sur les marchés
européens.

L'ESPAGNE

L'Espagne a l'avantage de pouvoir compter dans ses rangs
Christophe Colomb. Celui-ci croit
que la Terre est ronde et qu'elle
a une toute petite circonférence.
Selon ses calculs, seulement
4 000 kilomètres séparent les îles
Canaries du Japon alors qu'en
fait, la distance séparant ces
deux régions est de 17 660 kilomètres. Pour lui, un voyage « plein
ouest » à travers l'Atlantique permettrait d'accoster en Asie. En 1492, il
atteint San Salvador, aux Bahamas, et
Hispaniola, en Haïti. Il se croit parvenu
aux Indes et appelle les habitants de
ces îles les « Indiens ».

1.15 Statuette sculptée par un Inuit du
13e siècle.
*L'homme représenté ressemble-t-il
à un Inuit ou à un Européen?*

Des Vikings en Amérique?

De très vieux récits scandinaves
racontent que des Vikings
seraient venus en Amérique vers
l'an mil. Sous la conduite de
Leif Eriksson, ils auraient suivi
l'itinéraire suivant: Norvège,
Islande, Groenland, Helluland
(terre de Baffin), Markland
(Labrador) et Vinland (sud du
golfe du Saint-Laurent). Ils seraient même descendus à terre
et auraient rencontré des Amérindiens. Leif Eriksson serait
donc le premier découvreur
européen du continent américain. Vrai ou faux?

Des recherches archéologiques
ont permis de mettre au jour des
vestiges d'occupation viking à
Terre-Neuve. On peut donc croire
que ces navigateurs sont réellement venus en Amérique bien
avant les autres Européens.

LES EXPLORATIONS

13 Que cherchent les explorateurs mentionnés dans le document 1.16?

14 *a*) Dresse une liste chronologique des voyages de ces explorateurs.

    b) Quel est le premier d'entre eux à arriver en Amérique?

    c) Combien d'années séparent le premier voyage de Vespucci du premier voyage de Colomb?

LES GRANDES EXPLORATIONS DE LA RENAISSANCE

Pays	Dates	Explorateurs	Résultats
Portugal	1487	Barthélemy Diaz	Atteint le sud de l'Afrique
	1497-1498	Vasco de Gama	Atteint les Indes en contournant le sud de l'Afrique
Espagne	1492	Christophe Colomb	Atteint l'Amérique (Antilles) en traversant l'Atlantique
	1499-1502	Amerigo Vespucci	Atteint la côte est de l'Amérique du Sud
	1519-1521	Fernand de Magellan et Sébastien del Cano	Font le tour du monde
Angleterre	1497-1498	Jean Cabot	Aurait atteint Terre-Neuve
France	1524	Giovanni da Verrazano	Atteint la côte est de l'Amérique du Nord
	1534-1536	Jacques Cartier	Atteint le Canada et se rend jusqu'à Hochelaga (Montréal)

1.16

15 *a*) Pourquoi dit-on «aurait atteint» en parlant de l'expédition de Jean Cabot?

    b) Beaucoup d'explorateurs importants sont d'origine italienne (Cristoforo Colombo, Giovanni Caboto).

       Comment expliques-tu que l'Italie ne figure pas au document 1.16?

16 *a*) De tous ces explorateurs, lequel a donné son nom à l'Amérique?

    b) Est-ce que tu trouves cela étonnant? Pourquoi?

Même après quatre voyages, Colomb ignore qu'il n'est pas vraiment parvenu aux Indes. Ses successeurs constatent cependant que cette terre n'est pas l'Asie tant convoitée. Aussi les Espagnols cherchent-ils toujours la nouvelle route vers le Cathay. Ils descendent de plus en plus vers le sud de l'Amérique du Sud.

C'est Fernand de Magellan qui entreprend le premier tour du monde. Son très long voyage (1519-1522) est rempli de péripéties et lui-même est tué aux Philippines avant d'avoir atteint son but. Un seul des cinq bateaux qui avaient pris le départ revient en Espagne, sous la direction de Sébastien del Cano.

L'ANGLETERRE

Comme Colomb, Jean Cabot est convaincu que l'origine de toutes les épices du monde se trouve au nord-est de l'Asie, non loin de l'Europe. En 1497, pour tenter d'atteindre ce point, il recrute dix-huit marins et part sur un petit navire en direction de l'Asie par le nord de l'Atlantique. Son itinéraire précis demeure inconnu. Pour certains historiens, il est le premier Européen à atteindre l'Amérique du Nord alors que d'autres nient l'existence de ce voyage qui l'aurait amené sur la côte est de l'Amérique du Nord.

LA FRANCE

Parce qu'elle est en guerre contre l'Italie, la France part bonne dernière dans cette course. De plus, même si des pêcheurs bretons et normands fréquentent les côtes de Terre-Neuve, dans les milieux officiels français, on manifeste peu d'intérêt pour le Nouveau Monde.

> ### « C'est comme l'oeuf de Colomb »
>
> Un jour, Christophe Colomb est invité à un banquet à la cour du roi d'Espagne. Quelques invités, méprisants, affirment que ses découvertes n'ont rien d'extraordinaire. Gardant son calme, Colomb prend alors un oeuf et leur demande s'ils sont capables de le faire tenir debout. Évidemment, personne ne peut réussir cet exploit. Colomb frappe légèrement l'oeuf sur la table, où celui-ci demeure en équilibre. Tous déclarent alors qu'il s'agit là d'une solution facile. « Certes, de répliquer Colomb, mais il fallait y penser… »

1.17 Coffre-fort dit de Nuremberg. Ce type de coffre contenait les instruments des navigateurs : compas, horloges, cartes marines, etc.

L'EXPLORATION FRANÇAISE

1.1.1 Expansion française en Amérique.

L'AMÉRIQUE EXPLORÉE PAR LA FRANCE

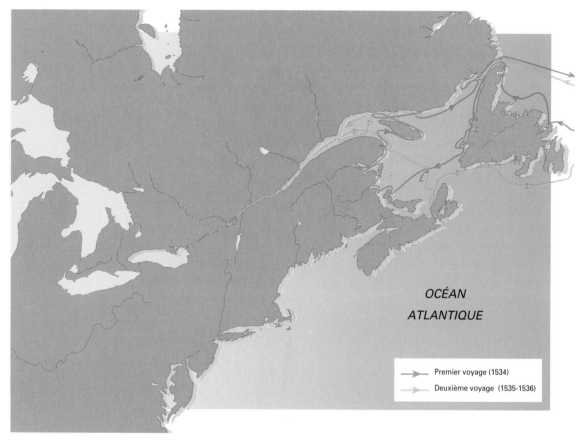

OCÉAN
ATLANTIQUE

→ Premier voyage (1534)
→ Deuxième voyage (1535-1536)

1.18   Les deux premiers voyages de Jacques Cartier.

17 Observe attentivement le document 1.18 et réponds aux questions suivantes.

Au cours de quel voyage Cartier a-t-il :

a) prouvé que Terre-Neuve était une île ?

b) passé l'hiver au Canada ?

c) planté une croix à Gaspé ?

d) atteint Hochelaga (Montréal) ?

18 Chacun de ces deux voyages a-t-il été important ? Pour quelle(s) raison(s) ?

A LE VOYAGE DE GIOVANNI DA VERRAZANO

C'est avec Giovanni da Verrazano que la France entre dans la course aux trésors. En 1524, celui-ci part avec 150 hommes et des vivres pour huit mois. Il cherche aussi un passage vers l'Asie par le nord de l'Atlantique. Il visite la côte est de l'Amérique du Nord et revient sans avoir trouvé ce passage.

B LES VOYAGES DE JACQUES CARTIER

À 14 ans, Jacques Cartier s'engage comme mousse et il est fort possible qu'il soit venu à quelques reprises près des côtes de Terre-Neuve à bord de navires de pêche. Peut-être même est-il allé sur la côte africaine et au Brésil. À 29 ans, il a tellement accumulé d'expérience de la navigation qu'il est « maître de nef », c'est-à-dire capitaine de bateau.

1534 : PREMIER VOYAGE

Quand François 1er nomme Cartier chef d'expédition, il lui fixe comme **objectif** de découvrir des territoires où il y aurait de « l'or et autres richesses ». De plus, il doit chercher le fameux passage vers les Indes. Même si la conversion des indigènes n'est pas l'un des objectifs de cette expédition, Cartier entend noter en cours de route si l'évangélisation de ces peuplades sera possible.

1.19 Portrait de Jacques Cartier publié en 1934.
Quel quadricentenaire célébrait-on cette année-là ?

Jacques Cartier et les Amérindiens

« Des peaulx sur des bastons »

À la vue des navires français, les Amérindiens agitent souvent des peaux de bêtes au bout de bâtons. Cartier note qu'ils approchent avec « des signes de joie » et semblent « vouloir notre amitié ».

19 Que signifient les gestes des Amérindiens ?

20 Que prouvent ces gestes quant aux contacts entre Amérindiens et Européens avant le premier voyage de Cartier ?

Une prise de possession du territoire

Quand Cartier fait ériger une croix à Gaspé, Donnacona, le chef amérindien, est furieux. Cartier note qu'il fait « une grande harangue, nous montrant ladite croix et [...] la terre tout à l'entour de nous comme s'il eut voulu dire que toute la terre était à lui et que nous ne devions pas planter ladite croix sans son congé [permission] ».

1.20 Érection de la croix à Gaspé.

21 Comment expliques-tu que Cartier se soit permis de faire ériger une croix sur un territoire où il venait tout juste d'arriver ?

22 Peux-tu comprendre la fureur de Donnacona ? Explique ton point de vue en te référant aux discours de certains chefs amérindiens actuels.

Le 20 avril 1534, Cartier quitte Saint-Malo avec deux petits navires et 61 hommes. Vingt jours plus tard, il atteint Terre-Neuve, puis entre dans le golfe du Saint-Laurent par le détroit de Belle-Isle. Il s'oriente ensuite vers le sud, atteint les Îles-de-la-Madeleine, l'Île-du-Prince-Édouard et le Nouveau-Brunswick. Puis il remonte vers le nord et entre dans la baie des Chaleurs, croyant y trouver le passage vers les Indes. C'est là qu'il croise une cinquantaine de barques dans lesquelles des indigènes agitent des peaux au bout de bâtons. Cartier leur distribue des couteaux, des haches, de la verroterie, des vêtements, etc.

Cartier poursuit ensuite son voyage vers le nord. Les vents l'obligent à se réfugier dans une petite baie et, le 24 juillet 1534, à Gaspé, il descend à terre et fait ériger une croix de neuf mètres de hauteur. Sur l'écusson de cette croix, on peut lire « Vive le Roy de France ». Une cérémonie souligne cet événement. C'est cette date que les historiens retiendront comme celle de la prise de possession du territoire par la France.

Étonnés, les indigènes observent les agissements des Français. Leur chef, Donnacona, qui a compris que Cartier prenait possession du territoire de son peuple, est en colère. Les deux hommes se parlent par gestes et Donnacona se calme. Cartier lui propose d'amener avec lui ses deux fils en France en lui promettant de les ramener bientôt. En fait, il espère qu'ils apprendront le français et pourront le renseigner sur le passage qui mène à leur village, loin à l'ouest. Donnacona accepte et, quelques jours plus tard, les navires quittent Gaspé. Ils sortent du golfe du Saint-Laurent par le détroit de Belle-Isle et font route vers la France.

Le **bilan** de ce voyage est négatif : on le considère plutôt comme un échec. Cartier n'a pas rempli le mandat donné par le roi : rapporter de l'or et trouver le passage vers l'Asie. Cependant, il a pris possession du territoire. De plus, les contacts avec les indigènes ont été plutôt chaleureux et Cartier conserve l'espoir de trouver le fameux passage. Un deuxième voyage doit être entrepris dans les plus brefs délais avec, comme guides, les deux jeunes indigènes.

Une île flottante

Lorsque les Micmacs virent pour la première fois un navire européen à l'horizon, il crurent que c'était une île flottante couverte d'arbres. À mesure que le bateau s'approcha de la côte, ils virent la réalité : l'île était une embarcation et les ours qui grimpaient aux arbres, des hommes…

DES GESTES MALADROITS

Quand Cartier arrive à l'île aux Coudres, le 7 septembre 1535, les deux fils de Donnacona, qui l'accompagnent, lui indiquent qu'il entre dans un territoire où leur père est chef. Au cours des jours qui suivent, Cartier pose plusieurs gestes maladroits.

- Il fait échouer ses navires à Stadaconé sans demander la permission de Donnacona.
- Ses hommes portent des armes, au grand étonnement des Amérindiens qui, eux, ne sont pas armés.
- Donnacona, accompagné de trois chamans, tente de convaincre Cartier de ne pas aller plus loin dans le fleuve. Les Français se moquent des chamans et Cartier décide de se rendre à Hochelaga malgré l'opposition de Donnacona.

1.21   Rencontre entre Jacques Cartier et les Amérindiens vue par le peintre québécois Suzor-Côté.

23 *a*) Crois-tu qu'il soit étonnant que les relations entre Amérindiens et Français se soient détériorées à la suite des maladresses de Cartier? Pourquoi?

b) Comment aurais-tu réagi à la place de Donnacona? de Cartier? Pourquoi?

1535-1536: DEUXIÈME VOYAGE

Poursuivant les **objectifs** du premier voyage, Cartier part cette fois avec trois bateaux, 112 hommes et des vivres pour quinze mois. Après une traversée difficile, l'expédition s'engage dans le détroit de Belle-Isle, puis pénètre dans le fleuve Saint-Laurent sur le conseil de ses deux guides. À Stadaconé (Québec), Donnacona rejoint les bateaux et se montre heureux de retrouver ses deux fils. Cependant, Cartier constate que les relations avec les indigènes sont plus difficiles que lors de son premier voyage.

Malgré l'opposition de Donnacona, Cartier continue de remonter le fleuve. À Hochelaga (Montréal), il est accueilli par 1 000 indigènes. Ceux-ci le considèrent comme un puissant chaman: on lui demande de toucher les enfants, les malades et les infirmes. Il est amené au sommet d'une montagne qu'il nomme « mont Royal », d'où il peut observer les environs. Les indigènes lui disent que, au-delà de trois chutes, en naviguant encore pendant trois jours, il atteindra une région riche en or et en argent.

La vie à bord d'un bateau

Vingt à cinquante jours sans descendre à terre: quelle monotonie! Nourriture peu variée, bagarres, inquiétude, absence de femmes, tel était le lot des marins qui traversaient l'Atlantique.

Heureusement, les chansons, les histoires, le cidre, le vin et… les prières aidaient à passer le temps!

1.22 Dessin du 18ᵉ siècle représentant Jacques Cartier et son épouse, Catherine des Granges. Le couple a accueilli des Iroquoiens ramenés du Canada en 1534 et en 1536.

Scorbut et annedda

Une terrible maladie, le scorbut, sévit chez les Français au cours de l'hiver 1535. Cartier la décrit ainsi : « [...] les jambes [devenaient] grosses et enflées, et les nerfs retirés et noircis comme du charbon [...] puis montait ladite maladie aux hanches, cuisses, épaules, aux bras et au col [cou]. Et à tous venait la bouche si infecte et pourrie par les gencives que toute la chair en tombait, jusqu'à la racine des dents, lesquelles tombaient presque toutes [...] à la mi-février, de cent dix hommes que nous étions, il n'y en avait pas dix sains. »

Le scorbut tue 25 hommes. Cependant, la plupart des Français guérissent grâce à un médicament amérindien fait à partir de l'écorce et des feuilles d'un arbre appelé « annedda » (cèdre blanc). Cartier en conclut que « Si tous les médecins de Louvain et de Montpellier y eussent été, avec toutes les drogues d'Alexandrie, ils n'en eussent pas tant fait en un an que le dit arbre a fait en huit jours ».

1.23   *Les vertus de l'annedda*, peinture de H.R. Perrigard.

24   Que penses-tu de l'attitude des Amérindiens envers les Français malades du scorbut ?

À son retour à Stadaconé, Cartier constate que les relations avec les indigènes se sont encore détériorées.

Au printemps, il quitte Stadaconé en direction de la France. Il ramène avec lui dix indigènes, dont Donnacona et ses deux fils, qu'il a attirés par ruse sur son vaisseau. Il espère que ceux-ci raconteront au roi que le Canada recèle des richesses et qu'ainsi, François 1er consentira à financer un autre voyage.

Le **bilan** de ce deuxième voyage n'est guère plus positif que celui du premier. Tout au plus Cartier a-t-il précisé la cartographie du fleuve Saint-Laurent et démontré que l'on peut survivre à l'hiver canadien.

1541-1542 : TROISIÈME VOYAGE

Aux prises avec une guerre en Europe, le roi de France délaisse le Canada pendant quelques années. L'intérêt pour ce territoire ne reviendra qu'avec la paix.

Cette fois, deux **objectifs** s'ajoutent aux autres : évangéliser les indigènes et établir une colonie sur les rives du Saint-Laurent.

Le 23 mai 1541, Cartier quitte Saint-Malo. Il suit le même trajet qu'au cours du voyage précédent et reviendra au mois de septembre 1542 après avoir passé un hiver difficile avec les indigènes, de plus en plus hostiles. Il croit rapporter des pierres précieuses et de l'or, qu'il a trouvés dans la région de Stadaconé. En France, après analyse, on se rend compte qu'il ne s'agit que de quartz et de pyrite de fer.

Bilan : ce voyage est considéré comme un échec total. Le roi décide donc de laisser tomber le Canada.

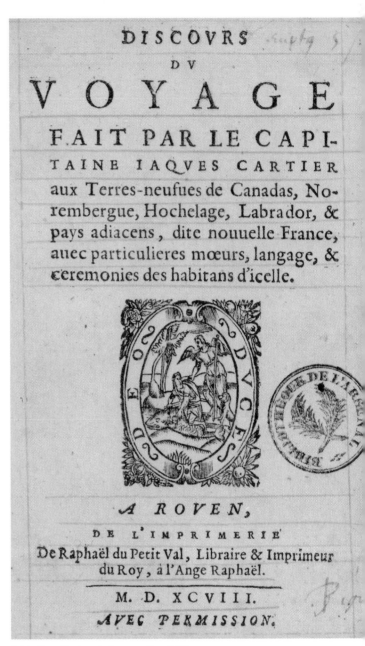

1.24 Frontispice de la première édition en français du récit du premier voyage de Cartier.

1541-1542
TROISIÈME
VOYAGE
DE CARTIER

1 Écris une phrase définissant chacune des conditions favorables aux grandes explorations mentionnées dans le texte du document 1.25.

« À partir du 15ᵉ siècle, l'Amérique ne pouvait plus échapper à la découverte européenne : toutes les conditions étaient remplies pour que les navires abordent à ses côtes : nécessités économiques, désir de colonisation et d'évangélisation de nouveaux peuples, recherche de routes maritimes nouvelles, curiosité scientifique. Toutes raisons, puissamment aidées et motivées par la mise au point des moyens de transport maritimes adaptés à la navigation océane et par le perfectionnement d'instruments de mesure et d'orientation en mer et à terre. »

Albert Ronsin, historien, 1979

1535-1536
DEUXIÈME
VOYAGE
DE CARTIER

1534
PREMIER
VOYAGE
DE CARTIER

1.25

2 *a*) À l'aide des documents 1.26 et 1.27, énumère trois objectifs des expéditions de Jacques Cartier.

b) Nomme deux objectifs qui ne sont pas mentionnés dans ces documents.

1524
VOYAGE DE
VERRAZANO

« Par la conduite de Jacques Cartier, faire le voyage de ce royaume de terres neuves pour découvrir certaines îles et pays où l'on dit qu'il se doit trouver grandes quantités d'or et autres riches choses. »

Ordre du roi François 1ᵉʳ, 18 mars 1534

1497
VOYAGE DE
JEAN CABOT

1.26

« [Sa Majesté] ne craint point d'entrer en nouvelles dépenses pour établir la religion chrétienne dans un pays de Sauvages éloigné de la France. »

Mémoire du roi sur le troisième voyage de Cartier, 1540

1493
BULLE PAPALE
INTER CAETERA

1492
PREMIER
VOYAGE
DE COLOMB

1.27

3 Quel pays représentait chacun des explorateurs mentionnés dans l'échelle de temps ci-contre?

EN RÉSUMÉ

1 Au cours de la Renaissance, le Portugal, l'Espagne, l'Angleterre et la France font de grands **voyages d'exploration**.

OBJECTIFS DES GRANDES EXPLORATIONS	
Économique	Accès direct aux produits d'Orient par la route de l'Ouest Découverte de nouvelles terres recelant des richesses
Politique	Accroissement de la puissance des pays par la possession de nouveaux territoires
Religieux	Évangélisation des indigènes
Scientifique	Vérification des connaissances Expérimentation de nouvelles techniques

1.28

2 Jacques Cartier effectue **trois voyages** pour le roi de France, François 1er.

VOYAGES DE JACQUES CARTIER		
Années	**Objectifs**	**Résultats**
1534	Découverte d'un passage vers l'Asie Prise de possession de nouveaux territoires Découverte de richesses	Exploration du golfe du Saint-Laurent Érection d'une croix à Gaspé Aucun résultat
1535-1536	Poursuite des objectifs du premier voyage	Exploration du fleuve Saint-Laurent jusqu'à Hochelaga (Montréal)
1541-1542	Poursuite des objectifs du premier voyage Évangélisation des indigènes Établissement d'une colonie	Découverte de quartz et de fer Aucun résultat Aucun résultat

1.29

POUR LA SUITE DE L'HISTOIRE...

Parce que les voyages de Cartier n'ont pas atteint les objectifs visés par le roi, le Canada sera délaissé par la France pendant une soixantaine d'années. Il faudra attendre le début du 17e siècle pour que revienne l'intérêt envers cette colonie.

Entre-temps, grâce aux pêcheurs de morue qui continuent d'y venir, le contact entre les deux mondes n'est pas tout à fait perdu...

LE COMMERCE DES FOURRURES

1.2 Fonction du commerce des fourrures dans l'Empire français et influence sur les rapports culturels entre les Amérindiens et les Français.

L'ARGENT : MOTEUR DU MONDE ?

1 On entend souvent dire : « C'est l'argent qui mène le monde. »

   a) Crois-tu que cette affirmation soit vraie ?

   b) Selon toi, l'argent est-il une valeur importante dans une société ? Justifie ta réponse.

1.31 Traite des fourrures.

2 Quel est le métier de la religieuse du document 1.30 ?

3 Que font les personnages du document 1.31 ?

4 *a*) Lequel de ces deux documents illustre une réalité économique ?

   b) Quel aspect de la colonisation est représenté dans l'autre document ?

1.30 Marie de l'Incarnation auprès de jeunes Amérindiennes.

8000 AV. J.-C.		1534		1763	1867
PÉRIODE AUTOCHTONE		PÉRIODE DU RÉGIME FRANÇAIS		PÉRIODE DU RÉGIME BRITANNIQUE	PÉRIODE CONTEMPORAINE

COMMERCE DES FOURRURES

1608   1763

PANORAMA

Pourquoi certains pays arabes sont-ils aujourd'hui considérés comme les pays les plus riches du monde? Ils ne sont pourtant pas industrialisés, leur agriculture est peu développée et ils ne recèlent pas de mines d'or. Cependant, ils ont de l'« or noir », c'est-à-dire du pétrole, un produit en très forte demande à travers le monde.

Au 17e siècle, il n'y a ni or ni diamants en Nouvelle-France. Cependant, ce territoire constitue un immense réservoir de fourrures. Comme la fourrure est très en demande en Europe, les marchands français veulent en faire le commerce afin de réaliser des profits. Ils devront alors tenir compte des Amérindiens et de leurs voisins, les Anglais.

Certains colonisateurs et missionnaires français s'intéressent aussi à la Nouvelle-France. Cependant, ils ne sont pas motivés par les profits mais par la possibilité de peupler et d'évangéliser un nouveau territoire.

• *Une économie à base de fourrures entraîne-t-elle:*
  – un territoire très peuplé?
  – un territoire très grand?

1.32 Radisson et des Groseilliers recevant des Amérindiens venus faire la traite des fourrures au fort Rupert, à la baie d'Hudson.

Pourquoi les postes de traite sont-ils en général situés au bord de l'eau?

• *Qu'est-ce qui différencie la conception de la Nouvelle-France des marchands de celle des colonisateurs et des missionnaires?*

• *Ces conceptions sont-elles conciliables?*

• *Quel est le rôle des Amérindiens en Nouvelle-France?*

• *Français et Amérindiens changent-ils au contact les uns des autres?*

• *Quelles sont les relations entre Français et Anglais?*

1 LA NOUVELLE-FRANCE, COLONIE FRANÇAISE

1.2.1 Importance des fourrures dans l'expansion de l'Empire français.

COLONIE-COMPTOIR OU COLONIE DE PEUPLEMENT?

1.34 Louis Hébert, premier colon de la Nouvelle-France.

1.33 Coureurs des bois et Amérindiens pratiquant la traite des fourrures.

5 Le document 1.33 représente une scène typique d'une colonie-comptoir, tandis que le document 1.34 illustre une scène typique d'une colonie de peuplement.

Dans quel type de colonie

a) la recherche de profits conditionne-t-elle l'activité économique?

b) des villages apparaissent-ils peu à peu?

c) une véritable société peut-elle se développer?

d) l'expansion territoriale est-elle souhaitable?

e) y a-t-il nécessité de faire des alliances avec les autochtones?

f) l'immigration et la natalité sont-elles encouragées?

LA FRANCE A UNE COLONIE EN AMÉRIQUE

Avec la venue de Jacques Cartier, la France a pris possession d'un nouveau territoire en Amérique. Ce territoire est devenu une **colonie** française, c'est-à-dire un territoire que sa **métropole**, la France, peut exploiter et développer à son gré. Comme les autres grands pays d'Europe, la France veut constituer un **empire**, ce qui en fera une importante puissance sur la scène mondiale.

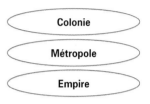

UNE COLONIE-COMPTOIR

Un pays cherche à avoir des colonies d'abord et avant tout pour acquérir des richesses.

Il y a une importante richesse en Nouvelle-France : la **fourrure**. Elle est très en demande en Europe car les chapeaux de feutre fabriqués à partir de poils de castor y sont à la mode. La Nouvelle-France devient un vaste comptoir commercial où les Amérindiens échangent des peaux contre des marchandises européennes. Pendant plusieurs décennies, elle constitue pour les Français une **colonie-comptoir** où ceux-ci se ravitaillent en pelleteries (fourrures).

UNE COLONIE DE PEUPLEMENT

Il arrive qu'une métropole, en plus d'exploiter les richesses d'une colonie, veuille y créer une **société**. Pour que cette société prenne forme, il faut des gens pour l'édifier (administrateurs, soldats, religieux, agriculteurs, artisans...). La colonie-comptoir pourra alors se transformer en **colonie de peuplement**.

RÔLE D'UNE COLONIE-COMPTOIR
Colonie-comptoir (Nouvelle-France)   Métropole (France)
Fourrures → Enrichissement
Intérêt d'ordre économique

1.35

RÔLE D'UNE COLONIE DE PEUPLEMENT
Métropole (France)   Colonie de peuplement (Nouvelle-France)
Envois de colons → Développement d'une société
Intérêt d'ordre économique, politique, social et culturel

1.36

IMPORTATION ET EXPORTATION

LE CANADA: PAYS IMPORTATEUR ET EXPORTATEUR

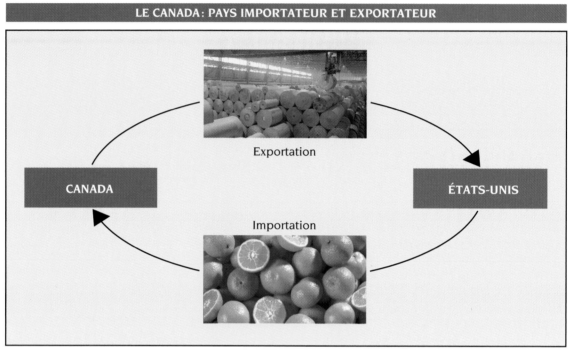

Exportation

CANADA

ÉTATS-UNIS

Importation

1.37

Quand un pays achète des marchandises d'un autre pays, il fait des importations. Le Canada, par exemple, importe des oranges des États-Unis. Quand un pays vend des marchandises à un autre pays, il fait des exportations. Le Canada, par exemple, exporte du papier aux États-Unis. Ces deux pays, comme bien d'autres, font du commerce ensemble.

6 À l'aide d'un mot de chacun des encadrés, compose trois phrases associant les régions suivantes.

a) Europe	importe	épices	Asie
b) Espagne		or	Mexique
c) Nouvelle-France	exporte	fourrures	France

7 Si une métropole ne s'intéresse qu'aux richesses naturelles d'une colonie, cette colonie est-elle une colonie-comptoir? une colonie de peuplement? Justifie ta réponse.

8 De nos jours, le Canada entretient-il avec les États-Unis le même type de relations commerciales que la Nouvelle-France entretenait à l'époque avec la France? Justifie ta réponse.

L'EUROPE À L'HEURE DU MERCANTILISME

Au 17ᵉ siècle, la plupart des pays européens considèrent que la puissance d'un État est basée sur ses richesses en or et en argent. Selon cette théorie, qu'on appelle le **mercantilisme**, il faut trouver des moyens d'accroître ses richesses et l'un de ces moyens est la possession de colonies.

La métropole importe de sa colonie certaines matières premières dont elle a besoin. N'ayant pas à se procurer ces matières dans d'autres pays, elle conserve ses richesses en or et en argent.

La métropole transforme ensuite les matières premières obtenues de sa colonie en produits finis et les exporte dans d'autres pays. C'est ainsi que de l'or et de l'argent entrent dans la métropole.

En se développant, la colonie a de plus en plus besoin de produits finis. La métropole va alors empêcher sa colonie de fabriquer ces produits afin de pouvoir lui vendre ses propres produits !

> (Mercantilisme)

> (Importation)

> (Exportation)

1.38 Préparation de marchandises à la veille d'un départ pour la colonie.
Vois-tu des fourrures sur ce document ? Pourquoi ?

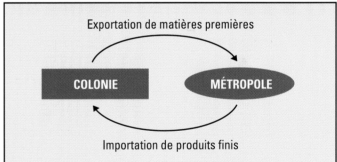

RÔLE ÉCONOMIQUE D'UNE COLONIE SELON LE MERCANTILISME

Exportation de matières premières

COLONIE → MÉTROPOLE

Importation de produits finis

1.39

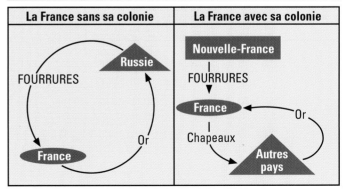

RÔLE DES FOURRURES DANS L'ÉCONOMIE FRANÇAISE

La France sans sa colonie	La France avec sa colonie
FOURRURES — Russie — Or — France	Nouvelle-France — FOURRURES — France — Chapeaux — Autres pays — Or

1.40

MORUE ET CASTOR

9 Imagine les premiers contacts entre morutiers européens et Amérindiens. Dans un court texte ou une bande dessinée, décris les échanges d'objets ou de produits qui ont pu se faire lors de ces contacts.

FOURRURES ET COURS D'EAU

10 On dit que le fleuve Saint-Laurent est « l'autoroute de l'Amérique du Nord ».

D'après le document 1.42, cette expression aurait-elle été justifiée à l'époque de Champlain ? Pourquoi ?

1.41 La morue sèche est étalée sur des échafaudages, sur le rivage, pour y être séchée au soleil.

1.42 Les explorations de Samuel de Champlain, entre 1609 et 1616.

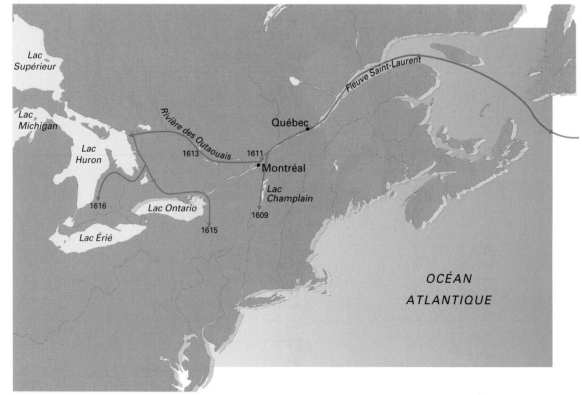

 **LA FOURRURE**

Pendant deux cents ans, la fourrure sera la base de l'économie en Nouvelle-France.

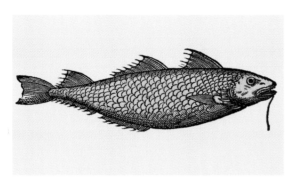 

1.43   C'est la pêche à la morue qui a provoqué les premières rencontres entre Français et Amérindiens.   1.44
Ces rencontres ont mené à la traite des fourrures de castor.
La pêche à la morue et le commerce des fourrures répondaient-ils aux mêmes besoins des Français?

DE LA MORUE AU CASTOR

Pour des raisons religieuses, la consommation de poisson est très forte en Europe. Des pêcheurs viennent régulièrement s'approvisionner en morues à Terre-Neuve et dans le golfe du Saint-Laurent. Pour conserver la morue, ils la font sécher sur le rivage : ils doivent donc descendre à terre. Des contacts s'établissent alors avec les indigènes et donnent lieu à des échanges. Les Amérindiens sont fascinés par les couvertures, les objets de métal et la verroterie des Français tandis que les Français convoitent les fourrures des Amérindiens. C'est donc à partir d'échanges liés à la pêche à la morue que se développe le commerce des fourrures.

LE COMMERCE DES FOURRURES

Les Amérindiens sont à la base du commerce des fourrures, puisque ce sont eux qui les récoltent par la chasse et la trappe. Les Français doivent donc s'entendre avec eux s'ils souhaitent en faire le commerce.

S'ÉTABLIR AU BON ENDROIT

Les fourrures proviennent de l'intérieur du continent. Les marchands de fourrures vont donc devoir remonter le fleuve Saint-Laurent pour se procurer leur matière première.

Près des cours d'eau, les postes de traite se multiplient : Tadoussac, Québec, Trois-Rivières, Montréal. En quelques années, les Français atteignent les Grands Lacs.

Les Amérindiens et le commerce des fourrures

Des alliés importants

1.45

 « Dans une colonie dont l'existence et le développement reposaient principalement sur le commerce des fourrures, les Hurons constituaient de précieux alliés. […] Ils jouèrent un rôle d'intermédiaires entre [les différentes tribus amérindiennes]. […] Ils concentrèrent chez eux d'énormes quantités de fourrures qu'ils achetaient aux nomades chasseurs […] [Ensuite] ils chargeaient leurs canots et partaient pour la traite avec les Français dont ils obtenaient en retour des marchandises européennes. »

René Latourelle, historien, 1966

1.46

LES GUERRES IROQUOISES	
Dates	**Événements**
1609	Champlain accompagne les Amérindiens alliés lors d'une expédition guerrière au lac Champlain.
1630	Les Iroquois attaquent les Algonquins dans la région de l'Outaouais.
1640	Les Iroquois attaquent les Français dans la vallée du Saint-Laurent.
1649	Les Iroquois détruisent la Huronie.
1653	Un traité de paix est signé entre Iroquois et Français.
1659	La guerre reprend.
1660	Les Iroquois projettent d'anéantir la Nouvelle-France (épisode du Long-Sault).
1665	1 100 soldats du régiment de Carignan-Salières débarquent dans la colonie. Ils attaquent des villages iroquois.
1667	Un nouveau traité de paix est signé.
1689	1 500 guerriers iroquois attaquent les habitants de Lachine.
1701	La Grande Paix de Montréal est signée.

11 D'après le document 1.45, les Hurons

a) sont-ils chasseurs ou agriculteurs ?

b) sont-ils nomades ou sédentaires ?

c) sont-ils des Iroquoiens ou des Algonquiens ?

d) Quel est leur rôle dans la traite des fourrures ?

La menace iroquoise

12 Pourquoi la chronologie des guerres iroquoises commence-t-elle avec l'expédition de Champlain au lac Champlain ?

13 À partir des événements de 1609, 1649, 1660, 1665 et 1701, rédige un texte montrant le lien qui existe entre les guerres iroquoises et le commerce des fourrures.

ALLIANCES AVEC LES AMÉRINDIENS

Faire des alliances avec les Amérindiens est une condition essentielle pour obtenir des fourrures. Les Français ont la chance de se lier d'amitié avec la principale tribu commerçante de l'époque, les Hurons. Grâce à cette alliance, le commerce des fourrures sera très florissant dans la vallée du Saint-Laurent pendant 40 ans.

Les Hurons sont cependant en guerre contre les Iroquois. Pour leur prouver son amitié, Champlain les accompagne dans une expédition guerrière au lac Champlain.

Cette aventure est le début d'une longue séquence que les historiens appellent les guerres iroquoises. En effet, les Iroquois riposteront et multiplieront les attaques contre les Hurons et les Français.

Vers 1660, la Nouvelle-France est au bord de la faillite. En 1701, 1 300 délégués amérindiens assistent à une cérémonie de paix à Montréal. Une entente est alors conclue, qui met fin à des décennies de guerres.

1.47 Calumet de paix.

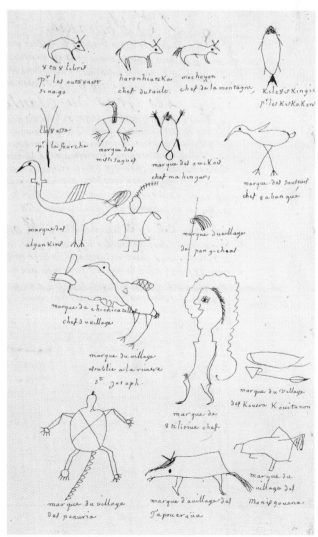

1.48 Signatures des chefs amérindiens lors de la cérémonie de la Grande Paix de Montréal. Chaque signataire a dessiné l'animal totémique de sa tribu.
Qu'est-ce qu'un « animal totémique » ?

Un monopole

Avant l'apparition d'autres entreprises, une seule offrait le service téléphonique dans la grande région de Montréal. Cette entreprise était en situation de monopole.

14 *a*) Existe-t-il au Québec des entreprises qui détiennent le monopole d'un service ou d'un produit?

b) Est-ce qu'une guerre des prix est possible en situation de commerce libre ou de monopole? Pourquoi?

15 À l'époque de la traite des fourrures, lequel des deux systèmes – commerce libre ou monopole – était favorable aux Amérindiens? aux compagnies de traite? aux artisans chapeliers? Pourquoi?

Champlain, père de la Nouvelle-France

Un organisateur

Champlain est le premier à vraiment organiser la traite des fourrures. Il travaille à:

* fonder des postes de traite aux endroits stratégiques;

* explorer le territoire;

* s'associer avec les Amérindiens;

* obtenir le monopole de la traite.

1.49 Comme il n'existait aucun portrait représentant clairement Champlain, le peintre Moncornet a exécuté en 1854 ce faux portrait d'après les traits d'un fonctionnaire français.

16 *a*) Donne un exemple illustrant chacun des quatre points précédents.

b) D'après ces points, est-ce que tu crois que Champlain songe à établir une colonie-comptoir ou une colonie de peuplement? Pourquoi?

Un colonisateur

En 1618, Champlain présente au roi un plan de colonisation qui nécessite la venue de 300 soldats, 15 missionnaires et 300 immigrants par année dans la colonie.

17 *a*) D'après ce plan, est-ce que Champlain veut établir une colonie-comptoir ou une colonie de peuplement?

b) Qu'est-ce qui pourrait faire échouer ce plan?

LE MONOPOLE DES FOURRURES

Le commerce des fourrures attire plusieurs compagnies. Comme, au début, le roi s'intéresse peu à la Nouvelle-France, il permet à tout le monde d'aller y faire la traite des fourrures. Cette liberté de commerce entraîne une très vive concurrence.

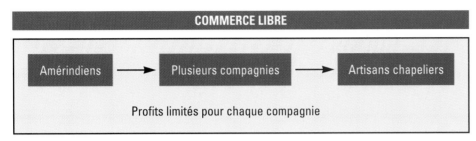

COMMERCE LIBRE

Amérindiens → Plusieurs compagnies → Artisans chapeliers

Profits limités pour chaque compagnie

1.50

Pour éliminer les concurrents, chaque compagnie essaie d'obtenir du roi le **monopole** des fourrures, c'est-à-dire l'exclusivité de ce commerce pendant une période déterminée.

Monopole

En 1613, Champlain réussit à obtenir le monopole de la traite des fourrures. En retour, le roi exige que sa compagnie remplisse certaines obligations en ce qui a trait au peuplement de la colonie.

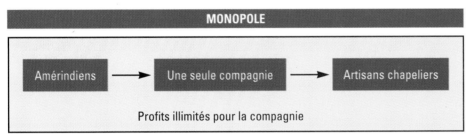

MONOPOLE

Amérindiens → Une seule compagnie → Artisans chapeliers

Profits illimités pour la compagnie

1.51

Dans un tel système, le développement de la colonie est confié à une compagnie. En théorie, il devrait y avoir un équilibre entre les privilèges et les obligations de cette compagnie. Mais la réalité est fort différente : la compagnie pense prioritairement et même exclusivement à ses profits, le peuplement et l'évangélisation ne rapportant rien du point de vue financier.

FONCTIONNEMENT D'UNE COMPAGNIE

Privilèges	Obligations
Monopole du commerce	Peuplement
Propriété du sol	Évangélisation
Autorité absolue	Administration

1.52

L'EXPANSION DE LA NOUVELLE-FRANCE

1.53 Les principales explorations françaises en Amérique du Nord.

18 a) Quel est le moyen de transport utilisé par les explorateurs?

b) La Nouvelle-France connaît une expansion territoriale beaucoup plus rapide que les colonies anglaises. Pourquoi?

19 Quel est le principal objectif d'ordre économique de ces explorations?

20 a) La Nouvelle-France occupe maintenant un immense territoire.

Est-ce que cela signifie nécessairement qu'elle est devenue une grande puissance militaire? Pourquoi?

b) Qu'est-ce qui risque d'arriver entre la Nouvelle-France et les colonies anglaises? Justifie ta réponse.

CONSÉQUENCES DU COMMERCE DES FOURRURES

Le développement du commerce des fourrures entraîne deux conséquences importantes pour l'avenir de la Nouvelle-France : l'expansion territoriale et la guerre.

UN IMMENSE TERRITOIRE

Le commerce des fourrures amène les Français à explorer presque toute l'Amérique du Nord. Les explorateurs partent pour découvrir de nouveaux territoires et entrer en contact avec d'autres tribus amérindiennes.

LE NORD

En 1671, Charles Albanel, un missionnaire, se rend à la baie James en passant par le Saguenay. Il évangélise les Amérindiens et ouvre ce territoire à la traite des fourrures. De plus, il souhaite freiner l'**expansion territoriale** des Anglais installés à la baie d'Hudson.

L'OUEST

En 1670, en cherchant le passage du nord-ouest vers l'Asie, Simon-François Daumont de Saint-Lusson atteint le lac Supérieur. Il prend possession de ce territoire au nom du roi de France. Quelques années plus tard, Daniel Greysolon Duluth atteint l'extrémité ouest du lac Supérieur. Toute la région des Grands Lacs devient alors un territoire de traite des fourrures.

Vers 1740, l'expansion vers l'ouest se poursuit avec Pierre Gaultier de La Vérendrye et ses fils. Ils atteignent les montagnes Rocheuses après avoir fondé plusieurs postes de traite en cours de route.

LE SUD

En 1673, Louis Jolliet et Jacques Marquette descendent le Mississippi jusqu'à l'Arkansas. Une dizaine d'années plus tard, René-Robert Cavelier de La Salle atteint le golfe du Mexique et prend possession d'une région qu'il nomme la Louisiane. Là aussi, le contact avec les tribus indigènes favorise le commerce des fourrures. De plus, la présence française limite l'expansion des Anglais vers l'ouest.

1.54 Statue de Pierre Gaultier de La Vérendrye.
D'après toi, vers quelle direction La Vérendrye regarde-t-il ?

LA GUERRE INTERCOLONIALE

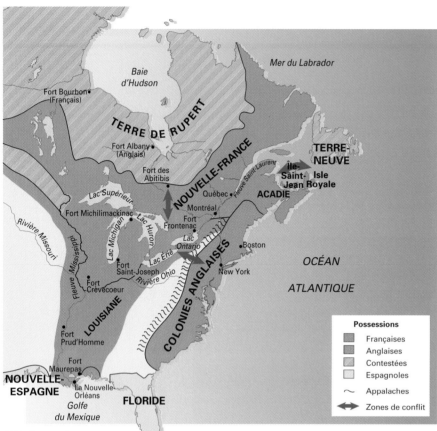

1.55 Possessions et zones de conflit en Amérique du Nord vers 1700.

21 Pourquoi désigne-t-on souvent les postes de traite par le mot « fort » ?

22 Quelle est la principale richesse convoitée par les Français et les Anglais dans la région :

   a) de la baie d'Hudson ?

   b) des Grands Lacs ?

   c) des Maritimes ?

23 Quelle conséquence aura le fait que les Anglais et les Français recherchent les mêmes richesses aux mêmes endroits ?

LA NOUVELLE-FRANCE ÉPARGNÉE

Qui a sauvé la Nouvelle-France ?

« Puisque la Sainte Vierge est générale des armées de Dieu, nous devons être persuadés que c'est elle qui nous a défendus. Elle a vaincu les Anglais lorsqu'ils ont assiégé Québec [...] »

M. de La Colombière, sermon de 1711

En 1711, une expédition maritime comprenant 88 bateaux et 12 000 hommes vient attaquer Québec mais est arrêtée par une tempête qui s'élève dans le golfe du Saint-Laurent et fait échouer de nombreux navires.

1.56

24 Lequel des textes précédents mentionne des faits vérifiables ?

25 Quelle différence y a-t-il entre les explications données dans ces deux textes ?

UNE GUERRE INÉVITABLE

Depuis le début du 17ᵉ siècle, des colons anglais s'établissent sur le littoral atlantique. De plus, des pêcheurs s'installent à Terre-Neuve et des marchands de fourrures visitent régulièrement la baie d'Hudson. Ces Anglais se heurtent fréquemment aux Français qui les empêchent de profiter des richesses du territoire. La **guerre** devient donc inévitable.

LES COLONIES ANGLAISES

Dans cette guerre, les Anglais jouissent de deux avantages majeurs : leur population est nettement supérieure à celle de la Nouvelle-France et leur métropole les appuie massivement sur le plan militaire.

LA NOUVELLE-FRANCE

Bien que très vaste, le territoire de la Nouvelle-France est très peu peuplé, ce qui constitue un énorme handicap sur le plan militaire. En effet, comment quelques milliers d'individus pourraient-ils arriver à défendre un immense territoire ?

Malgré cette faiblesse, la colonie française a la réputation d'être invincible. Grâce à ses alliances avec de nombreuses tribus amérindiennes et au courage de ses colons-soldats, elle réussit à survivre aux attaques anglaises pendant plus d'un demi-siècle.

1.57 Pierre Le Moyne d'Iberville mettant en déroute des vaisseaux anglais. D'après les historiens Robert Lahaise et Noël Vallerand, il est «la figure la plus exaltante de toute l'histoire de la Nouvelle-France».

L'ORGANISATION DU COMMERCE DES FOURRURES

*1.2.2 Rôle des différents agents du commerce des fourrures.

LES AGENTS DU COMMERCE DES FOURRURES

Le commerce des fourrures implique l'intervention de différents types d'agents.

26 Associe les agents du commerce des fourrures aux fonctions appropriées.

a) Marchands	1. Chasser les animaux à fourrure et traiter les peaux
b) Explorateurs Interprètes Voyageurs Coureurs des bois	2. Acheter les fourrures en Nouvelle-France et les exporter en France
	3. Servir d'intermédiaires entre Amérindiens et marchands
c) Amérindiens	
d) Artisans chapeliers	4. Transformer les peaux en produits finis

27 À l'aide de quatre mots, dessins ou phrases, établis la séquence des étapes du commerce des fourrures.

1.58

Anglais ou Français?

En 1749, le gouverneur Jacques de La Jonquière écrit qu'un chef amérindien est venu lui expliquer pourquoi certains Amérindiens préfèrent faire du commerce avec les Anglais plutôt qu'avec les Français: «[...] les dits Sauvages avaient chez les Anglais une pièce de drap pour 33 livres* de castor, de laquelle ils faisaient 12 couvertes tandis qu'à Montréal on leur demandait 6 livres de castor pour une couverte [...]»

* Une livre = 454 grammes.

LE COMMERCE ENTRE AMÉRINDIENS ET FRANÇAIS

Les relations commerciales entre Amérindiens et Français sont à base de troc, c'est-à-dire d'échange de marchandises.

Au cours de ces échanges, les Amérindiens sont-ils exploités par les Français ou sont-ils, au contraire, d'habiles commerçants?

28 *a*) D'après le document 1.58, combien de kilogrammes de castor les Anglais demandent-ils en échange d'une «couverte»? les Français?

b) En considérant ces chiffres, que peut-on conclure sur le sens du commerce des Amérindiens?

DES AMÉRINDIENS CHEZ LES FRANÇAIS

1.59 Foire des fourrures à Montréal.

Crois-tu que les échanges de marchandises étaient équitables?

Jusqu'en 1648, les Amérindiens viennent échanger leurs fourrures dans les postes de traite de la vallée du Saint-Laurent. Certains Français – explorateurs, interprètes et même missionnaires – établissent des contacts avec les populations autochtones au cours de voyages dans les régions éloignées. Ils les invitent à venir dans les foires qui se tiennent à Hochelaga (Montréal), Stadaconé (Québec), Trois-Rivières et Tadoussac, où se fait le troc. Les Amérindiens s'y procurent des marchandises européennes et les marchands français acquièrent des peaux de castor qu'ils exportent en France.

 ## DES FRANÇAIS CHEZ LES AMÉRINDIENS

Depuis les guerres iroquoises et la reprise du commerce des fourrures, ce sont les Français qui vont chercher les fourrures dans les territoires des Amérindiens. De gros canots chargés de marchandises de troc quittent la vallée du Saint-Laurent à destination des Pays-d'en-Haut, c'est-à-dire de la région du bassin des Grands Lacs.

Les voyageurs sont équipés par des marchands qui leur font crédit. Ceux-ci sont remboursés en fourrures l'année suivante, quand les voyageurs reviennent avec leur cargaison de peaux.

La vie difficile des voyageurs

Selon un témoin de l'époque, les voyageurs «ne s'embarrassent point de faire 500 ou 600 lieues en canot, l'aviron à la main, de vivre pendant une année ou dix-huit mois de blé d'Inde et de graisse d'ours et de coucher sous des cabanes d'écorce ou de branches.»

3 LES INFLUENCES RÉCIPROQUES

1.2.3 Influences réciproques des civilisations française et amérindiennes.

DEUX TYPES D'INFLUENCES

1.60   Groupe de Hurons du 19e siècle.

1.61   Coureur des bois du 17e siècle.

29 Observe attentivement les documents 1.60 et 1.61.

a) Que remarques-tu dans les vêtements des Hurons ? du Français ?

b) Que remarques-tu au sujet de l'époque représentée par chacun de ces documents ?

30 Crois-tu qu'au-delà des influences vestimentaires, il y ait eu d'autres changements chez les Amérindiens ? chez les Français ? Lesquels ?

31 Lequel des deux groupes a changé le plus rapidement ? le plus en profondeur ? Justifie tes réponses.

LES LIEUX DE RENCONTRE

Les Amérindiens entrent en contact avec deux types de Français fort différents. Dans les postes de traite, ils rencontrent des marchands de fourrures avec lesquels ils échangent des produits. Dans les missions, ils côtoient des religieux qui cherchent à les évangéliser. Les postes de traite et les missions sont des endroits où Amérindiens et Européens vont commencer à **s'influencer mutuellement**.

 # LES INFLUENCES

Autant pour les Amérindiens que pour les Européens, les premiers contacts sont surprenants. Très vite cependant, des liens s'établissent entre les deux groupes, qui modifient leurs habitudes et leurs mentalités.

LES INFLUENCES MATÉRIELLES

Les premiers contacts entre Français et Amérindiens concernent des échanges de marchandises. Chaque groupe prend l'habitude d'utiliser les objets que l'autre groupe lui procure ou lui apprend à fabriquer.

«Pendant les grandes neiges, nous étions contraints de nous attacher des raquettes sous les pieds, ou pour aller au village, ou pour aller quérir du bois.»

Gabriel Sagard, missionnaire, 1636

INFLUENCES MATÉRIELLES		
Secteurs	**Influence des Amérindiens sur les Français**	**Influence des Français sur les Amérindiens**
Alimentation	Culture de la courge, du maïs et du haricot Fabrication du sirop d'érable Culture du tabac	Consommation de farine, de sel, de sucre et d'alcool (eau-de-vie)
Vêtement	Vêtements de peaux, mocassins, mitaines	Chapeaux Couvertures
Moyens de transport	Canot, raquette, toboggan	
Divers	Techniques de chasse, de pêche et de cueillette	Objets de métal (chaudrons, haches, couteaux) Fusils

1.62

ORIGINES ET VOISINAGE

Nos origines et les contacts que nous avons avec les autres peuples influencent notre façon de vivre et de penser. Au Québec, la plupart de nos ancêtres sont français et nos voisins sont américains.

32 *a*) Donne deux exemples de traces laissées en nous par nos origines françaises.

    b) Donne deux exemples de l'influence américaine sur nous.

    c) Sommes-nous plus Français qu'Américains? plus Américains que Français? Justifie ta réponse.

MISSION «CIVILISATRICE»

1.63

 «L'on a cru bien longtemps que l'approche des Sauvages de nos habitations était un bien considérable pour accoutumer ces peuples à vivre comme nous et à s'instruire de notre religion. Je m'aperçus, Monseigneur, que tout le contraire en arrive.»

Jacques-René Brisay de Denonville, gouverneur, 1685

1.64 Jésuites torturés par des Iroquois.

33 *a*) D'après le document 1.63, en quoi consiste la mission «civilisatrice» des Français envers les Amérindiens?

    b) Quel moyen les Français prennent-ils pour amener les Amérindiens à vivre à la française?

    c) Ce moyen donne-t-il des résultats?

    d) Comment expliques-tu la réaction violente de certains Amérindiens envers les missionnaires français?

LES INFLUENCES SUR LES MENTALITÉS

Le mode de vie des Amérindiens influence celui des Français. Les coureurs des bois prennent vite l'habitude de vivre « à l'indienne ». Les colons éduquent leurs enfants librement, imitant en cela les Amérindiens. Les Français établis en Nouvelle-France depuis quelque temps manifestent un esprit de liberté et d'indépendance issue de leur fréquentation des Amérindiens.

« Il est plus facile de faire des Sauvages avec les Français que l'inverse. »

Marie de l'Incarnation, religieuse

INFLUENCES SUR LES MENTALITÉS	
Influence des Amérindiens sur les Français	Influence des Français sur les Amérindiens
Goût de la liberté, de l'indépendance	Croyances religieuses chrétiennes
Absence de punitions dans l'éducation des enfants	Système économique basé sur la production et la consommation

1.65

Les valeurs des Français modifient aussi les mentalités des Amérindiens, mais beaucoup plus lentement. Ils en viennent à ne plus chasser pour se nourrir, mais pour faire le commerce des fourrures. Leur rapport avec leur environnement s'en trouve ainsi modifié. Les tentatives d'évangélisation des Amérindiens donnent peu de résultats au début, mais avec le temps, la majorité d'entre eux deviennent chrétiens.

1.66 Hurons convertis en prière.

Les Amérindiens et l'alcool

La consommation abusive d'alcool cause des problèmes importants dans une société. Ces problèmes existent dans la société québécoise d'aujourd'hui et existaient déjà aux premiers temps de la colonie. Certaines personnes jugent sévèrement les alcooliques ; d'autres essaient de les comprendre.

 « Pour les Amérindiens, l'ivresse qui libère la parole et les gestes s'apparente à la possession du corps par un esprit et à la manifestation d'une divinité. »

Jacques Mathieu, historien, 1991

1.67

 « [...] la propension à l'alcool [...] n'est que la conséquence de l'effondrement moral et culturel dû au choc brutal de la rencontre avec le Blanc. »

Louise Dechêne, historienne, 1974

1.68

34 *a*) Les historiens Jacques Mathieu et Louise Dechêne jugent-ils les Amérindiens ou essaient-ils de les comprendre ?

b) Quelle explication chacun de ces auteurs donne-t-il à la consommation abusive d'alcool des Amérindiens ?

c) Quel aspect d'une société chacune de ces explications concerne-t-elle ?

Politique	Social
Économique	Culturel

 « La traite de l'eau-de-vie aux Sauvages [...] est nécessaire non seulement pour le commerce de la colonie, mais encore pour empêcher les Sauvages de se livrer aux Anglais et pour les conserver par conséquent à la France et à la religion. »

Lettre de Jean-Frédéric Phélypeaux de Maurepas, secrétaire à la Marine, à Henri-Marie Dubreuil de Pontbriand, évêque de Québec, 1742

1.69

35 *a*) Selon le document 1.69, quelles sont les deux raisons qui incitent les Français à poursuivre le commerce de l'alcool avec les Amérindiens ?

b) Que penses-tu de ces raisons ?

c) Quels aspects d'une société ces explications concernent-elles ?

Politique	Social
Économique	Culturel

LES CONSÉQUENCES DE L'INFLUENCE FRANÇAISE

Tous les historiens s'entendent pour dire que la présence française a davantage perturbé la civilisation amérindienne que l'inverse. Au contact des Européens, les Amérindiens ont vécu une véritable acculturation progressive.

L'ALCOOL

L'alcool, ou eau-de-vie, constitue un objet de troc lié au commerce des fourrures. C'est une nouveauté pour les autochtones, qui prennent rapidement l'habitude d'en consommer de grandes quantités. Il en découle des problèmes d'alcoolisme et de violence.

LES GUERRES INTERTRIBALES

Avec le développement du commerce des fourrures, des rivalités surgissent entre les différentes tribus amérindiennes. Les guerres intertribales, qui existaient sans doute avant l'arrivée des Blancs, prennent de l'ampleur. Il arrive même que certaines tribus soient pratiquement éliminées, comme les Hurons, par exemple.

LES MALADIES ÉPIDÉMIQUES

Parce qu'ils ne sont pas immunisés contre les maladies des Européens, les Amérindiens attrapent facilement la rougeole et la petite vérole. En quelques années, des villages entiers sont décimés par des épidémies qui entraînent plus de morts que la guerre.

Les Amérindiens et l'alcool

«Quand ces peuples sont ivres, ils entrent dans de telles fureurs qu'ils cassent et brisent tout dans leurs ménages. [...] La désunion et la dissolution de leurs mariages s'ensuit toujours de leur ivrognerie [...]»

Discussion du Conseil de Régence, 1718

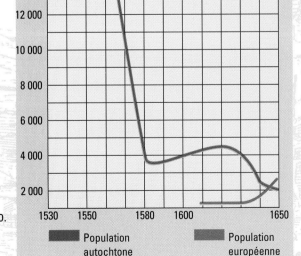

1.70 Courbes démographiques des populations de la vallée du Saint-Laurent entre 1530 et 1650.
Que constates-tu en observant la courbe de la population autochtone?

Population autochtone

Population européenne

LE POINT

1 Le développement du commerce des fourrures a eu deux consé-quences importantes pour la Nouvelle-France.

À l'aide des documents 1.71 et 1.72, nomme et explique ces deux con-séquences.

1.71   Québec assiégée par les Anglais en 1690.

2 Dans l'échelle de temps ci-contre, relève les événements liés à ces conséquences.

1.72   Jolliet et Marquette sur le Mississippi.

1763
CONQUÊTE
ANGLAISE

1740
LES LA
VÉRENDRYE
PARVIENNENT
AU PIED DES
MONTAGNES
ROCHEUSES

1701
SIGNATURE DE
LA GRANDE PAIX
DE MONTRÉAL

1694-1697
EXPÉDITIONS
DE D'IBERVILLE

1689
PREMIÈRE GUERRE
FRANCO-ANGLAISE
MASSACRE DE
LACHINE

1682
LA SALLE AU
MISSISSIPPI

1671
ALBANEL À
LA BAIE D'HUDSON

1649
DESTRUCTION
DE LA
HURONIE

1634
FONDATION DE
TROIS-RIVIÈRES

1618
MÉMOIRE DE
CHAMPLAIN
AU ROI
1608
FONDATION
DE QUÉBEC

1613
CHAMPLAIN
OBTIENT LE
MONOPOLE DE
LA TRAITE DES
FOURRURES

❸ Choisis un des deux personnages décrits ci-dessous et rédige un texte d'une page incluant tous les sujets fournis.

a) Tu es un Français. Tu vis en Nouvelle-France et pratiques le métier de coureur des bois.

b) Tu es un Amérindien. Tu pratiques le troc avec les Français.

Sujets
– Le rôle que tu joues dans le commerce des fourrures.
– Ta façon de faire des échanges commerciaux avec les autres.
– Les influences que tu subis au contact des autres.
– Tes contacts avec les Anglais.

❹ À l'aide du document 1.73, donne la définition d'une colonie-comptoir.

1.73   Poste de traite des fourrures.

❺ Pour la France mercantiliste, le commerce avec la Nouvelle-France est-il important? Justifie ta réponse.

1 La Nouvelle-France est une **colonie** dont la **métropole** est la France.

2 Le **commerce des fourrures** constitue la base de l'économie en Nouvelle-France. La France vit à l'heure du **mercantilisme**. En important des fourrures de sa colonie, la France accroît ses richesses.

3 La Nouvelle-France est d'abord une **colonie-comptoir**, c'est-à-dire un territoire où on va chercher des richesses.

Avec le temps, des colonisateurs français veulent bâtir une société en Nouvelle-France. De simple colonie-comptoir, la Nouvelle-France devient alors une **colonie de peuplement**.

4 Le commerce des fourrures entraîne des conséquences très importantes pour le développement de la Nouvelle-France :

- l'**expansion territoriale** : afin d'accroître le commerce des fourrures, la Nouvelle-France s'agrandit vers le nord, l'ouest et le sud ;
- la **guerre contre les Anglais** : en voulant accaparer la totalité du commerce des fourrures, les Français entrent en conflit avec leurs voisins du Sud, les Anglais.

1.74 Coureurs des bois.

5 Le commerce des fourrures exige des contacts avec les Amérindiens, qui sont des partenaires commerciaux indispensables. Français et Amérindiens vont donc exercer une **influence réciproque**. Les deux groupes :

- échangent des objets ;
- modifient leurs mentalités.

6 Des deux peuples, Amérindiens et Français, ce sont les Amérindiens qui connaissent le plus de bouleversements :

- la consommation abusive d'alcool, qui entraîne des problèmes sociaux ;
- les conflits entre tribus, issus du commerce des fourrures ;
- les épidémies, qui déciment la population.

1.75 Amérindiennes agenouillées devant une statue de la Vierge.

POUR LA SUITE DE L'HISTOIRE...

Une véritable colonie n'est pas seulement un endroit où on vient chercher des matières premières. La Nouvelle-France est aussi un territoire que la France veut développer et organiser à sa façon. Pour y arriver, il lui faut peupler cette colonie.

1 Pour chacune des deux sociétés amérindiennes – algonquienne et iroquoienne – insère dans un schéma semblable au document 1.76 les expressions et les mots suivants.

chef de chasse – nomadisme – chasse, pêche et cueillette – Bouclier canadien – fête du Maïs, fête des Morts – matriarcat – tente – raquettes et canots – basses-terres du Saint-Laurent et des Grands Lacs – sédentarité – conseil – culte des esprits des animaux – village – patriarcat – maison longue – campement – poterie, outils agricoles, armes – agriculture

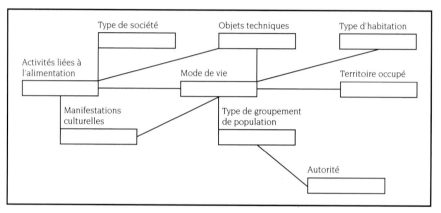

1.76

2 Associe chacun des documents suivants à l'une des cases du document 1.77.

document 1.2 (p. 56) – document 1.4 (p. 58) – document 1.6 (p. 59) – document 1.8 (p. 61) – document 1.9 (p. 61) – document 1.11 (p. 63) – document 1.13 (p. 65) – document 1.14 (p. 66)

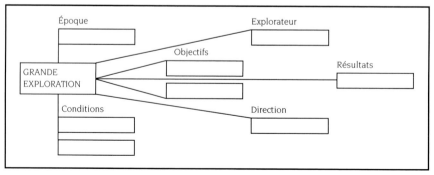

1.77

3 Pour chacun des voyages de Jacques Cartier, complète un schéma semblable au document 1.78.

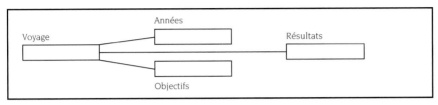

1.78

4 Dans un schéma semblable au document 1.79, insère les expressions et les mots suivants.

expansion territoriale – mercantilisme – obtention d'un monopole – faible peuplement – recherche de profit – alliances avec les Amérindiens – mode des chapeaux de feutre – guerre intercoloniale

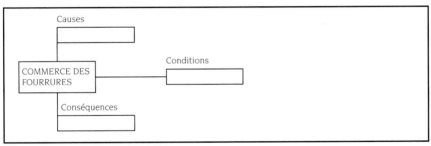

1.79

5 *a*) À quelle société – française ou amérindienne – associes-tu chacun des éléments suivants?

Alcool – Maïs – Canots – Poterie – Outils de métal – Tabac – Christianisme – Fusils

b) Quelle conséquence a eu chacun des éléments liés à la société française sur la vie des Amérindiens?

6 Sur une ligne de temps semblable au document 1.80, situe:

a) la présence de pêcheurs européens sur le littoral atlantique de l'Amérique du Nord;

b) l'exploration française dans les terres situées au-delà de Montréal;

c) l'arrivée des Amérindiens au Québec;

d) la fondation de la ville de Québec.

1.80

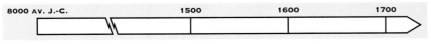

LE RÉGIME FRANÇAIS

MODULE 2

LA SOCIÉTÉ CANADIENNE SOUS LE RÉGIME FRANÇAIS

Développement de la colonie canadienne du Saint-Laurent.

UN TERRITOIRE À PEUPLER ET À DÉVELOPPER

2.1 Peuplement et vie économique de la colonie canadienne.

UNE ÉCONOMIE EN TRANSFORMATION

En Nouvelle-France, les moulins servent à moudre les grains des céréales cultivées par les habitants.

2.1   Moulin seigneurial.

2.2   Navire en construction.

1   a) Le moulin est-il un bâtiment essentiel dans une colonie-comptoir? Justifie ta réponse.

b) Crois-tu qu'un habitant soit assez riche pour posséder son propre moulin?

Au cours de la construction d'un bateau, on utilise plusieurs types de matériaux.

2   a) Indique les matériaux utilisés pour:
   • la fabrication de la coque et des mâts;
   • la fabrication des canons, des ancres et des clous;
   • la fabrication des toiles;
   • la fabrication des cordages;
   • le calfatage de la coque.

b) Une colonie-comptoir est-elle en mesure de fournir ces matériaux?

3   À quelle condition une économie basée sur l'exploitation d'un seul produit peut-elle se transformer en économie diversifiée?

8000 AV. J.-C.   1534   1763   1867

PÉRIODE AUTOCHTONE   PÉRIODE DU RÉGIME FRANÇAIS   PÉRIODE DU   PÉRIODE
                                                                RÉGIME BRITANNIQUE CONTEMPORAINE

                                     PEUPLEMENT ET DÉVELOPPEMENT
                            1608   1763

PANORAMA

Quand une colonie est essentiellement une colonie-comptoir, son
développement est limité à l'exploitation d'une richesse. Dans ce
cas, le peuplement se fait très
lentement parce qu'il ne constitue
pas une priorité.

Heureusement pour l'avenir de
la Nouvelle-France, d'autres personnes que les marchands de
fourrures s'intéressent à la colonie : des colonisateurs souhaitent
un développement diversifié de
la vallée du Saint-Laurent. Pour y
arriver, une importante opération
doit être mise en marche : le peuplement.

Au début, les efforts de colonisation ne donnent pas beaucoup
de résultats. Mais peu à peu, une
véritable société se développe en
Nouvelle-France.

- *Quels changements sont
  nécessaires pour que le
  développement diversifié
  devienne possible ?*

- *Quels obstacles peuvent surgir
  au cours de la réalisation d'un
  tel projet ?*

- *Dans le contexte des 17ᵉ et
  18ᵉ siècles, ce projet est-il
  réaliste ?*

2.3 Ferme de Denis Proust
     à la fin du 17ᵉ siècle.

LE PEUPLEMENT

2.1.1 Facteurs du peuplement.

LA NOUVELLE-FRANCE EN 1632

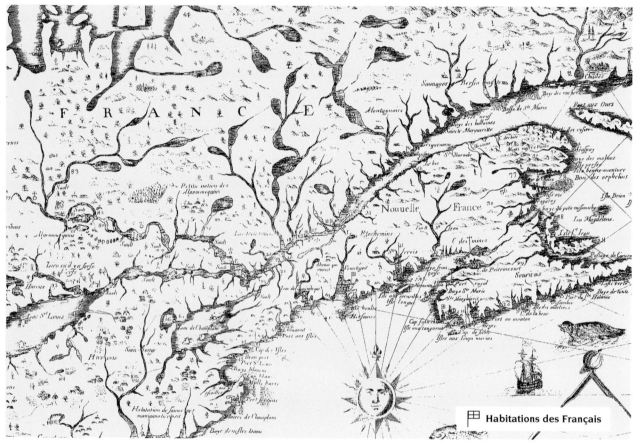

⊞ **Habitations des Français**

2.4 Extrait d'une carte de la
Nouvelle-France dessinée
par Samuel de Champlain
en 1632.

4 *a*) Sur le document 2.4, peux-tu voir le mot Montréal? Trois-Rivières?
Québec?

b) Lequel des mots que tu as trouvés en *a* désigne une ville où sont
établis des Français? Lequel deviendra le nom d'une ville française?

5 Désigne les lieux où seront établies les villes de Montréal et
Trois-Rivières à l'aide de numéros ou de noms apparaissant sur
le document 2.4.

6 *a*) Dans quel ordre les Français qui arrivent d'Europe découvrent-ils
les sites de Montréal, Trois-Rivières et Québec?

b) Selon toi, ces villes seront-elles fondées dans le même ordre?

A LES PREMIÈRES FONDATIONS

De nos jours, la partie la plus peuplée de la vallée du Saint-Laurent s'étend sur les deux rives du fleuve. Elle va de la région de Québec à la frontière ontarienne en passant par Montréal.

Dans ce corridor, trois grandes régions se sont formées autour des villes de Québec, Trois-Rivières et Montréal. Ces trois villes, fondées au 17e siècle, constituent le berceau du Québec.

LES FOURRURES

Ce sont les fourrures qui attirent d'abord les Français dans la vallée du Saint-Laurent. En 1608, Champlain fonde Québec, nom qui signifie « là où la rivière se rétrécit » en langue algonquienne. Il veut y établir un réseau de traite des fourrures. En 1634, pour se rapprocher des Amérindiens fournisseurs de fourrures, il envoie Laviolette fonder Trois-Rivières.

Les deux premières villes de la Nouvelle-France, Québec et Trois-Rivières, ont donc été fondées pour un **motif d'ordre économique**.

Kébec, Kébecq, Canadas

Au 17e siècle, on écrivait *Kébec* ou *Kébecq*. Il arrivait parfois que les deux orthographes soient utilisées dans un même texte ! Au cours des années soixante, des indépendantistes ont utilisé le mot *Kébec* pour désigner leur « pays-pas-encore-pays », selon l'expression de l'écrivain Victor-Lévy Beaulieu.

Le mot *Canada* (Kanata, village en iroquoien) s'écrivait parfois *Canadas*. Cette orthographe fut reprise en 1791 quand on créa les deux Canadas : le Haut-Canada (Ontario actuel) et le Bas-Canada (Québec actuel).

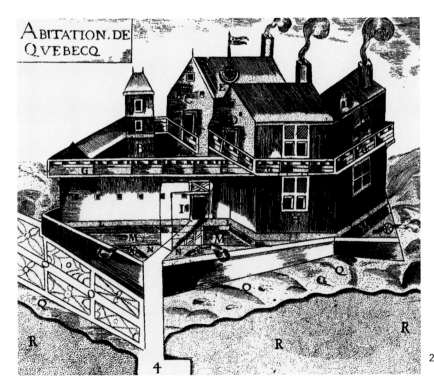

2.5 L'*Habitation* de Québec, dessinée par Champlain.

LA FONDATION DE VILLE-MARIE

2.6 Signature de l'acte de fondation de Ville-Marie. Monument à Maisonneuve situé sur la Place d'Armes, à Montréal.

7 *a*) De quelle association font partie les personnages représentés dans le document 2.6?

 b) Cette rencontre a-t-elle eu lieu en Nouvelle-France? Pour quelle raison selon toi?

2.7

 «[…] il fallait que [la Providence] jetât les yeux sur plusieurs personnes […] pieuses afin d'en faire une compagnie qui entreprît [la fondation de Ville-Marie] […] Sans espoir de profit […] et entièrement dans les intérêts de Notre Seigneur […] Outre cela, il fallait que la même Providence choisit une personne […] pour y venir avoir le soin des pauvres malades et blessés.»

Dollier de Casson, historien, 1672

8 Ville-Marie n'a pas été fondée pour les mêmes raisons que Québec et Trois-Rivières.

À l'aide du document 2.7, donne les raisons de la fondation de cette ville.

LA RELIGION

Au début du 17e siècle, un courant de grande piété traverse la France. Cet élan de ferveur religieuse pousse les chrétiens à prier, à méditer et à agir. S'occuper des pauvres, soigner les malades et éduquer les enfants sont des occupations représentant pour eux des moyens de devenir de « bonnes âmes » et ainsi, de « gagner leur ciel ».

La Nouvelle-France constitue un lieu privilégié où exercer ces actes de charité chrétienne. Pour les membres de la Société de Notre-Dame de Montréal, fondée par un laïque, Jérôme Le Royer de la Dauversière, ce pays est « abandonné aux démons ». Aussi faut-il aller au secours de ces « pauvres âmes infortunées qui semblent être oubliées de Dieu ». À cette fin, ils décident de fonder une ville missionnaire en plein pays iroquois. Cette volonté de collaborer à l'évangélisation des Sauvages est alimentée par la lecture des *Relations* des Jésuites, qui circulent en France.

En 1642, Paul de Chomedey de Maisonneuve fonde Ville-Marie (Montréal), ainsi nommée en l'honneur de la mère du Christ. Il est accompagné d'une cinquantaine de personnes, dont Jeanne Mance, qui fonde le premier hôpital de Ville-Marie, l'Hôtel-Dieu.

Montréal a d'abord été fondée pour un **motif d'ordre religieux**. Mais, à cause de son emplacement, elle devient rapidement le principal poste de traite de la colonie ainsi qu'un important poste militaire.

Les *Relations* des Jésuites, inestimable source de renseignements

À partir de 1632, les Jésuites de la colonie envoient une longue lettre annuelle à leur supérieur de Paris, dans laquelle ils racontent ce qui se passe en Nouvelle-France et dans leurs missions.

Publiées en France, les *Relations* des Jésuites deviennent un instrument de propagande missionnaire. À la lecture de ces récits, des gens fortunés envoient d'importantes sommes d'argent pour soutenir les bonnes oeuvres du Canada. D'autres personnes décident même de « venir en Canada » pour aider les missionnaires dans leur entreprise d'évangélisation.

2.8 Maisonneuve porte la croix qui sera érigée sur le mont Royal.

Un monde de célibataires

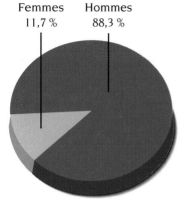

Femmes
11,7 %

Hommes
88,3 %

2.9 Proportion d'hommes et de femmes célibataires dans la population de Montréal en 1663.

En 1663, il y a à Montréal 136 hommes et dix-huit femmes célibataires.

9 D'après le document 2.9, combien y a-t-il d'hommes disponibles pour chaque femme à Montréal en 1663?

En 1666, lors du premier recensement officiel, on dénombre 3 418 habitants en Nouvelle-France, dont:
- 719 hommes célibataires âgés de 16 à 40 ans;
- 45 femmes célibataires âgées de 16 à 40 ans.

10 D'après le texte précédent, combien y a-t-il d'hommes disponibles pour chaque femme dans la colonie en 1666?

11 Fais un schéma semblable au document 2.9 pour représenter le pourcentage de célibataires en Nouvelle-France en 1666.

Les décès à Montréal

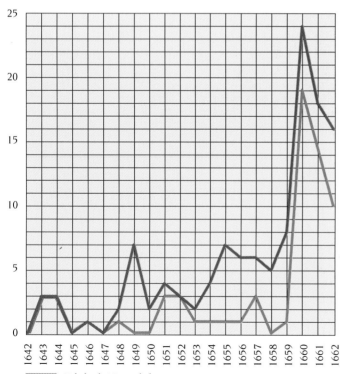

2.10 Les décès à Montréal de 1642 à 1662.

Décès à Montréal
Décès dus aux attaques iroquoises

Les principales causes des 122 décès enregistrés à Montréal entre 1642 et 1662 sont la noyade, la mortalité infantile, les maladies et les attaques iroquoises.

12 À l'aide du document 2.10, indique quelle a été la plus importante cause de ces décès.

13 À l'aide des documents 2.9 et 2.10, trouve les deux types d'immigrants dont la colonie a besoin vers 1670.

Un peuplement très lent

En 1627, on dénombre une centaine de personnes en Nouvelle-France, dont seulement une dizaine de femmes. En 1663, à peine 3 000 personnes vivent dans la colonie. Chez les célibataires en âge de se marier, il y a seize fois plus d'hommes que de femmes! La Nouvelle-France attire peu d'immigrants et ceux-ci sont en majorité des hommes.

Immigrant

LES LIEUX LES PLUS PEUPLÉS EN 1666	
Lieux	Nombre d'habitants
Beaupré	678
Montréal	584
Québec	555
Île d'Orléans	471
Trois-Rivières	461
Sillery	217
Beauport	172

2.11

Une économie à base de fourrures

Au début du 17e siècle, la Nouvelle-France est une colonie-comptoir. Ce type de colonie ne requiert pas une importante population : quelques Français dans les postes de traite et une main-d'oeuvre amérindienne suffisent à son fonctionnement.

Une colonie catholique

Peu de Français émigrent en Nouvelle-France pour des motifs religieux ; et ceux qui le font sont en général des célibataires.

Cependant, la France souhaite faire de la colonie un lieu catholique. Aussi les membres d'autres religions, en particulier les « huguenots », ou protestants, sont-ils exclus de la colonie.

Des conditions difficiles

Des récits racontent qu'en Nouvelle-France, il fait « fret », qu'il y a là-bas des « maraingouins » et des « sauvages barbares ». Ces témoignages n'incitent guère les Français à aller s'établir dans la colonie! De plus, le voyage peut durer un ou deux mois et comporte de multiples dangers.

Brrr! il fait «fret»!

Au Québec, on dit parfois qu'il fait «fret» quand on veut signifier qu'il fait plus que froid. Le mot «fret» nous vient du français parlé en France au 17e siècle.

De nos jours, ce mot fait partie de la langue familière des Québécois. Cependant, au 17e siècle, le mot «fret» était utilisé par tout le monde en France et en Nouvelle-France, même par les gens les plus instruits…

L'AUGMENTATION DE LA POPULATION

Actuellement, la population du Québec n'arrive pas à se renouveler. Depuis quelques années, les gouvernements adoptent des mesures visant à accroître la population.

14 D'après les documents 2.12 et 2.13, quels types de mesures pourraient favoriser l'accroissement de la population du Québec?

Des gens d'ailleurs pour une plus grande richesse ici

DIANE PRÉCOURT   ment dans ce

«Il est de plus en

2.12 Une manchette éloquente.

Prime à la naissance

Le gouvernement du Québec versera à la mère:

• une prime de 500 $ pour le premier enfant;

• une prime de 1 000 $ pour le deuxième enfant;

• une prime de 8 000 $, répartie sur cinq ans, pour chacun des autres enfants.

Régie des rentes du Québec, 1994

2.13

LES CATÉGORIES D'IMMIGRANTS

Les immigrants doivent en général répondre aux besoins de leur pays d'accueil. Au cours du Régime français, environ 10 000 immigrants sont venus en Nouvelle-France, dont:

• 3 900 engagés;

• 3 500 militaires;

• 1 100 filles du roi;

• 1 100 prisonniers;

• 500 volontaires.

15 *a*) À quels besoins de la colonie correspondent les trois premières catégories d'immigrants?

b) Pourquoi les gens qui font partie des quatre premières catégories ne peuvent-ils être considérés comme des volontaires?

ESSOR DU PEUPLEMENT

En 1663, le nouveau roi de France, Louis XIV, décide de prendre en main le sort de la colonie. Désormais, les administrateurs doivent appliquer les décisions royales plutôt que de défendre les intérêts des compagnies de fourrures. La colonie-comptoir peut alors se transformer en colonie de **peuplement**.

L'IMMIGRATION

Les administrateurs du roi adoptent des mesures pour augmenter la population de la Nouvelle-France. Leur première préoccupation est l'**immigration**. De 1663 à 1670, environ 2 500 immigrants débarquent en Nouvelle-France.

Immigration

2.14   L'une d'entre elles est peut-être ton ancêtre… Au cours de l'été 1666, 90 filles du roi arrivent à Québec. À la mi-novembre, 84 d'entre elles sont mariées.
Comment expliques-tu ces mariages rapides?

Trois catégories d'immigrants viennent s'installer dans la colonie.

• Les filles du roi, qui sont des filles à marier. On les choisit plutôt jeunes car elles doivent assurer la reproduction dans la colonie.

• Les soldats, qui font partie du régiment de Carignan-Salières. Ils sont envoyés par le roi pour défendre et pacifier le territoire menacé par les Iroquois. Environ 400 d'entre eux s'établissent dans la colonie une fois leur contrat terminé.

LES NAISSANCES

« Enjoint à tous compagnons volontaires et autres personnes qui sont en âge d'entrer dans le mariage de se marier quinze jours après l'arrivée des navires qui apportent les filles sous peine d'être privés de la liberté de toutes sortes de chasse, pêche et traite avec les Sauvages. »

Ordonnance de Jean Talon, octobre 1671

2.15

LES FILLES DU ROI	
Âge	**Pourcentage**
12 à 15 ans*	10 %
16 à 25 ans	57 %
26 ans et plus	22 %
Inconnu	11 %

* À l'époque, les lois de l'église permettaient aux garçons de se marier à 14 ans et aux filles, à 12 ans.

2.16

« [...] en considération de la multiplicité des enfants et pour les porter au mariage, Sa Majesté [...] a ordonné et ordonne qu'à l'avenir tous les habitants du pays qui auront jusqu'au nombre de dix enfants vivants [...] seront payés [...] d'une pension de 300 livres par chacun an, et ceux qui en auront douze, de 400 livres [...].

Veut de plus, Sa Majesté, qu'il soit payé [...] à tous les garçons qui se marieront à vingt ans et au-dessous, et aux filles à seize ans et au-dessous, 20 livres pour chacun de jouir de leurs noces, ce qui sera appelé le présent du roi. »

Arrêt du conseil d'État du roi, 1670

2.17

« Les filles envoyées l'an passé sont mariées et presque toutes ou sont grosses ou ont eu des enfants, marque de la fécondité de ce pays. »

Lettre de Jean Talon à la cour de France, 1670

2.18

Selon l'historien Marcel Trudel, vers 1760, le taux de natalité atteignait 61,8 ‰ en Nouvelle-France, alors que le taux le plus élevé du monde connu à cette époque était de 55 ‰.

2.19

16 À l'aide des documents 2.15 à 2.19 :

a) énumère trois mesures prises par les autorités françaises pour favoriser la natalité en Nouvelle-France ;

b) donne ton opinion sur l'efficacité de ces mesures ;

c) rédige un texte d'une vingtaine de lignes sur la natalité en Nouvelle-France.

- Les engagés, que l'on appelle les « trente-six mois » à cause de la durée de leur contrat. Ils sont transportés, logés, nourris, vêtus et assurés d'obtenir travail et salaire dès leur arrivée dans la colonie. Cependant, bon nombre d'entre eux retourneront en France au terme de leur engagement.

À ces catégories s'ajoutent au fil des ans quelques centaines de prisonniers libérés de leur peine et de fils de bonnes familles en quête d'aventure.

Au cours du Régime français, 10 000 immigrants viennent s'établir en Nouvelle-France. C'est bien peu si on songe que Champlain demandait au roi, dès 1618, l'envoi de 300 familles par année. La Compagnie des Cent-Associés s'était elle-même engagée, en 1627, à faire venir dans la colonie 4 000 colons en quinze ans !

LA NATALITÉ

Si l'immigration n'est pas un grand succès, la **natalité**, par contre, provoque un accroissement sensible de la population. Entre 1681 et 1765, la population française de la vallée du Saint-Laurent passe de 10 000 à 70 000 habitants.

2.20 *L'Esclave à la nature morte*, peinture de François Malepart de Beaucourt.

Des esclaves en Nouvelle-France

En 1759, on dénombrait en Nouvelle-France 3 604 esclaves, dont 1 132 Noirs, les autres étant essentiellement Amérindiens. On note la présence d'esclaves dès le début de la colonie. Déjà en 1608, Champlain était accompagné de Mathieu de Coste, un interprète noir dont on ignore d'ailleurs où il avait appris les langues amérindiennes.

Les propriétaires de ces esclaves étaient des gens aisés : marchands, militaires, seigneurs et religieux.

LA FAMILLE CANADIENNE AU 18ᵉ SIÈCLE

Au 18ᵉ siècle, on se marie d'abord par nécessité économique ; l'amour vient après. Les mariés sont en général de même niveau social. Il arrive parfois qu'un jeune homme épouse une jeune fille de niveau social inférieur au sien, mais rarement le contraire. De plus, il n'est pas jugé convenable qu'un homme épouse une femme beaucoup plus jeune que lui.

L'homme se marie entre 18 et 30 ans et la femme, entre 20 et 25 ans. Le veuvage est habituellement suivi d'un remariage rapide.

Les femmes mariées ont en moyenne neuf enfants. Une nouvelle naissance a lieu tous les 28 mois et quatre de ces enfants meurent avant d'avoir atteint l'âge adulte.

En principe, dans la maison, c'est l'homme qui est le maître. Cependant, l'homme et la femme ont chacun leurs domaines d'autorité. Les enfants doivent respect et obéissance à leurs parents et participent aux diverses tâches familiales.

Certains grands-parents vivent chez un de leur fils à qui ils donnent leurs biens en échange du gîte et du couvert.

17 À partir du texte qui précède et de ton expérience, compare la famille du 18ᵉ siècle et la famille actuelle.

2.21 L'intendant Talon visite une famille de colons.

Dès son arrivée, Jean Talon applique des mesures pour stimuler la natalité. Ces mesures ont des conséquences positives, particulièrement au 18e siècle, alors que les femmes de la Nouvelle-France battent des records de natalité.

MESURES NATALISTES DE JEAN TALON	
Mariages forcés	On pénalise les célibataires en les privant de permis de traite. On impose une amende aux pères dont les fils de 20 ans et les filles de 16 ans sont encore célibataires.
Mariages précoces	On donne des cadeaux aux jeunes qui se marient avant l'âge limite.
Familles nombreuses	On accorde des allocations et des privilèges aux parents de dix enfants et plus. Le 26e enfant obtient l'instruction gratuite.
Mariages entre Français et Amérindiennes	On attribue une dot aux Amérindiennes.

2.22

UN SUCCÈS

L'immigration et la natalité ayant donné ensemble des résultats significatifs, les autorités françaises sont très satisfaites. Elles présument même que les Français pourront un jour dominer les Anglais sur le continent. En 1748, le gouverneur Roland-Michel Barrin de La Galissonière écrit que la colonie « produira en assez peu de temps une si grande quantité [d'hommes] que, bien loin de craindre les colonies anglaises ni les nations sauvages, elle sera en état de leur faire la loi ».

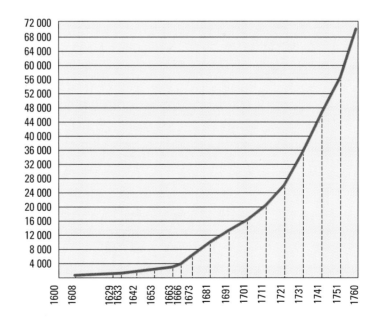

2.23 La population française en Nouvelle-France de 1600 à 1760.

La courbe démographique se modifie sensiblement en 1666. Pourquoi?

Qu'est-ce qui explique la poussée démographique du 18e siècle?

LE SYSTÈME SEIGNEURIAL

2.1.2 Rôle et fonctionnement du système seigneurial.

DE VASTES TERRITOIRES

2.24   Les seigneuries au 17ᵉ et au 18ᵉ siècle.

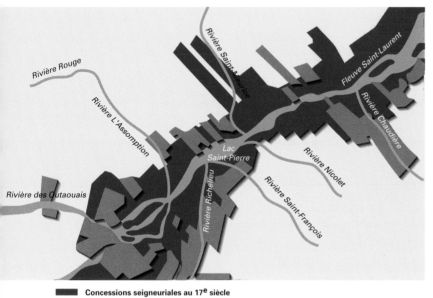

Rivière Rouge

Rivière L'Assomption

Rivière des Outaouais

Rivière Saint-Maurice

Rivière Saint-Laurent

Fleuve Saint-Laurent

Rivière Chaudière

Lac Saint-Pierre

Rivière Nicolet

Rivière Richelieu

Rivière Saint-François

▬▬ Concessions seigneuriales au 17ᵉ siècle
▬▬ Concessions seigneuriales au 18ᵉ siècle

18 *a*) À l'aide du document 2.24, trouve deux caractéristiques physiques communes à presque toutes les seigneuries.

b) Les dimensions d'une seigneurie sont de 20 kilomètres de profondeur sur 6,4 kilomètres de largeur.

Crois-tu qu'un seigneur puisse exploiter seul un aussi vaste territoire?

c) Selon toi, pourquoi le roi concède-t-il un aussi vaste territoire à une seule personne?

UNE ORGANISATION HIÉRARCHISÉE

2.25   Le seigneur doit faire «acte de foi et hommage» au roi en s'agenouillant devant son représentant, l'intendant.

2.26   Pour démontrer qu'ils sont sous la dépendance du seigneur, les censitaires érigent un sapin devant le manoir seigneurial.

19 À l'aide des documents 2.25 et 2.26, démontre que le système seigneurial est une organisation hiérarchisée.

UN SYSTÈME HIÉRARCHISÉ

Au 17e et au 18e siècle, la société est hiérarchisée en Nouvelle-France comme en France. Les gens de condition modeste dépendent de quelques privilégiés. Le système de distribution des terres démontre bien cette forme de hiérarchie.

La colonie appartient d'abord au roi, qui la divise en grands domaines appelés « seigneuries ». Il distribue ces domaines à des religieux, des explorateurs ou des militaires qui ont mérité sa reconnaissance.

Le seigneur est propriétaire de la seigneurie. Il la divise en lots appelés « censives » et les attribue aux colons qui en font la demande.

Le censitaire est propriétaire d'une censive. Il est tenu de défricher et d'exploiter sa terre.

> Seigneurie

> Censive

> Censitaire

 # PEUPLEMENT ET AGRICULTURE

2.28 Louis XIV, roi de France.

Les deux objectifs du **système seigneurial** sont le **peuplement** et la **colonisation agricole**.

Dans ce système, le seigneur est en quelque sorte un « entrepreneur en peuplement ». La gratuité des terres qu'il concède incite les colons à s'établir dans sa seigneurie pour y pratiquer l'agriculture.

LES PROPRIÉTAIRES DES TERRES

Roi

Seigneur

Censitaire

2.27

LE CENSITAIRE, NI RICHE NI PAUVRE

Le métier d'agriculteur permet de vivre convenablement mais il est exigeant.

Jusqu'à environ 25 ans, le jeune homme apprend son métier d'agriculteur sur la terre familiale. Il se marie ensuite et obtient du seigneur une terre qu'il s'empresse de défricher.

Après un an, un arpent (environ 3 200 mètres carrés) de la terre est en labour, une petite maison a été construite et une étable abrite quelques animaux. Après cinq ans, dix arpents sont en culture, assez pour nourrir la famille qui s'est formée. Près de la maison, il y a un petit potager cultivé par la mère. Année après année, les enfants se multiplient, la maison s'agrandit et le défrichement se poursuit.

Vers l'âge de 60 ans, l'agriculteur possède une quarantaine d'arpents de terre en culture qui produit de petits surplus.

2.29   Louis Hébert, premier colon de la Nouvelle-France, et sa famille sur leur terre.

20 Quelles sont les différences entre la vie d'un agriculteur et celle d'un coureur des bois?

DE LONGS ET ÉTROITS RECTANGLES

En Nouvelle-France, les seules voies de communication efficaces sont les cours d'eau. Les premières seigneuries sont donc situées le long du fleuve Saint-Laurent et sur les rives des rivières Chaudière, Richelieu et des Outaouais.

Pour avantager le plus de colons possible, le seigneur distribue des terres rectangulaires de trois arpents (environ 180 mètres) de largeur sur 30 arpents de profondeur, perpendiculaires au cours d'eau.

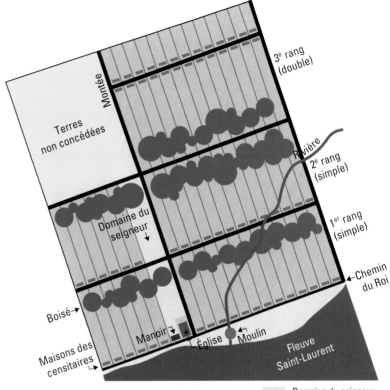

2.30 Plan d'une seigneurie.

LES PARTIES D'UNE SEIGNEURIE	
Domaine du seigneur	Importante partie réservée au seigneur, sur laquelle il construit son manoir.
Censives	Terres concédées aux censitaires. Le seigneur concède d'abord les terres situées le long d'un cours d'eau (1er rang) puis il ouvre d'autres concessions (2e rang, 3e rang, etc.).
Commune	Partie servant de pâturage aux animaux.
Terre de la fabrique	Partie dans laquelle on construit l'église, le presbytère et le cimetière. C'est dans cette partie de la seigneurie que naît un village.
Terres non concédées	Partie non divisée à être divisée et concédée au besoin.

2.31

UN SYSTÈME ÉGALITAIRE?

2.32 Censitaires payant leurs redevances.

Certains historiens ont défini le régime seigneurial de la Nouvelle-France comme une réplique du régime féodal français qui, selon Marc Bloch, historien spécialiste du Moyen Âge, «supposait l'étroite sujétion économique d'une foule d'humbles gens envers quelques puissants». L'historien québécois Marcel Trudel parle plutôt du régime seigneurial de la Nouvelle-France comme d'un «système d'entraide sociale».

21 *a*) À l'aide du document 2.32, définis le type de rapports qu'entretenaient le seigneur et les censitaires.

b) De quelle façon les censitaires payaient-ils leurs redevances au seigneur? Pourquoi?

SEIGNEURS ET CENSITAIRES

Le seigneur exerce une autorité sur ses censitaires : il a des droits sur eux. Cependant, pendant toute la période du Régime français, il ne leur impose habituellement pas de très lourds travaux et n'en exige pas non plus des redevances exorbitantes.

En plus des avantages matériels qu'il retire de sa fonction, il jouit d'un certain prestige dans sa seigneurie. Il occupe par exemple une place de choix à l'église et ses censitaires lui doivent respect et gratitude.

Le seigneur a aussi des devoirs envers ses censitaires. S'il ne les remplit pas, il peut se voir retirer sa seigneurie par l'administrateur du roi.

DEVOIRS ET DROITS DU SEIGNEUR ET DES CENSITAIRES				
	Seigneur		Censitaires	
	Devoirs	Droits	Devoirs	Droits
Concéder des terres	X			
Recevoir une terre				X
Occuper et défricher une terre			X	
Faire construire un moulin	X			
Utiliser le moulin			X	
Percevoir le droit de mouture, le cens et les rentes		X		
Payer le droit de mouture, le cens et les rentes			X	
Réserver une terre pour la commune	X			
Utiliser la commune				X
Imposer des corvées		X		
Exécuter les corvées			X	

2.33

Le régime seigneurial constitue donc un véritable système économique et social au sein duquel censitaires et seigneurs retirent certains avantages de leurs devoirs mutuels.

3 L'ÉCONOMIE

* 2.1.3 Bilan de la diversification économique.

AGRICULTURE ET INDUSTRIE

2.34   Censitaires faisant les foins.

22 Selon l'historien Pierre Tousignant, vers 1740, un chef de famille possédait environ 33 arpents (environ 100 000 mètres carrés) de terre en culture.

a) Selon toi, est-ce qu'une terre de cette dimension peut nourrir une famille de huit à dix personnes ?

b) Est-ce qu'un chef de famille peut cultiver seul une telle terre ? Pourquoi ?

c) Le chef de famille et ses fils peuvent-ils en même temps exercer le métier de coureur des bois ? Pourquoi ?

MÉTIERS EXERCÉS À QUÉBEC EN 1744		
Domaines	**Métiers**	**Nombre**
Administration	Officiers civils	29
	Officiers militaires	19
Commerce	Marchands	62
	Aubergistes-cabaretiers	42
Alimentation	Bouchers	17
	Boulangers	16
Transport	Navigateurs	75
	Charretiers	43
Construction	Charpentiers	85
	Menuisiers	39
	Maçons	27
Transformation	Journaliers	96
	Forgerons	29
	Cordonniers	26
	Tonneliers	25
	Tailleurs	16

2.35

23 À partir des documents 2.34 et 2.35, peut-on affirmer qu'une colonie de peuplement peut beaucoup mieux subvenir à ses besoins qu'une colonie-comptoir ? Justifie ta réponse.

LA DIVERSIFICATION DE L'ÉCONOMIE

Jusqu'à la fin du 17ᵉ siècle, le commerce des fourrures constitue presque la seule activité économique de la Nouvelle-France. Mais, au début du 18ᵉ siècle, une crise sévit dans le domaine de la fourrure et provoque des modifications importantes dans l'économie de la colonie.

DÉVELOPPEMENT DE L'AGRICULTURE

Vers 1700, les jeunes garçons doivent s'orienter vers d'autres métiers que ceux liés au commerce des fourrures. La plupart s'installent sur des terres et deviennent agriculteurs. La distribution de terres se multipliant, on ouvre bientôt de nouveaux rangs. En 1739, on dénombre quatre fois plus d'arpents en culture qu'en 1706.

DES INDUSTRIES VARIÉES

Comme il y a accroissement de la population, la demande de toutes sortes de produits – pièces d'étoffe, outils, matériaux, etc. – augmente. Des industries naissent et se développent.

On s'oriente ainsi vers la **colonisation intégrale**, c'est-à-dire vers le développement diversifié des ressources de la Nouvelle-France. La colonie est de plus en plus en mesure de subvenir à ses propres besoins.

Une femme d'affaires avisée

Mère de huit enfants et épouse d'un mari paresseux, Agathe de Saint-Père ouvre en 1705 une manufacture de tissus. Son esprit d'initiative la pousse à expérimenter de nouvelles teintures. Peut-être sert-elle de modèle à ses compatriotes car, en 1714, l'intendant Bégon note qu'«il y a à Montréal jusqu'à 25 métiers pour faire de la toile et des étoffes de laine».

2.36

2.37

Plaque de cheminée et boulets de canon fabriqués aux Forges du Saint-Maurice, près de Trois-Rivières. Environ 400 ouvriers y travaillaient en 1751.

LE COMMERCE TRIANGULAIRE

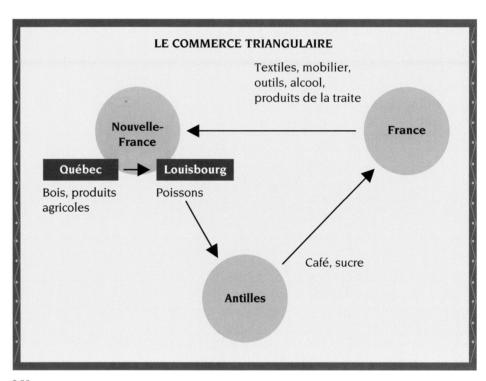

LE COMMERCE TRIANGULAIRE

Textiles, mobilier, outils, alcool, produits de la traite

Nouvelle-France

France

Québec → Louisbourg

Bois, produits agricoles

Poissons

Antilles

Café, sucre

2.38

24 Louisbourg est à la fois une ville-forteresse et un port de pêche et de transit.

a) À l'aide du document 2.38, démontre l'importance de Louisbourg dans l'économie de la Nouvelle-France.

b) Quel est l'avantage géographique de Louisbourg sur Québec?

c) Pourquoi les bateaux passent-ils par les Antilles pour aller en France?

25 Dans un texte ou une bande dessinée, illustre le passage du rêve à la réalité dans la colonisation intégrale au cours du Régime français.

LA COLONISATION INTÉGRALE: DU RÊVE À LA RÉALITÉ		
Années	**Colonisateurs**	**Résultats**
1618	Champlain	Plan de colonisation
1670	Talon	Essai de colonisation
1740	Hocquart	Colonisation en voie de réussite

2.39

COMMERCE INTÉRIEUR ET EXTÉRIEUR

Grâce à la diversification économique, les villes s'agrandissent et des villages naissent autour des églises et des manoirs seigneuriaux. Le commerce s'établit entre la campagne et les centres urbains, ce qui nécessite la construction de routes. En 1735, on ouvre la première route carrossable entre Québec et Montréal.

Le commerce extérieur se développe aussi et entraîne la naissance de Louisbourg, au Cap-Breton. Le commerce triangulaire (voir document 2.38, page 134) permet l'exportation aux Antilles des produits canadiens dont la France n'a pas besoin.

UN ÉCHEC RELATIF

Malgré ce développement, la Nouvelle-France demeure fragile sur le plan économique. Sa marche vers l'autosuffisance rencontre de nombreux obstacles :

Autosuffisance

- la politique mercantiliste, qui ne favorise pas la création d'industries;
- le manque de capitaux;
- la concurrence des colonies anglaises dans le commerce avec les Antilles;
- l'intérêt soutenu pour les fourrures, qui constituent toujours la part la plus importante des produits exportés vers la France.

2.40 Monnaie de carte. Quand l'intendant manquait de fonds, il « créait » de la monnaie en inscrivant, au dos d'une carte à jouer, un montant et sa signature. La monnaie de carte était remboursée à l'arrivée du bateau du roi.

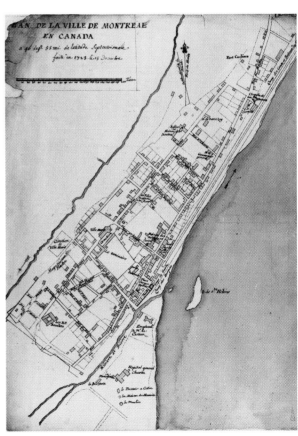

2.41 Plan de Montréal en 1723.

Timeline (left margin)

1755
POPULATION DE
LA NOUVELLE-
FRANCE:
55 000 HABITANTS

1751
LES FORGES
DU SAINT-
MAURICE
EMPLOIENT
400
PERSONNES

1740
MOYENNE DE
33 ARPENTS
CULTIVÉS
PAR FAMILLE

1739
FOURRURES:
70 % DES
EXPORTATIONS

1731
HOCQUART EST
L'INTENDANT DE
LA COLONIE

VERS 1700
CRISE DANS
LA FOURRURE

1672
CONCESSION DE
42 SEIGNEURIES

1665
ARRIVÉE DE
L'INTENDANT
TALON
ARRIVÉE DES
PREMIÈRES
FILLES
DU ROI

1663
GOUVERNEMENT
ROYAL SOUS
LOUIS XIV

1642
FONDATION
DE MONTRÉAL

1634
FONDATION DE
TROIS-RIVIÈRES

1632
PREMIÈRE
RELATION
DES
JÉSUITES

1608
FONDATION
DE QUÉBEC

LE POINT

1 Imagine que tu es guide d'un groupe de touristes en visite dans une des villes suivantes : Québec, Trois-Rivières ou Montréal.

a) Explique à tes auditeurs pourquoi cette ville a été fondée.

b) Explique-leur aussi pour quel motif a été fondée chacune des deux autres villes.

2 À l'aide des documents 2.42 et 2.43, nomme les trois catégories d'immigrants dont la colonie a besoin vers 1670.

Au cours des 20 premières années d'existence de la ville de Montréal, on y compte 122 décès, dont 63 sont dus aux attaques iroquoises.

2.42

« Cette rareté d'ouvriers [...] m'oblige à vous supplier d'avoir la bonté de vouloir songer à nous envoyer quelques-uns de toutes les façons et même des filles à marier à beaucoup de personnes qui n'en trouvent point ici [...] S'il y avait eu cette année 150 filles et autant de valets, dans un mois, ils auraient tous trouvé des maris et des maîtres. »

Lettre du gouverneur Louis Buade de Frontenac à Jean-Baptiste Colbert, ministre de la Marine, 2 novembre 1672

2.43

3 Énumère les quatre mesures prises par l'intendant Jean Talon pour favoriser la natalité en Nouvelle-France.

4 *a)* Quels événements mentionnés dans l'échelle de temps ci-contre prouvent qu'à partir de 1663, la Nouvelle-France devient une colonie de peuplement ?

b) Lequel de ces événements marque un point tournant dans ce changement ? Pourquoi ?

5 *a*) Observe attentivement le document 2.44. Crois-tu que la division actuelle des terres porte l'empreinte du régime seigneurial ?

b) Énumère trois caractéristiques physiques qui le prouvent.

6 *a*) À l'aide des documents 2.45 et 2.46, donne la signification de l'expression « colonisation intégrale ».

b) Quel est le principal objectif de la colonisation intégrale ?

c) Quels ont été les obstacles à la colonisation intégrale au cours du Régime français ?

2.44 Vue aérienne des terres situées entre Les Becquets et Deschaillons.

« [...] la grande ressource du pays, [c'est désormais] les surplus agricoles que l'on peut exporter sur les marchés français et aux Antilles. »

Intendant Antoine-Denis Raudot, 1708

2.45

« [L'exploitation du minerai de fer] procurerait des avantages considérables à ladite colonie où il se consomme une grande quantité de fer [...] »

Brevet d'exploitation du minerai de fer remis à François Poulin de Francheville, 1730

2.46

EN RÉSUMÉ

1 Les premières villes fondées en Nouvelle-France sont Québec, Trois-Rivières et Montréal.

C'est un **motif d'ordre économique**, le commerce des fourrures, qui pousse Champlain à fonder Québec, en 1608, et Laviolette à fonder Trois-Rivières, en 1634.

C'est un **motif d'ordre religieux**, l'évangélisation des Amérindiens, qui amène Maisonneuve à fonder Ville-Marie (Montréal), en 1642.

2 Avant 1663, le **peuplement** de la Nouvelle-France se fait lentement. Chez les célibataires en âge de se marier, il y a seize fois plus d'hommes que de femmes.

À partir de 1663, le roi prend en main le peuplement. L'intendant Jean Talon applique des mesures concrètes pour peupler la colonie :

- Il favorise l'**immigration** en incitant les militaires à s'établir en Nouvelle-France et en faisant venir de France des filles du roi et des engagés.

- Il stimule la **natalité** en pénalisant les célibataires, en récompensant les unions précoces et les familles nombreuses et en encourageant les mariages entre Blancs et Amérindiennes.

Les mesures de Talon donnent des résultats significatifs.

3 Le roi divise les immenses terres de la Nouvelle-France en seigneuries et en assure la distribution selon le mode du **système seigneurial** :

- Le roi attribue une seigneurie à un individu ou à une communauté religieuse. Cette terre est en général de forme rectangulaire et donne sur un cours d'eau navigable.

- Le seigneur divise la seigneurie en portions qu'il attribue aux censitaires, des colons désireux de s'établir sur une terre et de la cultiver.

- Les rapports entre seigneurs et censitaires sont régis par une série de droits et de devoirs.

Le système seigneurial vise à favoriser le **peuplement** et la **colonisation agricole**.

4 À mesure que la colonie se développe, il devient évident que le commerce des fourrures ne peut suffire à assurer la survie de la population.

Les administrateurs du roi tentent alors de mettre en application un plan de **développement intégral** de la Nouvelle-France, qui vise à assurer l'autosuffisance de la colonie. Ils veulent diversifier l'économie en développant les ressources du territoire (agriculture, mines, construction navale) et en pratiquant le commerce avec l'extérieur.

Cependant, malgré ces tentatives, le commerce des fourrures demeure le secteur économique le plus important de la Nouvelle-France. Les autres secteurs n'arrivent pas à se développer, à cause :

- de la politique mercantiliste de la France ;

- du manque de capitaux ;

- de la concurrence des colonies anglaises dans le commerce avec les Antilles.

POUR LA SUITE DE L'HISTOIRE...

Une colonie n'est pas seulement un territoire dont on doit assurer le peuplement et le développement économique. Il y faut aussi une organisation politique et religieuse. Car une colonie, c'est une société en train de prendre forme...

CHAPITRE 4

UNE COLONIE FRANÇAISE EN AMÉRIQUE

2.2 Organisation de la société canadienne.

LA MÎTRE ET LA COURONNE

L'Église et l'État

Le mot « Église » désigne l'autorité religieuse d'un pays. Ce mot désigne aussi les membres du clergé (prêtres) et des communautés religieuses ou l'ensemble des catholiques (clergé et fidèles) d'un pays.

Le mot « État » désigne l'autorité politique d'un pays, c'est-à-dire le gouvernement de ce pays et ses membres. Les fonctionnaires et les enseignants, par exemple, sont des employés de l'État.

2.47

2.48   La première rencontre entre le marquis de Tracy et Mgr de Laval a eu lieu en 1665.

1 *a*) Dans le document 2.48, quel personnage représente l'Église ? l'État ?

b) Selon toi, quel type de relations entretenaient ces deux personnages ?

Tu as sûrement déjà entendu des phrases comme « Les examens viennent du MEQ », « Je dois aller au CLSC » ou « Cette famille est sur le BS ».

2 *a*) Que désigne le sigle MEQ ? CLSC ? l'expression BS ?

b) Chacun des organismes désignés par ces deux sigles et cette expression relève-t-il de l'Église ? de l'État ?

c) Crois-tu que l'Église et l'État étaient aussi distincts qu'aujourd'hui en Nouvelle-France ? Justifie ta réponse.

PANORAMA

Une société prend forme en Nouvelle-France. Sur tous les plans, la colonie est dépendante de sa métropole. La France y applique un modèle d'administration français et y établit un type de société hiérarchisée assez rigide.

On souhaite également faire de la Nouvelle-France une colonie catholique. Tout comme en France, le pouvoir religieux y occupe donc une place de premier ordre aux côtés du pouvoir civil. L'Église est présente dans tous les domaines, spécialement dans celui des services sociaux.

Sur le modèle de la société métropolitaine, la vie dans la vallée du Saint-Laurent se développe autour de deux pôles : la campagne, caractérisée par une économie agricole, et la ville, dans laquelle se tiennent les principales activités commerciales.

Les Canadiens en viennent à considérer la Nouvelle-France comme leur patrie et à se distinguer des Français. Malgré la grande influence de la France, un caractère unique se développe avec les années chez les habitants des rives du Saint-Laurent. Même si les décisions importantes sont toujours prises par la France, les

lois et les usages s'adaptent progressivement aux particularités de la colonie.

- *De quelle façon les Français administrent-ils la Nouvelle-France ?*
- *Quel est le rôle de l'Église ? de l'État ?*
- *Quels sont les modes de vie des habitants de la colonie ?*
- *Quels sont les groupes sociaux ?*
- *Quel type de relations entretiennent les Français et les Canadiens ?*

2.49 Montréal vue de l'île Sainte-Hélène en 1762.

L'ORGANISATION POLITIQUE DE LA NOUVELLE-FRANCE

2.2.1 Structures politiques externes et internes de la vie coloniale.

DES RELATIONS EN ÉVOLUTION

LA RELATION ENFANT-PARENTS

La relation qui existe entre un enfant et ses parents se modifie avec le temps. Cette transformation connaît trois périodes principales :

- la dépendance ;
- le processus d'accession à l'indépendance ;
- l'indépendance.

3 Résume en trois courts paragraphes l'évolution de la relation enfant-parents en donnant un exemple pour chacune des périodes mentionnées ci-haut.

LA RELATION COLONIE-MÉTROPOLE

La relation entre une colonie et sa métropole peut être comparée à celle qui existe entre un enfant et ses parents. Au cours de son évolution, elle traverse les mêmes périodes.

4 À quelle période du développement de la Nouvelle-France peux-tu associer chacun des énoncés suivants ?

- *a)* La Nouvelle-France produit de plus en plus de biens de toutes sortes.
- *b)* Tous les colons de la Nouvelle-France viennent de France.
- *c)* La haute administration de la Nouvelle-France est assurée par des Français. Cependant, certains Canadiens occupent des postes importants.

5 Crois-tu que, vers 1750, la Nouvelle-France ait atteint sa pleine maturité ? Pourquoi ?

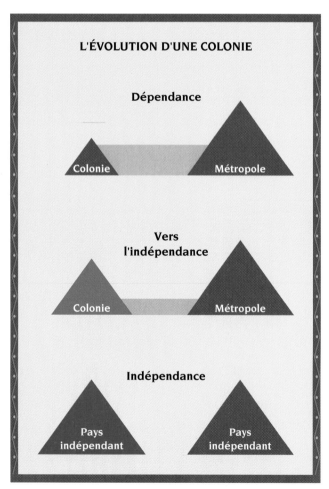

L'ÉVOLUTION D'UNE COLONIE

Dépendance

Colonie   Métropole

Vers l'indépendance

Colonie   Métropole

Indépendance

Pays indépendant   Pays indépendant

2.50

COLONIE ET MÉTROPOLE

Quand, en 1534, Jacques Cartier prend possession d'un nouveau territoire au nom du roi de France, ce territoire devient une **colonie** française. Comme toute colonie, la Nouvelle-France est **dépendante** de sa **métropole**.

DÉPENDANCE DE LA COLONIE ENVERS SA MÉTROPOLE	
Secteurs	**Exemples**
Population	Les colons viennent de la métropole
Économie	Les capitaux proviennent de la métropole
	Les importations arrivent de la métropole
	Les exportations vont vers la métropole
Politique	Les décisions sont prises par la métropole en fonction de ses intérêts
Administration	Les institutions sont calquées sur celles de la métropole
Armée	Les déclarations de guerre sont faites par la métropole
	Les traités de paix sont signés par la métropole
	Les militaires viennent de la métropole
Culture	La langue est celle de la métropole
	La religion est celle de la métropole

2.51

Toutefois, comme des milliers de kilomètres séparent la Nouvelle-France de la France, les décisions prises dans la métropole mettent des mois à parvenir aux administrateurs de la colonie, lesquels jouissent donc d'un certain délai dans l'application de ces décisions. De plus, comme le contexte de la Nouvelle-France est différent de celui de la France, les administrateurs de la colonie doivent en tenir compte et ajuster les décisions de la mère patrie en conséquence, ce qui procure à la colonie une certaine autonomie politique.

Au cours des 17e et 18e siècles, la Nouvelle-France voit sa population s'accroître et son économie se diversifier. Peu à peu, sa dépendance envers la métropole s'atténue quoiqu'elle demeure toujours une colonie de la France.

LE GOUVERNEMENT ROYAL

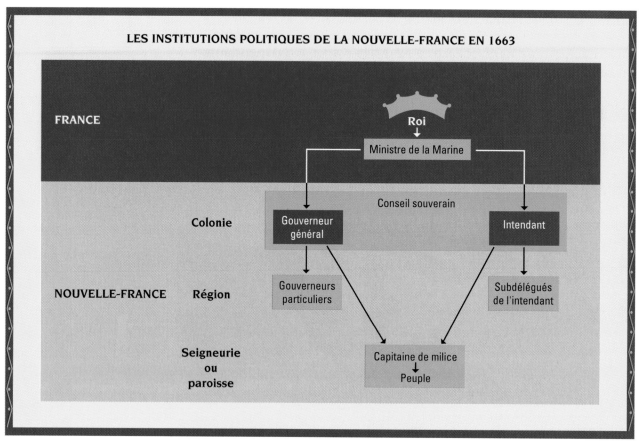

LES INSTITUTIONS POLITIQUES DE LA NOUVELLE-FRANCE EN 1663

FRANCE

Roi

Ministre de la Marine

NOUVELLE-FRANCE

Colonie

Conseil souverain

Gouverneur général

Intendant

Région

Gouverneurs particuliers

Subdélégués de l'intendant

Seigneurie ou paroisse

Capitaine de milice

Peuple

2.52

6 *a*) À l'aide du document 2.52, démontre la dépendance politique de la Nouvelle-France envers la France.

b) Dans l'administration de la colonie, lequel, du gouverneur général ou de l'intendant, a autorité sur l'autre? Selon toi, pourquoi le roi confie-t-il l'administration de la colonie à deux personnes plutôt qu'à une seule?

c) Quels groupes souhaitent que l'administration de la colonie relève du roi plutôt que des compagnies de commerce: les marchands? les missionnaires? les colonisateurs? les colons? Pourquoi?

7 Dans un pays, quand les décisions sont prises par le peuple ou les représentants du peuple, on dit de ce pays qu'il est une démocratie.

D'après toi, le gouvernement royal est-il un gouvernement démocratique? Pourquoi?

LA COLONIE AVANT 1663

Avant 1663, le roi de France s'intéressait très peu à la Nouvelle-France. Il confiait l'administration de la colonie à des **compagnies de commerce**, ne conservant que le pouvoir d'accorder ou de refuser le monopole de la traite des fourrures.

LE GOUVERNEMENT ROYAL

En 1663, le jeune roi Louis XIV décide de prendre en main la Nouvelle-France. Il désire que la France devienne une grande puissance en Europe et considère que la possession de colonies peut contribuer à cette ascension. Pour mieux gérer la Nouvelle-France, il y applique le modèle d'administration utilisé dans les provinces françaises. Pendant une centaine d'années, c'est-à-dire jusqu'à la conquête anglaise, la Nouvelle-France est donc dirigée par le **gouvernement royal** français.

LE ROI

En France, le roi possède tous les pouvoirs : c'est la **monarchie absolue**. C'est lui qui nomme tous les ministres, afin d'exercer son autorité dans tous les domaines sur tout territoire français.

LE MINISTRE DE LA MARINE

Le ministre de la Marine, ou ministre des Colonies, est le grand **responsable des colonies**. C'est lui qui prend les décisions concernant la Nouvelle-France et qui reçoit les rapports des autorités de la colonie.

2.53 Jean-Baptiste Colbert, ministre de la Marine sous Louis XIV.
À quelle théorie économique le colbertisme ressemble-t-il ?

> **Le colbertisme**
>
> Pendant une vingtaine d'années, Jean-Baptiste Colbert a été le bras droit de Louis XIV. Pour lui, les colonies devaient être les «servantes de la métropole», selon les principes du mercantilisme. Cette théorie appliquée par Colbert en France a été appelée le «colbertisme».

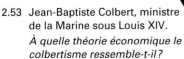

Monarchie

LES DIVISIONS ADMINISTRATIVES DE LA NOUVELLE-FRANCE

En théorie, la Louisiane et l'Acadie relèvent du gouverneur général et de l'intendant qui sont installés à Québec. Cependant, parce que ces régions sont éloignées, leurs administrateurs communiquent plutôt avec la métropole. Ce qui fait dire à l'historien Jacques Mathieu que «la Nouvelle-France comprend en fait trois colonies : l'Acadie, la Louisiane et le Canada».

2.54

8 *a*) Les mots «Canada» et «Nouvelle-France» désignent-ils le même territoire?

b) Le territoire du Canada de l'époque ressemblait-il à celui du Canada actuel ou à celui du Québec actuel?

LES ADMINISTRATEURS

9 En Nouvelle-France, qui, de l'intendant ou du gouverneur, dirigeait les secteurs correspondant aux ministères suivants?

a) L'Immigration. *d*) La Justice.

b) La Voirie. *e*) Les Affaires extérieures.

c) La Défense. *f*) Les Finances.

10 *a*) Donne des exemples de décisions prises par le gouverneur qui peuvent affecter les colons.

b) Donne des exemples de décisions prises par l'intendant qui peuvent affecter les colons.

LE GOUVERNEUR GÉNÉRAL

Le gouverneur général est le représentant du roi dans la colonie. Il est donc le plus haut dignitaire de la Nouvelle-France. Il s'occupe des **affaires militaires** : levée des troupes, construction des forts, plans d'attaque. Il est aussi responsable des **affaires extérieures** : rapports avec les autres colonies, relations avec les Amérindiens.

L'INTENDANT

L'intendant est « l'oeil et la main du roi » en Nouvelle-France. Il est l'**administrateur de la colonie** : à peu près tous les secteurs relèvent de son autorité.

LE CONSEIL SOUVERAIN

Le Conseil souverain, ou Conseil supérieur, joue le rôle de **cour d'appel**, la plus haute cour de justice de la colonie. Il est composé du gouverneur général et de l'évêque, qui nomment conjointement cinq à douze conseillers selon l'époque. L'intendant de la colonie siège au Conseil souverain comme président.

LES GOUVERNEURS PARTICULIERS ET LES SUBDÉLÉGUÉS DE L'INTENDANT

Les gouverneurs particuliers et les subdélégués de l'intendant sont les **représentants du gouverneur et de l'intendant** dans les divisions administratives de la colonie.

LE CAPITAINE DE MILICE

Le capitaine de milice est nommé par le gouverneur général et l'intendant. Au début de la colonie, il est **responsable de la milice** locale dans une seigneurie ou une paroisse, mais il en vient rapidement à jouer le rôle d'**intermédiaire** entre les administrateurs et les habitants.

L'ÉVÊQUE

Tout ce qui concerne la **religion** relève de l'évêque. Et comme, à cette époque, la distinction entre les affaires civiles et les affaires spirituelles n'est pas très claire, l'évêque intervient dans une foule de domaines. Le gouverneur et l'intendant ne sont pas toujours en faveur de ces incursions dans leurs affaires : il leur arrive parfois d'entrer en conflit avec l'évêque.

TÂCHES DE L'INTENDANT	
Justice	Nomination des juges
	Fonctionnement des tribunaux
Police	Administration interne
	Commerce intérieur
	Hygiène et santé
	Peuplement
	Distribution des terres
	Bonnes moeurs
	Sécurité publique
Finances	Budget
	Cours de la monnaie
	Prix des denrées

2.55

DES REBELLES EN NOUVELLE-FRANCE

Des amoureux décidés

Il arrive que des jeunes gens veuillent vivre en couple malgré l'interdiction de leurs parents et du curé. Ils se marient alors «à la gaumine», c'est-à-dire qu'à la fin de la messe dominicale, ils profitent de la bénédiction du curé pour échanger en secret leurs voeux de mariage.

2.56

Contrebande en Nouvelle-France

En 1741, une perquisition a lieu à Montréal. Dans 80% des maisons visitées, on trouve des marchandises de fabrication anglaise, parmi lesquelles des objets de culte religieux!

De plus, les deux tiers du commerce des fourrures se font illégalement avec Albany, la capitale anglaise de ce commerce.

2.57

La dîme

Dans une société catholique comme celle de la Nouvelle-France, les paroissiens doivent défrayer les dépenses liées aux services religieux. Chaque année, un habitant doit payer sa dîme, en argent ou en nature.

La valeur de la dîme – du mot latin *decima* – correspond théoriquement au dixième des récoltes d'une année; l'évêque propose plutôt de la fixer au treizième. Mais finalement, devant les protestations des habitants, le gouverneur la fixe au vingtième en 1663 et au vingt-sixième en 1667, malgré l'opposition de l'évêque.

2.58

La chasse aux coureurs des bois

Au 17e siècle, les autorités considèrent que la traite des fourrures attire un trop grand nombre de jeunes gens dans les bois. En 1681, elles réglementent la traite des fourrures pour réduire le nombre de coureurs des bois à moins de 200.

En 1685, le gouverneur constate qu'entre 500 et 800 jeunes gens pratiquent encore le métier de coureur des bois!

2.59

11 a) D'après les documents 2.56 à 2.59, quel type de rapports ont les habitants de la Nouvelle-France avec l'Autorité? Justifie ta réponse.

b) Ces habitants sont-ils des criminels? Justifie ta réponse.

D L'Autorité et les habitants

À mesure que la société se développe, les règlements se multiplient en Nouvelle-France. Dans tous les domaines – politique, économique, religieux, social – l'Autorité exerce un contrôle. Les curés lisent les mandements de l'évêque en chaire ; on affiche les ordonnances des intendants aux portes des églises.

DES CANADIENS « NATURELLEMENT INDOCILES »

Dans un mémoire rédigé en 1737, l'intendant Hocquart dit des Canadiens qu'ils sont « naturellement indociles ». En effet, plusieurs d'entre eux se permettent une certaine liberté à l'égard des lois et des règlements.

Les colons de la Nouvelle-France ne sont pas pour autant des criminels. Dans l'ensemble, ce sont des gens plutôt paisibles. Les cours de justice ont des causes à traiter mais il n'y a pas d'avocats dans la colonie, car cette profession y est interdite. On applique les lois françaises qu'on adapte parfois aux particularités de la Nouvelle-France.

La Coutume de Paris

En Nouvelle-France, les lois civiles en vigueur sont celles de la Coutume de Paris. Ce système de lois de la région parisienne régit les droits des individus dans plusieurs secteurs : régime matrimonial, propriété des biens, héritages…

2.60 Criminelle condamnée au fouet.
Il n'y avait pas beaucoup de procès criminels en Nouvelle-France.
À ton avis, pourquoi ?

L'ÉGLISE EN NOUVELLE-FRANCE

2.2.2 Rôle de l'Église dans la colonie.

L'ÉGLISE

2.61 Le collège des
Jésuites, à
Québec.

 « Quand on nous vint donner avis qu'une barque allait surgir à Québec, portant un collège de Jésuites, une maison d'Hospitalières et un couvent d'Ursulines, la première nouvelle nous sembla quasi un songe, mais enfin descendant vers le grand fleuve, nous trouvâmes que c'était une vérité. »

Père Le Jeune, *Relation* de 1639

2.62

12 *a*) Que viennent offrir à la population de la Nouvelle-France les personnes dont parle le père Le Jeune dans le document 2.62 ?

b) Aujourd'hui, qui dispense le même genre de services ?

13 Selon l'historien André Vachon, les Jésuites étaient tout à la fois « missionnaires, curés, professeurs, propagandistes, colonisateurs, explorateurs, interprètes et ambassadeurs ».

Parmi ces nombreuses occupations, lesquelles relèvent strictement du domaine religieux ? Lesquelles ont trait aux affaires civiles ? Justifie ta réponse.

LE RÔLE DE L'ÉGLISE

La fonction première de l'**Église** est de veiller au salut des âmes. Elle assume d'abord son **rôle religieux** en évangélisant les Amérindiens et en dispensant les services religieux dans la colonie. De plus, elle remplit un **rôle social**, car les autorités politiques ne s'occupent guère de ce secteur. Elle veille à l'instruction des enfants, au soin des malades et procure assistance aux démunis.

 # LE PERSONNEL RELIGIEUX

La Nouvelle-France est catholique, comme sa métropole la France. Les colons sont choisis en fonction de leurs croyances religieuses et la colonie leur offre tous les services religieux catholiques. De plus, on veut évangéliser les autochtones. Il faut donc un personnel religieux abondant dans la colonie.

LE CLERGÉ

Depuis 1674, Mgr François de Laval est l'évêque de la Nouvelle-France. Il confie l'**évangélisation** des Amérindiens à des communautés d'hommes, les Jésuites et les Récollets, qui se rendent dans les missions pour prêcher la bonne nouvelle. Ils tentent parfois d'attirer les indigènes dans des réserves, à proximité des villages, pour essayer d'en faire de bons sujets du roi en même temps que de bons chrétiens.

Malgré le zèle des missionnaires, l'évangélisation des Amérindiens est un échec. Ceux-ci refusent le christianisme ou font semblant de se convertir alors qu'ils conservent en fait leurs croyances.

Les Jésuites veillent aussi à l'**éducation** dans la colonie. En 1635, ils fondent à Québec le premier collège d'enseignement secondaire en Amérique du Nord. Ils s'occupent également d'enseignement au Grand Séminaire de Québec, fondé en 1663 par Mgr de Laval. Cette institution se dédie à la formation des candidats à la prêtrise, favorisant ainsi ce que l'on pourrait appeler la « canadianisation » du clergé colonial.

2.63 Mgr François de Laval.
Nomme deux réalités québécoises qui portent son nom.

DES FEMMES INDISPENSABLES

2.64   Ex-voto de la salle des femmes de l'Hôtel-Dieu de Montréal.

2.65   Religieuses recueillant un enfant.

14 *a*) D'après les documents 2.64 et 2.65, quels sont les services dispensés par les religieuses en Nouvelle-France ?

b) Crois-tu qu'elles ont joué un rôle important dans la colonie ? Justifie ta réponse.

15 *a*) De nos jours, ces services relèvent-ils de l'Église ou de l'État ?

b) Selon toi, y a-t-il des avantages à ce que ces services relèvent de l'Église ? de l'État ? Justifie ta réponse.

LES COMMUNAUTÉS RELIGIEUSES

En plus des prêtres, des membres de communautés religieuses consacrent leur vie au service de leur religion.

LES HOMMES

Les « donnés » accompagnent les missionnaires en territoire indigène.
Ils les secondent dans leur tâche d'évangélisation et assurent leur
défense en cas d'attaque.

Les Frères hospitaliers de la Croix et de saint Joseph prêtent **assistance
aux miséreux** et dispensent l'**enseignement** des métiers aux jeunes
garçons.

LES FEMMES

Les religieuses se consacrent à des tâches sociales : l'instruction des
enfants et les soins aux malades.

À Québec, l'**instruction** des jeunes filles est dispensée par les Ursulines,
dirigées au début du 17e siècle par Marie de l'Incarnation. À Montréal, ce
sont les Soeurs de la congrégation Notre-Dame, communauté fondée
en Nouvelle-France par Marguerite Bourgeois, qui en ont la charge.

Les **soins aux malades** sont dispensés par les Soeurs hospitalières, venues
de France. Les Soeurs de Montréal travaillent sous l'autorité de Jeanne
Mance. Au 18e siècle, une Canadienne, Marguerite d'Youville, fonde une
communauté religieuse : les Soeurs de la Charité (Soeurs grises).

2.66 Marguerite Bourgeois.

2.67 Marie de l'Incarnation.

3

LA VIE QUOTIDIENNE
EN NOUVELLE-FRANCE

2.2.3 Aspects de la vie quotidienne.

LA CAMPAGNE, UN MILIEU D'ENTRAIDE

À la campagne, on s'entraide dans les moments difficiles : deuils, feux, maladies…

«À l'époque de la Nouvelle-France et du régime seigneurial, la corvée [...] était d'abord un impôt [...] [Les] censitaires [...] fournissaient annuellement quelques journées de travail gratuit à la demande du seigneur, des officiers chargés des voies publiques ou des commandants militaires [...]

Les anciens Canadiens ont reconnu [le régime des corvées] comme une manifestation de solidarité, comme un moyen d'action communautaire [...] [Par la suite], les Français-Canadiens [...] ont [...] appelé ["corvée"] une entreprise d'entraide sociale au bénéfice d'un individu, d'une famille ou d'une institution.»

Michel Brunet, historien, 1981

2.68

16 *a*) Quel est le sens premier du mot «corvée»? Quel est le sens de ce mot aujourd'hui?

b) Qu'y a-t-il de semblable dans ces deux sens? de différent?

LES SEIGNEURIES ET LES PAROISSES

Pour les habitants de la Nouvelle-France, les mots «seigneurie» et «paroisse» désignent souvent un même territoire. Pourtant, ce sont deux entités bien différentes au point de vue administratif.

2.69

SEIGNEURIE ET PAROISSE		
	Seigneurie	**Paroisse**
Création	État	Église
Fonction	Socio-économique	Religieuse
Autorité	Seigneur	Curé
Centre	Manoir	Église

17 *a*) Aujourd'hui, la confusion entre seigneurie et paroisse est-elle encore possible? Pourquoi?

b) De nos jours, on confond parfois municipalité et paroisse. Dans quel milieu – rural ou urbain – cette confusion est-elle le plus répandue?

VIVRE À LA CAMPAGNE

En Nouvelle-France, environ 75 % de la population vit à la campagne. Il y a beaucoup de terres à distribuer et, bien que les travaux liés à l'**agriculture** soient difficiles, les colons ont la satisfaction de se dire « habitants », c'est-à-dire propriétaires terriens. Ils ne s'enrichissent guère mais gîte et nourriture leur sont assurés.

La famille est le centre de la vie à la campagne: tout le monde participe aux travaux de la ferme.

À cause du mode de répartition des terres du régime seigneurial, il n'existe presque pas de villages et les voisins sont éloignés. Les occasions de rencontres sont rares. Le perron de l'église, après la messe dominicale, constitue le lieu privilégié pour prendre des nouvelles de tout un chacun.

2.70 Représentation idéalisée d'une ronde canadienne peinte par George Heriot.

Les divertissements ont essentiellement lieu dans le milieu familial. Lors de fêtes, on chante, on danse, on boit et on se raconte des histoires. Les **traditions** sont profondément ancrées et se transmettent de génération en génération.

LA VILLE, UN MILIEU DYNAMIQUE

2.71 Scène de la vie urbaine à Québec.

18 Dans le document 2.71, relève quelques caractéristiques – architecture, activité économique, groupes sociaux, etc. – de la ville.

19 Selon toi, de nos jours, y a-t-il autant de différence entre le mode de vie de la ville et celui de la campagne qu'il y en avait au 17ᵉ siècle? Pourquoi?

« […] il y a une hauteur où est la maison du gouverneur qu'on appelle le château […] et dans le bas, est la ville basse […] Les marchands et une partie des gens du Conseil souverain habitent cette partie […] L'Intendance est à la partie la plus occidentale […] Il y a vis-à-vis du château une place où sont les Récollets, et […] une autre où est la cathédrale, les Jésuites et le séminaire; il y a […] encore un couvent d'Ursulines et un d'Hospitalières […] Il y a un évêque, un chapître. »

Chevalier de la Pause, 1755

2.72

20 Dans la description de la ville de Québec faite dans le document 2.72, relève des éléments qui ne peuvent appartenir qu'au milieu urbain.

21 Dans un court texte, compare la vie citadine avec la vie à la campagne en montrant les avantages et les inconvénients de l'une et l'autre.

B VIVRE EN VILLE

La population des villes est majoritairement jeune et masculine. La ville
constitue un lieu de passage pour les jeunes arrivants : ils débarquent
dans le port de Québec ou de Montréal, exercent un métier pendant
quelques années dans une de ces villes, puis s'établissent en général
sur une terre. La ville est un lieu d'**administration**, d'**artisanat** et de
commerce, métiers essentiellement exercés par des hommes. Par
contre, dans les **services** – instruction, soin des malades, domesticité –
il y a beaucoup de femmes.

2.73 Vue de
Québec
en 1688.

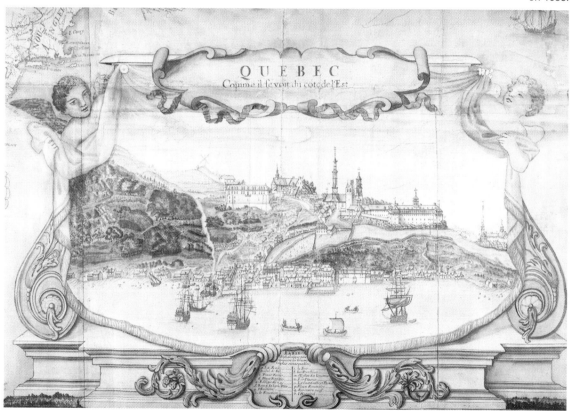

Contrairement à la campagne, la ville est **ouverte sur l'extérieur**.
Québec est la porte d'entrée des colons français et Montréal, la porte
de sortie des explorateurs des Pays-d'en-Haut.

Il y a cependant des **disparités sociales** importantes dans les villes. Les
biens nantis ont des maisons de pierre à deux étages, des domestiques
et parfois même des esclaves. Les simples travailleurs ne possèdent
pas la maison qu'ils habitent et où ils exercent leur métier.

LA NOUVELLE-FRANCE
SE « CANADIANISE »

* 2.2.4 Comparaison entre coloniaux et métropolitains.

UNE SOCIÉTÉ HIÉRARCHISÉE

Dans toute société, il existe une hiérarchie des groupes sociaux. Les groupes qui occupent le haut de l'échelle sociale possèdent pouvoir et argent. Plus on descend les marches de cette échelle, moins les groupes sont privilégiés.

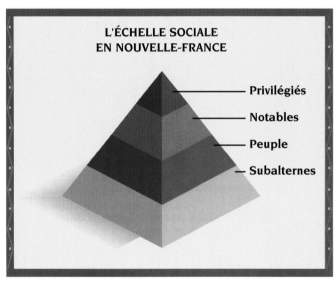

L'ÉCHELLE SOCIALE EN NOUVELLE-FRANCE

- Privilégiés
- Notables
- Peuple
- Subalternes

2.74

Toujours plus haut...

En Nouvelle-France, les gens ont tendance à prétendre être d'un niveau social plus élevé que le leur.

Certains prêtres, par exemple, se considèrent comme des égaux de l'évêque, des bourgeois s'appellent entre eux « sieur », des journaliers se prétendent artisans et des maçons veulent être appelés « architectes ». Même certains domestiques prennent de haut les ordres de leurs maîtres.

2.75

22 À l'aide du document 2.74, indique à quel groupe social appartient chacune des personnes suivantes.

a) Un censitaire.

b) Le curé.

c) L'intendant.

d) Une domestique.

e) Un marchand de fourrures.

L'écart entre les différents groupes sociaux est moins prononcé en Nouvelle-France qu'en France.

Dans la colonie, à part l'évêque, il n'y a pas vraiment de haut clergé. Il n'y a pas non plus de grande noblesse ni de grandes fortunes. Les censitaires sont propriétaires de leur terre et de leur maison. Les gens de métier peuvent obtenir une maîtrise après six ans de pratique, ce qui leur donne le droit de tenir boutique.

23 *a)* Le document 2.75 nous permet-il d'affirmer que la société de la Nouvelle-France est hiérarchisée ? égalitaire ? Justifie ta réponse.

b) Selon toi, la société québécoise d'aujourd'hui est-elle hiérarchisée ou égalitaire ? Justifie ta réponse.

LES GROUPES SOCIAUX

Il y a en Nouvelle-France un peu plus d'égalité sociale qu'en France. Il arrive qu'un soldat soit promu officier et qu'un censitaire fasse l'acquisition d'une seigneurie. Cependant, ces cas sont plutôt rares. En général, dans la colonie, on vit dans une **société hiérarchisée** assez rigide.

LES GROUPES SOCIAUX EN NOUVELLE-FRANCE		
Rangs	**Catégories**	**Origines**
Privilégiés	Nobles	Français
	Officiers militaires et civils	Français
	Haut clergé	Français
	Grands bourgeois	Français
Notables	Prêtres	Canadiens
	Seigneurs	Canadiens
	Capitaines de milice	Canadiens
Peuple	Agriculteurs	Canadiens
	Gens de métiers	Canadiens
	Coureurs des bois	Canadiens
Subalternes	Engagés	Français
	Domestiques	Canadiens
	Esclaves	Amérindiens

2.76

LES AMÉRINDIENS

Environ 3 000 Amérindiens vivent dans des réserves près des villages des Blancs. Bien qu'ils soient coupés de leur milieu d'origine, ils ne parviennent pas à s'adapter à la vie organisée à la française. Quant aux Amérindiens avec lesquels les Français entretiennent des relations commerciales, ils ne font pas vraiment partie de la société coloniale. Dans l'ensemble, comme le note l'historien Jacques Mathieu, « la société amérindienne et la société blanche vivent côte à côte ».

QUI SONT LES CANADIENS?

«Après avoir arrêté deux heures pour considérer ces peuples qui ont leurs canots faits d'écorce de bouleaux comme les Canadiens, Souriquois et Etchemins, nous levâmes l'ancre et avec apparence de beau temps, nous nous mîmes à la voile.»

Champlain, *Voyages*, 1632

2.77

«Les Canadiens et les Français, quoiqu'ayant la même origine, les mêmes intérêts, les mêmes principes de religion et de gouvernement, un danger pressant devant leurs yeux, ne peuvent s'accorder. Il semble que ce soient deux corps qui ne peuvent s'amalgamer [...] Il semble que nous soyons d'une nation différente, ennemie même.»

Le chevalier de Bougainvilliers, 1758

2.78

«Nous avons un pays magnifique qui regorge de richesses. Les Canadiens sont en droit d'être fiers de ce qu'ils ont accompli et de l'avenir qui s'ouvre à eux.»

Secrétariat d'État du Canada, 1987

2.79

24 Il est fréquent de voir un mot changer de sens à travers l'histoire. Dans les textes des documents 2.77 à 2.79 par exemple, le mot «Canadiens» ne désigne jamais la même catégorie de personnes.

a) Que désigne le mot «Canadiens» dans chacun de ces documents?

b) Aujourd'hui, le mot «Québécois» désigne tous les habitants du Québec.

Que désignait-il à l'origine?

c) Crois-tu que le mot «colon» ait le même sens aujourd'hui qu'au 18e siècle?

25 Dans le texte du document 2.78, le chevalier de Bougainvilliers dit que, bien qu'ayant beaucoup en commun, les Canadiens et les Français «ne peuvent s'accorder» et même qu'ils sont ennemis.

D'après toi, pourquoi Canadiens et Français ont-ils tant de points communs? Pourquoi, alors, n'arrivent-ils pas à s'entendre?

B FRANÇAIS ET CANADIENS

Avec le temps, la Nouvelle-France se « canadianise ». La société y devient originale, **distincte** de celle de la métropole.

LA RELIGION

Au début de la colonie, tout le personnel religieux vient de France. Puis le recrutement des prêtres séculiers et des religieuses se fait parmi la population canadienne. En 1760, toutes les religieuses et la très grande majorité des curés de campagne sont nés en Nouvelle-France.

Cependant, durant tout le Régime français, l'évêque ainsi que les jésuites et les sulpiciens sont recrutés en France.

L'ADMINISTRATION

Jusqu'en 1760, la haute administration de la colonie est entre les mains de Français. Tous les intendants et les gouverneurs généraux – à l'exception du dernier, Pierre de Rigaud de Vaudreuil-Cavagnial – sont d'origine française.

Mais, comme l'administration de cette immense colonie nécessite une foule de fonctionnaires, ceux-ci sont choisis parmi la population canadienne.

L'ARMÉE

Le haut commandement des affaires militaires – gouverneur et officiers supérieurs – est français. Cependant, comme la colonie est en expansion, une multitude de postes fortifiés sont construits, dont le commandement est confié à des Canadiens. Avec le temps, certains Canadiens deviennent même officiers subalternes dans l'armée régulière. Les capitaines de milice, eux, sont toujours des Canadiens.

2.80 Une maison ancienne de la région de Montréal. L'angle du toit est plus prononcé que celui des maisons de la région de Québec.

« [...] le type français du Canada s'est éloigné du type français d'Europe. [...] Toute colonisation qui réussit a pour dernière étape de son évolution la création d'un peuple nouveau [...] »

Émile Salone, historien, 1906

Timeline (left side)

1737
FONDATION DES
SOEURS GRISES

1739
POPULATION
RURALE:
42 701 HABITANTS
POPULATION
URBAINE:
8 813 HABITANTS

1681
POPULATION
RURALE:
6 914 HABITANTS
POPULATION
URBAINE:
2 763 HABITANTS

1672
Mᴳᴿ DE LAVAL
DEVIENT ÉVÊQUE
DE QUÉBEC

1665
ARRIVÉE DE
L'INTENDANT
TALON

1663
FONDATION DU
SÉMINAIRE DE
QUÉBEC
DÉBUT DU
GOUVERNEMENT
ROYAL

1658
FONDATION DE
LA CONGRÉGATION
NOTRE-DAME

1642
FONDATION DE
L'HÔTEL-DIEU
DE MONTRÉAL

1639
ARRIVÉE DES
URSULINES

1625
ARRIVÉE DES
JÉSUITES

1615
ARRIVÉE DES
RÉCOLLETS

Main content

LE POINT

❶ En Nouvelle-France, le titre de gouverneur général est le plus prestigieux, mais c'est l'intendant qui administre la colonie.

Es-tu d'accord avec cette affirmation? Justifie ta réponse.

❷ Quels sont les rôles de l'Église en Nouvelle-France? À l'aide de l'échelle de temps ci-contre, donne des exemples de ces rôles.

> «Québec est la ville la plus importante […] La plupart des marchands habitent la basse ville […] La haute ville est habitée par des gens de qualité, fonctionnaires, négociants ou autres. Elle renferme les principaux édifices de la cité (le palais du gouverneur, la cathédrale, le collège des Jésuites […] l'Hôtel-Dieu, le séminaire, le couvent des Ursulines et la maison de l'intendant) […]
>
> Québec est le seul port de mer et la seule ville de commerce du Canada. C'est d'ici que tous les produits du pays sont exportés […] La ville est entourée de presque tous les côtés d'un mur élevé […]»
>
> Pierre Kalm, voyageur, 1749

2.81

❸ *a)* À l'aide du document 2.81, indique quelle est la principale fonction économique de la ville.

b) Quels genres de personnes ne peut-on rencontrer qu'à la ville?

c) Selon toi, pourquoi la ville de Québec est-elle entourée d'un mur?

❹ L'historien Émile Salone rapporte que, vers la fin du Régime français, il y a beaucoup de rivalité entre Canadiens et Français, entre le militaire professionnel et le milicien, par exemple, de même qu'entre le fonctionnaire qui vient de Paris et le colon né au Canada.

a) Selon toi, comment s'explique cette rivalité?

b) Aurait-elle pu exister cent ans auparavant? Pourquoi?

EN RÉSUMÉ

1 La Nouvelle-France est une **colonie** dont la **métropole** est la France. Depuis 1663, la colonie est administrée par le **gouvernement royal**.

L'ADMINISTRATION DE LA NOUVELLE-FRANCE	
Titres	**Fonctions**
Roi	Pouvoir absolu
Ministre de la Marine	Responsable des colonies
Gouverneur général	Représentant du roi
Intendant	Administrateur
Conseil souverain	Cour de justice
Capitaine de milice	Responsable de la milice
Évêque	Responsable des affaires religieuses

2.82

2 En Nouvelle-France, l'**Église** joue un rôle important.

RÔLE DE L'ÉGLISE EN NOUVELLE-FRANCE	
Rôle religieux	**Rôle social**
Évangélisation des Amérindiens	Instruction
Services religieux	Santé
	Secours aux miséreux

2.83

3 Dans la colonie, le développement se fait :
- à la **campagne**, où l'économie est à base d'**agriculture** et où les **traditions** sont très fortes ;
- en **ville**, où l'économie est à base d'**artisanat**, de **commerce** et de **services** et où les **disparités sociales** sont importantes.

4 En Nouvelle-France, on vit dans une **société hiérarchisée**.

5 La colonie se « canadianise » de plus en plus, c'est-à-dire qu'elle devient **distincte** de la société française.

POUR LA SUITE DE L'HISTOIRE...

La Nouvelle-France est une colonie organisée qui se développe de plus en plus. Mais est-elle une colonie forte ? Pourra-t-elle résister à l'invasion des Anglais ?

AUTOÉVALUATION

1 Sur une fresque de temps semblable au document 2.84, situe chacun des événements suivants et place-le dans le domaine approprié.

a) Les Forges du Saint-Maurice emploient 400 personnes.

b) Fondation de Montréal.

c) Arrivée des premiers jésuites.

d) Arrivée des premières filles du roi.

e) Nomination du premier évêque de Québec.

f) Début du gouvernement royal.

g) Arrivée de l'intendant Jean Talon.

h) Fondation de Québec.

i) Importante crise dans le commerce des fourrures.

j) La Nouvelle-France compte environ 100 habitants.

k) La Nouvelle-France compte environ 3 000 habitants.

l) La Nouvelle-France compte environ 10 000 habitants.

m) La Nouvelle-France compte environ 50 000 habitants.

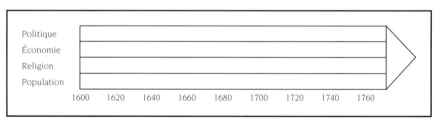

2.84

2 Complète un schéma semblable au document 2.85.

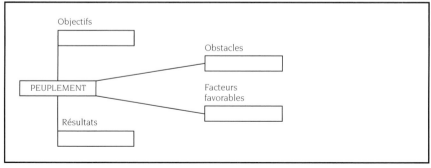

2.85

3 À l'aide des expressions et des mots suivants, complète le texte.

> capitaine de milice – censitaire – Conseil souverain – évêque – gouverneur – Soeurs
> hospitalières – intendant – Jésuites – roi – seigneur – Ursulines

Comme toutes les terres françaises, la Nouvelle-France est sous l'autorité du _(a)_ de France. Celui-ci nomme un _(b)_ qui le représente en Nouvelle-France ainsi qu'un _(c)_ qui voit à l'administration de la colonie. L' _(d)_ représente l'autorité religieuse en Nouvelle-France et il siège aussi au _(e)_, qui constitue la plus haute cour de justice. Le _(f)_ sert d'intermédiaire entre les autorités et les habitants. Celui qui exploite une terre porte le nom de _(g)_. Il reçoit cette terre d'un _(h)_ à qui il doit payer des redevances. Parmi les missionnaires, les _(i)_ jouent un rôle important en Huronie. Quant aux communautés religieuses, comme celles des _(j)_ et des _(k)_, elles s'occupent de l'éducation des enfants, des soins aux malades et des secours aux indigents.

4 Complète un organigramme semblable au document 2.86 en reliant les éléments appropriés par des flèches.

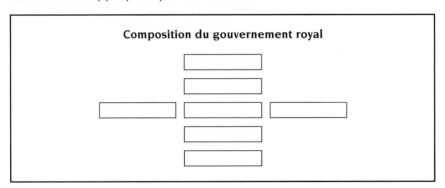

2.86

5 Complète un schéma semblable au document 2.87.

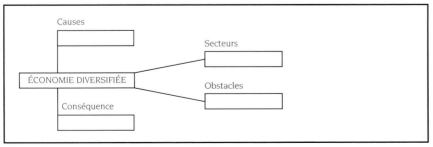

2.87

LE RÉGIME BRITANNIQUE

MODULE 3

LA CONQUÊTE ET LES DÉBUTS DU RÉGIME BRITANNIQUE

Effets de la Conquête et de la Révolution américaine sur la colonie.

LA CONQUÊTE

3.1 La Conquête, ses causes et ses effets immédiats.

L'HÉRITAGE DU PASSÉ

Le présent est habité par les traces du passé. Les sociétés qui ont précédé la nôtre nous ont légué des héritages.

1 À quelle société – autochtone, française, anglaise – associes-tu les éléments suivants ?

    a) Utilisation de canots et de raquettes.

    b) Langue française.

    c) Langue anglaise.

    d) Culture du maïs.

    e) Cantons de l'Est.

    f) Terres de forme rectangulaire, perpendiculaires au fleuve Saint-Laurent.

LES ORIGINES DE LA CONQUÊTE

Le 10 février 1763, la France cède la Nouvelle-France à l'Angleterre, à l'issue de la guerre de la Conquête. Les causes de cette guerre entre la colonie française et les colonies anglaises sont essentiellement d'ordre économique.

3.1 Le fort d'Oswego lors de la bataille d'août 1756. Les numéros 2, 5 et 15 désignent les trois forts qui en font partie et le numéro 6, les bâtiments qui servent à la traite des fourrures.

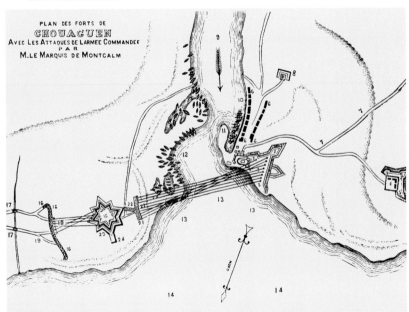

2 *a*) Quel était le principal produit du commerce en Nouvelle-France ?

    b) Pourquoi la Nouvelle-France cherchait-elle à agrandir son territoire ?

    c) Quel était le principal obstacle au développement économique et territorial des colonies anglaises ?

    d) Quelle était la population de la Nouvelle-France ? des colonies anglaises ?

8000 AV. J.-C.		1534	1763	1867
PÉRIODE AUTOCHTONE		PÉRIODE DU RÉGIME FRANÇAIS	PÉRIODE DU RÉGIME BRITANNIQUE	PÉRIODE CONTEMPORAINE

LA CONQUÊTE

1754   1774

PANORAMA

3.2 Revue des troupes de l'armée anglaise pendant le régime militaire, à Québec.

De nos jours, l'expression « province de Québec » désigne une des 12 parties du Canada.

En 1763, l'expression *Province of Quebec* avait une tout autre signification : elle désignait une nouvelle colonie anglaise auparavant appelée la Nouvelle-France. Au 18e siècle, le mot anglais *Province* signifiait « colonie ».

Après plusieurs années de résistance, la Nouvelle-France est finalement conquise par les Anglais.

- *Quelles sont les causes et les étapes de la Conquête ?*
- *Quelle orientation l'Angleterre va-t-elle donner à sa nouvelle colonie ?*
- *Quelle sera l'attitude des administrateurs anglais envers les colons canadiens ? envers les nouveaux immigrants anglais ?*
- *Quelles seront les relations entre Anglais et Canadiens ?*

LES CAUSES DE LA CONQUÊTE

3.1.1 Principales causes de la Conquête.

LE JEU DES ALLIANCES

De nos jours, plusieurs pays du monde sont unis par des traités. Ces alliances ont souvent des objectifs économiques ou militaires. Le Canada, par exemple, fait partie de l'ALENA (Accord de libre-échange nord-américain) et de l'OTAN (Organisation du traité de l'Atlantique Nord).

Les alliances ne sont pas des inventions modernes : elles ont à peu près toujours existé. En Amérique du Nord, Français et Anglais se sont alliés à des tribus amérindiennes très tôt dans l'histoire des colonies.

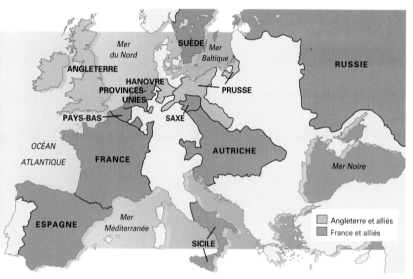

3.3   Les pays alliés d'Europe en 1756.

3 *a)* Est-ce que l'ALENA est une entente à but économique ou militaire ? Et l'OTAN ?

   b) Avec quelles tribus les Anglais se sont-ils alliés pour combattre les habitants de la Nouvelle-France ?

LES ALLIANCES EUROPÉENNES EN 1756

La guerre de Sept Ans est déclarée en Europe au printemps 1756. Au cours des mois précédents, plusieurs alliances ont été faites par la France et l'Angleterre.

3.4

ALLIANCES EUROPÉENNES EN 1756	
Mois	**Alliances**
Janvier	L'Angleterre et la Prusse concluent une alliance défensive contre la France.
Mai	La France et l'Autriche, bientôt suivies par d'autres pays, signent une alliance défensive contre l'Angleterre.

4 En août 1756, la Prusse envahit la Saxe, provoquant une guerre contre l'Autriche.

   a) Compte tenu des ententes survenues auparavant, comment la France va-t-elle réagir à cette invasion selon toi ?

   b) Crois-tu qu'après cet événement, la France viendra en aide à la Nouvelle-France en cas de guerre ?

   c) Selon toi, dans quel but l'Angleterre s'est-elle alliée à la Prusse au début de 1756 ?

DES GUERRES À FINIR

À partir du moment où Anglais et Canadiens considèrent leur présence mutuelle comme une nuisance au développement de leurs colonies, la guerre intercoloniale devient inévitable.

Cependant, les colonies doivent attendre les décisions de leurs métropoles avant d'entrer en guerre.

Sur le plan militaire, les métropoles jouent un rôle important :

• elles déclarent les guerres ;

• elles assurent la défense de leurs colonies ;

• elles signent les traités de paix.

Même si, en Amérique, la guerre n'a pas les mêmes causes qu'en Europe, elle doit s'adapter au rythme de la guerre qui sévit entre la France et l'Angleterre.

3.5 L'hôtel de ville d'Utrecht au 18e siècle. Les traités portent toujours le nom de la ville où ils ont été signés.

Sur quel continent sont situées les villes où sont signés les traités des guerres intercoloniales ? Pourquoi ?

LA GUERRE DES EMPIRES EN EUROPE

La France et l'Angleterre sont de vieilles ennemies : toutes deux veulent dominer le monde occidental. Au milieu du 18e siècle, cette rivalité atteint un point critique.

GUERRES EUROPÉENNES ET GUERRES INTERCOLONIALES				
Années	**France contre Angleterre**	**Nouvelle-France contre colonies anglaises**	**Traités**	**Conséquences en Nouvelle-France**
1689-1697	Guerre de la ligue d'Augsbourg	1re guerre intercoloniale	de Ryswick	Aucune
1701-1713	Guerre de la succession d'Espagne	2e guerre intercoloniale	d'Utrecht	Perte de la baie d'Hudson, de Terre-Neuve, de l'Acadie et de l'Iroquoisie
1744-1748	Guerre de la succession d'Autriche	3e guerre intercoloniale	d'Aix-la-Chapelle	Aucune
1756-1763	Guerre de Sept Ans	4e guerre intercoloniale (guerre de la Conquête)	de Paris	Fin de la Nouvelle-France

3.6

« Dans moins de cent années, [les colonies anglaises seront assez puissantes] pour se saisir de toute l'Amérique et en chasser les autres nations. [D'où] la nécessité pour la France d'accroître rigoureusement ses colonies [spécialement la Louisiane] [...] »

Pierre Lemoyne d'Iberville, soldat canadien, 1699

3.7

« Vous devrez croire que Sa Majesté peut se lasser d'une colonie qui lui coûte tous les ans des sommes immenses et de laquelle bien loin de tirer quelque utilité, les productions lui font perdre tous les ans des sommes considérables. »

Lettre du ministre de la Marine Louis Pheylipeaux de Pontchartrain au gouverneur Frontenac, 1698

3.8

« On ne doit rien épargner pour mettre [la colonie] en force puisqu'on [...] doit [la] considérer comme le boulevard de l'Amérique contre les entreprises des Anglais. »

Roland-Michel Barrin de La Galissonnière, gouverneur, 1750

3.9

« [Le Canada est] le plus détestable pays du Nord. [C'est un] pays couvert de neige et de glace huit mois de l'année, habité par des barbares, des ours et des castors. »

François-Marie Voltaire, philosophe, 1756

3.10

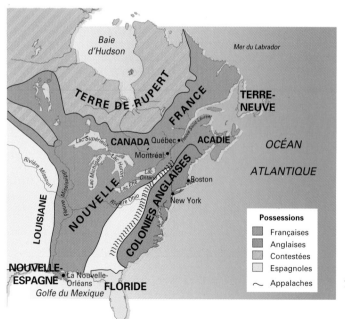

3.11 L'est de l'Amérique du Nord vers 1700.

5 Les auteurs des textes des documents 3.7 à 3.10 ne s'entendent pas sur l'importance de la Nouvelle-France.

Quelle est l'opinion de d'Iberville et de La Galissonnière ? l'opinion de Pontchartrain et de Voltaire ?

6 *a)* Si tu étais roi de France, laquelle de ces opinions partagerais-tu ? Pourquoi ?

b) Quelles décisions ton opinion t'amènerait-elle à prendre en ce qui a trait à la Nouvelle-France ?

LA FRANCE

La France considère que le pays qui réussira à dominer l'Europe étendra son hégémonie sur le monde. Elle concentre donc ses efforts en **Europe**. Le sort de ses colonies ne la préoccupe guère, puisqu'elle ne les juge pas nécessaires à son développement.

3.12 Louis XV. En France, le roi détient tous les pouvoirs: c'est une monarchie absolue.

L'ANGLETERRE

L'Angleterre est de plus en plus convaincue que le sort du monde ne se joue plus en Europe. Elle croit que le pays qui règnera sur le monde sera celui qui aura réussi à étendre son pouvoir au-delà des mers, et particulièrement en **Amérique du Nord**. Les colonies constituent donc pour elle des atouts essentiels à sa croissance.

LA GUERRE DE CONQUÊTE EN AMÉRIQUE

Depuis le début du 17e siècle, la **pêche** et la **traite des fourrures** provoquent des **conflits** entre Anglais et Français. Néanmoins, la Nouvelle-France parvient à s'agrandir vers le sud jusqu'au golfe du Mexique, ce qui empêche l'**expansion** des colonies anglaises situées à l'ouest des Appalaches. Pour les colons et les marchands anglais, la Nouvelle-France représente un véritable obstacle à leur épanouissement, si bien que vers 1750, toutes les colonies anglaises souhaitent l'élimination de la colonie française.

En Nouvelle-France, on croit, comme l'écrit le gouverneur La Galissonnière, que pour survivre, il faut «porter la guerre chez l'ennemi: c'est le seul moyen de n'avoir rien à craindre ici».

Hégémonie

Opinion de Français sur les colonies

«[…] l'effet principal des colonies, c'est d'affaiblir les pays d'où on tire [les colons].»

Montesquieu, philosophe, 1721

«[…] nous avons des colonies que je troquerais contre une épingle si j'étais roi de France.»

Marquis d'Argenson, ministre des Affaires étrangères, 1744

Opinion d'Anglais sur les colonies

«[…] celui qui possède la mer possède le commerce du monde, celui qui possède le commerce du monde possède les richesses du monde, celui qui possède les richesses du monde possède le monde lui-même.»

Sir Walter Raleigh

«C'est par la destruction de la liberté et de l'indépendance de l'Amérique que [les Anglais] se proposent de parvenir au projet de dicter la loi à toute l'Europe.»

Discussion sur les limites de l'Acadie dans le traité d'Utrecht, 1755

LES FORCES EN PRÉSENCE

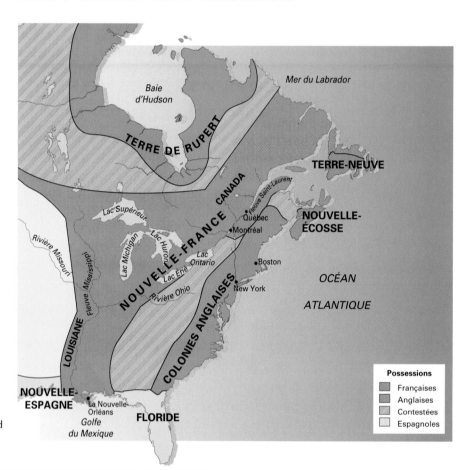

3.13 L'est de l'Amérique du Nord vers 1755.

POPULATIONS ET EFFECTIFS MILITAIRES	
Nouvelle-France	**Colonies anglaises**
70 000 habitants	1 400 000 habitants
14 000 miliciens	28 000 miliciens
5 000 soldats	23 000 soldats

3.14

7 D'après les documents 3.13 à 3.15, qui, des Anglais ou des Français, auraient l'avantage en cas de guerre ? Justifie ta réponse en mentionnant trois éléments de supériorité.

3.15

L'EFFORT DE GUERRE DES MÉTROPOLES		
	Nouvelle-France	**Colonies anglaises**
Argent	115 millions de livres tournois* (5 millions de livres sterling)	80 millions de livres sterling
Bateaux	38	116
	* Estimation.	

DES FORCES INÉGALES

Dans un conflit armé, le nombre de combattants et la puissance de l'armement constituent des facteurs déterminants. Dans la guerre de conquête qui se joue en Amérique, l'**avantage** est très nettement du côté des **Anglais**.

L'ANGLETERRE

Le nouveau premier ministre de l'Angleterre, William Pitt, concentre les efforts de guerre de ce pays en Amérique du Nord. Il fait octroyer par le Parlement des sommes colossales pour financer cette guerre. Il expédie outre-Atlantique un grand nombre de soldats et de vaisseaux.

LA FRANCE

En Nouvelle-France, on ne cesse de réclamer des renforts à la métropole. La Galissonnière écrit au ministre pour que la France envoie des hommes, des fusils et des pièces d'artillerie. Mais la France fait la sourde oreille. Il faut dire qu'elle est au bord de la banqueroute. De plus, la marine française est dans un état déplorable. Enfin, la France veut concentrer ses forces en Europe pour aider son alliée, l'Autriche, à se défendre contre la Prusse. Elle envoie donc peu de soldats dans la colonie.

LES COLONIES ANGLAISES

Près d'un million et demi d'Anglais occupent un petit territoire situé entre l'Atlantique et les Appalaches. Par tradition, les colonies anglaises sont distinctes les unes des autres sur le plan politique. Mais de plus en plus, la guerre les incite à faire front commun contre l'ennemi.

LA NOUVELLE-FRANCE

Les forces militaires de la Nouvelle-France sont concentrées sous une seule autorité militaire. Cependant, la population de la colonie, environ 70 000 habitants, est nettement insuffisante pour assurer la défense de cet immense territoire. Les nombreux forts construits aux frontières ne constituent qu'une défense temporaire, la vaillance ne pouvant éternellement suppléer à l'insuffisance de soldats.

LA PREMIÈRE GUERRE INTERCOLONIALE

En 1689, la guerre éclate entre la France et l'Angleterre : les colonies sont donc en guerre. Le traité de Ryswick, signé en 1697, ne modifie pas les limites territoriales des colonies.

3.16 William Pitt. En Angleterre, le roi partage le pouvoir avec un Parlement élu duquel est issu le premier ministre : c'est une monarchie constitutionnelle. *Sous quel régime politique – monarchie absolue ou monarchie constitutionnelle – les intérêts des marchands sont-ils le mieux défendus ? Pourquoi ?*

VERS LA DÉFAITE

* 3.1.2 Principales étapes de la Conquête.

LA NOUVELLE-FRANCE ENCERCLÉE

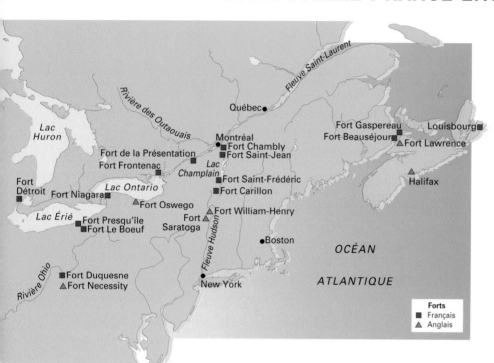

3.17 Les principaux forts de l'Amérique du Nord vers 1755.

8 D'après le document 3.17, crois-tu que la Nouvelle-France soit en mesure de résister aux assauts des colonies anglaises? Pourquoi?

9 Selon le document 3.17 et les documents 3.14 et 3.15 (page 174), crois-tu qu'il soit juste de dire que la Nouvelle-France est un «colosse aux pieds d'argile»? Justifie ta réponse.

3.18

Les armées en Amérique

Au cours des guerres intercoloniales, les armées française et anglaise sont constituées de trois catégories d'hommes:

- les troupes régulières (soldats de métier venant des métropoles);
- les miliciens (colons réquisitionnés);
- les Amérindiens (alliés).

3.19 Médaille commémorant la bataille d'Oswégo, une victoire française.

10 À quelle catégorie d'hommes mentionnée dans le document 3.18 peux-tu associer chacun des énoncés suivants?

a) Ce sont des spécialistes de la guerre d'escarmouches.

b) Ils sont habituellement bien équipés et disciplinés.

c) Ils se battent pour défendre leurs terres et leurs familles.

11 Pourquoi les armées française et anglaise ont-elles besoin des alliés amérindiens?

Un traité aux conséquences désastreuses

En 1701 commence la deuxième guerre intercoloniale, qui prend fin en **1713** avec le **traité d'Utrecht**. Cette fois, la carte des colonies d'Amérique du Nord est considérablement modifiée. La Nouvelle-France **perd** des **territoires** économiquement et militairement essentiels à son développement.

3.20

CONSÉQUENCES DU TRAITÉ D'UTRECHT EN NOUVELLE-FRANCE		
Territoires conquis par les Anglais	**Pertes économiques**	**Pertes militaires**
Terre-Neuve et Acadie	Pêcheries	Entrée du fleuve
Baie d'Hudson	Fourrures	Une partie du Nord
Iroquoisie (sous la protection de l'Angleterre)	Fourrures	Lien avec la Louisiane

Une bonne partie des richesses de base de l'économie de la colonie française passe aux mains des Anglais. De plus, la Nouvelle-France se trouve presque totalement encerclée par les forces ennemies.

Une paix armée

Les limites territoriales établies par le traité d'Utrecht ne sont pas très précises. Certaines régions sont à la fois revendiquées par les Français et par les Anglais. Au cours de la période appelée la « paix de Trente Ans » (1713-1744), la France et l'Angleterre construisent une série de forts dressés les uns en face des autres. La prochaine guerre se prépare, qui débutera dans ces zones contestées.

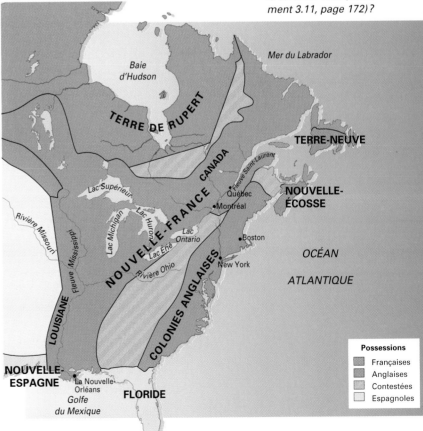

3.21 L'est de l'Amérique du Nord en 1713, après le traité d'Utrecht.

Quels changements territoriaux ont été apportés par rapport à la carte de 1700 (document 3.11, page 172) ?

L'AFFAIRE JUMONVILLE

L'historien Marcel Trudel écrit en 1966 : « La guerre de Sept Ans [...] commence en Amérique deux ans avant celle d'Europe. »

L'écrivain anglais du 18e siècle Horace Walpole précise pour sa part : « Une volée tirée par un jeune Virginien dans les forêts lointaines de l'Amérique embrasa le monde. »

3.22 George Washington dirigeant ses troupes.

Quel poste important occupera cet officier après l'Indépendance américaine ?

3.23

	L'AVANT-GUERRE
1748	Le traité d'Aix-la-Chapelle met fin à la troisième guerre intercoloniale.
	Des marchands américains se rendent en Ohio pour y faire la traite des fourrures.
	Des colons virginiens revendiquent la possession de l'Ohio.
1754	Les Français construisent le fort Duquesne pour s'assurer la suprématie militaire de la région de l'Ohio.
	George Washington et 40 miliciens américains font route vers le fort Duquesne.
	Le 23 mai, Joseph Coulon de Villiers de Jumonville est envoyé avec 30 miliciens canadiens au-devant de Washington pour le sommer de quitter la région.
	Le 28 mai, au lever du jour, Washington et ses hommes attaquent le campement de Jumonville. Ils tuent 10 hommes, dont Jumonville.
	Le 3 juillet, Louis de Jumonville, frère de Joseph, et 500 hommes, attaquent le fort Necessity. Washington capitule et les Américains quittent la région.
1756	Au printemps, l'Angleterre et la France se déclarent la guerre. C'est le début de la guerre de Sept Ans.

12 L'épisode de « l'affaire Jumonville » se déroule-t-il en temps de guerre ou en temps de paix ? Justifie ta réponse.

13 Les colonies dépendent de leurs métropoles.

Comment expliquer qu'on s'y batte avant que la guerre n'éclate en Europe ?

LA GUERRE DE LA CONQUÊTE

La troisième guerre intercoloniale (1744-1748) ne provoque pas de changements en Amérique du Nord. Mais elle mène à la quatrième guerre intercoloniale (1756-1763), la guerre de la Conquête, qui aboutit à la disparition de la Nouvelle-France.

UNE GUERRE AVANT LA GUERRE

Avant même que la guerre de Sept Ans n'éclate en Europe, le feu est aux poudres en Amérique, particulièrement dans deux régions : l'Ohio, à l'ouest, et l'Acadie, à l'est.

L'OHIO

En 1754, un jeune officier français, Joseph Coulon de Villiers de Jumonville, est tué dans les bois par les hommes de George Washington. Peu après, les Français, sous le commandement du frère de Jumonville, ripostent et contraignent les Anglais à quitter la région.

L'ACADIE

Depuis le traité d'Utrecht, l'Acadie est devenue une colonie anglaise qui porte le nom de « Nouvelle-Écosse ». Cependant, sa population, constitué d'environ 15 000 habitants, est demeurée très majoritairement française.

Les Anglais considèrent que la présence des Acadiens nuit à l'immigration anglaise et constitue un danger en cas de guerre contre la Nouvelle-France.

En 1755, le général Charles Lawrence expulse 6 000 Acadiens de leurs terres. Ils sont transportés dans les colonies anglaises du Sud et en Angleterre. La déportation des Acadiens s'étale sur plusieurs années; en 1764, il n'en reste plus que 2 500 en Nouvelle-Écosse.

3.24 Les Acadiens s'embarquent vers une destination inconnue.

LES BATAILLES

LES PRINCIPALES BATAILLES DE LA GUERRE DE LA CONQUÊTE			
Dates	**Régions**	**Forts**	**Victoires**
Juin 1755	Acadie	Beauséjour	Anglais
Juillet 1755	Acadie	Gaspereau	Anglais
Juillet 1755	Ohio	Duquesne	Français
Août 1756	Grands Lacs	Oswego	Français
Août 1757	Lac Champlain	William Henry	Français
Juillet 1758	Lac Champlain	Carillon	Français
Juillet 1758	Acadie	Louisbourg	Anglais
Août 1758	Grands Lacs	Frontenac	Anglais
Novembre 1758	Ohio	Duquesne	Anglais
Juillet 1759	Grands Lacs	Niagara	Anglais
Juillet 1759	Lac Champlain	Carillon	Anglais
Juillet 1759	Lac Champlain	Saint-Frédéric	Anglais
Septembre 1759	Vallée du Saint-Laurent	Québec	Anglais
Septembre 1760	Vallée du Saint-Laurent	Montréal	Anglais

3.25

14 *a*) À partir de quelle victoire anglaise la Nouvelle-France se dirige-t-elle vers la défaite finale?

   b) Quelle stratégie les armées anglaises ont-elles adoptée à partir de cette victoire?

LES FORCES EN PRÉSENCE À LOUISBOURG	
Français	**Anglais**
3 400 soldats et miliciens	13 000 soldats
2 600 matelots	14 000 matelots
5 bateaux	189 bateaux

3.26

15 *a*) Que démontrent les chiffres du document 3.26 quant à l'implication des métropoles?

   b) Quelle est l'importance stratégique de Louisbourg pour les Français? pour les Anglais?

DE VICTOIRES EN DÉFAITES

Au printemps 1756, la guerre de Sept Ans éclate en Europe, entre la France et l'Angleterre. Cet événement provoque la reprise officielle des hostilités en Amérique.

Au cours des premières années de la guerre de la Conquête, les Français détiennent l'avantage. Le gouverneur Vaudreuil mène une guerre offensive et l'armée française connaît des victoires spectaculaires dans les régions des Grands Lacs et du lac Champlain. Les Français effectuent même des raids dans les colonies de New York, de la Pennsylvanie et de la Virginie. La « guerre des Français et des Indiens », comme la désignent les colons anglais, fait des ravages. Les colonies anglaises s'unissent alors pour faire face à l'ennemi.

En 1758, l'Angleterre intervient massivement et l'armée anglaise utilise la stratégie du Trident, c'est-à-dire qu'elle attaque la colonie française sur trois fronts en même temps : l'ouest, dans la région des Grands Lacs et de l'Ohio, le centre, dans la région du lac Champlain, et l'est, à **Louisbourg**. La victoire anglaise est totale.

Contentement en Nouvelle-France

« Les Anglais de ce continent sont aux abois, tant nous les avons malmenés […] On fait état que depuis l'année dernière nous leur avons tué 4 000 hommes sans compter ceux que la misère et la désertion leur enlèvent tous les jours. »

Lettre d'un marchand de Québec, 20 août 1756

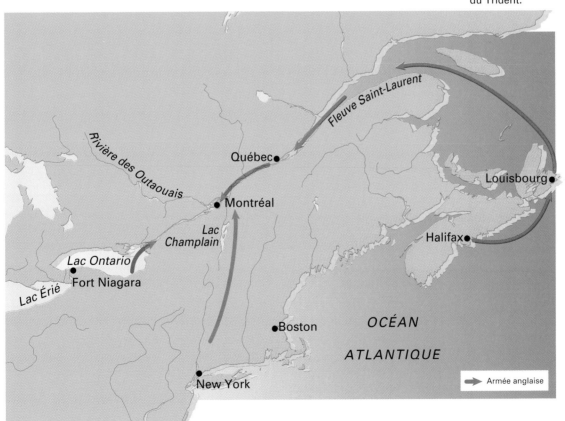

3.27 La stratégie anglaise du Trident.

CONSÉQUENCES DE LA CONQUÊTE

Les conséquences de la Conquête sont perçues différemment selon les historiens. Bien sûr, les Canadiens anglais et les Canadiens français ne perçoivent pas la Conquête de la même façon, mais, même chez les francophones, les avis diffèrent.

 «Pour ceux qui savent apprécier à sa juste valeur l'indépendance nationale, cette conquête anglo-américaine est un désastre majeur dans l'histoire du Canada français, une catastrophe qui arrache cette jeune colonie à son milieu protecteur et nourricier et l'atteint dans son organisation comme peuple.»

Maurice Séguin, historien, 1968

3.28

 «Il y a un groupe d'historiens qui pensent que la Conquête a été la catastrophe centrale de notre histoire. [...] je pense que la Conquête a créé des problèmes aux Canadiens français dans l'immédiat mais que dans l'ensemble, elle n'a pas brisé les structures économiques du pays, elle n'a pas brisé aussi les structures sociales [...]»

Fernand Ouellet, historien, vers 1968

3.29

 «Les interprétations que l'on donne de la Conquête dépendent évidemment du système de valeurs et dépendent aussi de la perspective selon laquelle on se place.»

Jean Hamelin, historien, vers 1968

3.30

3.31 Depuis 1832, trois monuments ont été érigés sur les plaines d'Abraham en l'honneur du général anglais James Wolfe, qui y trouva la mort en 1759. Le dernier fut dynamité par des séparatistes en 1963.

16 *a*) Selon le texte du document 3.28, pourquoi Maurice Séguin considère-t-il la Conquête comme «un désastre majeur dans l'histoire du Canada français»?

b) Dans le document 3.29, quel argument invoque Fernand Ouellet pour dire que la Conquête n'a pas été «la catastrophe centrale de notre histoire»?

c) Es-tu d'accord avec l'opinion exprimée par Jean Hamelin dans le texte du document 3.30? Pourquoi?

d) Selon toi, lequel de ces trois historiens a influencé le mouvement séparatiste des années soixante? Justifie ta réponse.

17 Que représente le monument du document 3.31 pour des Québécois francophones?

La capitulation de Québec et de Montréal

En 1759, seul le coeur de la Nouvelle-France, la vallée du Saint-Laurent, n'est pas tombé aux mains des Anglais.

Québec: ville dévastée

Au cours de l'été 1759, 150 navires anglais munis de centaines de canons et transportant près de 37 000 hommes arrivent devant **Québec**. Pendant deux mois, la ville est assiégée. Des adolescents et des vieillards se joignent aux combattants. Les bombardements se multiplient: en une seule nuit, 150 maisons sont rasées. Les soldats anglais ravagent les fermes avoisinantes: Québec est au bord de la famine.

Le 13 septembre, a lieu une bataille d'une quinzaine de minutes sur les plaines d'Abraham. Du côté des Français, 1 200 hommes sont tombés; du côté des Anglais, les pertes sont de 600 hommes. Les deux camps ont perdu leurs généraux, James Wolfe et Louis-Joseph de Montcalm.

Au moment de la capitulation de la ville, le 18 septembre, les Anglais, reconnaissant le courage de leurs ennemis, accordent les honneurs militaires aux troupes françaises. Les habitants de la ville conservent leurs biens et peuvent continuer à pratiquer le culte catholique.

Montréal: ville épargnée

Au cours de l'été 1760, les forces anglaises convergent vers le seul point d'importance encore aux mains des Français: **Montréal**. Amherst arrive des Grands Lacs avec 11 000 hommes; Haviland avance le long du Richelieu avec 3 400 hommes; Murray vient de Québec avec 3 500 hommes. Le 8 septembre, il y a plus de soldats anglais autour de Montréal que de civils français dans la ville. Pour éviter le désastre survenu à Québec, Vaudreuil décide de ne pas livrer bataille et signe la capitulation de Montréal. La Nouvelle-France est vaincue.

3.32 Une partie de la ville de Québec après le bombardement de 1759.

3.33 L'entrée des soldats anglais dans la ville de Montréal, au lendemain de la capitulation de 1760.
Compare ce document avec le document 3.32. Vois-tu une différence? Si oui, laquelle?

ATTITUDE DES VAINQUEURS

 «Ces nobles vainqueurs ne vous paraissent-ils pas, dès qu'ils furent nos maîtres, oublier qu'ils avaient été nos ennemis, pour ne s'occuper que de nos besoins et des moyens d'y subvenir.»

Chanoine Briand aux Canadiens, 4 juin 1763

3.34

 «Vous êtes encore, pour un instant, maîtres de votre sort. Cet instant passé, une vengeance sanglante punira ceux qui oseront avoir recours aux armes. Le ravage de leurs terres, l'incendie de leurs maisons, seront les moindres de leurs malheurs.»

Murray aux Canadiens, 23 juillet 1760

3.35

 «Ce qui vient de se passer en Acadie [nous autorise à croire que] vous auriez bientôt la douleur de voir s'introduire dans ce diocèse [...] les erreurs du [protestantisme]. Vous allez donc combattre cette année, non seulement pour vos biens, mais encore pour préserver ces vastes contrées de l'hérésie et des monstres d'iniquité qu'elle enfante à chaque moment [...]»

Mgr Pontbriand aux Canadiens, 15 février 1756

3.36

 «Les Canadiens sont très ignorants et très attachés à leur religion. En leur donnant toutes les raisons de croire que rien ne sera changé sous ce rapport, le nouveau gouvernement prendrait le moyen le plus efficace pour en faire des sujets dévoués à Sa Majesté [...] [Les] Canadiens deviendront de bons et fidèles sujets de Sa Majesté et le pays qu'ils habitent sera avant longtemps une riche et très utile colonie de la Grande-Bretagne.»

James Murray aux Anglais du Board of Trade, 5 juin 1762

3.37

18 *a*) Place les documents 3.34 à 3.37 en ordre chronologique.

   b) Situe dans le temps chacun de ces documents par rapport à la capitulation de Montréal.

19 Dans les textes des documents 3.35 et 3.37, Murray a des attitudes différentes envers les Canadiens.

   Quelle est la nature de ce changement d'attitude? Selon toi, à quoi est dû ce changement?

20 À l'aide des documents 3.34 et 3.36, explique la différence d'attitude entre Mgr Pontbriand et le chanoine Briand.

LES ANNÉES D'INCERTITUDE

En 1760, toute la Nouvelle-France passe sous l'autorité militaire anglaise. Cependant, elle n'est pas encore définitivement conquise. En Europe, la guerre se poursuit et la paix ne sera signée qu'en 1763 à Paris. Les trois années qui séparent la capitulation de Montréal du traité de Paris sont appelées la période du **régime militaire**.

LES VAINCUS

Les Français conservent certains droits : possibilité de rester au pays, possession de leurs biens, liberté de garder leur langue, leur religion, leurs lois et de continuer à exercer leur commerce. Cependant, ils se voient privés de leur droit de porter une arme et sont obligés de prêter serment de fidélité au roi d'Angleterre.

La vie reprend peu à peu son cours normal dans la colonie. Mais les années de guerre ont laissé des séquelles. Des milliers de gens sont morts ; d'autres conservent des blessures. Les champs ont été abandonnés et parfois même brûlés. La monnaie de carte ne vaut pratiquement plus rien.

LES AMÉRINDIENS

Après la capitulation de Montréal, le sort des tribus amérindiennes alliées aux Français est incertain.

Le chef outaouais Pontiac réussit à soulever quelques tribus contre les marchands anglais. Ils s'emparent de la plupart des forts de la région des Grands Lacs, mais, après quelques mois, la discorde s'installe entre Pontiac et plusieurs de ses alliés. Comme les Amérindiens ne peuvent compter sur l'aide des Français et des Canadiens, leur tentative de révolte s'achève en 1764 par la soumission de toutes les tribus.

3.38 Le chef amérindien Pontiac incite ses hommes à combattre les Anglais.

UNE NOUVELLE COLONIE ANGLAISE

3.1.3 Principaux aspects du changement d'Empire.

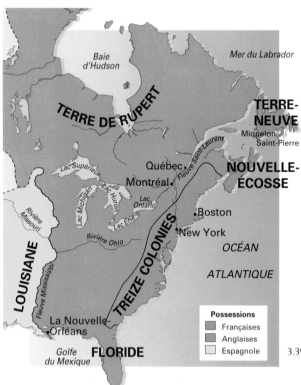

3.39 L'est de l'Amérique du Nord en 1763, après le traité de Paris.

LE CHANGEMENT DE MÉTROPOLE

Avec le traité de Paris, la métropole de l'ancienne Nouvelle-France devient l'Angleterre, ce qui provoque d'importants changements dans la colonie.

21 *a*) Après 1763, la colonie française est-elle toujours appelée « Nouvelle-France » ?

b) Qui dirige la nouvelle colonie ?

c) Avec quelle métropole les marchands font-ils du commerce ?

d) D'où viennent les immigrants et les soldats ?

e) Quelle religion favorise-t-on ?

LA DÉCAPITATION SOCIALE

 « Les Canadiens de la classe dirigeante qui refusèrent de se soumettre aux conquérants émigrèrent [...]. Quel a été le sort des anciens dirigeants demeurés au Canada ? Leur déchéance, qui était inévitable dans une colonie conquise où se constitua une nouvelle équipe d'administrateurs et d'entrepreneurs d'origine britannique, demeure le phénomène social le plus frappant de la première génération après la Conquête. »

Michel Brunet, historien, 1962

3.40

22 *a*) Selon l'historien Michel Brunet, quels sont les deux raisons de la disparition des anciens dirigeants de la colonie ?

b) Par qui sont remplacés ces dirigeants ?

23 Qu'arrive-t-il à une société qui perd ses dirigeants ?

LE TRAITÉ DE PARIS

Le 10 février **1763**, le **traité de Paris** met fin à la guerre de Sept Ans. Un seul article sur 30 concerne la Nouvelle-France.

LA FIN DE LA NOUVELLE-FRANCE

Par le traité de Paris, la France cède à l'Angleterre la totalité de ses possessions en Amérique du Nord, sauf les îles Saint-Pierre et Miquelon, situées au sud de Terre-Neuve. À l'exception de la rive ouest du Mississippi, que la France avait déjà cédée à l'Espagne en 1762, presque tout le continent nord-américain appartient désormais à l'Angleterre.

Les traités de paix

Un traité de paix est une entente par laquelle des pays mettent fin à une guerre.

Au 18ᵉ siècle, la plupart des traités étaient rédigés dans la langue de la diplomatie, le français. Ce fut le cas du traité de Paris.

3.41 À Paris, on célèbre la signature du traité de Paris par de grandes réjouissances.
D'après toi, pourquoi la France célèbre-t-elle le traité de Paris alors qu'elle vient de céder la Nouvelle-France à l'Angleterre?

LES CANADIENS

Les Canadiens qui le désirent ont 18 mois pour quitter la vallée du Saint-Laurent. Avant de partir, ils doivent vendre leurs biens à des sujets anglais. Le traité de Paris reconnaît la liberté religieuse, mais « en tant que le permettent les lois de la Grande-Bretagne ». Cette restriction pourrait avoir de fâcheuses conséquences pour les Canadiens. En effet, au mois d'août 1763, le secrétaire aux Colonies, annonçant à Murray sa nomination au poste de gouverneur, déclare que les lois anglaises « ne peuvent que tolérer » l'exercice de la religion catholique. Il conseille toutefois à Murray d'éviter « toute friction » avec les Canadiens concernant « cette question toujours délicate de religion ».

La province de Québec en 1763

3.42 L'est de l'Amérique du Nord en 1763, après la Proclamation royale.

24 *a*) Avant la Conquête, quelles étaient les deux principales richesses exportées par la Nouvelle-France?

b) De quelles régions provenaient ces richesses?

c) Après la Conquête, la province de Québec les conserve-t-elle?

25 *a*) Si on applique le serment du Test lors d'élections dans la colonie, quels seront les élus? Justifie ta réponse.

b) Dans quel but Londres demande-t-elle à Murray d'exiger le serment du Test dans la colonie?

Le serment du Test

Le serment du Test est une déclaration par laquelle une personne affirme qu'elle:

- refuse l'autorité du pape;
- nie la présence du Christ dans l'hostie;
- s'élève contre le culte à la Vierge Marie et aux saints.

Il s'agit en somme de renier les croyances fondamentales de la religion catholique.

D'après les directives que reçoit le gouverneur Murray de Londres, toute personne occupant une charge publique dans la colonie doit au préalable prêter le serment du Test.

3.43

LA PROCLAMATION ROYALE

Le 7 octobre **1763**, Londres publie la **Proclamation royale**, qui délimite les frontières d'une nouvelle colonie, la ***Province of Quebec***. Quelques mois plus tard, le général Murray, qui vient d'être nommé gouverneur de la colonie, reçoit des instructions sur l'administration de cette colonie. La Proclamation royale et ses directives administratives constituent la première constitution de l'histoire du Québec après la Conquête.

UNE PETITE PROVINCE

Comparativement au **territoire** que couvrait la Nouvelle-France, celui de la nouvelle colonie est très petit : ce n'est qu'un rectangle s'étendant sur les deux rives du Saint-Laurent. Les pêcheries de l'Est et les fourrures de l'Ouest sont hors de ses frontières. À l'ouest de ses colonies, l'Angleterre crée une immense réserve amérindienne. Les marchands y ont accès mais il est interdit aux colons de s'y installer.

UNE COLONIE À ANGLICISER

Londres compte administrer la vallée du Saint-Laurent en fonction des directives de la Proclamation royale.

DIRECTIVES DE LA PROCLAMATION ROYALE	
Politique	Nomination du gouverneur par Londres
	Formation d'une Chambre d'assemblée
Justice	Application des lois anglaises
Religion	Refus de toute autorité religieuse relevant du pape
	Obligation de prêter le serment du Test pour entrer dans l'administration
Instruction	Création d'écoles protestantes
Immigration	Établissement de militaires anglais dans la colonie

3.44

Les mesures anglaises visent non seulement à favoriser la venue d'immigrants anglais mais aussi à provoquer l'**assimilation** des Canadiens.

Assimilation

Qu'est-ce qu'une constitution ?

Une constitution est l'ensemble des lois fondamentales d'un pays.

Dans la plupart des pays, la constitution est un document écrit. Ce fut le cas de la Proclamation royale, dans laquelle Londres indiquait de quelle manière elle entendait gouverner la province de Québec.

Les lendemains de la Conquête

3.1.4 Difficultés des premiers gouverneurs à concilier les politiques de la colonisation britannique avec les réalités coloniales.

Deux groupes distincts

3.45

LA POPULATION DE LA PROVINCE DE QUÉBEC EN 1763	
Canadiens	**Anglais**
Environ 60 000 habitants	Environ 300 habitants
Majorité d'agriculteurs	Majorité de marchands
Catholiques	Protestants

3.46

Opinion de Murray sur les Canadiens

« […] je ne peux pas être l'instrument de destruction, peut-être de la meilleure et de la plus brave race qu'on puisse trouver sur ce globe. »

Lettre de Murray à lord Eglinton, 27 octobre 1764

3.47

Opinions de Murray sur les marchands anglais

« […] une coterie de marchands qui [sont] accourus dans un pays où il n'y a pas d'argent […] qui se croient supérieurs en rang et en fortune […] au Canadien, se plaisant à [le] considérer […] comme un esclave de naissance. »

Lettre de Murray à George Ross, 26 janvier 1764

« Plusieurs d'entre eux originaires de la Nouvelle-Angleterre qui se sont établis ici sont d'incorrigibles fanatiques. »

Lettre de Murray à lord Halifax, 26 juin 1764

26 D'après les documents 3.45 à 3.47, crois-tu que Murray envisage d'appliquer à la lettre les directives de la Proclamation royale ? Justifie ta réponse.

UNE COLONIE ANGLAISE À MAJORITÉ CANADIENNE

James Murray, un des généraux de la guerre, est nommé gouverneur de la province de Québec. Son principal mandat est de voir à l'application de la Proclamation royale.

L'ADMINISTRATION DE MURRAY

Murray tente d'administrer la colonie en tenant compte de la majorité canadienne. Il considère qu'il n'est pas souhaitable de se mettre à dos les premiers habitants, qui forment 95 % de la population. Par contre, il est conscient que les quelque 300 marchands anglais de la colonie s'attendent à bénéficier d'un régime de vainqueurs.

3.49 Le gouverneur James Murray.

L'ADMINISTRATION DE JAMES MURRAY	
Politique	Formation d'une Chambre d'assemblée remise à plus tard
	Entourage de conseillers sympathiques aux Canadiens
Justice	Création de cours de justice pour les Canadiens
	Permission d'appliquer les lois françaises
	Admission d'avocats canadiens dans les cours de justice
Religion	Tolérance vis-à-vis de la pratique du catholicisme
	Nomination d'un évêque catholique, Mgr Briand
	Tolérance envers les Canadiens qui refusent de prêter le serment du Test

3.48

Pour s'assurer l'appui du clergé catholique et se faire respecter par le peuple, Murray applique une politique de **conciliation** envers les Canadiens. Il est convaincu que « très peu suffira à contenter les nouveaux sujets », qui deviendront « les sujets les plus fidèles et les plus utiles de cet empire américain ». En se montrant généreux, il souhaite diminuer la résistance naturelle des Canadiens vis-à-vis de leur conquérant et faire en sorte qu'ils apprécient, à travers la bonté du gouverneur, la « tendresse paternelle » du roi d'Angleterre. Il espère ainsi amener les Canadiens à s'assimiler d'eux-mêmes aux Anglais.

3.50 Mgr Jean-Olivier Briand.

BRITISH PARTY ET FRENCH PARTY

Au cours de la décennie suivant la Conquête, les Anglais de la province de Québec se divisent en deux groupes dont les attitudes envers les Canadiens sont totalement opposées.

Le British Party

« […] le parti des marchands anglo-américains établis principalement à Montréal, partisans de la manière forte, intransigeants sur la nécessité de donner un caractère résolument anglais à la nouvelle colonie et désireux d'obtenir une assemblée où ils auraient seuls le droit de siéger […] »

Le French Party

« […] le parti des administrateurs, aristocrates, hommes de guerre, féodaux de coeur, conciliants à l'endroit des nouveaux sujets et pleins de mépris à l'égard des marchands anglophones. »

Noël Vallerand et Robert Lahaise, historiens, 1974

3.51

27 Associe à chacun des énoncés suivants le British Party ou le French Party.

a) Ils exigent l'application intégrale de la Proclamation royale.

b) Ils considèrent que les vaincus doivent se soumettre totalement aux vainqueurs.

c) Ils ne tolèrent pas l'usage des lois françaises.

d) Ils considèrent que les directives de la Proclamation royale sont irréalistes et injustes.

e) Bien que protestants, ils acceptent la nomination d'un évêque catholique.

f) Ils veulent l'assimilation totale des Canadiens.

g) Murray et Carleton en font partie.

28 En 1765, des marchands anglais de Montréal écrivent à Sa Majesté le roi d'Angleterre : « [Notre vie est] tellement malheureuse que nous nous trouverons dans la nécessité de […] quitter [cette province] si le gouverneur actuel n'est pas rappelé en temps opportun. »

Que reprochent ces marchands à Murray ?

Pour les marchands anglais, Murray manque à son devoir en appliquant avec modération la Proclamation royale. Ils demandent au ministre des Colonies de le rappeler à Londres. Au printemps 1766, Murray doit se rendre en Angleterre pour justifier sa politique de conciliation envers les Canadiens.

L'ADMINISTRATION DE CARLETON

Aussitôt arrivé dans la colonie, le nouveau gouverneur, Guy Carleton, cherche à attirer les Canadiens «par le coeur plutôt que par la force». Deux raisons motivent sa décision de poursuivre dans la même voie que son prédécesseur.

Premièrement, il est convaincu que les Canadiens formeront toujours l'immense majorité de la population de la colonie. Deuxièmement, il appréhende une révolte des colonies du Sud contre l'Angleterre. En s'attirant la sympathie des seigneurs et du clergé, il compte amener les Canadiens à témoigner d'un «attachement et d'un dévouement sincères envers le gouvernement du roi».

L'attitude de Carleton envers les Canadiens suscite une forte réaction chez les marchands anglais. Ils constatent que leurs revendications ne sont toujours pas prises en considération.

Une majorité canadienne assurée

«[…] s'il ne survient aucune catastrophe, […] la race canadienne, dont les racines sont si vigoureuses et si fécondes, finira par peupler ce pays à un tel point que tout élément nouveau qu'on transplanterait au Canada s'y trouverait entièrement débordé et effacé, sauf dans les villes de Québec et de Montréal.»

Lettre de Carleton à lord Shelburne, 25 novembre 1767

3.52 Le gouverneur Guy Carleton.

Timeline (left margin)

1766
ARRIVÉE DE CARLETON
BRIAND DEVIENT ÉVÊQUE
DÉPART DE MURRAY

1763
PROCLAMATION ROYALE
TRAITÉ DE PARIS

1761
RÉVOLTE DE PONTIAC

1760
CAPITULATION DE MONTRÉAL

1759
CAPITULATION DE QUÉBEC

1758
CAPITULATION DE LOUISBOURG

1756
DÉBUT DE LA GUERRE DE SEPT ANS

1754
AFFAIRE JUMONVILLE

LE POINT

1 Place les énoncés suivants en ordre chronologique.

   a) Régime militaire.

   b) Capitulation de Montréal.

   c) Début de la quatrième guerre intercoloniale.

   d) Administration de Carleton.

   e) Traité de Paris.

   f) Traité d'Utrecht.

   g) Proclamation royale.

   h) Administration de Murray.

2 Indique si chacun des énoncés suivants est une cause ou une conséquence de la Conquête.

   a) Des marchands anglais s'installent dans la province de Québec.

   b) La Nouvelle-France n'existe plus.

   c) Les Anglais et les Français convoitent les mêmes richesses et les mêmes territoires.

   d) La France manifeste peu d'intérêt envers sa colonie.

   e) La population de la Nouvelle-France est 20 fois inférieure à celle des colonies anglaises.

   f) L'Angleterre possède une nouvelle colonie, la *Province of Quebec*.

3 L'historien Lionel Groulx a écrit : « 1713 annonce 1763. »

   Quel est le sens de cette affirmation ?

4 À quel document – traité de Paris ou Proclamation royale – associes-tu

   a) la fin de la guerre de Sept Ans,

   b) la naissance de la *Province of Quebec*,

   c) la disparition de la Nouvelle-France.

5 Au cours de l'automne 1763, le gouverneur Murray reçoit des directives de Londres. On y mentionne qu' « une vieille colonie française devrait être refaite en colonie anglaise ».

Comment Londres entend-elle s'y prendre pour atteindre cet objectif, sur le plan :

- de la politique ?
- des lois ?
- de la religion ?
- de l'immigration ?
- de l'enseignement ?

6 Au cours de son administration, Murray applique avec modération les directives de la Proclamation royale.

a) Pourquoi ?

b) Quelles décisions prend-il sur le plan :
- de la politique ?
- des lois ?
- de la religion ?

c) Qu'en pensent les marchands anglais ?

7 En 1766, Carleton remplace Murray comme gouverneur de la colonie.

a) Quel type de politique applique-t-il ?

b) Pourquoi ?

c) Comment réagissent les marchands anglais ?

3.53 Représentation d'une réunion du Conseil législatif, dont les membres ont été nommés par James Murray.

EN RÉSUMÉ

1 Depuis le 17e siècle, la Nouvelle-France et les colonies anglaises entrent en **conflit** à propos :

- des **pêcheries** du golfe du Saint-Laurent et des bancs de Terre-Neuve ;
- des **fourrures** de la baie d'Hudson, des Grands Lacs et de la rivière Ohio ;
- des **terres** situées à l'ouest des Appalaches.

2 Dans cette guerre intercoloniale, les **forces** sont **inégales** entre Canadiens et Anglais.

DES FORCES INÉGALES		
	Nouvelle-France	**Colonies anglaises**
Politique	Une autorité militaire	Plusieurs autorités militaires
	Sans appui de la France	Appui de l'Angleterre
Territoire	Grand territoire	Petit territoire
Population	Très peu peuplée	Très peuplées
Économie	Peu diversifiée	Prospère
	Charge pour la métropole	Essentielle à la métropole

3.54

3 Avec le **traité d'Utrecht**, signé en **1713**, la Nouvelle-France **perd** trois **territoires** importants :

- la baie d'Hudson ;
- l'Acadie et Terre-Neuve ;
- l'Iroquoisie.

4 Vers 1750, il apparaît évident que la **guerre intercoloniale** s'achemine vers son **dénouement**.

La **guerre de Sept Ans** (1756-1763) constitue la dernière phase du long conflit intercolonial. Cette phase est appelée la « **Guerre de la Conquête** ».

5 Jusqu'en 1758, la Nouvelle-France résiste aux attaques anglaises et connaît même plusieurs victoires.

À partir de 1758, les forces anglaises **envahissent** progressivement **la Nouvelle-France** :

- Louisbourg (1758) ;
- Québec (1759) ;
- Montréal (1760).

6 Entre 1760 et 1763, la Nouvelle-France vit sous le **régime militaire anglais**, période de transition entre la conquête militaire et la conquête politique.

7 Le **traité de Paris**, signé en février **1763**, consacre la **fin de la Nouvelle-France**.

La **Proclamation royale**, publiée en octobre **1763**, trace les frontières d'une nouvelle colonie anglaise, la **Province of Quebec**.

Londres adopte des mesures qui visent l'**assimilation** des Canadiens.

8 Les deux premiers gouvernements de la province de Québec, Murray et Carleton, tiennent compte de la majorité canadienne et appliquent une politique de **conciliation** envers elle.

Les marchands anglais protestent parce que ces gouverneurs appliquent avec modération les directives de la Proclamation royale.

POUR LA SUITE DE L'HISTOIRE...

Vers 1770, la province de Québec est habitée par deux populations très différentes. Les Canadiens veulent que les Anglais tiennent compte de leurs revendications ; les Anglais exigent que soient respectées les directives de la Proclamation royale.

Quelles seront les décisions de Londres à propos de ces demandes ?

LA PROVINCE DE QUÉBEC ET LA RÉVOLUTION AMÉRICAINE

3.2 Principales conséquences de la Révolution américaine sur la province de Québec.

L'INFLUENCE AMÉRICAINE AU QUÉBEC

3.55 Personnage de la populaire émission de télévision américaine, *Star Trek: the Next Generation*.

De nos jours, à peu près tous les pays du monde subissent l'influence des États-Unis. Le Québec n'échappe pas à cette règle.

Cette influence se fait particulièrement sentir dans les domaines de l'économie et de la culture.

1 *a)* Donne deux exemples de la présence des États-Unis dans l'économie du Québec.

   b) Donne deux exemples de l'influence américaine sur la culture québécoise.

Au 18e siècle, la présence des Anglais du Sud avait déjà une influence sur les habitants de la vallée du Saint-Laurent.

2 Donne deux exemples de cette influence exercée au cours de la période du Régime français.

3 En 1776, les Treize Colonies du Sud déclarent leur indépendance vis-à-vis de l'Angleterre.

   a) Que sais-tu de la Révolution américaine?

   b) A-t-elle eu un impact sur la province de Québec? Si oui, lequel?

8000 AV. J.-C.		1534		1763	1867
PÉRIODE AUTOCHTONE		PÉRIODE DU RÉGIME FRANÇAIS		PÉRIODE DU RÉGIME BRITANNIQUE	PÉRIODE CONTEMPORAINE

LE QUÉBEC ET LA RÉVOLUTION AMÉRICAINE

1774   1791

PANORAMA

Depuis le début des années 1770, la révolte gronde dans les colonies anglaises du Sud. Mécontents des décisions prises par l'Angleterre à leur sujet, les habitants de ces colonies veulent acquérir leur indépendance vis-à-vis de leur métropole.

En 1774, Londres vote l'Acte de Québec, qui provoque d'importants changements dans la province de Québec. Ces changements irritent davantage les colons du Sud, qui entreprennent une guerre d'indépendance contre l'Angleterre: la Révolution américaine. Après avoir tenté d'entraîner la province de Québec dans cette guerre, ils signent en 1776 une déclaration d'indépendance. Leur guerre se poursuit toutefois jusqu'en 1783, année où l'Angleterre reconnaît leur indépendance par le traité de Versailles.

- *Pourquoi les habitants des colonies anglaises du Sud sont-ils mécontents des décisions de Londres?*

- *Pourquoi Londres vote-t-elle une nouvelle constitution, l'Acte de Québec?*

- *Quels sont les changements apportés par l'Acte de Québec?*

- *Comment les Canadiens de la province de Québec réagissent-ils à la Révolution américaine?*

- *Quels sont les changements survenus dans la province de Québec à la suite de l'indépendance américaine?*

3.56 Au lendemain de la guerre d'Indépendance, des milliers de colons anglais quittent les colonies du Sud pour s'établir dans la province de Québec.

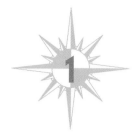

LES CONSÉQUENCES DE LA RÉVOLUTION AMÉRICAINE

3.2.1 Relations entre l'agitation américaine, l'Acte de Québec et les réactions à la guerre de l'Indépendance.

LA RÉBELLION DES TREIZE COLONIES ANGLAISES DU SUD

LES TREIZE COLONIES DU SUD ET L'ANGLETERRE		
Années	**Décisions de l'Angleterre**	**Conséquences dans les colonies anglaises du Sud**
1763	Traité de Paris	Besoin réduit de l'armée anglaise à cause de la disparition de la Nouvelle-France
	Proclamation royale	Interdiction de s'établir à l'ouest des Appalaches
1764	Sugar Act	Obligation de payer des droits d'importation sur plusieurs produits, dont le sucre
1765	Stamp Act	Obligation d'utiliser du papier timbré (taxé) pour expédier des documents
	Pacte colonial	Restriction de la liberté de commerce
1767	Lois Townshend	Imposition de taxes sur plusieurs produits, dont le thé
		Suspension de la constitution de New York
1773	Tea Act	Obligation d'acheter le thé d'une compagnie anglaise
1774	Autres lois	Fermeture du port de Boston
		Suspension de la charte du Massachusetts

3.57

4 En 1775, la guerre entre les Treize Colonies du Sud et l'Angleterre est imminente.

À l'aide du document 3.57, explique les raisons de cette guerre.

Selon la constitution anglaise, seul le Parlement a le droit de voter des taxes. Tout sujet anglais doit payer les taxes votées par ses représentants, les députés.

5 Les habitants des Treize Colonies refusent de payer les taxes imposées par Londres. « No taxation without representation » (Pas de taxation sans représentation), disent-ils.

Quel est le sens de cette phrase ?

RÉVOLTE DANS LES COLONIES ANGLAISES DU SUD

Vers 1763, les Treize Colonies anglaises du Sud décident de prendre leurs distances vis-à-vis de leur métropole. Or, l'Angleterre cherche plutôt à resserrer son emprise sur ces colonies.

L'AUTONOMIE

Depuis le début du 18e siècle, les colonies anglaises du Sud jouissent d'une certaine autonomie vis-à-vis de leur métropole. Bien que les gouverneurs qui les dirigent viennent d'Angleterre, ces colonies ont chacune leur propre assemblée législative élue par les habitants.

De plus, on y pratique le commerce avec d'autres partenaires que l'Angleterre, activité tolérée par la métropole mais qui constitue néanmoins un accroc au Pacte colonial.

> Pacte colonial

LES DÉCISIONS DE LONDRES

La Proclamation royale, en plus de délimiter les frontières de la province de Québec, crée une réserve amérindienne à l'ouest des Appalaches. Cette décision de l'Angleterre empêche les colonies de prendre de l'expansion dans cette direction.

De plus, pour payer les dettes liées à la guerre de Sept Ans, Londres impose des taxes à ses colons. Même les anciennes règles du Pacte colonial sont rétablies pour permettre à la métropole de profiter pleinement du commerce colonial.

LA RÉVOLTE

Les Treize Colonies refusent de se plier aux directives de leur métropole et manifestent leur insubordination en boycottant les produits importés d'Angleterre.

Mais l'Angleterre entend bien garder le contrôle de ses colonies. Elle suspend la constitution des colonies rebelles, leur enlevant ainsi le droit de s'administrer, et envoie des troupes pour faire respecter ses lois. Les habitants des colonies américaines ridiculisent les forces de l'ordre. Des accrochages et même des émeutes ont lieu, au cours desquelles des hommes sont tués. La tension augmente de part et d'autre.

Des colonies partiellement autonomes

À plusieurs points de vue, les colonies anglaises du Sud jouissent d'une certaine autonomie:

- elles créent des industries proscrites par le Pacte colonial;

- de toutes les lois votées par les Chambres d'assemblée des colonies, seulement 5 % sont annulées par le gouvernement britannique.

Priorité aux Canadiens ou aux Anglais ?

« [...] il ne faut pas perdre de vue que le peuple canadien ne se compose pas de Bretons émigrés et qui ont apporté les lois d'Angleterre avec eux, mais d'habitants occupant une colonie établie depuis longtemps [...]

Toute cette organisation [basée sur les lois et coutumes françaises], en une heure, nous l'avons renversée [...] [Des] lois inconnues [...] qui étaient contraires au tempérament des Canadiens [...] furent introduites à la place. Si je ne me trompe, aucun conquérant n'a eu recours dans le passé à des procédés aussi sévères, même lorsque des populations se sont rendues à discrétion et soumises à la volonté des vainqueurs sans les garanties d'une capitulation. »

Guy Carleton à lord Shelburne, Québec, 24 décembre 1767

3.58

6 *a)* Dans le document 3.58, Carleton souligne certaines différences entre Canadiens et Anglais.

Lesquelles ?

b) Crois-tu que Carleton souhaite l'application de la Proclamation royale ? Justifie ta réponse.

« Il s'agit de maintenir dans la paix et l'harmonie et de fusionner pour ainsi dire en une seule, deux races qui pratiquent actuellement des religions différentes, parlent des langues qui leur sont réciproquement étrangères et sont par leurs instincts portées à préférer des lois différentes [...] [Il ne faut pas] retarder pendant longtemps et [...] rendre impossible peut-être cette fusion des deux races ou l'absorption de la race française par la race anglaise au point de vue de la langue, des affections, de la religion et des lois : résultats si désirables qui s'obtiendront avec une ou deux générations peut-être si des mesures opportunes sont adoptées à cet effet. »

Francis Maseres, Londres, 1766

3.59

7 *a)* Dans le document 3.59, quelles sont les différences entre Canadiens et Anglais, selon Maseres ?

b) Qu'entend-il par « fusion des deux races » ?

c) Crois-tu que les « mesures opportunes » auxquelles il songe vont dans le sens de la Proclamation royale ? Justifie ta réponse.

L'ACTE DE QUÉBEC

Vers 1770, le gouvernement britannique est à la recherche de la meilleure façon d'administrer la province de Québec. Pour ce faire, il doit tenir compte de ce qui se passe à la fois dans la nouvelle colonie et dans les Treize Colonies du Sud.

Dans la **province de Québec**, l'**insatisfaction** est généralisée :

- les représentants de l'Autorité ne s'entendent pas sur l'administration de la colonie ;
- les Canadiens souhaitent la reconnaissance de leurs droits ;
- les marchands anglais attendent toujours la reconnaissance de leurs droits.

Dans les **Treize Colonies du Sud**, la situation se détériore :

- les colonies tiennent tête à l'Angleterre ;
- la **révolte** est imminente.

DÉBATS À LONDRES

Londres est le lieu de longues discussions au sujet de l'administration de la province de Québec.

LE GOUVERNEUR ET LE PROCUREUR GÉNÉRAL

Étant militaire de carrière, le gouverneur Carleton est préoccupé par l'attitude qu'adopteraient les Canadiens en cas de guerre entre les Treize Colonies et l'Angleterre. Il se demande s'ils appuieraient les colons anglais, c'est-à-dire les « Américains », ou seraient fidèles à la métropole anglaise. Pour obtenir l'appui des Canadiens, il propose une politique de générosité à leur égard. Il croit qu'en rassurant les Canadiens sur leurs droits, ceux-ci apporteront leur aide en cas d'attaque des Américains. À l'été 1770, il s'embarque pour Londres et pendant quatre ans, il y défend l'idée d'une nouvelle constitution qui « préserverait la bonne humeur et l'harmonie parfaite dans la colonie ».

Le procureur général de la colonie, Francis Maseres, défend pour sa part les droits des marchands anglais qui se plaignent d'une administration trop favorable aux Canadiens. À l'automne 1769, il quitte lui aussi la colonie pour Londres. Pendant une quinzaine d'années, il se fait le porte-parole des marchands anglais et défend leurs récriminations.

Pétition des Canadiens

Porte-parole de la bourgeoisie canadienne, François Baby se rend à Londres en 1773. Il y présente une pétition qui demande :

- « la conservation de nos anciennes lois, coutumes et privilèges dans leur entier » ;
- « la participation aux emplois civils et militaires » ;
- de nouvelles frontières qui inclueraient le Labrador et la région des Grands Lacs.

3.60 François Baby.
Crois-tu que, dans le cadre de la Proclamation royale, Londres puisse répondre favorablement aux demandes faites par Baby au nom des Canadiens ? (Voir l'encadré ci-dessus.)

L'ADMINISTRATION DE LA PROVINCE DE QUÉBEC

«On ne peut entreprendre de changer subitement les coutumes établies dans un pays sans avoir recours à l'oppression et à la violence ; c'est pourquoi les conquérants sages [...] agissent avec douceur et permettent à leurs sujets conquis de conserver toutes leurs coutumes locales [...]»

Rapport de Charles Yorke et William de Grey au Parlement de Londres, avril 1766

3.61

«[Le Canada] a été longtemps habité par des hommes attachés à des coutumes qui sont devenues inhérentes à leur nature. Dernièrement, des habitants plus puissants, mais inférieurs en nombre, s'y sont installés, et ces nouveaux habitants sont également attachés à des usages différents [...] la préférence devrait être accordée aux Canadiens de naissance plutôt qu'aux émigrants anglais [...]»

Alexander Wedderburn, décembre 1772

3.62

«Je croirais essentiel de ne pas rendre aux Canadiens leurs lois : elles maintiendraient leur perpétuel recours à ces lois et coutumes qui continuera à faire d'eux un peuple distinct.»

John Cavendish, député, Londres, 1774

3.63

8 D'après toi, les auteurs des textes des documents 3.61 et 3.62 regrettent-ils la Conquête ? Justifie ta réponse.

9 Quelle est la position de chacun des auteurs des textes des documents 3.61 à 3.63 au sujet :
   a) de l'application de la Proclamation royale ?
   b) de l'assimilation des Canadiens ?

10 a) Les recommandations qui figurent dans chacun des textes des documents 3.61 à 3.63 visent-elles à faire reconnaître les droits des Canadiens ou ceux des Anglais ?
   b) Quel argument motive chacune de ces positions ?

LES LÉGISTES

Depuis plusieurs années, des documents de toutes sortes s'accumulent sur les bureaux du ministère des Colonies de Londres. Des opinions divergentes et même contradictoires sur la façon d'administrer la province de Québec y sont exprimées. Afin de se faire une idée plus juste de la situation, le gouvernement anglais consulte des hommes de loi réputés.

James Marriott, avocat général, propose un système de lois mixtes – anglaises et françaises – à appliquer en fonction des cas. Il recommande une certaine tolérance envers la pratique de la religion catholique. De plus, il suggère une politique d'assimilation des Canadiens à la culture anglaise.

Alexander Wedderburn, solliciteur général, prône le respect des lois civiles françaises parce que les Canadiens sont en majorité dans la nouvelle colonie et qu'il considère comme souhaitable qu'ils le demeurent. Par contre, il s'oppose à la reconnaissance de l'autorité du pape sur le clergé.

Edward Thurlow, procureur général, se montre très sympathique à la cause canadienne. Il s'élève contre ceux qui veulent assimiler le peuple vaincu. Il propose le rétablissement de toutes les anciennes lois civiles et criminelles françaises. De plus, il recommande le respect de la pratique du culte catholique.

> «Les nouveaux sujets acquis par la Conquête ont le droit d'attendre de la bonté et de la justice de leur conquérant, le maintien de toutes leurs anciennes lois […] En outre, [le roi] assurera davantage l'ordre et la paix publique en leur laissant la liberté de continuer à obéir aux lois qui leur sont familières plutôt que d'entreprendre la tâche ardue de les astreindre à obéir à des lois dont ils n'ont jamais entendu parler.»
>
> Rapport d'Edward Thurlow aux autorités anglaises, 1773

3.64 Edward Thurlow, procureur général à l'époque de l'Acte de Québec.

Est-ce que l'opinion de Thurlow rejoint celle de Carleton ou celle de Maseres? (Voir page 202).

L'ACTE DE QUÉBEC

3.65 L'est de l'Amérique du Nord en 1774, après l'Acte de Québec.

11 Compare le territoire de la province de Québec de 1774 (document 3.65) avec celui de 1763 (document 3.42, page 188).

a) Quels changements ont été apportés?

b) Ces changements ont-ils des conséquences sur le plan économique? Lesquelles?

c) D'après toi, quel groupe de la province de Québec est satisfait de ces changements territoriaux? Pourquoi?

« […] les sujets de Sa Majesté professant la religion de l'Église de Rome […] peuvent jouir du libre exercice de leur religion. »

« […] aucune personne professant la religion catholique de Rome […] n'est tenue de prêter le serment [du Test]. »

« […] tous les sujets canadiens de Sa Majesté […] pourront conserver la possession et jouir de leurs propriétés et de leurs biens avec les coutumes et usages qui s'y rattachent et de tous leurs autres droits civils. »

Articles de l'Acte de Québec, 1774

3.66

12 *a)* Quel groupe de la province de Québec veut-on satisfaire par les trois articles de la constitution mentionnés dans le document 3.66?

b) Quels sont les droits reconnus à ce groupe?

c) Quelle serait ta réaction si tu faisais partie de l'autre groupe?

d) Pour quelle raison aurais-tu une telle réaction?

Les clauses de l'Acte de Québec

L'**Acte de Québec** naît le 22 juin **1774**, après d'orageux débats au Parlement britannique. Cette nouvelle constitution a pour but de « pourvoir d'une façon plus efficace au gouvernement de la province de Québec ». Ce faisant, Londres reconnaît implicitement que la Proclamation royale a été une erreur. Pour y remédier, elle apporte de nombreux changements dans la province de Québec, surtout en ce qui concerne les droits des Canadiens.

Le territoire

Sans retrouver l'immense superficie de la Nouvelle-France, la province de Québec voit tout de même son **territoire tripler** par rapport à celui qui lui avait été attribué en 1763. À l'est, elle inclut le Labrador et le golfe du Saint-Laurent. À l'ouest, sa frontière se situe désormais au-delà des Grands Lacs. On reconnaît ainsi que les Grands Lacs et le fleuve Saint-Laurent constituent un ensemble de voies navigables lié à l'économie.

La politique

L'Acte de Québec ne prévoit pas la création d'une Chambre d'assemblée. L'administration de la colonie continue d'être entre les mains d'un gouverneur, assisté d'un Conseil législatif de 17 à 23 membres. Les Canadiens ont désormais accès à ce conseil puisqu'on n'exige plus le serment du Test, mais plutôt un serment de fidélité au roi d'Angleterre.

La justice

L'Acte de Québec reconnaît les **lois civiles françaises** en ce qui a trait à la propriété et à tous les autres droits civils. Le régime seigneurial est donc reconnu. Du côté du droit criminel, les lois anglaises sont maintenues.

La religion

La **liberté religieuse** est officiellement reconnue. On supprime le serment du Test. On confirme au clergé son droit de percevoir la dîme. La hiérarchie catholique est reconnue, mais placée sous l'autorité du roi d'Angleterre.

3.67 Le premier Conseil législatif de la province de Québec.

Quelle est la fonction d'un Conseil législatif ?

LES CANADIENS ET L'ACTE DE QUÉBEC

« Le *Quebec Act* [...] encourage la survivance des Canadiens français [...] comme collectivité distincte. »

Rosario Bilodeau et autres, historiens, 1978

3.68

« [L'Acte de Québec] est l'aboutissement victorieux des premières démarches protectionnistes québécoises contre la politique d'assimilation britannique [...] Voilà en somme un événement majeur pour la survie de l'identité québécoise. »

Jean-Pierre Charbonneau et Gilbert Paquette, politiciens, 1978

3.69

13 *a*) Selon les auteurs des textes des documents 3.68 et 3.69, quelle est la conséquence de l'Acte de Québec?

b) Quels aspects de l'Acte de Québec leur permettent de faire cette affirmation?

c) D'après ce que tu sais du Québec d'aujourd'hui, crois-tu que l'Acte de Québec ait eu une telle conséquence? Justifie ta réponse.

« Il semble bien que les dirigeants britanniques aient eu deux préoccupations majeures lorsqu'ils préparaient cette « grande charte » : premièrement, empêcher la province de Québec de se joindre au soulèvement imminent des colonies du Sud [...], deuxièmement, restaurer au Canada une féodalité conservatrice de façon à faciliter l'administration coloniale et l'émergence anglo-saxonne. »

Noël Vallerand et Robert Lahaise, historiens, 1974

3.70

14 *a*) D'après les historiens Noël Vallerand et Robert Lahaise, l'objectif que poursuivent les autorités britanniques en votant l'Acte de Québec est-il d'assurer la survivance des Canadiens français? Justifie ta réponse.

b) Selon les autorités britanniques, comment l'Acte de Québec peut-il leur permettre d'atteindre leurs objectifs?

LES RÉACTIONS À L'ACTE DE QUÉBEC

La nouvelle constitution suscite des réactions opposées. Selon leurs intérêts, les différents groupes manifestent leur satisfaction ou leur mécontentement.

LES CANADIENS

Les **Canadiens** voient leurs **droits officiellement reconnus** par l'Acte de Québec. Leurs inquiétudes à propos de la religion et des lois civiles sont donc dissipées. Les seigneurs et le clergé s'estiment comblés. Le peuple, par contre, se voit contraint de payer la dîme et les redevances seigneuriales.

LES MARCHANDS ANGLAIS

Les **marchands anglais** trouvent l'Acte de Québec **inacceptable**. Non seulement n'obtiennent-ils pas satisfaction à leurs demandes, mais ils estiment que Londres favorise les Canadiens. Par contre, ils sont satisfaits des changements territoriaux qui leur permettent d'avoir le monopole du commerce des fourrures dans la région des Grands Lacs.

LES AMÉRICAINS

Bien que l'Acte de Québec ne concerne pas l'administration des Treize Colonies, les **Américains** y réagissent très négativement. Ils le considèrent comme une autre « **loi intolérable** » de l'Angleterre. Ils dénoncent l'absence d'une Chambre d'assemblée et la reconnaissance de la religion catholique. De plus, ils sont furieux de voir anéanties leurs chances de prendre de l'expansion à l'ouest.

> ### Les Canadiens célèbrent l'Acte de Québec
>
> « Il y eut un bal magnifique [...] et un souper splendide [...] La plupart des maisons furent illuminées [...] Il parut dans cette fête une unanimité parfaite à exprimer l'amour que les Canadiens ont pour leur souverain et l'attachement qu'ils ont pour leur gouverneur. »
>
> *La Gazette de Québec,*
> 6 octobre 1774

3.71 Le triomphe du papisme. Les protestants estiment que le pape oblige les catholiques à se soumettre aveuglément à ses directives. Le terme « papisme » est utilisé pour ridiculiser l'autorité abusive du pape. *À quelle clause de l'Acte de Québec cette caricature fait-elle allusion ?*

L'INVASION AMÉRICAINE

«Nous regardons avec plaisir ce jour peu éloigné quand tous les habitants de l'Amérique auront le même sentiment et goûteront les douceurs d'un gouvernement libre.

Incité par ce motif [...], le grand Congrès américain a fait entrer dans votre province un corps de troupes [...] Il est enjoint [au colonel Arnold] [...] de se considérer et agir en tout comme dans le pays de ses patrons et meilleurs amis [...] Je vous supplie donc, comme amis et frères, de pourvoir à tous ses besoins [...]

Allons donc, chers et généreux citoyens, rangez-vous sous l'étendard de la liberté générale.»

Lettre de George Washington au peuple canadien, 1775

3.72

15 *a*) Dans le document 3.72, comment Washington espère-t-il que les Canadiens vont réagir à l'invasion de la province de Québec par les Américains?

b) D'après lui, pourquoi les Canadiens devraient-ils réagir de cette façon?

«Une troupe de sujets révoltés contre leur légitime souverain qui est en même temps le nôtre vient de faire irruption dans cette province, moins dans l'espérance de s'y pouvoir soutenir que dans la vue de nous entraîner dans leur révolte ou au moins à ne pas nous opposer à leur pernicieux dessein. [...] [Les] faveurs récentes dont [Sa Majesté] vient de nous combler [...] suffiraient sans doute pour exciter notre reconnaissance [...] Fermez donc, chers Canadiens, les oreilles et n'écoutez pas les séditieux [...] Il ne s'agit pas de porter la guerre dans les provinces éloignées: on nous demande seulement un coup de main pour repousser l'ennemi.»

Lettre de Mgr Briand aux Canadiens, 22 mai 1775

3.73

16 *a*) Dans le document 3.73, qui Mgr Briand désigne-t-il par «Une troupe de sujets révoltés»?

b) Comment Mgr Briand espère-t-il que les Canadiens vont réagir à l'invasion américaine?

c) Selon lui, pourquoi les Canadiens devraient-ils réagir de cette façon?

LA GUERRE DE L'INDÉPENDANCE

L'Acte de Québec augmente sensiblement le mécontentement des habitants des Treize Colonies. Leurs relations avec l'Angleterre se détériorent de jour en jour. Le 19 avril 1775, un premier combat a lieu près de Boston entre soldats britanniques et miliciens américains. La révolte s'est transformée en révolution. Réunies en congrès à Philadelphie, les Treize Colonies décident de lever une armée. Elles rédigent une lettre à l'intention des Canadiens, leur demandant de s'unir à elles ou du moins de demeurer neutres dans la guerre qui les oppose à l'Angleterre.

LES AMÉRICAINS DANS LA PROVINCE DE QUÉBEC

Au cours du printemps 1775, l'armée américaine s'empare des forts anglais de la région du lac Champlain. Elle progresse ensuite le long du Richelieu jusqu'au fort Saint-Jean. Sur toute la rive sud de Montréal, la propagande américaine donne de bons résultats. Les Canadiens ne s'opposent pas à cette invasion. Certains appuient même ouvertement les rebelles. D'autres vont jusqu'à s'enrôler dans leur armée.

3.74 La mort du général Montgomery.

Carleton se rend compte qu'il ne peut pas compter sur la fidélité des Canadiens au roi d'Angleterre. Les seigneurs veulent enrôler les habitants dans la milice, mais n'y réussissent pas. Même le clergé n'est pas obéi malgré ses menaces d'excommunication à l'endroit de ceux qui ne respectent pas le serment de fidélité au roi d'Angleterre. Quant aux marchands anglais, la plupart d'entre eux ne manifestent guère de volonté de repousser les envahisseurs.

Le 11 novembre 1775, Carleton s'enfuit de Montréal pour se rendre à Québec tandis que le général américain Richard Montgomery s'installe à Montréal. Pendant ce temps, une deuxième armée américaine, dirigée par Benedict Arnold, avance vers Québec en provenance de la rivière Chaudière. Elle est accueillie et ravitaillée par des habitants de la Beauce.

En décembre 1775, les armées de Montgomery et d'Arnold entreprennent le siège de Québec. La veille du Jour de l'an, elles tentent une attaque qui est repoussée par les soldats de Carleton et les Canadiens favorables à sa cause.

Au printemps 1776, en voyant apparaître une flotte anglaise dans le fleuve, les Américains battent en retraite. La province de Québec demeure une colonie anglaise.

RÉACTIONS À L'INVASION AMÉRICAINE

«[…] les rebelles […] ont continué […] à envoyer de nombreux émissaires pour débaucher les Canadiens […] Ces émissaires se sont acquittés de leur tâche avec trop de succès […] [Nous avons] eu recours sans succès à tous les moyens pour amener le paysan canadien au sentiment de son devoir et l'engager à prendre les armes pour la défense de la province. Mais justice doit être rendue à la noblesse, au clergé […] qui ont donné de grandes preuves de zèle et de fidélité […]

Quelques-uns des anciens sujets du roi se sont joints aux rebelles […] J'apprends que quelques Canadiens se trouvent avec les Bostoniens sur toutes les routes.»

Hector-Théophilius Cramahé, lieutenant-gouverneur de la province de Québec, à William Legge, comte de Darmouth, secrétaire d'État aux Colonies, septembre 1775

3.75

«Tous ceux qui, en violant leur serment de fidélité […], prennent les armes contre le roi, sont hors des voies du salut, indignes de tous sacrements et de la sépulture ecclésiastique s'ils viennent à mourir les armes à la main […]»

Le grand vicaire Montgolfier à Mgr Briand, octobre 1775

3.76

17 À l'aide des documents 3.75 et 3.76, associe chacun des groupes suivants au bon énoncé.

Haut-clergé	Habitants canadiens
Seigneurs	Marchands anglais
Autorités anglaises	

a) Ils demeurent fidèles au roi d'Angleterre.

b) Certains d'entre eux combattent avec les rebelles.

c) Il veut excommunier les habitants qui combattent avec les rebelles.

d) Elles n'ont pas réussi à enrôler les Canadiens dans la milice.

18 *a*) Quels sont les deux principaux groupes qui appuient les autorités et l'armée anglaises?

b) Existe-t-il un lien entre leur fidélité et l'Acte de Québec? Si oui, lequel?

DÉCEPTION DE CARLETON ET DES ÉLITES CANADIENNES

Au cours de l'invasion américaine, la population canadienne a oscillé entre rébellion et loyauté envers l'Angleterre. Dans l'ensemble, le **peuple** est demeuré **neutre** tandis que les **classes dirigeantes** se sont montrées **fidèles** à l'Angleterre.

La passivité des Canadiens force Carleton à constater l'échec de sa politique de conciliation. De toute évidence, les habitants de la province de Québec ne sont pas prêts à risquer leur vie pour l'Angleterre.

De leur côté, les seigneurs et le clergé se rendent compte que leur emprise sur le peuple est loin d'être aussi forte qu'ils le croyaient.

L'INDÉPENDANCE AMÉRICAINE

Dans les Treize Colonies du Sud, la guerre contre l'Angleterre se poursuit pendant six ans. Le 4 juillet 1776, les Treize Colonies signent leur Déclaration d'indépendance. L'Angleterre intensifie ses attaques mais, déterminées, les forces américaines résistent. En octobre 1777, une importante victoire à Saratoga renforce le moral des troupes américaines. De plus, la France qui, jusqu'alors, hésitait à s'en mêler, s'allie aux révolutionnaires.

Les Américains et leurs alliés forcent les armées anglaises à capituler. L'Angleterre entreprend des négociations qui mènent à la signature du **traité de Versailles**, le 3 septembre **1783**.

«Mon autorité n'est pas plus respectée que la vôtre; on dit de moi, comme on dit de vous, que je suis un Anglais [...]»

Lettre de Mgr Briand au curé Maisonbasse, 1775

3.77 Lors de la lecture de la Déclaration d'indépendance des États-Unis, des Américains jettent par terre la statue du roi d'Angleterre.

Quel nom se donnent les colonies qui viennent de se séparer de l'Angleterre?

LES CONSÉQUENCES DE L'INDÉPENDANCE AMÉRICAINE

3.2.2 Conséquences de l'indépendance américaine.

LE TRAITÉ DE VERSAILLES

3.78 L'est de l'Amérique du Nord en 1783, après le traité de Versailles.

19 Compare le territoire de la province de Québec de 1783 (document 3.78) avec celui de 1774 (document 3.65, page 206).

a) Quels changements ont été apportés?

b) Quel nouveau pays apparaît sur le document 3.78?

c) Ces changements ont-ils des conséquences sur le commerce des fourrures de la région de Montréal? Si oui, lesquelles?

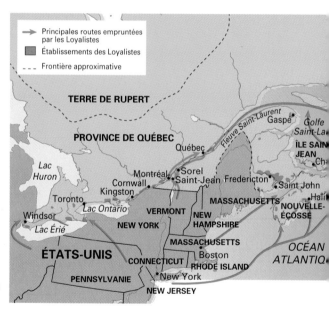

3.79 L'établissement des Loyalistes dans les colonies anglaises du Nord avant 1800.

LES LOYALISTES

20 *a)* Qui sont les Loyalistes? Dans quelles provinces actuelles du Canada s'établissent-ils?

b) Au moment de leur arrivée, quelle constitution est en vigueur dans la province de Québec? Crois-tu qu'ils sont satisfaits des clauses de cette constitution? Justifie ta réponse.

UNE NOUVELLE CONJONCTURE

Par le traité de Versailles, l'Angleterre reconnaît l'Indépendance américaine. Cet accord a des conséquences importantes dans la province de Québec.

UNE PROVINCE RÉDUITE

De **nouvelles frontières** sont délimitées en Amérique du Nord. L'Angleterre abandonne aux Américains le territoire qui va de l'Atlantique au Mississippi à l'ouest et du golfe du Mexique aux Grands Lacs au nord. La province de Québec se voit donc amputée d'une bonne partie du territoire que l'Acte de Québec lui avait concédé.

LE DÉPLACEMENT DU COMMERCE DES FOURRURES

La perte du sud des Grands Lacs et de la région de l'Ohio porte un dur coup au **commerce des fourrures** de Montréal. Privés de leur réserve de matières premières, les marchands n'ont d'autre choix que d'aller vers le **nord-ouest** pour s'approvisionner en fourrures. Plusieurs compagnies fusionnent pour former la Compagnie du Nord-Ouest. Mais celle-ci doit faire face à un concurrent de taille : la Compagnie de la baie d'Hudson, qui possède déjà la Terre de Rupert.

DES NOUVEAUX VENUS

Au lendemain du traité de Versailles, **6 000** personnes demeurées fidèles à l'Angleterre

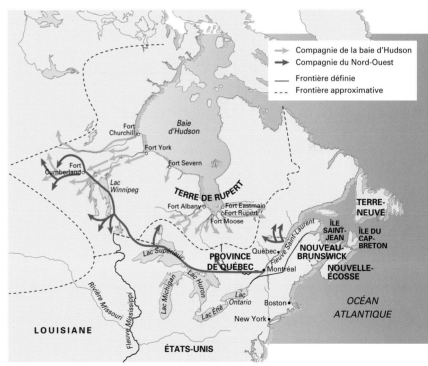

3.80 Les principales routes du commerce des fourrures vers 1800.

quittent les États-Unis pour s'établir dans la province de Québec. La plupart de ces **Loyalistes** s'installent dans la région du Haut-Saint-Laurent, à l'ouest de Montréal et au nord du lac Ontario, hors de la zone seigneuriale. Mécontents d'être soumis aux clauses de l'Acte de Québec, ils se plaignent à Carleton, qui crée à leur intention des districts séparés où sont rétablies les lois civiles anglaises.

LE POINT

1783
TRAITÉ DE
VERSAILLES
FONDATION DE
LA COMPAGNIE
DU NORD-OUEST

1784
ARRIVÉE DES
LOYALISTES

1788
CRÉATION DE
DISTRICTS
SÉPARÉS DANS
LA PROVINCE
DE QUÉBEC

1778
ALLIANCE
FRANCO-
AMÉRICAINE

1776
DÉCLARATION
D'INDÉPENDANCE
AMÉRICAINE

1775
INVASION
AMÉRICAINE
LETTRE DE
Mᴳᴿ BRIAND AUX
CANADIENS
LETTRE DU
CONGRÈS
AMÉRICAIN AUX
CANADIENS

1774
ACTE DE
QUÉBEC

1 Dans l'échelle de temps ci-contre, tu peux constater que l'Acte de Québec appartient à la même période historique que la Révolution américaine.

a) Y a-t-il un lien entre l'Acte de Québec et la Révolution américaine ? Si oui, lequel ?

b) Nomme deux conséquences de l'Indépendance américaine dans la province de Québec.

« Dorval [...] [a déclaré] que l'évêque de Québec et le grand vicaire de Trois-Rivières avaient été payés pour prêcher en faveur du parti du roi. »

Rapport d'une enquête menée par Baby, Tachereau et Williams, 1775

3.81

« [...] bien que les gentilshommes [les seigneurs] aient montré beaucoup d'empressement [à porter main-forte aux soldats anglais], ils n'ont pu gagner le peuple ni par leurs sollicitations ni par leur exemple [...]

Je me propose de tenter la formation d'une milice [...] Mais j'ai des doutes sérieux quant au succès de l'entreprise. »

Guy Carleton à William Legge, comte de Darmouth, juin 1775

3.82

2 Les documents 3.81 et 3.82 mentionnent trois groupes de Canadiens.

a) Quelle est l'attitude de chacun de ces groupes devant l'invasion de la province de Québec par les Américains ?

b) Quel événement survenu avant l'invasion pouvait laisser croire à Carleton que les Canadiens s'enrôleraient dans la milice ?

c) Selon Carleton, qu'est-ce qui aurait dû inciter les Canadiens à appuyer l'armée anglaise ?

❸ *a*) Quel territoire la province de Québec perd-elle en 1783?

b) Quelle conséquence d'ordre économique cette perte entraîne-t-elle?

c) Dans quelle partie de la province de Québec viennent s'établir la plupart des Loyalistes? Pourquoi?

❹ *a*) Qui sont les «loyaux sujets» mentionnés dans le texte du document 3.84?

b) Quelle est cette «colonie anglaise» où ils «se réfugient quotidiennement»?

c) D'où viennent ces «loyaux sujets»?

d) Pourquoi sont-ils partis de cette région?

e) Quels sont les trois reproches qu'ils font à l'Acte de Québec?

f) Quel était le but poursuivi par Londres en votant l'Acte de Québec, en 1774?

3.83 L'est de l'Amérique du Nord en 1783, après le traité de Versailles.

«Vos requérants constatent avec chagrin [...] les malheurs de vos loyaux sujets qui, forcés de quitter leurs propriétés, richesses et possessions, se réfugient quotidiennement dans cette colonie anglaise [...] Votre Majesté comprendra tout de suite que ces infortunés sujets considèrent un gouvernement semblable ou meilleur que celui sous lequel ils naquirent [...] comme une preuve tangible des soins et égards paternels de Votre Majesté pour eux [...] Vos pétitionnaires [...] demandent la permission [...] d'implorer instamment leur monarque d'intervenir en faveur du rappel de l'Acte de Québec, qui concède des privilèges comme ceux dont jouit déjà la religion catholique romaine [...] Vos pétitionnaires, de plus, sont persuadés que Votre Majesté daignera contribuer à établir ses sujets affectionnés de cette province dans la pleine possession de leurs droits civils de citoyens britanniques et à leur octroyer une Chambre d'assemblée libre et élective.»

Pétition adressée au roi d'Angleterre, 1784

3.84

1 Vers 1763, dans les **Treize Colonies du Sud**, le **mécontentement** croît pour plusieurs raisons :

- un décret de la Proclamation royale empêche l'expansion territoriale de ces colonies à l'ouest ;
- l'Angleterre impose des taxes pour payer les dettes de la guerre de Sept Ans ;
- les anciennes règles du Pacte colonial sont rétablies.

2 L'**Acte de Québec**, nouvelle constitution décrétée par Londres, naît en **1774**. Il apporte des changements dans la province de Québec :

- le **territoire** est **agrandi** ;
- le gouverneur et son Conseil législatif continuent d'administrer la colonie ;
- les **lois civiles françaises** sont reconnues ;
- les lois criminelles anglaises sont maintenues ;
- la **liberté religieuse** est reconnue ;
- la dîme est imposée ;
- le serment du Test est aboli.

3 Les réactions à l'Acte de Québec sont diverses :

- les **Canadiens** sont **satisfaits** sur les plans religieux et juridique ;
- les **marchands anglais** sont **insatisfaits** de ne pas voir leurs demandes agréées mais heureux des changements territoriaux qui favorisent le commerce des fourrures ;
- les **Américains** sont **insatisfaits** de voir que leurs chances de prendre de l'expansion à l'ouest sont anéanties. D'autre part, ils trouvent intolérables l'absence d'une Chambre d'assemblée et la reconnaissance de la religion catholique dans une colonie anglaise.

4 Les **Treize Colonies du Sud** mènent une guerre d'indépendance contre l'Angleterre:

- en 1775-1776, elles **envahissent** la **province de Québec**. Les **élites** canadiennes se montrent **fidèles** au roi d'Angleterre tandis que le **peuple** demeure plutôt **neutre**;
- en 1776, elles signent une déclaration d'indépendance;
- en **1783**, par le **traité de Versailles**, l'Angleterre reconnaît leur indépendance.

5 Le traité de Versailles apporte des changements dans la province de Québec:

- la colonie perd le **sud des Grands Lacs**;
- l'approvisionnement en **fourrures** doit désormais se faire au **nord-ouest**;
- **6 000 Loyalistes** s'établissent dans la colonie.

3.85 Médaille américaine commémorant la guerre d'Indépendance.

POUR LA SUITE DE L'HISTOIRE...

Vers 1790, il apparaît évident que l'Acte de Québec doit être modifié en profondeur. L'Angleterre vient de perdre la majorité de ses colonies. De plus, dans la province de Québec a eu lieu une importante immigration dont il faut tenir compte.

AUTOÉVALUATION

1 Sur une ligne de temps semblable au document 3.86, situe:

a) l'Acte de Québec;

b) l'administration de Murray;

c) l'arrivée des Loyalistes;

d) le début de la guerre de Sept Ans;

e) l'invasion de la province de Québec par les Américains;

f) la capitulation de Montréal;

g) la capitulation de Québec;

h) la Proclamation royale;

i) le traité de Versailles;

j) le traité de Paris;

k) la Déclaration d'indépendance américaine.

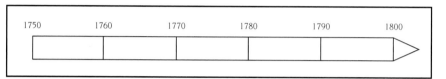

1750   1760   1770   1780   1790   1800

3.86

2 Complète un schéma semblable au document 3.87.

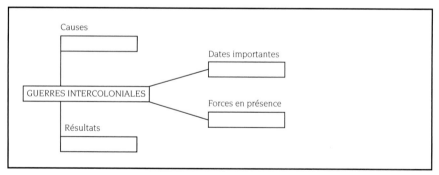

Causes

Dates importantes

GUERRES INTERCOLONIALES

Forces en présence

Résultats

3.87

3 Complète un tableau semblable au document 3.88.

	Proclamation royale	Administration de Murray	Acte de Québec
Années			
Territoire			
Politique			
Justice			
Religion			
Objectif			
Réaction des marchands anglais			
Réaction des Canadiens			

3.88

4 Complète un schéma semblable au document 3.89.

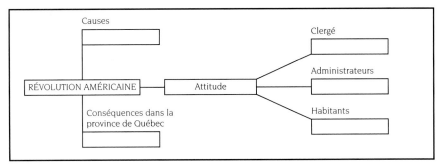

3.89

5 Associe chacun des personnages suivants à la déclaration appropriée.

> administrateur anglais de la province de Québec – colon anglais des Treize Colonies
> anglaises – Loyaliste – marchand anglais de Montréal – membre du haut clergé catholique
> de la province de Québec – rebelle américain

a) Il faut éliminer la Nouvelle-France parce que cette colonie française nuit à notre développement. Pour ce faire, nous avons besoin de l'aide de la Grande-Bretagne.

b) La Conquête nous donne le droit d'espérer que la province de Québec devienne une véritable colonie anglaise avec des institutions essentiellement britanniques.

c) Les Canadiens sont les anciens habitants de cette colonie et de plus, ils forment l'immense majorité de la population. Aussi faut-il tenir compte d'eux dans notre façon d'administrer la province de Québec.

d) Il est de notre devoir de manifester une fidélité indéfectible envers la Couronne britannique. Nous devons nous opposer fermement aux rebelles américains qui tentent d'envahir la province de Québec.

e) En toute légitimité, nous devons nous opposer aux tentatives de la Grande-Bretagne de nous asservir. Prenons les armes et brisons le lien colonial qui nous unit à elle.

f) Nous voulons rester fidèles à la Grande-Bretagne. Une fois l'indépendance américaine acquise, nous avons décidé d'émigrer dans une région qui est demeurée colonie britannique.

LE RÉGIME BRITANNIQUE

MODULE 4

LES DÉBUTS DU PARLEMENTARISME

▼

Transformations
socio-économiques et
affrontements.

LA SOCIÉTÉ DU BAS-CANADA DE 1791 À 1840

4.1 Évolution de la société du Bas-Canada de 1791 à 1840.

LA LANGUE

4.1   Débat sur les langues à la Chambre d'assemblée du Bas-Canada, en 1793.

En janvier 1793, les députés canadiens et anglais ont discuté pendant trois jours du choix de la langue à utiliser à la Chambre d'assemblée du Bas-Canada.

1   Si tu avais été l'un des députés de la Chambre d'assemblée, aurais-tu proposé l'unilinguisme français? l'unilinguisme anglais? le bilinguisme? Justifie ton choix.

Aujourd'hui, le débat sur la langue se poursuit au Québec.

2   *a*) Quelle est la langue officielle du Québec?

    b) D'après toi, les droits de la principale minorité linguistique sont-ils respectés? Justifie ta réponse.

3   Dans plusieurs pays, il n'y a pas de loi sur la langue.
    Comment expliques-tu qu'on doive légiférer sur la langue au Québec?

8000 AV. J.-C. — 1534 — 1763 — 1867

| PÉRIODE AUTOCHTONE | PÉRIODE DU RÉGIME FRANÇAIS | PÉRIODE DU RÉGIME BRITANNIQUE | PÉRIODE CONTEMPORAINE |

SOCIÉTÉ DU BAS-CANADA

1791 — 1840

PANORAMA

La période qui va de 1791 à 1840 en est une de changements dans tous les domaines dans la province de Québec.

La colonie est divisée en deux parties : le Haut-Canada et le Bas-Canada.

Londres instaure le régime parlementaire. Dorénavant, la population peut élire des députés qui la représentent à la Chambre d'assemblée.

Le commerce des fourrures cède la place à celui du bois. Après une période de développement progressif, l'agriculture connaît une crise majeure.

L'immigration massive de Britanniques modifie la proportion de Canadiens et d'Anglais.

Les anciennes élites canadiennes sont supplantées par une nouvelle bourgeoisie plus revendicatrice.

- *Quelles sont les causes de ces changements ?*
- *Y a-t-il des liens entre ces changements ?*
- *Pourquoi, après avoir accueilli avec enthousiasme l'Acte constitutionnel de 1791, la population du Bas-Canada se retrouve-t-elle en situation de conflit 40 ans plus tard ?*

4.2 Herman Witsius Ryland, secrétaire du gouverneur et membre du Conseil exécutif et du Conseil législatif.

«La Chambre du Bas-Canada deviendra un foyer de sédition et le rendez-vous des plus hardis démagogues de la province.»
Mai 1808

4.3 Pierre Bédard, député et l'un des fondateurs du journal *Le Canadien*.

«Comment osez-vous reprocher [aux Canadiens] de jouir des privilèges que le Parlement de la Grande-Bretagne leur a accordés ?»
Décembre 1808

L'ACTE CONSTITUTIONNEL

4.1.1 Caractéristiques de l'Acte constitutionnel.

LES DEUX CANADAS

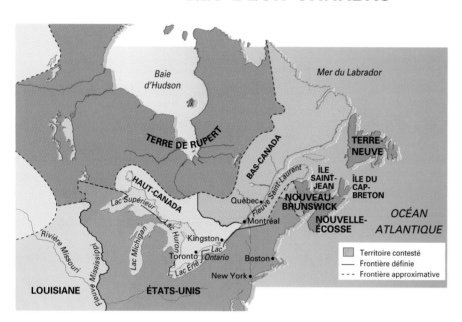

4.4 L'Amérique du Nord britannique en 1791, après l'Acte constitutionnel.

4 a) Compare la carte de 1791 (document 4.4) avec celle de 1783 (document 3.78, page 214).

Quels changements ont été apportés?

b) De quelle province actuelle du Canada le territoire du Haut-Canada fait-il partie? celui du Bas-Canada?

« Dans le Bas-Canada, comme les résidents sont principalement des Canadiens, leur assemblée [...] sera adaptée à leurs coutumes [...] Le Haut-Canada étant presque uniquement peuplé [d'Anglais], la religion protestante sera la religion établie et les habitants [...] auront la jouissance des lois de tenure anglaise. »

William Pitt, premier ministre d'Angleterre, 4 mars 1791

4.5

« Ce qui serait [...] à souhaiter, ce serait que les habitants anglais et français du Canada s'unissent [...] et que les distinctions nationales puissent disparaître pour toujours. »

Charles James Fox, chef de l'opposition en Angleterre, 8 avril 1791

4.6

5 a) Dans le document 4.5, quelle raison invoque Pitt pour justifier la séparation des deux Canadas?

b) Pourquoi Fox s'oppose-t-il à cette séparation?

c) Selon toi, quelle proposition est la plus sage? Pourquoi?

DES CHANGEMENTS MAJEURS

La province de Québec de 1790 ne ressemble guère à celle de 1774. L'arrivée de milliers de Loyalistes venus des États-Unis suscite une remise en question des clauses de l'Acte de Québec. De plus, l'idée de former une Chambre d'assemblée gagne peu à peu l'adhésion d'une certaine élite canadienne. Enfin, l'Angleterre, qui, par son intransigeance, vient de perdre ses colonies du Sud, entend bien conserver celles du Nord.

CRÉATION DU BAS-CANADA

En 1791, Londres adopte l'**Acte constitutionnel**, qui scinde en deux la province de Québec. La partie ouest devient le **Haut-Canada**. Sa population est uniquement composée d'Anglais, les Loyalistes, pour la plupart agriculteurs. La partie est devient le **Bas-Canada**. Au-delà de 90 % de sa population est constituée de Canadiens, dont la plupart sont des ruraux vivant dans les seigneuries. Une minorité d'Anglais habitent aussi le Bas-Canada ; ils sont pour la plupart établis dans les villes de Montréal et de Québec, d'où ils contrôlent le commerce des fourrures.

CRÉATION D'UNE CHAMBRE D'ASSEMBLÉE

La nouvelle constitution instaure le **régime parlementaire**. Lors des élections, la population doit choisir des députés qui siégeront à la Chambre d'assemblée. Ces représentants du peuple votent les projets de lois et les taxes nécessaires à l'administration de la colonie.

Le gouverneur demeure en poste et continue de représenter les intérêts de la métropole. Il a le droit de dissoudre la Chambre et de déclencher des élections. Il nomme également les membres du Conseil exécutif, qui l'aident à administrer la colonie. De plus, Londres crée un Conseil législatif, dont les membres sont aussi nommés par le gouverneur, et qui a pour tâche d'approuver ou de refuser les décisions de la Chambre lorsqu'elle se montre trop radicale ou non respectueuse des intérêts de la métropole.

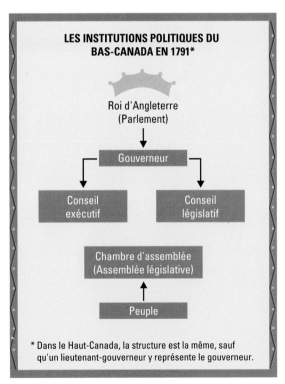

4.7

LES ÉTAPES D'UN PROJET DE LOI

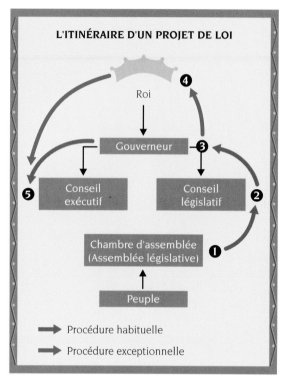

L'ITINÉRAIRE D'UN PROJET DE LOI

Roi

Gouverneur ❸ ❹

❺ Conseil exécutif

Conseil législatif ❷

Chambre d'assemblée (Assemblée législative) ❶

Peuple

➡ Procédure habituelle

➡ Procédure exceptionnelle

4.8

Un projet de loi doit passer par plusieurs étapes avant de devenir une loi.

Les députés de la Chambre d'assemblée votent sur ce projet de loi (1). Si la majorité d'entre eux l'acceptent, le projet de loi est acheminé vers le Conseil législatif.

Le Conseil législatif peut accepter ce projet de loi, le refuser ou y apporter des modifications (2). S'il l'accepte, il le transmet au gouverneur.

Le gouverneur a le pouvoir d'accepter ou de refuser (droit de véto) le projet de loi (3). S'il l'accepte, il lui accorde la sanction royale. Exceptionnellement, le projet de loi est transmis au roi. Le roi peut alors accepter le projet de loi en lui accordant la sanction royale ou le refuser (4).

Dès que le projet de loi a reçu la sanction royale, il devient une loi, qui est alors mise en application par le Conseil exécutif (5).

6 *a)* Que peut-il advenir d'un projet de loi accepté par la Chambre d'assemblée ? Nomme trois possibilités.

b) La Chambre d'assemblée possède-t-elle un pouvoir déterminant sur l'acceptation finale d'une loi ? Pourquoi ?

c) L'historien Lionel Groulx a dit que l'Acte constitutionnel était une forme de « parlementarisme truqué ».

Es-tu d'accord avec cette affirmation ? Justifie ta réponse.

7 Complète le texte à l'aide des éléments suivants.

> Le roi – le gouverneur – le Conseil législatif – le Conseil exécutif – la Chambre d'assemblée

Pour devenir une loi, un projet de loi doit d'abord être adopté par ___*a*___ . ___*b*___ doit également l'approuver. La sanction royale peut être donnée par ___*c*___ ou par ___*d*___ . ___*e*___ ne peut empêcher un projet de loi de devenir une loi.

Maintien des garanties de l'Acte de Québec

Dans le Bas-Canada, l'Acte constitutionnel n'abolit pas les droits des Canadiens reconnus par l'Acte de Québec en ce qui a trait à la liberté de pratiquer la religion catholique et d'appliquer les lois civiles françaises.

Le régime seigneurial est également maintenu. Toutefois, l'Acte constitutionnel recommande que la distribution des nouvelles terres, les cantons, soit faite selon la « tenure anglaise de franc et commun socage ».

Un conflit politique inévitable

Le régime parlementaire est un gouvernement de type démocratique, c'est-à-dire un gouvernement représentant le peuple et élu par le peuple.

Cependant, en 1791, l'exercice de la démocratie n'est pas parfait. En élisant des députés à la Chambre d'assemblée, la population exerce, il est vrai, un certain pouvoir, mais les décisions prises par les députés peuvent être modifiées et même annulées par des gens qui ne sont pas élus par la population : les conseillers législatifs et exécutifs, le gouverneur et le roi.

LE CONFLIT POLITIQUE

Chambre d'assemblée ⚡ Gouverneur et conseils

4.9

Des conflits surgissent donc entre les députés de la Chambre d'assemblée et le gouverneur et ses conseillers. D'une part, les députés n'acceptent pas de voir leurs décisions contestées par le gouverneur et ses conseillers. D'autre part, ces derniers ne veulent pas céder aux demandes de la Chambre d'assemblée, qui, disent-ils, cherche à accroître son pouvoir à leur détriment.

Le franc et commun socage

Dans les cantons, les propriétaires bénéficient de la tenure anglaise de franc et commun socage, c'est-à-dire qu'ils ne paient ni rente ni redevances, puisqu'il n'y a pas de seigneur. Un colon qui désire acquérir une terre n'a qu'à payer les frais d'arpentage et d'enregistrement et à démontrer sa capacité de cultiver cette terre.

Cependant, à partir de 1826, le gouvernement décrète que les terres seront désormais vendues.

Démocratie

LES ÉLECTIONS DE 1792

Les élections en 1792

- Le vote se fait en public, à voix haute.
- Il n'y a qu'un bureau de votation par comté.
- Le vote dure tant qu'il y a des votants.
- Les votants doivent :
  - avoir 21 ans ;
  - être propriétaires ;
  - être sujets anglais.

4.10

8 *a*) D'après toi, quelles sont les implications d'un vote fait devant tout le monde et à voix haute ?

   b) Les votants doivent être propriétaires. Quelles sont les conséquences d'un tel règlement ?

9 De nos jours, les élections se déroulent-elles comme en 1792 ? Compare chacun des éléments du document 4.10 avec la réalité d'aujourd'hui.

LE CONFLIT ETHNIQUE

Une ethnie est un ensemble de personnes qui ont des caractéristiques communes, particulièrement en ce qui concerne l'origine, la langue et la culture.

10 Nomme trois différences entre Canadiens et Anglais du Bas-Canada.

11 Donne la composition ethnique de chacun des éléments encadrés du document 4.11.

Anglais	Canadiens
Majorité d'Anglais	Majorité de Canadiens

12 D'après toi, la composition ethnique de ces éléments peut-elle contribuer à amplifier le conflit politique qui existe dans le Bas-Canada ? Justifie ta réponse.

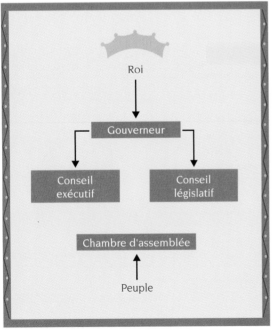

4.11

LES PREMIÈRES ANNÉES DU PARLEMENTARISME

En 1791, Canadiens et Anglais se réjouissent d'avoir une nouvelle constitution dans le Bas-Canada. Très tôt cependant, des dissensions surgissent entre ces deux groupes.

LES PREMIÈRES ÉLECTIONS

Au cours de l'été 1792, de premières élections ont lieu dans le Bas-Canada. Cinquante députés – 34 Canadiens et 16 Anglais – forment la Chambre d'assemblée du Bas-Canada. Le gouverneur nomme sept Canadiens et neuf Anglais au Conseil législatif et quatre Canadiens et cinq Anglais au Conseil exécutif.

Toutes ces institutions ont été mises en place dans le but de « faire fleurir le pays et le rendre heureux », selon un souhait formulé lors d'un banquet de réjouissance qui a eu lieu six mois plus tôt.

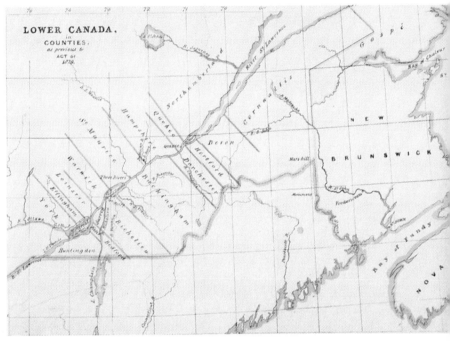

4.12 Carte électorale du Bas-Canada en vigueur de 1792 à 1829.
Si tu avais participé aux élections de 1792, dans quel comté aurais-tu voté ?

LES PREMIERS DÉBATS À LA CHAMBRE D'ASSEMBLÉE

Dès la première session de la Chambre d'assemblée, les députés sont divisés en deux groupes ethniques : Canadiens d'un côté, Anglais de l'autre. Il leur faut élire un président d'assemblée (orateur) et choisir la langue des débats. Chacun des deux clans propose un des siens et sa propre langue. Les Canadiens l'emportent : Jean-Antoine Panet devient président. Le français est déclaré langue officielle dans le domaine des lois civiles et l'anglais, dans celui des lois criminelles.

Quelques mois plus tard, Londres décide que l'anglais est la seule langue officielle. Cependant, les débats de la Chambre pourront se dérouler en français.

> Groupe ethnique

DES ANNÉES MOUVEMENTÉES

Au cours de son administration, le gouverneur James Craig s'en prend fréquemment au Parti canadien. De son côté, le Parti canadien se montre très agressif à la Chambre d'assemblée.

Craig intervient ouvertement dans les élections et utilise des moyens de pression pour entraver les manoeuvres du Parti canadien.

TROIS ÉLECTIONS MOUVEMENTÉES

Années	Campagnes électorales	Élus	Suites
1808	• Le journal *Le Canadien* demande aux Canadiens de « vomir les gens en place » (les Anglais et leurs alliés canadiens) dans les élections. • Craig appuie les candidats du Parti anglais.	• 14 Anglais • 36 Canadiens	• Craig destitue des fonctionnaires liés au *Canadien*. • La Chambre expulse un Juif. • Craig ajourne la session.
1809	• Craig met en doute la loyauté des candidats du Parti canadien. • *Le Canadien* critique ouvertement la conduite de Craig.	• 14 Anglais • 36 Canadiens	• Londres critique l'attitude de Craig. • La Chambre expulse un juge. • Craig dissout la Chambre et déclenche des élections.
1810	• Craig fait emprisonner le directeur du *Canadien*, le député Pierre Bédard.	• 12 Anglais • 38 Canadiens (dont Bédard)	

4.13

13 *a*) Le gouverneur de la colonie doit-il normalement jouer un rôle lors des élections? Justifie ta réponse.

b) Quel rôle Craig décide-t-il de jouer?

c) Quelle est la réaction de Londres devant l'attitude de Craig?

d) D'après le document 4.13, crois-tu que les interventions de Craig aient eu du succès? Justifie ta réponse.

e) D'après toi, en 1810, Craig va-t-il dissoudre la Chambre et déclencher des élections comme en 1809? Justifie ta réponse.

14 L'épisode des élections témoigne-t-il d'un conflit politique? ethnique? des deux types de conflits? Justifie ta réponse.

Le climat s'envenime

En 1805, un événement banal provoque un affrontement entre Canadiens et Anglais. La Chambre d'assemblée doit voter des taxes pour permettre la construction de nouvelles prisons. Les députés du Parti canadien recommandent une taxe sur le commerce, fief des Anglais. Les députés du Parti anglais, appuyés par le journal *Quebec Mercury*, proposent une taxe sur la terre, domaine des Canadiens. Majoritaires, les députés canadiens sortent victorieux de la « querelle des prisons ». En 1806, ils fondent leur propre journal, *Le Canadien*.

Au cours des années qui suivent, d'autres conflits surgissent, qui enveniment le climat entre Canadiens et Anglais. Le gouverneur James Craig intervient dans le but d'écraser le Parti canadien. Mais la population soutient ses représentants : elle les réélit aux trois élections qui ont lieu entre 1808 et 1810. En plus, la députation canadienne voit ses effectifs augmenter et elle semble de plus en plus déterminée à ne pas s'en laisser imposer par le gouverneur.

« Le caractère des Canadiens est la paresse et l'inactivité, celui des colons anglais est l'industrie et la persévérance. »

Jonathan Sewell au gouverneur Craig, 1810

« [Il y a] quelques commerçants [...] quelques parvenus qui dirigent leurs manoeuvres contre les habitants d'un pays qui les a accueillis et réchauffés dans son sein lorsqu'ils étaient pauvres et malheureux [...] »

Le Courrier de Québec,
1er avril 1807

4.14 Prison construite en 1806, rue Notre-Dame, à Montréal.

LA GUERRE DE 1812

*4.1.2 Relations entre la métropole britannique et les colonies de l'A.N.B.

LE CANADA, LES ÉTATS-UNIS ET L'ANGLETERRE

15 Sur la médaille présentée au document 4.15, le lion représente l'Angleterre.

a) Que représente le castor? l'aigle?

b) Donne la signification de la scène présentée sur cette médaille.

4.15 Médaille destinée à récompenser le courage et la loyauté au cours de la guerre de 1812.

« Les divisions de la Chambre d'assemblée deviennent nationales : les Anglais d'un côté, formant la minorité à laquelle est lié le Gouvernement, et les Canadiens de l'autre, formant la majorité à laquelle est attachée la masse du peuple. [...]

À chaque fois que les Canadiens, encouragés par l'idée de leur constitution, ont essayé d'en jouir, ils ont été terrassés, comme opposés au gouvernement [...] Il semble que [les Canadiens soient] les jouets d'une contradiction étrange, comme si d'un côté une constitution leur eût été donnée, sans doute pour en jouir, et que de l'autre, il eût été placé un Gouvernement exprès pour les en empêcher. [...]

Nous supplions votre Seigneurie d'être persuadée que les sujets canadiens de Sa Majesté sont de vrais et fidèles sujets [...] ils sont encore actuellement sous les armes de Sa Majesté pour [...] défendre [leur pays]. »

Mémoire des Canadiens adressé au ministre d'État aux Colonies, novembre 1814

4.16

16 *a)* À la lecture du document 4.16, peux-tu dire quelle a été l'attitude des Canadiens envers l'Angleterre au cours de la guerre de 1812?

b) Dans ce document, se montrent-ils satisfaits de la constitution de 1791? Justifie ta réponse.

LES AMÉRICAINS

En 1805, la guerre éclate entre la France et l'Angleterre. Malgré leur neutralité dans ce conflit, les États-Unis sont progressivement amenés à s'opposer à l'Angleterre. Depuis la guerre d'Indépendance, ils rêvent de prendre de l'expansion au nord et éventuellement de conquérir les deux Canadas.

En 1812, ils déclarent la guerre à l'Angleterre. Les deux Canadas sont donc en guerre contre les États-Unis, puisque ce sont des colonies de l'Angleterre. À plusieurs reprises, les Américains tentent sans succès d'envahir les Canadas. En 1814, la paix est signée et les frontières existantes sont reconnues en attendant un partage officiel du territoire.

« Nous pouvons prendre les Canadas sans soldats ; nous n'avons qu'à envoyer des officiers dans les provinces et le peuple désaffectionné de son gouvernement va se rallier autour de notre drapeau. »

Eustis, secrétaire de la Guerre, États-Unis

 ## LES CANADIENS

La guerre provoque une accalmie entre Canadiens et Anglais. Pour se concilier les Canadiens, le nouveau gouverneur, George Prévost, se montre généreux envers eux. Il augmente par exemple le nombre de Canadiens au Conseil législatif. Les Canadiens acceptent de collaborer avec lui : des crédits sont votés pour la guerre et 6 000 miliciens sont recrutés chez les Canadiens.

4.17 Michel de Salaberry et les voltigeurs canadiens contre les Américains à Châteauguay.

Comment les Canadiens réagissent-ils à l'invasion américaine de 1775 ? à celle de 1812 à 1814 ?

3

LES CHANGEMENTS ÉCONOMIQUES

4.1.3 Changements économiques au Bas-Canada.

LES EXPORTATIONS

EXPORTATIONS VERS L'ANGLETERRE		
Produits	**Province de Québec** (1770)	**Bas-Canada et Haut-Canada** (1810)
Fourrures	76 %	9 %
Bois	15 %	74 %
Produits agricoles	8 %	14 %
Divers	1 %	3 %

4.18

17 *a*) À l'aide du document 4.18, fais un graphique des exportations vers l'Angleterre entre 1770 et 1810.

b) Résume en quelques phrases les changements survenus dans les trois secteurs mentionnés dans ce document.

UN SECTEUR EN EXPANSION : LE BOIS

En 1806, Napoléon décrète le blocus continental, c'est-à-dire qu'il coupe les communications entre l'Angleterre et les pays européens. Ce blocus vise à empêcher toute activité commerciale avec l'Angleterre dans les ports européens.

4.19

Entre 1793 et 1812, le bois exporté vers l'Angleterre par les colonies anglaises d'Amérique du Nord passe de 1,2 % à 169 % par rapport au bois exporté vers l'Angleterre par la Baltique, pays du nord de l'Europe.

4.20

BATEAUX DANS LE PORT DE QUÉBEC	
Années	**Nombre**
1797	100
1810	661

4.21

18 Rédige des phrases qui mettent en relief les liens existant entre

a) les documents 4.19 et 4.20.

b) les documents 4.20 et 4.21.

19 *a*) D'après le document 4.18, le développement du commerce du bois s'est-il avéré bénéfique pour la colonie ? Justifie ta réponse.

b) Énumère quelques métiers favorisés par le développement du commerce du bois.

Après les fourrures, le bois

Au début du 19e siècle, le **commerce des fourrures** est **en difficulté**. Les marchands de la Compagnie du Nord-Ouest, dont le siège est à Montréal, doivent aller chercher leurs fourrures de plus en plus loin vers l'ouest et le nord-ouest. De plus, la concurrence est féroce entre cette compagnie et sa rivale, la Compagnie de la baie d'Hudson, établie à proximité des territoires de chasse. En 1821, les deux compagnies fusionnent, ou plutôt la Compagnie de la baie d'Hudson absorbe la Compagnie du Nord-Ouest. À partir de ce moment, le commerce des fourrures se fait uniquement à la baie d'Hudson.

Cependant, un nouveau secteur est **en pleine expansion** dans les deux Canadas : le **commerce du bois**. Vers 1800, l'Angleterre se met à importer du bois des Canadas. En 1806, comme un blocus de Napoléon empêche l'Angleterre de se ravitailler en Europe, la métropole augmente les importations venues de ses colonies. En quelques années, le commerce du bois connaît un essor phénoménal dans les deux Canadas. Pendant plusieurs décennies, ce commerce y sera le moteur de l'économie.

Blocus

4.22 Trains de flottage de bois sur le lac des Deux-Montagnes.

LES CANTONS

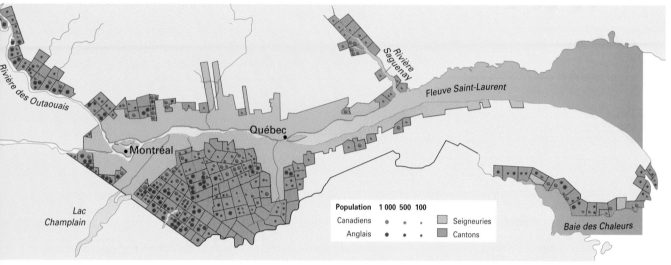

4.23 La zone seigneuriale et les cantons en 1850.

20 *a*) Nomme deux différences entre un canton et une seigneurie quant à leur forme et leur emplacement.

b) Quelles différences y a-t-il entre le plan d'un canton (document 4.24) et celui d'une seigneurie (document 2.30, page 129)?

21 À partir de 1820, il n'y a presque plus de terres à concéder dans la zone seigneuriale, mais les Canadiens ne vont pas s'établir dans les cantons.

a) Quelles raisons pourraient expliquer leur refus de s'y établir? Justifie ta réponse.

b) Quelles sont les conséquences de cette pénurie de terres en zone seigneuriale pour les Canadiens?

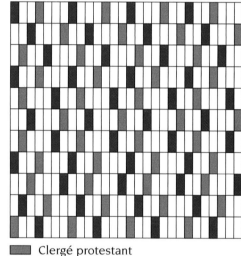

▨ Clergé protestant
■ Couronne
☐ Colons

4.24 Plan d'un canton. Chaque canton mesure 16 kilomètres de longueur sur 16 kilomètres de largeur. Chaque lot couvre une superficie de 0,8 kilomètre carré.

L'AGRICULTURE

À la fin du 18ᵉ siècle, l'Angleterre a grand besoin de produits de l'agriculture à cause d'une forte poussée démographique. Dans le Bas-Canada, on concède de nouvelles terres, on défriche et on réussit à augmenter la production de blé afin de profiter de ce nouveau marché.

> Poussée démographique

Mais la population du Bas-Canada s'accroît aussi très rapidement et est de plus en plus rurale. La zone seigneuriale devient surpeuplée. Les seigneurs spéculent sur les rares terres vacantes. Les habitants divisent leur terre pour y installer leurs enfants. Le rendement agricole diminue progressivement parce qu'on a épuisé les sols en utilisant des techniques impropres. De plus, dans les nouvelles régions, les cantons, d'importantes compagnies, telle la British American Land Company, monopolisent les terres non défrichées. Au cours des années 1820 et 1830, la **crise agricole** est telle que le Bas-Canada n'est plus en mesure de fournir l'Angleterre en produits agricoles.

Dans le Haut-Canada, par contre, l'agriculture est florissante à partir de 1815. Pour faciliter l'exportation des surplus agricoles, les habitants du Haut-Canada réclament l'amélioration de la voie navigable du Saint-Laurent.

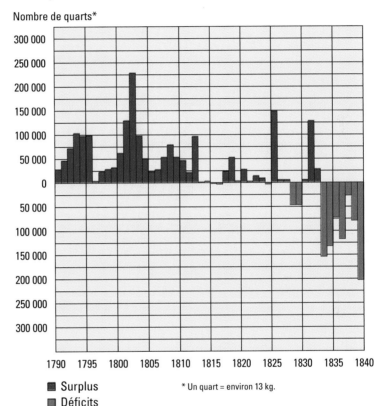

4.25 La production de blé au Bas-Canada de 1790 à 1840.
Quelle est la situation de l'agriculture du Bas-Canada en 1830 ?

* Un quart = environ 13 kg.

CANADIENS VIVANT À LA CAMPAGNE	
Années	**Pourcentage**
1750	75 %
1790	80 %
1825	88 %

4.26

LES CHANGEMENTS ÉCONOMIQUES À PARTIR DE 1800

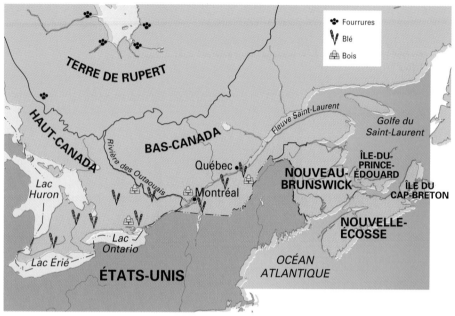

4.27 Les principaux produits d'exportation du Bas-Canada en 1800.

22 À l'aide du document 4.27, réponds aux questions suivantes.

a) D'où sont expédiées les fourrures exportées en Europe?

b) Quelles régions sont développées à partir de 1800?

c) Quels secteurs de l'économie sont développés dans ces régions?

LES CANADIENS ET LE COMMERCE DU BOIS

 « Les commerçants canadiens-français n'ont pas été attirés par ce secteur. Ceux qui avaient fait leur fortune dans le commerce des fourrures, à quelques rares exceptions près, ne tentent pas leur chance dans cette nouvelle activité; ils préfèrent plutôt consacrer leur avoir à l'achat de terres, ce qui leur procure en plus la façade aristocratique. »

Fernand Ouellet, historien, 1966

4.28

 « C'est évident que le Canadien pouvait jouer un rôle dans le commerce du bois, mais c'était toujours un second rôle. Le crédit fonctionne dans la famille par connaissance […] On voit mal comment un Canadien français aurait obtenu les contrats de l'amirauté britannique sans les appuis importants. »

Louise Dechêne, historienne, 1980

4.29

23 *a)* D'après les historiens Fernand Ouellet et Louise Dechêne, quel groupe domine le commerce du bois dans le Bas-Canada?

b) Comment chacun de ces deux historiens explique-t-il l'absence de Canadiens dans les postes importants du commerce du bois?

c) Quelle différence fondamentale y a-t-il entre ces deux explications?

LES FINANCES ET LES TRANSPORTS

Comme le commerce se développe, on sent le besoin de **moderniser le système financier et les transports**. En 1817, on ouvre la Banque de Montréal et la Banque de Québec; en 1818, la Banque du Canada. La création de ces institutions financières a pour but d'émettre du papier-monnaie afin de favoriser la circulation de l'argent.

En 1809, John Molson inaugure la navigation à vapeur sur le Saint-Laurent, ce qui constitue un grand progrès technique pour l'époque. En 1836, une autre nouveauté fait son apparition : le premier chemin de fer, qui relie La Prairie à Saint-Jean, créé pour favoriser le commerce entre Montréal et le lac Champlain. Des canaux sont construits pour améliorer le transport maritime. En 1825, l'ouverture du canal Lachine permet aux bateaux d'éviter les rapides situés en amont de Montréal.

4.30 L'*Accommodation*, bateau à vapeur, passant devant Montréal.

 # DES PATRONS ANGLAIS, DES EMPLOYÉS CANADIENS

Pendant la période qui va de 1800 à 1830, de nouveaux secteurs économiques se développent dans les colonies, qui apportent la prospérité à leurs promoteurs. En général, ce sont les Anglais qui en profitent puisqu'ils contrôlent ces secteurs. Les Canadiens occupent des postes subalternes et bénéficient donc moins de cette prospérité.

Par ailleurs, une nouvelle organisation du travail apparaît avec le commerce du bois. La concentration de la main d'œuvre et la mécanisation naissante participent à cette transformation qui annonce déjà ce que deviendront les rapports entre travailleurs et entrepreneurs dans la deuxième moitié du 19e siècle.

LA SOCIÉTÉ DU BAS-CANADA

4.1.4 Société du Bas-Canada.

DEUX GROUPES ETHNIQUES DISTINCTS

24 Les Canadiens et les Anglais du Bas-Canada se distinguent sur tous les plans.

Pour mieux le constater, complète un tableau semblable au suivant.

DEUX GROUPES DISTINCTS		
Secteurs	**Canadiens**	**Anglais**
Population		Minoritaires
Langue		
Religion		
Statut	Ruraux	
Métier		
Politique		Majoritaires aux conseils

LA « NATION CANADIENNE »

«Les éléments fondamentaux de la nation sont assurément la communauté de langue, d'histoire et de culture. […]

[De plus], les membres [d'un] groupe ethnique [...] doivent être conscients de former un groupe […] distinct des autres groupes. […] Cette conscience collective […] est souvent suscitée ou nourrie par la proximité de l'«autre» puisqu'elle avive forcément la constatation par le groupe de ses caractères spécifiques […] Ceci est particulièrement vrai lorsque des rapports établis avec l'autre sont des rapports imposés ou des rapports de subordination [...]

Il n'y a pas de nation non plus sans « vouloir-vivre collectif».

Jacques Brossard, professeur de droit constitutionnel, 1976

4.31

25 *a*) Selon Brossard, quels sont les principaux éléments qui caractérisent une nation ?

b) D'après toi, les Canadiens du début du 19e siècle constituent-ils une nation ? Justifie ta réponse.

c) D'après toi, les Canadiens d'aujourd'hui constituent-ils une nation ? Et les Québécois ? Justifie ta réponse.

Deux groupes dans le Bas-Canada

La société du Bas-Canada est essentiellement composée de deux groupes ethniques
qui se distinguent sur tous les plans : les
Canadiens et les Anglais.

Bourgeoisie professionnelle et bourgeoisie d'affaires

Dans toute société, il y a une élite, constituée de quelques individus qui jouissent
d'un certain prestige à cause de leur fortune, de leur culture, de leur charisme, etc.
Dans le Bas-Canada, il y a deux élites, une
pour chaque groupe ethnique. Et ces élites
en viennent à s'affronter en voulant défendre les intérêts de leur groupe.

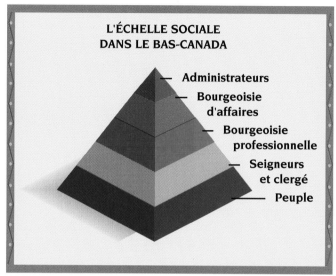

L'ÉCHELLE SOCIALE
DANS LE BAS-CANADA

— Administrateurs
— Bourgeoisie d'affaires
— Bourgeoisie professionnelle
— Seigneurs et clergé
— Peuple

4.32

Notaires et avocats

Chez les Canadiens, une nouvelle bourgeoisie est en train de
se former à la fin du 18e siècle. On l'appelle la **bourgeoisie
professionnelle** parce qu'elle est surtout composée de personnes qui exercent des professions libérales : notaires, avocats, médecins. Ces gens sont issus de milieux populaires
mais instruits. Leurs revenus sont supérieurs à la moyenne,
bien qu'ils ne soient pas énormes. Bon nombre de députés
du Parti canadien proviennent de ce milieu. Ils détiennent la
majorité à la Chambre d'assemblée et veulent défendre et
promouvoir les intérêts de la « nation canadienne ».

Marchands

Chez les Anglais, une **bourgeoisie d'affaires** s'est constituée
depuis la Conquête. De riches marchands contrôlent tous les
secteurs économiques du Bas-Canada. Certains d'entre eux
sont députés à la Chambre d'assemblée ; d'autres font partie
du Conseil exécutif ou du Conseil législatif, où ils détiennent
la majorité. Pour défendre les intérêts des leurs, les membres
du Parti anglais peuvent aussi compter sur l'appui des administrateurs britanniques.

4.33 John Molson, brasseur
et hommes d'affaires.

LES IMMIGRANTS ANGLAIS

IMMIGRANTS ANGLAIS ARRIVÉS AU PORT DE QUÉBEC			
Années	**Nombre**	**Années**	**Nombre**
1815	650	1831	50 000
1820	11 500	1832	51 000
1825	9 000	1833	52 000
1830	25 000	1834	30 000

4.34

POPULATION DU BAS-CANADA		
Années	**Population totale**	**Population anglophone**
1791	155 000	10 000
1815	340 000	50 000
1822	427 000	80 000
1831	553 000	150 000

4.35

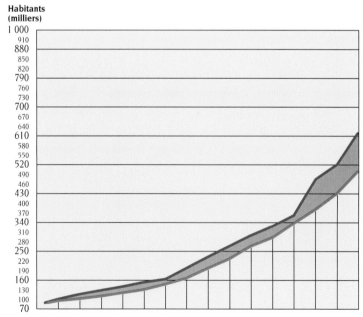

Habitants (milliers)

1 000
910
880
850
820
790
760
730
700
670
640
610
580
550
520
490
460
430
400
370
340
310
280
250
220
190
160
130
100
70

Années 1762 1767 1772 1777 1782 1787 1792 1797 1802 1807 1812 1817 1822 1827 1832 1837

▬ Population totale
▬ Population canadienne-française

26 À l'aide des documents 4.34 à 4.36, réponds aux questions suivantes.

a) Que représente la partie grise sur le document 4.36 ?

b) Quel changement y a-t-il à partir de 1822 ?

c) À quoi est dû ce changement ?

d) D'après toi, comment les Canadiens réagissent-ils à l'immigration avant 1822 ? après 1822 ? Justifie ta réponse.

4.36 La population du Bas-Canada de 1762 à 1837.

L'IMMIGRATION BRITANNIQUE

À la fin du 18e siècle, les Canadiens constituent au-delà de 90 % de la population du Bas-Canada. Au cours des décennies suivantes, le nombre d'immigrants en provenance des îles britanniques va croissant, atteignant même 50 000 personnes certaines années. Bien que la plupart de ces nouveaux venus s'installent dans le Haut-Canada, des dizaines de milliers s'établissent dans le Bas-Canada.

UNE SOCIÉTÉ DIVERSIFIÉE

L'immigration provoque des changements dans le Bas-Canada. Les villes s'agrandissent et sont de plus en plus habitées par des anglophones. Entre 1815 et 1830, la population de Montréal passe de 9 000 à 32 000 habitants, majoritairement anglophones.

La plupart des immigrants anglophones ne proviennent plus d'Angleterre et des États-Unis mais d'Écosse et d'Irlande. Ce ne sont plus des gens d'affaires, mais des personnes qui cherchent du travail. Ils constituent une main-d'oeuvre bon marché dans les villes ou s'établissent comme colons dans les cantons. Ces immigrants sont pour la plupart peu fortunés et certains sont catholiques. Leurs conditions de vie ressemblent davantage à celles des Canadiens qu'à celles des Anglais de la colonie.

RÉACTION DES CANADIENS

Pour les Canadiens, les immigrants anglophones constituent une menace. Ils craignent que leur venue n'entraîne l'élection d'un plus grand nombre de députés du Parti anglais. De plus, ces immigrants s'établissent sur les terres dont les Canadiens auraient besoin pour y installer leurs enfants. L'épidémie de choléra de 1832, qui entraîne la mort de milliers de personnes, n'a rien pour apaiser le sentiment des Canadiens : nombreux sont ceux qui attribuent ce fléau à la venue d'immigrants contaminés.

Aussi, vers 1834, un bon nombre de Canadiens sont prêts à appuyer des leaders déterminés à modifier une structure politique qui favorise les anglophones.

4.37 Des immigrants arrivent à Montréal.

Pourquoi les gens qui immigrent dans le Bas-Canada viennent-ils surtout des îles britanniques ?

L'UNION DES DEUX CANADAS

En 1822, Edward Ellice propose l'union des deux Canadas. Selon son plan, il n'y aurait dorénavant au Canada qu'une seule Chambre d'assemblée de 124 députés.

LA REPRÉSENTATION SELON ELLICE		
	Haut-Canada	**Bas-Canada**
Population vers 1820	125 000 Anglais	80 000 Anglais 340 000 Canadiens
Députation prévue par le plan d'Ellice (1822)	62 députés	62 députés

4.38

27 *a*) Quel objectif poursuit Ellice en proposant ce plan ?

   b) Comment s'y prend-il pour atteindre cet objectif ?

LES FINANCES PUBLIQUES

Au Bas-Canada, il existe deux types de revenus d'État :

- les revenus du gouvernement, dont 90 % sert à payer les salaires et les pensions des fonctionnaires ;

- les revenus de la Chambre d'assemblée, dont la plus grande partie sert à payer les frais d'entretien des routes et des édifices publics.

En 1816, le gouvernement est en déficit de 19 000 louis tandis que la Chambre d'assemblée a un excédent de 140 000 louis.

28 Quelle solution pourrait être appliquée pour équilibrer le budget du gouvernement ?

Détournement de fonds

En 1824, à la Chambre d'assemblée, on apprend que John Caldwell, receveur général du Bas-Canada, a détourné la somme de 96 000 louis du revenu du gouvernement à des fins personnelles.

4.39

Des conseillers grassement payés

En 1827, 18 conseillers législatifs sur 27 ont des revenus autres que leur salaire de conseiller. Ils occupent d'autres postes ou sont pensionnés de l'État.

4.40

29 Selon toi, d'après les documents 4.39 et 4.40, à quelles conditions la Chambre devrait-elle accorder au gouvernement les subsides nécessaires à l'équilibre de son budget ?

C DE CONFLITS EN AFFRONTEMENTS

La coexistence de deux groupes ethniques aux intérêts souvent divergents entraîne des conflits. L'arène politique devient le lieu où s'expriment ces différends.

LES CANAUX ET LES DOUANES

Aux yeux des Anglais, les Canadiens freinent le développement économique. Les députés du Parti canadien ne se montrent pas pressés de construire les canaux qui favoriseraient le commerce entre les deux Canadas. De plus, ils ne remettent pas au Haut-Canada la portion des douanes qui lui revient, privant ainsi cette colonie de revenus substantiels.

De leur côté, les Canadiens affirment que le type de développement économique proposé par les Anglais ne correspond pas à leurs intérêts. Pour eux, la priorité doit aller à un secteur en difficulté : l'agriculture.

4.41 Le canal Lachine, premier canal canadien, a été inauguré en 1825.

LE PROJET D'UNION DE 1822

Les Anglais des deux Canadas en viennent à vouloir enlever au Parti canadien sa majorité à la Chambre d'assemblée du Bas-Canada. En 1822, Edward Ellice propose d'unir les deux Canadas et de ne garder qu'une seule Chambre d'assemblée. Ainsi, en augmentant la représentation du Haut-Canada, on obtiendrait une majorité de députés anglais à la Chambre. Ce projet renforce les manifestations de colère des Canadiens, à tel point que Londres le reporte.

LA QUERELLE DES SUBSIDES

Depuis le début du siècle, le problème des finances publiques envenime le climat politique. Pendant que la Chambre accumule les surplus de taxes, le gouvernement voit son déficit augmenter d'année en année. On demande donc à la Chambre de remettre au gouvernement les subsides, c'est-à-dire les sommes nécessaires à son équilibre budgétaire. Les députés de la Chambre exigent en retour le droit de vérifier les dépenses gouvernementales, mais le gouvernement refuse d'être soumis au contrôle de la Chambre. Cet affrontement s'amplifie d'année en année et, en 1837, la situation est devenue explosive.

1832
CRÉATION DE
LA BRITISH
AMERICAN
LAND
COMPANY
ÉPIDÉMIE DE
CHOLÉRA
MAUVAISES
RÉCOLTES
DE BLÉ

1831
ARRIVÉE
DE 50 000
IMMIGRANTS
ANGLAIS DANS
LE PORT DE
QUÉBEC

1827
DISCUSSION
SUR LES
SUBSIDES
À LA
CHAMBRE
D'ASSEMBLÉE

1825
OUVERTURE
DU CANAL
LACHINE

1822
PROJET
D'UNION
D'EDWARD
ELLICE

1821
FUSION DE LA
COMPAGNIE DU
NORD-OUEST
ET DE LA
COMPAGNIE
DE LA BAIE
D'HUDSON

1817
FONDATION DE
LA BANQUE DE
MONTRÉAL

1812
DÉCLARATION
DE GUERRE
ENTRE LES
ÉTATS-UNIS ET
L'ANGLETERRE

1809
PREMIER
BATEAU À
VAPEUR

1806
BLOCUS
CONTINENTAL
DE NAPOLÉON

1805
QUERELLE
DES PRISONS

1792
PREMIÈRES
ÉLECTIONS

1791
ACTE
CONSTITUTIONNEL

1 Le 26 décembre 1791, Anglais et Canadiens célèbrent une nouvelle constitution. Au cours des célébrations, on émet le souhait suivant : « Puisse la distinction d'anciens et nouveaux sujets être ensevelie dans l'oubli. »

a) Quel nom porte la nouvelle constitution et que remplace-t-elle ?

b) Pourquoi a-t-on jugé bon de remplacer l'ancienne constitution ?

c) Le souhait exprimé sera-t-il exaucé ? Dans ta réponse, tiens compte des aspects démographique, économique, politique et social de la question.

2 *a)* Remplis des cases semblables aux suivantes et unis-les par les flèches appropriées.

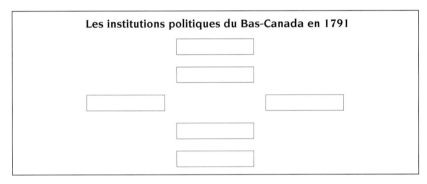

Les institutions politiques du Bas-Canada en 1791

b) À l'aide de ton organigramme, explique pourquoi il y a un conflit politique dans le Bas-Canada.

c) Explique pourquoi le conflit politique est amplifié par la cohabitation de deux groupes ethniques. Choisis un des deux éléments suivants pour l'illustrer.

• La « querelle des prisons ».

• Les élections de 1808, 1809 et 1810.

3 En 1822, Edward Ellice élabore un projet d'union.

a) De quelle union s'agit-il ?

b) Ce projet respecte-t-il l'esprit de la constitution de 1791 ? Justifie ta réponse.

4 Les frictions entre Canadiens et Anglais surgissent aussi dans la population. Choisis un des trois événements suivants pour l'illustrer.

   a) L'arrivée d'immigrants anglophones.

   b) L'épidémie de choléra de 1832.

   c) La présence de la British American Land Company.

5 *a*) Vers quel pays le bois du Bas-Canada est-il exporté?

   b) Quelle région est développée grâce au commerce du bois?

   c) Quel événement apparaissant dans l'échelle de temps de la page 248 explique le rapide essor du commerce du bois?

6 *a*) À l'aide de l'échelle de temps de la page 248, nomme un événement qui témoigne de la disparition du commerce des fourrures dans les Canadas.

   b) Pourquoi ce commerce décline-t-il dans la vallée du Saint-Laurent au début du 19ᵉ siècle?

   c) Nomme deux réalisations importantes dans le domaine des transports.

7 Entre 1820 et 1830, une crise agricole sévit dans la zone seigneuriale.

   a) Quelles sont les causes de cette crise?

   b) Quelles en seront les conséquences sur la population rurale?

   c) Pourquoi les Canadiens ne vont-ils pas s'établir dans les cantons?

8 Les personnages représentés dans le document 4.42 sont-ils des Canadiens? des Anglais? Pourquoi?

4.42 Camp de bûcherons.

⟩ EN RÉSUMÉ

1 L'**Acte constitutionnel** de **1791** entraîne deux changements importants :

- la division de la province de Québec en deux parties, le **Haut-Canada** (Anglais) et le **Bas-Canada** (Canadiens et Anglais) ;
- l'instauration du **régime parlementaire** et donc, l'élection d'une **Chambre d'assemblée** par le peuple.

2 Dès les premières années du parlementarisme, les députés canadiens et anglais s'affrontent à la Chambre d'assemblée au sujet :

- du choix d'un président canadien ou anglais ;
- du choix de la langue française ou anglaise dans les débats ;
- des taxes à imposer sur le commerce ou sur les terres.

Sous l'administration de James Craig, la tension est à son comble.

3 En 1812, l'Angleterre et les États-Unis entrent en guerre. Les Américains menacent d'envahir les deux Canadas. Pour se concilier les Canadiens, le gouverneur se montre généreux envers eux. Les Canadiens démontrent leur fidélité à l'Angleterre.

4 D'importants changements se produisent dans le domaine de l'économie :

- Le **commerce des fourrures décline** progressivement pour disparaître des deux Canadas en 1821 ;
- Le **commerce du bois** est en pleine expansion. Son essor est en grande partie dû au blocus continental imposé par Napoléon en Europe.
- L'**agriculture** connaît de sérieuses **difficultés** à partir de 1820. Déjà surpeuplées, les terres de la zone seigneuriale sont épuisées en raison de l'utilisation de mauvaises techniques de culture.
- Les **banques font leur apparition**.
- Les **moyens de transport se modernisent**.

Le développement économique profite davantage aux Anglais qu'aux Canadiens.

5 La société du Bas-Canada est constituée de deux groupes ethniques qui entrent souvent en conflit. La **bourgeoisie professionnelle** défend les intérêts des Canadiens ; la **bourgeoisie d'affaires**, ceux des Anglais.

La forte **immigration britannique** est perçue comme une menace par les Canadiens. Ils craignent une augmentation de la députation anglaise à la Chambre d'assemblée et voient d'un mauvais oeil l'attribution des nouvelles terres aux immigrants anglais.

Les conflits se multiplient à la Chambre d'assemblée entre députés canadiens et anglais à propos :

- de la construction de canaux ;
- du partage de l'argent des douanes ;
- du projet d'union des deux Canadas ;
- des subsides.

POUR LA SUITE DE L'HISTOIRE...

Canadiens et Anglais considèrent le Bas-Canada comme leur pays. Leurs intérêts opposés les poussent à s'affronter de plus en plus fréquemment. Aucun des deux groupes ne semble vouloir céder...

CHAPITRE 8

LES ÉVÉNEMENTS DE 1837-1838 ET LES DÉBUTS DE L'UNION DES DEUX CANADAS

4.2 Événements de 1837-1838 et débuts de l'union des deux Canadas.

DES RAPPELS DU PASSÉ

Certaines réalités contemporaines rappellent des personnages ou des événements du passé. Deux personnages liés à la période allant de 1834 à 1860 sont encore présents dans notre quotidien : Louis-Joseph Papineau et Louis-Hippolyte LaFontaine.

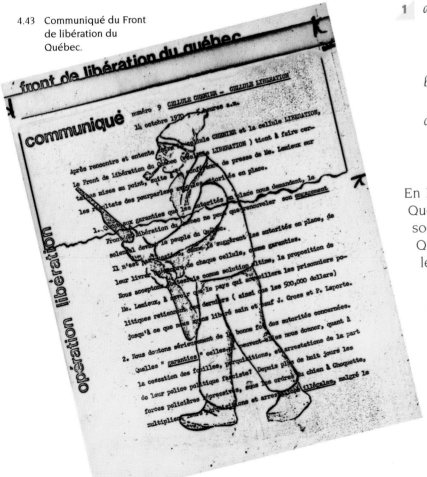

4.43 Communiqué du Front de libération du Québec.

1 *a)* Quelle expression populaire contient le nom de Papineau ? Quel est le sens de cette expression ?

b) Quel endroit de Montréal porte le nom de LaFontaine ?

c) À ton avis, pourquoi les noms de ces deux personnages font-ils encore partie de notre réalité ?

En 1970, le Front de libération du Québec (FLQ), mouvement terroriste socialiste qui vise l'indépendance du Québec, émet des communiqués sur lesquels figure un Patriote de 1837.

2 Selon toi, pourquoi le FLQ a-t-il utilisé l'image de ce personnage ?

8000 AV. J.-C.		1534		1763	1867

PÉRIODE AUTOCHTONE — PÉRIODE DU RÉGIME FRANÇAIS — PÉRIODE DU RÉGIME BRITANNIQUE — PÉRIODE CONTEMPORAINE

RÉBELLION ET RÉFORME

1834   1860

PANORAMA

Au cours de la période qui va de 1834 à 1837, la tension augmente dans le Bas-Canada. À cause de certaines décisions politiques et d'une importante crise économique, la lutte parlementaire se transforme peu à peu en affrontement armé.

Une fois la rébellion matée, le gouvernement britannique vote l'Acte d'Union des deux Canadas, en 1840. Cette nouvelle constitution a pour but l'assimilation des Canadiens français et la relance économique des deux Canadas.

Un groupe de réformistes canadiens-français et canadiens-anglais entreprend de lutter pour que le gouvernement serve les intérêts de la population. En 1848, ils obtiennent un gouvernement responsable.

L'économie canadienne doit s'ajuster à de nouvelles réalités. Comme l'Angleterre se désintéresse de ses colonies du point de vue commercial, le Canada conclut des accords commerciaux avec les États-Unis.

- *Comment la lutte parlementaire se transforme-t-elle en lutte armée ?*

4.44 Louis-Joseph Papineau à l'assemblée des Six-Comtés.

- *L'Acte d'Union a-t-il les effets souhaités par le gouvernement britannique ?*
- *Comment les réformistes s'y prennent-ils pour obtenir le gouvernement responsable ?*
- *Comment l'économie canadienne s'ajuste-t-elle aux nouvelles réalités ?*

LA GUERRE CIVILE

4.2.1 Événements de 1837-1838.

LES QUATRE-VINGT-DOUZE RÉSOLUTIONS

En 1834, un petit groupe de chefs patriotes rédige une synthèse des griefs des Canadiens à l'égard du gouvernement anglais. Ils y dénoncent entre autres les quatre situations suivantes:

• Le gouvernement nomme des Anglais à la plupart des postes de la fonction publique et plusieurs d'entre eux occupent déjà des fonctions très lucratives.

• Le gouvernement utilise les revenus de la Chambre d'assemblée sans lui rendre des comptes.

• Le Conseil législatif bloque fréquemment les décisions prises par la Chambre d'assemblée.

• Le Conseil exécutif agit sans tenir compte des volontés de la Chambre d'assemblée.

3 Dans les Quatre-vingt-douze résolutions, les Patriotes réclament d'importants changements.

D'après toi, quels sont les changements liés aux quatre situations nommées plus haut?

4 *a*) Quel objectif fondamental poursuivent les Patriotes en faisant ces demandes?

b) Crois-tu que leurs demandes soient légitimes? Pourquoi?

c) Crois-tu que ces demandes seront acceptées par le gouverneur? Pourquoi?

d) Crois-tu que les Patriotes, en rédigeant leurs résolutions, songeaient à utiliser la violence? Justifie ta réponse.

 « J'ignore où ces résolutions peuvent nous conduire; s'il n'en résulte point de trop grands troubles, il en résultera au moins une grande réaction [...] Pour dire en deux mots ce que j'en pense [...], je ne les approuve pas. »

Jules Quesnel, député canadien, 1834

4.45

5 Les auteurs des Quatre-vingt-douze résolutions affirment parler au nom de toute la « nation canadienne ».

D'après le document 4.45, est-ce le cas? Justifie ta réponse.

LA RADICALISATION DES POSITIONS

Au lendemain de l'Acte constitutionnel, en 1791, il y a de nombreux sujets de tension entre Canadiens et Anglais du Bas-Canada. Pendant une quarantaine d'années, gestes et discours des deux groupes ethniques entretiendront et aggraveront les rivalités. Vers 1834, les positions se sont radicalisées au point de provoquer des conflits majeurs. De réformistes qu'ils étaient, certains Canadiens sont devenus carrément révolutionnaires.

Réformistes

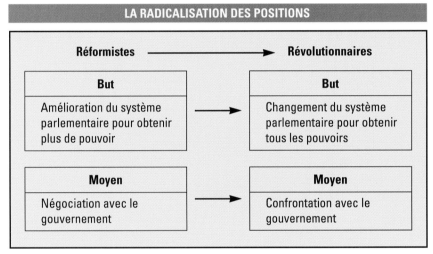

4.46

LES CANADIENS

Comme ils sont arrivés avant les Anglais et qu'ils constituent la majorité de la population, les Canadiens considèrent le Bas-Canada comme leur pays. Depuis l'avènement du régime parlementaire, une élite politique s'est constituée, qui devient porte-parole de la «nation canadienne».

LES QUATRE-VINGT-DOUZE RÉSOLUTIONS

En 1834, Louis-Joseph Papineau, chef du Parti patriote, fait voter par la Chambre d'assemblée les **Quatre-vingt-douze résolutions**. Ce long manifeste expédié à Londres reprend les principaux griefs des Canadiens et fait part d'importantes réclamations, dont le contrôle du budget par la Chambre, l'élection du Conseil législatif et la responsabilité ministérielle. Il se conclut sur une mise en accusation du gouvernement anglais pour «son administration illégale, injuste, inconstitutionnelle».

La responsabilité ministérielle

Pour les réformistes, les représentants du peuple doivent exercer un contrôle sur les ministres, ou conseillers exécutifs. Ils exigent que ceux-ci ne soient plus nommés arbitrairement, mais bien que le gouverneur les choisisse parmi les chefs du parti majoritaire, des Canadiens. Ainsi, ces ministres seraient dorénavant responsables de leurs actes devant la Chambre d'assemblée. La Chambre pourrait même exiger leur démission s'ils remplissaient mal leurs fonctions.

Les expressions «gouvernement responsable», «Conseil exécutif responsable» et «responsabilité ministérielle» désignent la même réalité.

RADICAUX ET MODÉRÉS

Au cours de la période qui va de 1834 à 1837, les Canadiens se divisent en deux groupes : les radicaux et les modérés.

« Papineau est considéré comme un fou [...] [Ses] actes sont trop marqués, ses discours sont trop clairs, ses actions sont trop précises pour douter un seul instant qu'il vise à autre chose qu'à renverser le gouvernement établi. »

Journal *Le Populaire*, 27 octobre 1837

4.47

« Pour opérer plus efficacement la régénération du pays [...], il convient de se rallier tous autour d'un homme. Cet homme, Dieu l'a marqué [...] pour être le chef politique, le régénérateur du peuple [...] Cet homme, déjà désigné par le pays, est Louis-Joseph Papineau. »

Résolution de l'assemblée de Saint-Ours, 1837

4.48

« [...] il n'est jamais permis de se révolter contre l'autorité légitime ni de transgresser les lois du pays [...] »

Mgr Jean-Jacques Lartigue, juillet 1837

4.49

« Le temps des discours est passé, c'est du plomb qu'il faut envoyer maintenant à nos ennemis. »

Wolfred Nelson, assemblée des Six-Comtés, 23 octobre 1837

4.50

6 *a*) À quel groupe, celui des radicaux ou des modérés, associes-tu chacun des documents 4.47 à 4.50 ?

b) Quelle est la position de chaque groupe sur le rôle de Papineau ? sur la violence armée ?

7 *a*) Résume en deux phrases les différences entre chaque groupe.

b) Si tu vivais en 1837, serais-tu du côté des modérés ? des radicaux ? ni d'un côté ni de l'autre ? Justifie ta réponse.

LES ÉLECTIONS

Des élections ont eu lieu au cours de l'automne 1834. Papineau et ses troupes l'emportent, ayant rallié 95 % des suffrages. Le Parti patriote, dominé par les radicaux, dirige donc de nouveau la Chambre d'assemblée, encore plus déterminé à s'emparer du pouvoir politique. Papineau ne fait plus confiance au gouverneur et aux conseils et envisage même l'indépendance du Bas-Canada. Si ses discours stimulent l'ardeur des radicaux, ils éloignent par contre les Canadiens plus modérés.

4.51 Banquet patriotique organisé par Ludger Duvernay pour «cimenter l'union entre Canadiens». Cette célébration a eu lieu le 24 juin 1834.

Qu'est-ce que les Québécois d'aujourd'hui célèbrent le 24 juin?

LES ANGLAIS

Pour la bourgeoisie anglaise, le Bas-Canada constitue un territoire à développer. Les Anglais en sont les maîtres et tous les bénéfices devraient leur revenir. Les députés du Parti anglais reprochent aux députés canadiens de freiner le progrès économique. Ils s'élèvent contre la volonté des Patriotes d'établir une république française sur les rives du Saint-Laurent. Le journaliste Adam Thom incite même ses concitoyens à prendre les armes pour «écraser les oppresseurs».

LONDRES

Devant cette agitation, le gouvernement britannique crée une commission qui étudie les plaintes liées à l'administration du Bas-Canada. Au cours de l'hiver 1836, lord Gosford, gouverneur-enquêteur, reçoit des instructions révélant que Londres n'a pas l'intention d'acquiescer aux demandes des Patriotes. En 1837, le secrétaire d'État aux Colonies, John Russell, confirme cette décision. Les **Dix résolutions Russell** constituent une réponse négative aux Quatre-vingt-douze résolutions. De plus, elles autorisent le gouverneur à puiser dans les revenus de la Chambre d'assemblée les subsides nécessaires à son équilibre budgétaire.

LA RÉSISTANCE PACIFIQUE

Entre 1834 et 1837, la situation politique se détériore dans le Bas-Canada.

 « C'est en grand qu'il faut faire la contrebande [...] Nous avons retenu les subsides ; on nous ôte ce moyen, on nous met dans la nécessité d'en chercher de plus efficaces. »

4.52

 « Des arrestations vont enfin avoir lieu. [Le gouverneur], lord Gosford, y a consenti à contrecoeur. On peut espérer que bientôt quelques-uns des principaux meneurs seront sous bonne garde. »

4.53

 « Les actes de Papineau et de son parti tendent à la rébellion. »

4.54

 « [...] il est opportun que [...] le gouvernement soit autorisé à prendre sur telle autre partie des revenus [de la Chambre] [...] telles autres sommes qu'il faudra pour effectuer le paiement [des arrérages]. »

4.55

 « Résolu [...] que cette Chambre persiste [à s'opposer] [...] au contrôle [par le Gouvernement exécutif] [...] d'une grande partie du revenu prélevé dans la province qui de droit appartient à cette Chambre [...] »

4.56

8 *a*) Lie chacune des références suivantes au document approprié.

> *La Minerve*, journal patriote, 27 avril 1837
> John Colborne, commandant des armées anglaises, 13 novembre 1837
> Lord Gosford, gouverneur du Bas-Canada, 8 juillet 1837
> John Russell, secrétaire d'État aux Colonies, 6 mars 1837
> 64e résolution adoptée à la Chambre d'assemblée, 21 février 1834

b) Place ces documents en ordre chronologique et résume en cinq phrases les liens qui existent entre eux.

LA RÉVOLTE ARMÉE

Les chefs patriotes considèrent les résolutions de Russell comme une véritable provocation. Par leurs discours, ils soulèvent aisément la population, que les difficultés sociales et économiques, l'épidémie de choléra et les mauvaises récoltes avaient déjà prédisposée au mécontentement.

4.57 Bronze de l'artiste canadien Alfred Laliberté représentant un député canadien portant un «capot d'étoffe du pays».

Pourquoi le député est-il vêtu de cette façon?

LE BOYCOTTAGE ET LA CONTREBANDE

Au cours du printemps 1837, des **assemblées populaires** ont lieu, qui regroupent parfois jusqu'à 1 200 personnes. On y propose le boycottage des produits importés d'Angleterre, de façon à tarir la source de revenus du gouvernement. On recommande aussi la consommation de produits locaux et le recours à la contrebande pour les produits non disponibles.

Au mois d'août, les députés patriotes se présentent à la Chambre vêtus d'étoffes du pays. Ils veulent ainsi démontrer aux Canadiens qu'ils appliquent leurs propres mesures et aux Anglais que leur rébellion est sérieuse. De plus, ils poursuivent la «résistance constitutionnelle» en refusant de remettre les subsides au gouvernement. Le gouverneur réplique aussitôt en dissolvant la Chambre.

L'APPEL AUX ARMES

Durant l'automne, d'autres assemblées réunissent les chefs patriotes et le peuple. La plus célèbre, l'assemblée des Six-Comtés, tenue à Saint-Charles, rassemble 5 000 personnes. Les orateurs patriotes y critiquent violemment le gouverneur et le Parlement britannique; ils prônent l'indépendance et le recours à la violence. Au cours de ces assemblées, on bouscule les personnes qui osent protester contre certaines décisions.

«Le temps est arrivé de fondre nos plats et nos cuillers d'étain pour en faire des balles.»

Extrait du discours de Wolfred Nelson à l'assemblée des Six-Comtés, 23 octobre 1837

La lutte armée

En 1837, le recours aux armes pour obtenir gain de cause divise la population : certains l'approuvent, d'autres le critiquent.

« Tout est légal quand les libertés fondamentales sont en péril. »

Journal *Le Vindicator*, 1837

4.58

« Plutôt une lutte sanglante que l'oppression d'un pouvoir corrompu. »

Assemblée de Sainte-Scholastique, juin 1837

4.59

« Nous prierons les assemblées [...] de ne faire aucune déclaration qui ne porte le cachet de la sagesse [...]

Une guerre est un héritage bien peu avantageux à laisser à nos enfants [...] »

Journal *Le Canadien*, 15 mai 1837

4.60

« [Avoir] recours à l'insurrection, c'est employer un moyen [...] pas seulement inefficace, imprudent, funeste [...], mais encore criminel aux yeux de notre sainte religion. »

Mgr Joseph Signay, 1837

4.61

9 *a*) Dans quels documents approuve-t-on la lutte armée ? Dans quels documents la désapprouve-t-on ?

b) Quels arguments sont utilisés en faveur de la lutte armée ? contre la lutte armée ?

10 *a*) Crois-tu que, dans le contexte de 1837, la lutte armée soit justifiée ? Justifie ta réponse.

b) Les Patriotes ont-ils des chances de voir leur lutte couronnée de succès ? Pourquoi ?

c) Si tu avais vécu à cette époque, aurais-tu eu recours aux armes ? Justifie ta réponse.

LA RÉBELLION DANS LE BAS-CANADA

En novembre, la tension est à son comble dans le Bas-Canada. Des associations paramilitaires ont été formées : le *Doric Club*, du côté anglais, et les Fils de la liberté, du côté canadien.

LE SOULÈVEMENT DE 1837

Le 6 novembre, les membres de ces associations s'affrontent sur la Place d'Armes, à Montréal. Cette bataille incite le gouverneur à demander des renforts armés au Haut-Canada. De plus, il interdit les assemblées publiques et émet des mandats d'arrestation contre 26 chefs patriotes, dont Papineau. Le président des Fils de la liberté, André Ouimet, est emprisonné, tandis que la plupart des chefs canadiens se réfugient sur la rive sud du Saint-Laurent.

Au cours des jours suivants, des groupes de **Patriotes affrontent les forces de l'ordre** dans la vallée du Richelieu. Les Patriotes remportent une victoire à Saint-Denis, mais sont défaits à Saint-Charles. Entre-temps, Papineau, qui s'était toujours opposé à la violence armée, se réfugie aux États-Unis. D'autres batailles ont lieu dans le comté de Deux-Montagnes, au terme desquelles les Patriotes subissent de sanglantes défaites. À Saint-Eustache, 70 hommes meurent, tandis que le village de Saint-Benoît est incendié et pillé par les soldats du général John Colborne.

4.62 La bataille de Saint-Eustache, en 1837.

RÉBELLION DANS LE BAS-CANADA

4.63 Les assemblées populaires et les affrontements de 1837-1838 dans le Bas-Canada.

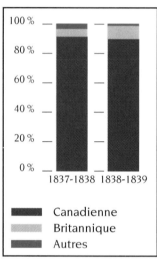

4.64 Origine ethnique des rebelles du Bas-Canada.

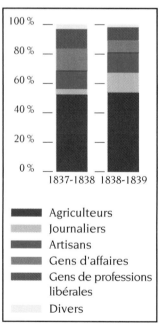

4.65 Occupations des rebelles du Bas-Canada.

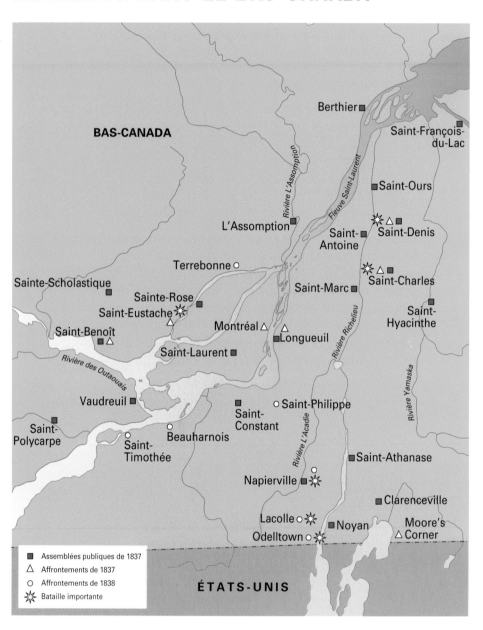

11 *a)* Nomme les principales régions où ont eu lieu les soulèvements de 1837-1838.

b) Quel est le nom actuel de la route qui longe la rivière Richelieu ? Pourquoi l'a-t-on baptisée ainsi ?

12 D'après les documents 4.63 à 4.65, crois-tu que la rébellion a été faite par le peuple ? Justifie ta réponse.

LE SOULÈVEMENT DE 1838

Au cours de l'année 1838, des chefs patriotes réfugiés aux États-Unis mettent sur pied une organisation secrète, l'Association des frères chasseurs. Cette organisation a pour objectif de planifier un autre soulèvement dans le Bas-Canada. Ce soulèvement a lieu à l'automne et est écrasé en quelques jours. La répression est terrible : l'armée anglaise met tout le comté de La Prairie à feu ; 750 Patriotes sont faits prisonniers, dont 12 sont pendus et une soixantaine déportés en Australie.

4.66 Pendaison de Patriotes à la prison au Pied du Courant, le 18 janvier 1839.

LA RÉBELLION DANS LE HAUT-CANADA

La situation du Haut-Canada ressemble à celle du Bas-Canada. Seul le conflit ethnique en est absent.

Un groupe de privilégiés, le *Family Compact*, détient le pouvoir économique et politique. Un parti réformiste est formé, lequel revendique des changements semblables à ceux demandés par les Patriotes canadiens dans les Quatre-vingt-douze résolutions. Bien que majoritaires à la Chambre d'assemblée en 1828, les réformistes n'obtiennent pas satisfaction. En 1837, leur chef, William Lyon Mackenzie, profite de la rébellion qui a lieu dans le Bas-Canada pour tenter de renverser le gouvernement conservateur. Très rapidement, sa petite armée de rebelles est écrasée par les forces de l'ordre.

LE RAPPORT DURHAM ET L'UNION DES DEUX CANADAS

4.2.2 Acte d'Union et propositions du rapport Durham.

LES CAUSES DU CONFLIT SELON DURHAM

 « [...] je m'étais figuré [...] que la source originelle et constante du mal était dans les vices des institutions politiques des provinces [...], une querelle entre un peuple qui demande un accroissement des privilèges populaires et un exécutif qui défend les prérogatives qu'il estime nécessaires au maintien de l'ordre [...] »

Lord Durham, 1839

4.67

 « Les deux races aussi distinctes se sont trouvées dans une société et dans des circonstances où tout rapport devait inévitablement produire un affrontement [...] la différence de langue [les] tenait à distance l'une de l'autre. [...], leur différence de religion [les] éloigne l'une de l'autre [...] »

Lord Durham, 1839

4.68

 « Je m'attendais à trouver un conflit entre le gouvernement et le peuple ; je trouvai deux nations en guerre au sein d'un même État ; je trouvai une lutte, non de principes mais de races. »

Lord Durham, 1839

4.69

13 *a*) Quel document fait référence à l'aspect ethnique de la crise dans le Bas-Canada ? à l'aspect politique ?

   b) À quel aspect du conflit crois-tu que Durham accordera la priorité ? Justifie ta réponse.

14 Lord Durham a affirmé que la constitution de 1791 avait été une grave erreur.

   a) Selon lui, en quoi cette constitution a-t-elle engendré un conflit politique dans le Bas-Canada ?

   b) En quoi a-t-elle amplifié le conflit entre Canadiens et Anglais ?

UNE COLONIE SANS CONSTITUTION

À la suite de la rébellion de 1837, Londres suspend pour une période de 33 mois la constitution de 1791 dans le Bas-Canada. Elle nomme lord Durham gouverneur général de toutes les colonies anglaises de l'Amérique du Nord. Au printemps 1838, Durham débarque à Québec pour faire une enquête sur la situation des colonies. Il possède tous les pouvoirs : la plupart des Patriotes faits prisonniers au cours des premiers affrontements sont amnistiés et huit sont exilés aux Bermudes. Critiqué par le Parlement britannique pour cette décision, il demande son rappel à Londres. Son séjour dans le Bas-Canada n'aura duré que cinq mois.

LE RAPPORT DURHAM

Rentré en Angleterre, lord Durham rédige un rapport qu'il présente au gouvernement britannique au début de 1839. Ce rapport sera la base de la nouvelle constitution rédigée par les parlementaires britanniques.

LES CAUSES DE LA CRISE

Selon lord Durham, l'Acte constitutionnel a été une grave erreur. En créant « un gouvernement à la fois représentatif et irresponsable », cette constitution a suscité un **conflit politique** majeur entre la Chambre d'assemblée et le gouvernement. De plus, on a uni « deux populations d'origines hostiles et de caractères différents », ce qui « devait inévitablement produire un affrontement », un **conflit ethnique**.

4.70 John George Lambton, comte de Durham. Surnommé « Radical Jack » en raison de ses idées réformistes, il est à la fois le gendre de lord Grey, chef du Parti libéral britannique et premier ministre, et beau-père de lord Elgin, futur gouverneur du Canada, qui, en 1848, reconnaîtra le gouvernement responsable.

LES CAUSES DE LA CRISE SELON LORD DURHAM

Conflit politique

La Chambre d'assemblée, élue par le peuple, veut accroître son pouvoir.	⟷	Les conseils, nommés par le gouverneur, veulent conserver leur pouvoir.

Conflit ethnique

Les Canadiens considèrent le Bas-Canada comme leur patrie.	⟷	Les Anglais considèrent le Bas-Canada comme leur colonie.

4.71

LES SOLUTIONS AU CONFLIT SELON DURHAM

« [Les Canadiens] demeurent une société vieillie et retardataire dans un monde neuf et progressif [...]

[Ils] ne sont que le résidu d'une colonisation ancienne.

[...] la masse de la population anglaise [est] composée de vigoureux fermiers et d'humbles artisans [...]

On ne peut pas un seul instant contester aux Anglais la supériorité de leur sagesse politique et pratique [...]

[Les Anglais] ont pour eux l'incontestable supériorité de l'intelligence [...]

À la racine du désordre dans le Bas-Canada, on trouve le conflit des deux races qui composent sa population. Jusqu'à ce que ce problème soit résolu, aucun bon gouvernement n'est possible [...] »

Lord Durham, 1839

4.72

15 D'après l'opinion de Durham sur les Canadiens et les Anglais, quelle solution crois-tu qu'il proposera pour éliminer le conflit qui oppose ces deux groupes ethniques ?

« [...] la Couronne doit se soumettre aux conséquences nécessaires des institutions représentatives. [...] il faut qu'elle consente à agir, par l'intermédiaire de ceux en qui [le] corps représentatif a confiance. [Il faut] que le gouverneur colonial [obtienne] la collaboration de l'Assemblée à sa politique, en confiant son administration à des hommes qui détiendraient la majorité [...] »

Lord Durham, 1839

4.73

16 *a*) À quelle constitution renvoie la première phrase du document 4.73 ?

b) Quelle importante modification de cette constitution Durham suggère-t-il ?

c) Quel nom porte le changement proposé ?

d) Crois-tu que Durham, en proposant ce changement, entend régler l'aspect ethnique du conflit ? l'aspect politique ? Justifie ta réponse.

LES RECOMMANDATIONS DE LORD DURHAM

En tant que libéral et réformiste, lord Durham croit que les revendications de la Chambre d'assemblée du Bas-Canada sont légitimes. Il va même jusqu'à reconnaître qu'il « était parfaitement justifiable de réclamer [...] les pouvoirs pour lesquels l'Assemblée luttait ». Mais il n'en est pas moins convaincu de la supériorité du peuple britannique. Il ne peut donc tolérer que les Canadiens, qui sont selon lui appelés à disparaître, soient politiquement supérieurs aux Anglais dans la colonie.

LES SOLUTIONS À LA CRISE SELON LORD DURHAM		
	Solutions à court terme	Solutions à long terme
Problème politique	Assurer la suprématie de la Chambre d'assemblée en accordant un gouvernement responsable.	Unir toutes les colonies britanniques d'Amérique du Nord.
Problème ethnique	Assurer la suprématie des Anglais par : • l'union des deux Canadas; • l'immigration anglaise.	Assimiler les Canadiens.

4.74

En proposant des mesures qui visent l'**assimilation des Canadiens**, il compte faire disparaître le conflit ethnique entre Canadiens et Anglais. De plus, le développement économique pourrait ainsi être favorisé et amener la prospérité dans la colonie. D'après Durham, les Anglais « dynamiques » et « pratiques » ne seraient plus empêchés par le « peuple rétrograde » de mettre en valeur les ressources du territoire et d'améliorer les moyens de transport pour faciliter le commerce.

Quant au règlement du conflit politique, Durham considère qu'il faut appliquer les règles qui découlent de la « nature même du gouvernement représentatif ». En effet, il ne suffit pas de permettre au peuple d'élire une assemblée, encore faut-il que les représentants du peuple puissent avoir de l'influence sur l'administration des affaires publiques. Bref, c'est en accordant le **gouvernement responsable** que l'on mettra fin à la « guerre perpétuelle » que se livrent l'Assemblée et le Conseil exécutif.

« [...] on considère généralement que le rapport Durham a joué un rôle primordial [...] dans la fondation d'une nation canadienne. »

David Mills, historien, 1987

« [Durham se prononce] contre le séparatisme canadien-français pour sauver le seul séparatisme viable à l'époque, le séparatisme canadien-anglais. »

Maurice Séguin, historien, 1968

UNE NOUVELLE CONSTITUTION

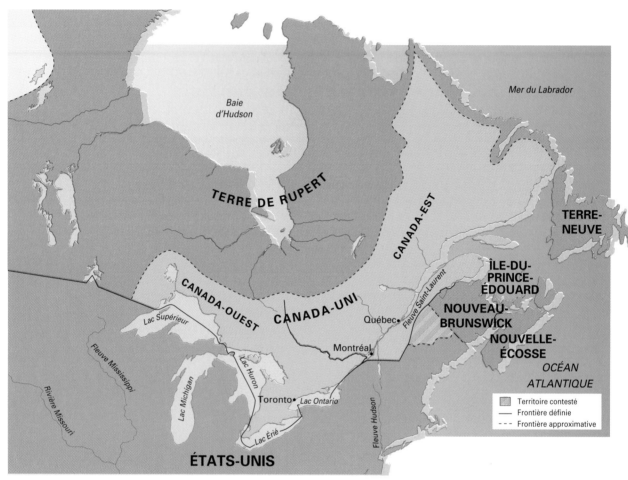

4.75   La province du Canada-Uni en 1840, après l'Acte d'Union.

POPULATION ET DÉPUTATION DU CANADA-UNI (1840)		
	Canada-Ouest	**Canada-Est**
Population	450 000 habitants	650 000 habitants
Députation	42 députés	42 députés

4.76

17 Compare la carte de 1840 (document 4.75) avec celle de 1791 (document 4.4, page 226).

    a) Quel changement territorial a été apporté?

    b) Qu'est devenu le Bas-Canada? le Haut-Canada?

18 Quel objectif du rapport Durham désire-t-on atteindre en instaurant l'égalité de représentation?

B L'ACTE D'UNION

Au cours de l'été **1840**, le Parlement britannique vote une nouvelle constitution, l'**Acte d'Union**, qui entre en vigueur l'hiver suivant.

UNE UNION LÉGISLATIVE

Le Haut-Canada et le Bas-Canada sont désormais réunis : ils forment une **union législative** appelée « province du Canada » ou « Canada-Uni ». La population est représentée par une seule Chambre d'assemblée, composée de 42 députés du Canada-Ouest (Haut-Canada) et de 42 députés du Canada-Est (Bas-Canada). Bien que les populations de ces deux régions soient inégales, le gouvernement applique l'**égalité de représentation** afin d'assurer une majorité canadienne-anglaise à la Chambre. L'anglais est la seule langue officielle des débats. Les membres du Conseil législatif et du Conseil exécutif continuent d'être nommés par le gouverneur.

> Union législative

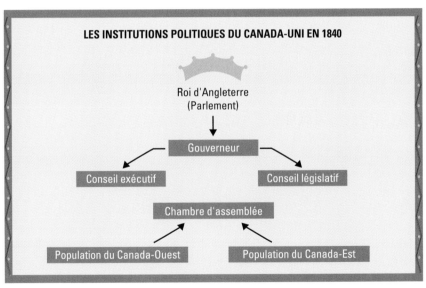

4.77

LA FUSION DES REVENUS ET DES DETTES

Bien que les deux Canadas soient unis, le Canada-Est conserve les lois civiles françaises et le Canada-Ouest, les lois civiles anglaises. Par contre, les dettes et les revenus des deux régions sont fusionnés. Comme les dettes du Bas-Canada étaient minimes et celles du Haut-Canada énormes, le Canada-Ouest évite la banqueroute grâce à la bonne situation financière du Canada-Est.

Union législative et union fédérale

Il existe deux façons de réunir politiquement des régions.

- L'union législative, dans laquelle les régions sont fusionnées en un seul territoire. Un seul gouvernement administre ce type d'union et la population y est représentée par une seule Assemblée législative.

- L'union fédérale, dans laquelle les régions s'unissent tout en conservant leur territoire propre. Dans ce type d'union, chaque région possède son propre gouvernement et sa propre Assemblée législative. De plus, un gouvernement central, ou fédéral, administre l'ensemble du territoire et la population de toutes les régions est représentée par une Assemblée législative centrale, ou fédérale.

LES CHANGEMENTS AMENÉS PAR L'UNION DES DEUX CANADAS

4.2.3 Changements à la suite de l'union des Canadas.

UN SCÉNARIO IMPRÉVU

LA CHAMBRE D'ASSEMBLÉE EN 1841	
Canada-Ouest	**Canada-Est**
Réformistes canadiens-anglais	Réformistes canadiens-français
Conservateurs *(tories)* canadiens-anglais	Conservateurs *(tories)* canadiens-anglais

4.78

Au lendemain de l'Acte d'Union, les députés des deux régions du Canada ont le choix de former des alliances sur une base ethnique ou politique.

19 Dans chacune de ces alliances, quelle serait selon toi la situation des Canadiens français ?

LE GOUVERNEMENT RESPONSABLE

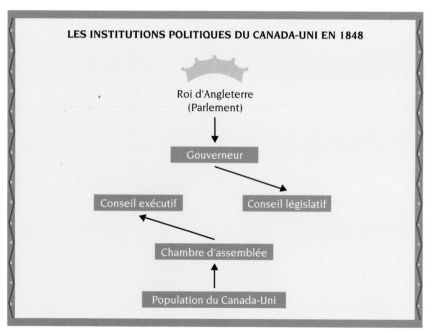

4.79

20 *a)* Quelle différence majeure y a-t-il entre le document 4.77 (page 269) et le document 4.79 ?

b) Quel est le mode de fonctionnement du gouvernement responsable ?

c) D'après toi, ce type de gouvernement est-il plus ou moins démocratique que le précédent ? Pourquoi ?

A UNE NOUVELLE CONJONCTURE

Au lendemain de l'union des deux Canadas, la paix sociale est rétablie. Cependant, la lutte pour l'obtention d'un gouvernement responsable reprend de plus belle. Par ailleurs, sur le plan économique, l'accent est mis sur l'amélioration des moyens de transport et le développement du commerce.

VERS UN GOUVERNEMENT RESPONSABLE

En 1841, la situation politique n'est plus ce qu'elle était en 1837, avant la rébellion. Les habitants de la province du Canada sont représentés par une seule Chambre d'assemblée, où les Canadiens français sont minoritaires. De plus, de nouveaux chefs occupent l'avant-scène politique depuis le départ des dirigeants radicaux. Louis-Hippolyte LaFontaine est le porte-parole des Canadiens français réformistes du Canada-Est tandis que Robert Baldwin est le chef des réformistes canadiens-anglais du Canada-Ouest.

L'ALLIANCE BALDWIN-LaFONTAINE

Baldwin et LaFontaine poursuivent le même objectif politique: l'obtention d'un gouvernement responsable. Les deux hommes ont compris qu'il leur fallait s'allier pour y parvenir. En échange de sa collaboration, LaFontaine exige que Baldwin respecte les droits des Canadiens français. Il vise ainsi à éviter l'assimilation des siens, prônée par l'Acte d'Union. Bien que l'anglais soit désormais la langue des débats, LaFontaine livre son premier discours à la Chambre en français.

En 1848, le gouverneur, lord Elgin, à la demande expresse de Londres, invite LaFontaine et Baldwin à former le prochain gouvernement. Comme les deux chefs ont l'appui de la majorité des députés de la Chambre, Elgin accorde ainsi aux habitants de la province du Canada un **gouvernement responsable**.

> ### De «Canadiens» à «Canadiens français»
>
> Pendant le Régime français, les colons de la vallée du Saint-Laurent se désignaient sous le nom de «Canadiens» pour se distinguer des Amérindiens et des Français.
>
> Après la Conquête, le mot «Canadiens» les distingue des Anglais qui viennent s'établir dans la colonie.
>
> Après l'échec de la rébellion et l'union des deux Canadas, Canadiens et Anglais deviennent des compatriotes. Les Canadiens deviennent des Canadiens français et les Anglais, des Canadiens anglais.

4.80 Louis-Hippolyte LaFontaine.

UNION ET ÉCONOMIE

« Les finances [du Haut-Canada] sont en plus mauvais ordre qu'on ne le croit en Angleterre. Le déficit est de 75 000 louis par année, soit une somme plus considérable que celle du revenu.

[...] Tous nos efforts d'amélioration, de développement, doivent être dirigés vers le Haut-Canada et c'est ce que je ferai aussitôt l'union en vigueur. »

Charles-Poulett Thomson, gouverneur, 1840

4.81

« [...] cette dette avait été contractée auprès de la banque Baring Brothers de Londres ; or l'un des principaux associés de cette institution, Francis T. Baring, était ministre des Finances dans le gouvernement de Melbourne [qui a fait voter l'Acte d'Union]. »

Noël Vallerand et Robert Lahaise, historiens, 1974

4.82

« [Charles-Poulett Thomson] devait notamment régler, avec la Trésorerie britannique, les derniers détails de l'octroi d'un prêt de 1 500 000 livres sterling qui servirait à éponger la dette accumulée par les deux [Canadas] et à parachever des ouvrages publics comme le canal Welland. »

Philippe Buckner, historien, 1988

4.83

« C'était la banque Baring de Londres qui soutenait les deux grands investissements [des Canadas], et dans les canaux d'abord, et dans les chemins de fer ensuite. »

Alfred Dubuc, historien, 1981

4.84

21 À l'aide des documents 4.81 à 4.84, rédige un texte d'une dizaine de lignes montrant les liens existant entre l'union des deux Canadas, le paiement des dettes du Haut-Canada et le développement économique.

RÉACTIONS CHEZ LES CANADIENS ANGLAIS

Au cours de l'année 1849, le nouveau gouvernement prend des décisions qui suscitent de vives réactions chez les Canadiens anglais conservateurs. Il reconnaît d'abord l'usage du français à la Chambre d'assemblée. Il vote l'amnistie des rebelles de 1837-1838. De plus, il accorde une compensation financière aux victimes de la rébellion dans le Bas-Canada.

Certains Canadiens anglais protestent contre ce qu'ils appellent la *French Domination*. Ils étaient persuadés que l'union des Canadas priverait les Canadiens français de leurs pouvoirs mais c'est un Canadien français, LaFontaine, qui est à la tête du gouvernement. Et celui-ci va jusqu'à voter une compensation financière qu'ils considèrent comme une « prime à la révolte ».

De plus, les marchands anglais se sentent abandonnés de l'Angleterre, qui délaisse de plus en plus le commerce avec ses colonies. Excédés, ils souhaitent même voir le Canada s'annexer aux États-Unis.

Le 25 avril, une foule en colère hue le gouvernement Elgin et met le feu au parlement de Montréal. Elle saccage les résidences des réformistes, dont celle de LaFontaine.

Un recul pour les femmes

Au cours de la session parlementaire de 1849, le nouveau gouvernement réformiste fait voter une loi qui annule le droit de vote des femmes, que la constitution de 1791 leur avait pourtant accordé.

LA RELANCE ÉCONOMIQUE

L'union des deux Canadas vise à relancer l'économie. Au cours des années 1840, on cherche à développer les exportations vers l'Angleterre. Mais comme Londres n'accorde plus priorité au commerce avec ses colonies, vers 1850, le Canada-Uni est forcé de se tourner vers un nouveau partenaire commercial, les États-Unis.

4.85 L'incendie du parlement de Montréal, en 1849.

Pour quelle raison les personnes présentes se réjouissent-elles de cet incendie ?

L'AMÉLIORATION DES MOYENS DE TRANSPORT

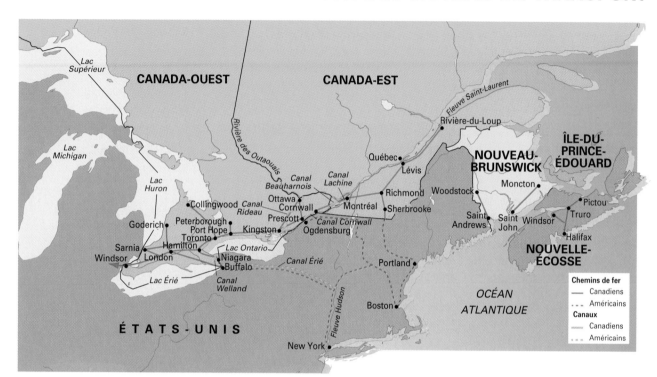

4.86   Les canaux et les chemins de fer du Canada-Uni vers 1860.

LES CANAUX DU CANADA-UNI

Années	Noms
1825	Lachine
1832	Rideau
1833	Welland
1843	Cornwall
1845	Beauharnois

4.87

22 *a*) En construisant de nouveaux canaux, vers quel port compte-t-on acheminer les produits commerciaux de l'Ouest?

b) Pourquoi a-t-on construit le canal Érié en 1825?

c) À partir de 1825, pourquoi était-il urgent et nécessaire de rendre le Saint-Laurent navigable?

23 Pourquoi, après s'être consacré à faire du Saint-Laurent une voie navigable, le Canada se lance-t-il dans la construction de chemins de fer?

DU MERCANTILISME AU LIBRE-ÉCHANGE

Entre 1842 et 1849, l'Angleterre abolit les lois qui donnaient priorité aux exportations coloniales de céréales et de bois. Elle s'oriente plutôt vers le libre-échange avec plusieurs pays.

24 Vers quel partenaire commercial le Canada-Uni devra-t-il se tourner?

CANAUX ET CHEMINS DE FER

Depuis la création du Canada-Uni, les chefs politiques canadiens-français ne s'opposent plus à l'économie intégrée du Canada-Est et du Canada-Ouest. De plus, le gouvernement dispose de colossales sommes d'argent, Londres se portant garante de ses emprunts auprès des milieux financiers d'Angleterre.

Un vaste programme de travaux publics est mis sur pied, dont le principal objectif est de parachever la voie maritime du Saint-Laurent, de façon à pouvoir concurrencer les Américains.

4.88 Type de locomotive circulant dans le Canada-Uni vers 1860.
Quels sont les avantages du transport ferroviaire sur le transport maritime ?

Malgré la construction et l'amélioration de **canaux** canadiens entre 1840 et 1847, les États-Unis conservent leur supériorité sur le Canada à cause du **chemin de fer**. Le Canada-Uni n'a donc pas le choix : il se lance dans la construction ferroviaire. Entre 1850 et 1860, on érige une voie de chemin de fer qui va du lac Huron à Rivière-du-Loup et une autre qui relie Montréal à Portland, aux États-Unis, en passant par les cantons de l'Est et la côte de l'océan Atlantique.

LE TRAITÉ DE RÉCIPROCITÉ

L'amélioration des moyens de transport vise à favoriser les exportations canadiennes vers le marché britannique. Mais l'Angleterre s'oriente vers le **libre-échange**. La révolution industrielle y entraîne un énorme développement économique et la métropole veut se procurer des matières premières à meilleur coût. Elle abandonne donc sa politique protectionniste à l'endroit de ses colonies et les produits canadiens ne se vendent plus sur le marché britannique.

Libre-échange

L'économie canadienne, basée sur les exportations, se trouve donc en difficulté. Le Canada se tourne alors vers les États-Unis et, en 1854, un **traité de réciprocité** est signé avec ce nouveau partenaire. Ce traité de libre-échange est limité aux produits naturels : blé, bois, poisson, minerais. Grâce à cette entente, la prospérité reprend dans le Canada-Uni.

Chronologie (marge de gauche)

1860 INAUGURATION DU CHEMIN DE FER MONTRÉAL - RIVIÈRE-DU-LOUP

1854 TRAITÉ DE RÉCIPROCITÉ

1853 INAUGURATION DU CHEMIN DE FER MONTRÉAL - PORTLAND

1849 INCENDIE DU PARLEMENT

1848 OBTENTION DU GOUVERNEMENT RESPONSABLE

1846 ABOLITION DES LOIS SUR LE BLÉ

1843 INAUGURATION DU CANAL CORNWALL

1840 ACTE D'UNION

1839 RAPPORT DURHAM

1837 RÉBELLION DANS LE BAS-CANADA DIX RÉSOLUTIONS RUSSELL

1834 QUATRE-VINGT-DOUZE RÉSOLUTIONS

---

1 *a*) Mets les événements suivants en ordre chronologique.

> Le rapport Durham
> L'Acte d'Union
> Les Quatre-vingt-douze résolutions
> La rébellion dans le Bas-Canada
> Les résolutions Russell

b) Rédige un texte montrant les liens qui existent entre ces événements.

2 Imagine un dialogue entre Papineau et Durham au sujet de l'avenir du Bas-Canada. Dans ce dialogue, ces personnages devront parler :

a) des réformes politiques ;

b) du développement économique ;

c) des relations entre Canadiens et Anglais ;

d) des relations entre colonie et métropole.

« La lutte entre le gouvernement et l'Assemblée a aggravé les animosités de races, et les animosités de races ont rendu le différend politique insoluble. »

Lord Durham, 1839

4.89

3 *a*) Selon Durham, quelles sont les causes du conflit qui existe dans le Bas-Canada ?

b) Quelles solutions propose-t-il pour résoudre ce conflit ?

c) Faut-il, selon lui, accorder la même importance aux deux aspects – politique et ethnique – du conflit ?

4 Le développement économique des Canadas préoccupe Durham.

a) Quelle est son opinion sur la capacité respective des Canadiens et des Anglais de développer l'économie ?

b) Selon lui, en quoi l'union des deux Canadas devrait-elle favoriser le développement économique ?

5 Avant de répondre aux questions suivantes, consulte le document 4.90.

a) Dans l'Acte d'Union, qu'est-ce qui pouvait laisser croire à LaFontaine que les Anglais voulaient « écraser la population française » ?

b) Qu'est-ce qui a empêché cet objectif de se réaliser ? Justifie ta réponse.

« Le but de l'Acte d'Union, dans la pensée de son auteur, a été d'écraser la population française; mais l'on s'est trompé [...] »

Louis-Hippolyte LaFontaine, 1842

4.90

6 La lutte pour l'obtention d'un gouvernement responsable a été longue.

Résume cette lutte en parlant des événements suivants.

a) Les Quatre-vingt-douze résolutions.

b) Le rapport Durham.

c) L'Acte d'Union.

d) L'alliance Baldwin-LaFontaine.

7 Mets les phrases suivantes en ordre chronologique.

a) Une fois la voie maritime du Saint-Laurent complétée, le Canada-Uni se lance dans la construction ferroviaire afin de contrer l'avance des Américains dans ce domaine.

b) Le réseau de canaux et de chemins de fer du Canada-Uni risque de devenir moins rentable à cause de la chute des exportations due à la politique de libre-échange de l'Angleterre.

c) Le Canada prend un nouveau partenaire commercial en signant un traité de réciprocité avec les États-Unis.

d) À cause de la fusion des dettes des deux Canadas amenée par l'Union, le gouverneur Thomson obtient l'appui financier de Londres pour la construction de nouveaux canaux.

EN RÉSUMÉ

1 Entre 1834 et 1837, la lutte parlementaire se transforme en agitation populaire dans le Bas-Canada.

En 1834, la Chambre d'assemblée vote les **Quatre-vingt-douze résolutions** qui résument les demandes des Patriotes :

- le contrôle du budget par la Chambre d'assemblée ;
- un Conseil législatif élu ;
- un gouvernement responsable.

En 1837, Londres répond à ces requêtes par les **Dix résolutions Russell** :

- refus d'accéder aux demandes des Canadiens ;
- autorisation donnée au gouverneur de puiser les subsides dans les revenus de la Chambre d'assemblée.

2 Au cours du printemps et de l'automne 1837, des **assemblées populaires** ont lieu. Les moyens proposés pour obtenir satisfaction vont du boycottage des produits anglais à la lutte armée.

3 À la fin de 1837, les **Patriotes affrontent l'armée anglaise** dans la vallée du Richelieu et dans le comté de Deux-Montagnes. Les Patriotes subissent une première défaite.

Au cours de l'automne 1838, un deuxième soulèvement a lieu, au terme duquel les Patriotes connaissent une défaite finale.

4 En 1839, **lord Durham** remet au gouvernement britannique un rapport dans lequel il analyse la crise qui sévit dans le Bas-Canada.

Selon lui, il y a deux **causes** à cette crise :

- la présence d'une Chambre d'assemblée élue et d'un Conseil exécutif non responsable entraîne un **conflit politique** ;
- la coexistence de Canadiens et d'Anglais entraîne un **conflit ethnique**.

Il propose deux **solutions** à cette crise :

- donner la majorité aux Anglais et **assimiler les Canadiens en unissant les deux Canadas** ;
- accorder au Canada un **gouvernement responsable**.

5 En **1840**, Londres vote une nouvelle constitution : l'**Acte d'Union**. Cette constitution amène d'importants changements :

- les deux Canadas forment désormais la province du Canada, ou Canada-Uni ;
- la Chambre d'assemblée est composée d'un nombre égal de députés du Canada-Ouest et du Canada-Est ;
- les dettes et revenus des deux Canadas sont fusionnés.

6 En 1841, le chef des réformistes du Canada-Ouest, Robert Baldwin, et celui des réformistes du Canada-Est, Louis-Hippolyte LaFontaine, s'allient pour obtenir un gouvernement responsable.

En **1848**, le gouverneur, lord Elgin, accorde dans la pratique un **gouvernement responsable** au Canada-Uni.

7 Un vaste programme de travaux publics est mis sur pied dans le Canada-Uni. Il a pour objectif d'améliorer les moyens de transport afin de favoriser les exportations vers l'Angleterre et de concurrencer les Américains.

Au cours des années 1840, on construit des **canaux** et pendant les années 1850, on construit des **chemins de fer**.

8 L'Angleterre s'oriente cependant vers le **libre-échange** et abandonne sa politique protectionniste envers ses colonies. Le Canada doit donc se trouver un nouveau partenaire commercial.

En 1854, un **traité de réciprocité** sur les produits naturels est signé entre le Canada-Uni et les États-Unis.

POUR LA SUITE DE L'HISTOIRE...

Au cours des années 1860, la situation politique et économique sera difficile dans les colonies anglaises de l'Amérique du Nord. Ensemble, ces colonies trouveront une solution à leurs problèmes : la Confédération.

1 Sur une ligne de temps semblable au document 4.91, situe:

a) l'Acte constitutionnel;

b) l'Acte d'Union;

c) le projet d'union d'Edward Ellice;

d) les affrontements dans le Bas-Canada;

e) les Dix résolutions Russell;

f) le rapport Durham;

g) le gouvernement responsable;

h) les premières élections dans le Bas-Canada;

i) les Quatre-vingt-douze résolutions;

j) l'alliance Baldwin-LaFontaine.

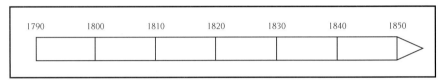

4.91

2 Complète un schéma semblable au document 4.92.

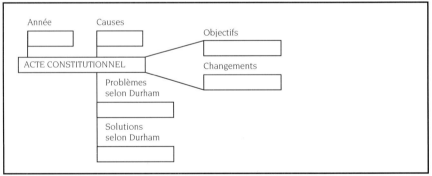

4.92

3 Complète un schéma semblable au document 4.93.

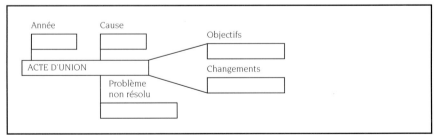

4.93

4 Associe chacun des personnages suivants à la déclaration appropriée.

Durham – Elgin – LaFontaine – Molson – Papineau – Russell – Ellice

a) J'ai inauguré la navigation à vapeur sur le Saint-Laurent.

b) Je suis le chef des Patriotes du Bas-Canada et l'un des principaux auteurs des Quatre-vingt-douze résolutions.

c) Je suis le porte-parole des Canadiens français réformistes et me suis associé à Baldwin pour obtenir le gouvernement responsable.

d) En 1839, j'ai rédigé un rapport sur la situation dans les colonies anglaises d'Amérique du Nord.

e) En demandant aux chefs de la Chambre d'assemblée de former le gouvernement, j'ai reconnu le principe du gouvernement responsable.

f) En 1822, j'ai proposé un plan pour unir les deux Canadas.

g) En tant que ministre responsable des colonies, j'ai refusé les demandes présentées dans les Quatre-vingt-douze résolutions.

5 Complète un schéma semblable au document 4.94.

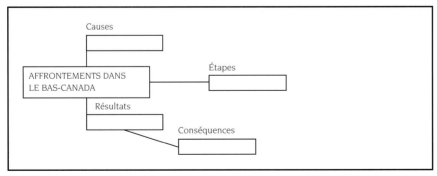

4.94

6 Complète un schéma semblable au document 4.95.

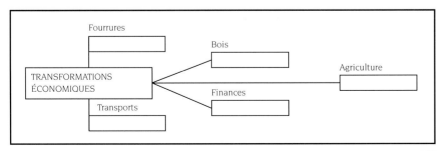

4.95

LA PÉRIODE CONTEMPORAINE

MODULE 5

LE QUÉBEC ET LA CONFÉDÉRATION

▼

Nouvelle réalité canadienne et québécoise de la deuxième moitié du 19e siècle.

CHAPITRE 9

LA CONFÉDÉRATION

5.1 Les origines de la fédération canadienne et les principaux rouages de l'AANB.

5.1 Les pères de la Confédération.

UNE NOUVELLE CONSTITUTION

H. Bernard W.A. Henry E. Palmer F.B.T. Carter A. Shea   T.H. Haviland P. Mitchell R.B. Dickey W.H. Pope A.A. Macdonald J.M. Johnson

W.H. Steeves C. Fisher G. Coles J.-C. Chapais E.B. Chandler A.G. Archibald J.A. Macdonald G.-É. Cartier É.-P. Taché A.T. Galt J. Cockburn J.H. Gray W. McDougall J. McCully

E. Whelan J.H. Gray   S.L. Tilley   A. Campbell H.-L. Langevin   G. Brown   O. Mowatt   C. Tupper   T. Darcy McGee

En octobre 1864, une trentaine de délégués de toutes les colonies anglaises d'Amérique du Nord se réunissent à Québec. Ils y rédigent le document de base d'une nouvelle constitution, celle de la Confédération canadienne.

1 *a)* Avant la Confédération, où étaient conçues les constitutions des colonies anglaises?

b) Quel changement d'attitude de l'Angleterre révèle le fait que la Constitution soit élaborée à Québec par des représentants des colonies?

c) À la conférence de Québec, chaque colonie a droit à un vote au sujet de chaque décision. Cependant, le Canada-Uni a droit à deux votes. Selon toi, pourquoi?

d) Sur les 33 délégués présents à cette conférence, combien y a-t-il de Canadiens français? Le Canada-Uni étant représenté par 12 délégués, le nombre de Canadiens français te paraît-il équitable? Justifie ta réponse.

e) La conférence de Québec se tient à huis clos.

Crois-tu qu'aujourd'hui, la population accepterait une telle pratique dans un événement aussi important? Justifie ta réponse.

8000 AV. J.-C.		1534		1763		1867	
PÉRIODE AUTOCHTONE		PÉRIODE DU RÉGIME FRANÇAIS			PÉRIODE DU RÉGIME BRITANNIQUE	PÉRIODE CONTEMPORAINE	

LA CONFÉDÉRATION

1860   1867

PANORAMA

5.2 La ville d'Ottawa vers 1867. En 1857, la reine Victoria nomme Ottawa capitale du Canada-Uni. En 1867, cette ville devient la capitale du Dominion du Canada.
Pourquoi la ville d'Ottawa a-t-elle été préférée à Montréal ou Toronto?

Une constitution est l'ensemble des lois de base qui déterminent le type de gouvernement d'un pays. Ces lois, même si elles sont fondamentales, ne sont pas nécessairement définitives. Certaines circonstances amènent parfois la nécessité d'y apporter des changements.

Au cours des années 1860, il devient évident que la constitution de 1840, l'Acte d'Union, doit être modifiée. À cause de différents facteurs, elle est devenue désuète. Certains de ces facteurs sont liés à des problèmes internes du Canada-Uni, d'autres à des problèmes externes.

Quand, en 1867, on crée la Confédération canadienne par l'Acte de l'Amérique du Nord britannique, on voit cette nouvelle constitution comme la solution aux problèmes politiques, économiques et militaires des colonies anglaises.

- *Quelles sont les origines de l'Acte de l'Amérique du Nord britannique?*
- *Quelles sont les étapes qui ont mené à l'adoption de cette constitution?*
- *Pourquoi a-t-on choisi ce type de constitution?*
- *Comment fonctionne la Confédération canadienne en 1867?*

LES ORIGINES
DE LA CONFÉDÉRATION

5.1.1 Causes de la fédération de l'ANB.

LES ÉTATS-UNIS, LE CANADA ET L'ANGLETERRE

 « Je veux que les Canadiens comprennent [...] que nous ne tenons pas [beaucoup] à l'union du Canada avec l'Angleterre. Je veux qu'ils comprennent bien que l'Angleterre ne retire aucun bénéfice de cette connexion. Je veux qu'ils comprennent clairement que l'Angleterre n'éprouverait aucun regret si, demain, ils se séparaient d'elle. »

5.3

 « Le sentiment [des États] du Nord est fortement en faveur d'arracher le Canada à l'Angleterre. L'idée d'une guerre n'alarme personne ; on en parle plutôt avec complaisance. »

5.4

 « La question se résout comme ceci : il nous faut ou avoir une confédération de l'Amérique britannique du Nord, ou bien être absorbé par la confédération américaine [...] Les provinces anglaises séparées comme elles le sont à présent ne pourraient pas se défendre seules. »

5.5

2 Lie chacune des sources suivantes au document approprié.

> Journal *New York Herald*, 1861
> George-Étienne Cartier, ministre du Canada-Uni, 1865
> J.-A. Roebuch, député à Londres, 1862

3 À l'aide des trois documents, résume en trois phrases la situation militaire du Canada en 1860.

LES RELATIONS AVEC LES ÉTATS-UNIS

Depuis que les États-Unis ont accédé à l'indépendance, leurs relations avec les colonies anglaises d'Amérique du Nord sont ambivalentes : tantôt amicales, tantôt hostiles. Vers 1860, la balance penche plutôt du côté de l'hostilité…

LA CRAINTE D'UNE INVASION

Au début des années 1860, les États-Unis vivent la guerre de Sécession, une guerre civile qui oppose les États du Sud aux États du Nord. Mécontents de l'appui de l'Angleterre aux États du Sud, les États du Nord veulent envahir les colonies anglaises. Cette menace survient au moment où l'Angleterre songe à ne plus assurer la défense de ses colonies parce qu'elle considère qu'il est temps qu'elles veillent à leur propre sécurité. De plus, les Féniens, des Irlandais qui ont émigré aux États-Unis, font des attaques dans les colonies anglaises pour contraindre l'Angleterre à accorder son indépendance à l'Irlande.

Avec la perte de la protection anglaise et les coûts de création d'armées distinctes, ces attaques contribuent à renforcer le besoin d'**union militaire** des colonies anglaises d'Amérique du Nord.

LA FIN DU TRAITÉ DE RÉCIPROCITÉ

En 1865, les États-Unis décident de ne pas renouveler le traité de réciprocité signé en 1854 avec le Canada-Uni. Sur le plan commercial, cette décision est un dur coup pour les colonies anglaises. À qui le Canada vendra-t-il son bois et son blé ? À qui les provinces Maritimes vendront-elles leur charbon et leur poisson ? La solution qui s'impose alors est d'unir le Canada et les Maritimes pour former un vaste **ensemble commercial** où circuleront librement les produits de toutes les colonies anglaises.

Le «destin américain»

Vers 1860, la théorie du «destin américain» *(Manifest Destiny)* est très populaire aux États-Unis. Selon cette théorie, un jour, les États-Unis couvriront tout le territoire de l'Amérique du Nord.

«[…] je porte mon regard vers les terres du Prince de Rupert et sur le Canada, […] je vois un peuple industrieux s'occuper […] à développer […] les grandes provinces britanniques du Nord […] et je puis dire : "C'est parfait, vous construisez d'excellents États qui seront à l'avenir admis dans l'Union américaine".»

William Seward, sénateur américain, 1860

5.6 Officiers des *Queen's Own Rifles* de Toronto, régiment de volontaires formé en 1860.

Quelle réaction l'éventualité de combattre un ennemi commun provoque-t-elle dans les colonies anglaises ?

UN CHEMIN DE FER ESSENTIEL : L'INTERCOLONIAL

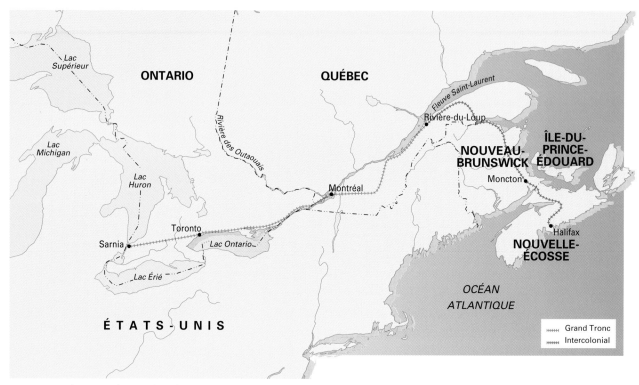

5.7   Le Grand Tronc et l'Intercolonial.

« [...] un des avantages les plus grands et les plus immédiats qui devrait naître de cette union sera [...] l'ouverture du marché de chacune des colonies aux produits de l'industrie de toutes les autres. »

Alexander Galt, 1865

5.8

4 *a*) Pourquoi le nouveau chemin de fer est-il appelé l'Intercolonial ?

   b) Pourquoi peut-on dire qu'il complète le Grand Tronc ?

   c) D'après le document 5.8, quel rôle économique devra-t-il jouer ?

   d) Ce chemin de fer peut-il aussi jouer un rôle politique ? un rôle militaire ? Justifie tes réponses.

5 Parlant du projet de la Confédération, Antoine-Aimé Dorion déclarait : « Les gens du Grand Tronc sont au fond de l'affaire. »

   Selon toi, que veut-il dire ?

L'INTERCOLONIAL

Depuis 1850, le Canada-Uni songe à se rapprocher des colonies de l'Atlantique. Avec la construction des chemins de fer, cette idée a pris de l'ampleur et, au cours des années 1860, elle s'impose de plus en plus comme une nécessité. Il n'y a au Canada-Uni aucun port de mer ouvert à longueur d'année. Le Grand Tronc finit à Rivière-du-Loup mais, en prolongeant ce chemin de fer jusqu'au port de Halifax, les produits commerciaux pourraient être acheminés vers l'Europe sans passer par les ports américains. Ce nouveau **chemin de fer**, l'Intercolonial, passerait par trois colonies : le Canada-Uni, le Nouveau-Brunswick et la Nouvelle-Écosse.

La construction de l'Intercolonial nécessite de très importants investissements. L'Angleterre pose une condition à son appui financier : la bonne entente entre les colonies. Le projet de construction de l'Intercolonial contribue donc à l'union des colonies anglaises de l'Amérique du Nord.

 # L'INSTABILITÉ POLITIQUE AU CANADA-UNI

« Depuis onze ans, nous avons été en crise chronique. » Cette phrase, prononcée à l'Assemblée par le député George Brown en 1862, illustre un des graves problèmes du Canada-Uni : l'**instabilité politique**. En effet, les gouvernements, incapables de se maintenir au pouvoir, tombent les uns à la suite des autres après seulement quelques mois d'existence.

Le Grand Tronc : un échec financier

Au début des travaux, en 1852, l'entreprise de construction du chemin de fer du Grand Tronc recevait du gouvernement canadien un prêt de 3 000 $ pour chaque mille* construit. En 1857, à cause d'un manque de ressources financières, cette entreprise demandait un nouveau prêt de 4 500 000 $ pour mener à terme la construction du chemin de fer. À la fin des travaux, en 1860, elle devait 15 millions au gouvernement canadien et, en 1867, cette dette atteignait 26 millions !

* 1,6 kilomètre.

5.9 Alexander Tilloch Galt, magnat du commerce maritime et instigateur du chemin de fer du Saint-Laurent et de l'Atlantique, qui prolonge le Grand Tronc.

5.10 Hugh Allan, magnat du commerce maritime et des chemins de fer, l'un des plus importants entrepreneurs du Canada.

Union législative et union fédérale

6 Dans quel type d'union y a-t-il

a) des régions fusionnées en un seul territoire?

b) un seul gouvernement pour l'ensemble du pays?

c) plusieurs États ou provinces?

d) un partage des revenus et des pouvoirs entre deux niveaux de gouvernement?

7 En unissant le Haut-Canada et le Bas-Canada en 1840, l'Acte d'Union créait-il une union législative ou une union fédérale? Justifie ta réponse.

8 En 1865, James O'Halloran, un député du Canada-Ouest, déclare: « Nous voulons [...] une nationalité canadienne qui réunira les races et [...] fera disparaître toute distinction de langage, de religion ou d'origine. »

À quel type d'union O'Halloran se montre-t-il favorable? Justifie ta réponse.

9 Imagine que quatre régions, désignées par les lettres A, B, C et D dans l'encadré suivant, décident de s'unir pour former un pays. Elles ont le choix entre constituer une union législative ou une union fédérale.

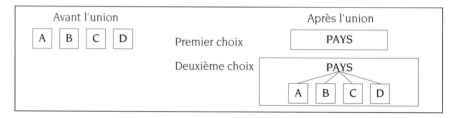

a) Quelle sorte d'union représente le premier choix de l'encadré? le deuxième choix?

b) Donne les caractéristiques politiques de chacun des deux types de pays qu'il leur est possible de former.

c) Pour les régions, quels sont les avantages et les inconvénients d'une union législative? d'une union fédérale?

10 Le Canada actuel est-il une union législative? une union fédérale?

11 Si tu devais refaire un choix pour le Québec actuel, opterais-tu pour une union législative ou pour une union fédérale avec les autres provinces du Canada? Pourquoi? Aurais-tu d'autres choix? Justifie ta réponse.

Une union législative presque fédérale

Depuis l'Acte d'Union, le Canada-Uni est une union législative. Les habitants des deux Canadas y sont représentés par une seule Assemblée législative. Cependant, dans la pratique, son fonctionnement ressemble plutôt à celui d'une union fédérale. Bien que réunis, le Canada-Est et le Canada-Ouest sont traités comme deux régions distinctes dont chacune :

- a le même nombre de députés à la Chambre d'assemblée ;
- a ses propres lois, son procureur général, ou ministre de la Justice, et son solliciteur général, ou ministre de la Sécurité publique ;
- est représentée au Conseil exécutif.

5.11 Caricature du journal *The Grip* dénonçant le rôle prédominant des politiciens canadiens-français au Canada-Uni.

De plus, lors des débats de la Chambre, les députés veillent à ce que les décisions qui y sont prises soient favorables à leur région.

En somme, les représentants des deux Canadas acceptent de collaborer à des projets communs, comme le projet de construction des chemins de fer, mais ils défendent tout de même les intérêts particuliers de leur région.

Les moeurs électorales sous l'Union

« Aujourd'hui… on ne remporte plus une élection, on l'achète. »

Journal *Le Canadien*, 1863

Au cours de la période de l'Union, les moeurs électorales étaient plutôt douteuses… Il n'était pas rare qu'un parti paie un électeur pour obtenir son vote ou l'incite à boire pour l'amener voter dans plusieurs bureaux de scrutin. On pouvait ainsi obtenir par exemple 14 000 votes alors que la liste électorale ne comportait que 8 000 noms !

Certains intimidaient l'adversaire à l'aide d'un bâton ou même d'une arme à feu. Des curés transformaient leur sermon du dimanche en discours politique. Des marchands sommaient leurs débiteurs de voter pour leur candidat, sous peine de devoir payer immédiatement leur dû.

LA MAJORITÉ À LA CHAMBRE D'ASSEMBLÉE

Sous l'Union, le Canada-Ouest et le Canada-Est sont représentés par le même nombre de députés à la Chambre d'assemblée. Lorsque le gouvernement du Canada-Uni peut compter sur l'appui d'une majorité de députés dans chacune des deux régions, il détient la double majorité.

LA DÉPUTATION DU CANADA-UNI	
Années	**Nombre de députés**
1841	84
1853	130

5.12

12 *a*) Pour détenir la double majorité, le gouvernement doit avoir l'appui de combien de députés dans chaque région du Canada-Uni en 1841 ? en 1853 ?

b) Quel est l'avantage de détenir la double majorité ? Justifie ta réponse.

LA DÉPUTATION DU CANADA-UNI EN 1854*	
Canada-Ouest	**Canada-Est**
30 réformistes modérés	34 bleus (réformistes modérés et conservateurs)
22 conservateurs	16 rouges (réformistes radicaux)
7 *Clear Grits* (réformistes radicaux)	7 réformistes dissidents
6 indépendants	8 indépendants

* Lors d'un vote à la Chambre d'assemblée, cette répartition variait selon les humeurs politiques et les absences des députés.

5.13

13 En 1854, une coalition libérale-conservatrice se forme dans tout le Canada-Uni. Elle réunit les réformistes modérés et les conservateurs du Canada-Ouest et les bleus du Canada-Est.

a) Sur l'appui de combien de députés la coalition libérale-conservatrice peut-elle compter ?

b) Selon toi, quel est le but de cette coalition ?

c) Selon le document 5.13, quel parti devrait former le gouvernement ?

d) Ce gouvernement serait-il majoritaire ?

e) Détiendrait-il la double majorité ?

f) Quel risque politique courrait-il ?

14 En 1854, l'opposition est-elle menaçante pour le gouvernement ? Justifie ta réponse.

La double majorité

Le gouvernement du Canada-Uni a détenu pendant un certain temps une **double majorité** à la Chambre d'assemblée, c'est-à-dire l'appui d'une majorité de députés du Canada-Est et du Canada-Ouest. Baldwin et LaFontaine ont pu constituer un gouvernement réformiste fort parce qu'ils détenaient cette double majorité.

Mais, depuis l'obtention du gouvernement responsable, en 1848, et surtout depuis la démission de Baldwin et LaFontaine, en 1851, il existe des dissensions au sein du Parti réformiste. Certains députés réformistes radicaux réclament encore plus de changements. D'autres députés, plus modérés, considèrent au contraire qu'il n'y a pas lieu d'exiger davantage à court terme, puisque le gouvernement responsable a été obtenu.

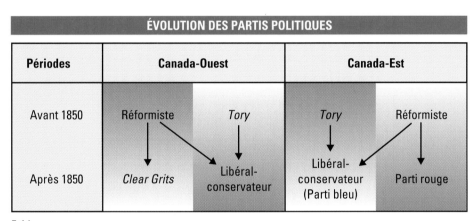

ÉVOLUTION DES PARTIS POLITIQUES

Périodes	Canada-Ouest		Canada-Est	
Avant 1850	Réformiste	*Tory*	*Tory*	Réformiste
Après 1850	*Clear Grits*	Libéral-conservateur	Libéral-conservateur (Parti bleu)	Parti rouge

5.14

Avec les années, les réformistes radicaux en viennent à constituer deux partis distincts : les *Clear Grits* dans le Canada-Ouest et le Parti rouge dans le Canada-Est. Les réformistes modérés et les anciens conservateurs *(Tories)* se rapprochent alors pour former le Parti libéral-conservateur. Dans le Canada-Est, le Parti libéral-conservateur est appelé « Parti bleu », par opposition au Parti rouge.

Au cours des années 1850, les *Clear Grits* voient leurs effectifs augmenter au point de devenir majoritaires dans le Canada-Ouest, alors que le Parti rouge ne réussit pas à déloger le Parti bleu dans le Canada-Est. Vers 1860, des alliances entre, d'une part, les libéraux-conservateurs et les bleus et, d'autre part, entre les *Clear Grits* et les rouges, seraient composées d'un nombre presque égal de députés. Il devient donc très improbable que le gouvernement obtienne la double majorité, la présence d'une forte opposition risquant de le faire tomber à tout moment.

La représentation proportionnelle

POPULATION DU CANADA-UNI		
Années	**Canada-Ouest**	**Canada-Est**
1841	450 000 habitants	650 000 habitants
1851	952 000 habitants	890 000 habitants
1861	1 396 000 habitants	1 112 000 habitants

5.15

15 *a*) Fais des graphiques semblables au document 5.16, de manière à représenter la population du Canada-Uni en 1851 et en 1861.

b) Quelle région du Canada-Uni est avantagée par la représentation égale en 1841 ? en 1851 ? en 1861 ?

c) Quelle modification la population du Canada-Ouest exige-t-elle après 1851 ? Pourquoi ?

POPULATION DU CANADA-UNI EN 1841

Canada-Ouest
41 %

Canada-Est
59 %

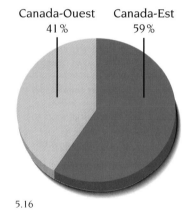

5.16

L'instabilité ministérielle

16 À l'aide du document 5.17, décris la situation politique du Canada-Uni en 1863.

LA DÉPUTATION DU CANADA-UNI EN 1863	
Canada-Ouest	**Canada-Est**
15 conservateurs	40 bleus
40 *Clear Grits*	15 rouges

5.17

En 1863, alors que se tient un important débat à la Chambre d'assemblée, un député conservateur du Canada-Ouest entraîne trois députés réformistes du Canada-Est à l'extérieur de la ville sous prétexte de détente. À 25 kilomètres du parlement, il laisse ses invités sur place sans moyen de transport.

Pendant ce temps, on les cherche au parlement car leur vote peut être décisif. Les orateurs allongent leurs discours pour retarder le vote. Vers minuit, les députés abandonnés arrivent à la Chambre, poussiéreux et exténués. Le vote est alors pris et le gouvernement est sauvé de justesse.

17 Cette anecdote illustre un problème majeur à la Chambre d'assemblée du Canada-Uni.

Nomme ce problème et explique en quoi il consiste.

LE « REP BY POP »

D'après l'Acte d'Union, le Canada-Est et le Canada-Ouest doivent être représentés par un même nombre de députés. En 1841, l'égalité de représentation avantageait les Canadiens anglais du Canada-Ouest, dont la population était inférieure à celle du Canada-Est, composée en majorité de Canadiens français.

Mais le recensement de 1851 révèle que la population du Canada-Ouest dépasse maintenant celle du Canada-Est. Les *Clear Grits* réclament alors l'application du « *Rep by Pop* » *(Representation by population)*, c'est-à-dire de la **représentation proportionnelle** à la population de chacune des deux régions du Canada-Uni. Cette forme de représentation avantagerait évidemment les Canadiens anglais, ce qui suscite de plus en plus d'inquiétude chez les Canadiens français du Canada-Est.

5.18 George Brown et John Alexander Macdonald discutant de la Confédération.

LA GRANDE COALITION

En 1864, la situation politique est alarmante dans le Canada-Uni. En deux ans, cinq gouvernements se sont succédé faute d'obtenir la double majorité. Cette **instabilité ministérielle** paralyse l'administration du Canada-Uni.

George Brown, chef des *Clear Grits*, s'unit alors à John Alexander Macdonald, chef des libéraux-conservateurs, et à George-Étienne Cartier, chef du Parti bleu, pour former un **gouvernement de coalition**. En contrepartie, il demande que le Canada-Uni ne soit plus une union législative, mais une union fédérale.

Une entente est conclue entre les trois chefs, au terme de laquelle chacun obtient satisfaction :

- Brown obtient la représentation proportionnelle au niveau fédéral ;
- Macdonald obtient beaucoup de pouvoir pour le gouvernement fédéral ;
- Cartier obtient un gouvernement provincial pour les Canadiens français.

2 LA CONFÉDÉRATION

5.1.2 Étapes de la fédération et principaux débats.

QUEL TYPE D'UNION CHOISIR ?

 « Le gouvernement fédéral occupera par rapport aux gouvernements locaux exactement la même position que celle du gouvernement impérial par rapport aux colonies. […] si nous avions pu avoir un seul gouvernement et un seul Parlement pour toutes les provinces, nous aurions eu le gouvernement le meilleur, le moins coûteux, le plus vigoureux et le plus fort. »

John A. Macdonald, 1865

5.19

18 *a*) Selon le document 5.19, Macdonald souhaite-t-il une union fédérale ? une union législative ? Justifie ta réponse.

b) Pourquoi ce type d'union permettrait-il un gouvernement « plus fort » ?

c) Selon toi, quelle serait l'attitude de Macdonald s'il devenait premier ministre d'une fédération ?

 « Il existe une autre raison qui explique l'impossibilité de l'union législative : nous n'aurions pu la faire adopter. Il fallait ou accepter une union fédérale ou abandonner toute négociation. Non seulement nos amis du Bas-Canada s'y opposaient, mais les délégués des provinces maritimes la rejetaient également ; nous n'avions pas le choix : c'était l'union fédérale ou rien. »

George Brown, 1865

5.20

19 *a*) Pourquoi le Bas-Canada (Canada-Est) ne voulait-il pas d'une union législative ? Et les Maritimes ?

b) D'après toi, pourquoi Macdonald finit-il par se rallier à l'idée d'une union fédérale ?

c) Pourquoi Brown parle-t-il de ses « amis du Bas-Canada » alors qu'avant 1865, il aurait plutôt employé l'expression contraire ?

LE PROJET D'UNION FÉDÉRALE

Au cours de l'été 1864, le projet d'union des colonies anglaises d'Amérique du Nord est abondamment discuté dans le Canada-Uni, mais c'est dans les Maritimes qu'il se concrétise d'abord.

LA CONFÉRENCE DE CHARLOTTETOWN

5.21 Les délégués des colonies à la conférence de Charlottetown.

Le 1er septembre 1864, une **conférence** s'ouvre à **Charlottetown**, qui réunit des représentants de l'Île-du-Prince-Édouard, de la Nouvelle-Écosse et du Nouveau-Brunswick. Cette réunion a pour objectif d'élaborer un projet d'union législative des colonies anglaises de l'Atlantique. Des politiciens du Canada-Uni y viennent à titre d'observateurs et comptent bien présenter leur projet d'union fédérale de toutes les colonies anglaises d'Amérique du Nord.

Lorsque les délégués canadiens prennent la parole, leurs propos suscitent un tel enthousiasme que le projet d'union des colonies des Maritimes est remplacé par le projet d'union fédérale de toutes les colonies anglaises. Au cours des pourparlers, on discute du partage des pouvoirs entre le gouvernement fédéral et les gouvernements provinciaux. Les participants s'entendent pour que les pouvoirs résiduaires, c'est-à-dire les pouvoirs qui ne sont pas expressément accordés aux provinces, dépendent du gouvernement fédéral. On entend donc créer une **union fédérale centralisée**.

UNE UNION FÉDÉRALE CENTRALISÉE

« La conférence [de Québec] en est venue à adopter une forme de gouvernement fédéral qui pourra avoir toute la force d'une union législative et administrative pendant qu'en même temps, nous conservons la liberté d'action en faveur des différentes sections […] nous avons trouvé un plan de gouvernement qui possède le double avantage de nous donner la puissance d'une union législative et la liberté d'une union fédérale, une protection enfin des intérêts locaux. »

John A. Macdonald, 1865

5.22

20 *a*) Selon Macdonald, quels sont les avantages d'une union fédérale ?

b) Selon toi, a-t-il rejeté toute idée d'union législative ? Justifie ta réponse.

c) D'après Macdonald, est-ce le gouvernement fédéral qui doit posséder le plus de pouvoirs ? le gouvernement provincial ? Justifie ta réponse.

« […] dans l'intérêt du Bas-Canada [on] devra chercher à donner plus d'élasticité au lien fédéral et à repousser les éléments de centralisation dans la distribution des pouvoirs […] de manière à en faire une véritable confédération et à nous éloigner le plus possible des principes adoptés et qui font de la Confédération actuelle plutôt une union législative qu'une union fédérale. »

Journal *Le Pays*, 1867

5.23

21 *a*) À l'aide des mots « centralisation » et « décentralisation », explique les différences qui existent entre union législative, union fédérale et « véritable confédération ».

b) Quel souhait le document 5.23 exprime-t-il à l'égard de la « confédération actuelle » ? Pourquoi ?

c) Crois-tu que Macdonald partage ce vœu ? Justifie ta réponse.

d) Aujourd'hui, discute-t-on encore d'union législative, de fédération et de « véritable confédération » ? Justifie ta réponse.

La conférence de Québec

Le 10 octobre 1864, la **conférence** se poursuit dans la ville de **Québec**. Devant les délégués de toutes les colonies anglaises d'Amérique du Nord venus discuter d'union fédérale, Macdonald insiste sur le « principe d'un fort gouvernement central ».

Après seize jours de délibérations se tenant à huis clos, les participants adoptent les **Soixante-douze résolutions**, qui serviront de base à la nouvelle constitution. Ces résolutions définissent le rôle et la composition des futures institutions de la Confédération et traitent de répartition des pouvoirs entre gouvernement fédéral et gouvernements provinciaux. De plus, il y est question de la nécessité de construire l'Intercolonial.

La naissance de la Confédération

Même si les délégués des colonies se sont entendus sur les Soixante-douze résolutions, il leur faut l'accord du gouvernement de Londres de même que celui de chacune des législatures des colonies pour mettre leur projet à exécution.

Le débat dans les colonies

À la Chambre d'assemblée du Canada-Uni, Brown, Macdonald et Cartier présentent avec enthousiasme le projet de Confédération. Mais le chef du Parti rouge, Antoine-Aimé Dorion, manifeste une ferme opposition à ce projet, dans lequel il voit une « union législative déguisée ». De plus, il s'indigne du fait que le peuple ne soit pas consulté au sujet d'une décision de cette importance. Malgré cette opposition, le 10 mars 1865, après 33 jours de débats, les résolutions de Québec sont adoptées par 91 voix contre 33.

Dans le Canada-Est, la population francophone manifeste peu d'intérêt pour ce débat. De son côté, la minorité anglaise craint de voir son pouvoir politique diminuer dans la future province de Québec. Pour la rassurer, on lui accorde, en 1866, la garantie d'un nombre minimum de députés en créant douze « comtés protégés ». De plus, le prestigieux Alexander Galt devient le porte-parole de cette minorité et obtient que soit reconnu son droit à des écoles protestantes.

Bals et banquets

Les pères de la Confédération sont non seulement de futés politiciens mais aussi de joyeux fêtards ! Leurs conférences sont souvent suivies de grandes réceptions qui peuvent réunir jusqu'à mille personnes. On y boit tellement qu'un journaliste de l'époque a qualifié ces banquets de « grandes beuveries ». De plus, on peut y rencontrer de fort jolies dames.

Un autre journaliste, ayant vu dans ces célébrations une tactique pour « vendre » la Confédération, affirmait : « Ils semblent croire que tourner les têtes équivaut à convaincre les esprits. »

LES CANADIENS FRANÇAIS ET LA CONFÉDÉRATION

VOTE DU 10 MARS 1865 SUR LE PROJET DE CONFÉDÉRATION		
	Pour	**Contre**
Canada-Ouest	54 députés canadiens-anglais	8 députés canadiens-anglais
Canada-Est	11 députés canadiens-anglais	3 députés canadiens-anglais
	26 députés canadiens-français	22 députés canadiens-français
Total	91 députés	33 députés

5.24

22 À l'aide du document 5.24, fais un court commentaire sur les résultats du vote

a) dans le Canada-Ouest.

b) dans le Canada-Est.

c) chez les Canadiens français.

« [Je suis] en faveur d'une confédération des deux provinces du Haut et du Bas-Canada, mais d'une confédération réelle, donnant les plus grands pouvoirs aux gouvernements locaux, et seulement une autorité déléguée au gouvernement général. »

Antoine-Aimé Dorion, chef du Parti rouge, 1865

5.25

« Je sais que le désir de toutes les personnes présentes est d'achever cette grande oeuvre nationale, qui liera en un même faisceau tous les principaux intérêts des colonies et qui fera de nous tous une véritable nation. »

George-Étienne Cartier, chef du Parti bleu, 1864

5.26

23 a) Dans les documents 5.25 et 5.26, quel parti politique appuie le projet de confédération proposé en 1865 ? quel parti s'y oppose ?

b) Quel argument chacun des partis utilise-t-il ?

Dans les Maritimes, le projet de confédération rencontre une forte opposition. À la Chambre d'assemblée de l'Île-du-Prince-Édouard et de Terre-Neuve, il est carrément rejeté par la majorité des députés. En Nouvelle-Écosse, le premier ministre, Charles Tupper, ne le présente pas immédiatement parce qu'il craint une victoire des opposants. Au cours de la session de 1866, le projet est toutefois adopté. Au Nouveau-Brunswick, le premier ministre, Samuel Leonard Tilley, fervent adepte du projet, déclenche en 1865 des élections que les fédéralistes perdent. L'année suivante, de nouvelles élections ont lieu, dans lesquelles Londres intervient par l'intermédiaire du gouverneur. Grâce à cet appui, les fédéralistes prennent le pouvoir et le projet est accepté.

LA CONFÉRENCE DE LONDRES

En décembre 1866, la **conférence de Londres** réunit les délégués des colonies pour parfaire les résolutions de Québec. Grâce à son imposant pouvoir économique et à l'influence dont elle jouit auprès des politiciens, la minorité anglo-protestante du Canada-Est obtient le droit à des écoles séparées, droit qui sera inscrit à l'article 93 de la nouvelle constitution.

Par ailleurs, on s'entend sur le nom à attribuer au nouveau pays, le Dominion du Canada, ainsi que sur sa devise, « D'un océan à l'autre » *(A mari usque ad mare)*.

Le 29 mars **1867**, l'**Acte de l'Amérique du Nord britannique** (AANB) est adopté au Parlement de Londres. La nouvelle constitution est officiellement proclamée le 1er juillet suivant à Ottawa, siège du gouvernement fédéral. Quatre provinces forment alors le Canada : l'Ontario, le Québec, le Nouveau-Brunswick et la Nouvelle-Écosse.

5.27 La reine Victoria, qui sanctionna l'Acte de l'Amérique du Nord britannique en 1867.

Quel événement important de l'histoire du Québec est survenu en 1837, année où elle accéda au trône ?

LES ÉLECTIONS DE 1867 AU QUÉBEC

Lors des élections qui suivent l'adoption de l'AANB, le clergé catholique incite la population à accepter cette nouvelle constitution. Les conservateurs, qui se présentent comme les artisans de la Confédération, remportent 45 des 65 sièges du Québec.

LE SYSTÈME POLITIQUE CANADIEN

5.1.3 Caractéristiques du système politique canadien.

LE PARTAGE DES POUVOIRS

LA RÉPARTITION DES POUVOIRS SELON L'AANB		
Gouvernement fédéral	**Gouvernements fédéral et provinciaux**	**Gouvernements provinciaux**
Article 91	*Article 95*	*Article 92*
Paix, ordre et bon gouvernement		
Droit criminel		Droit civil
Commerce, navigation, pêcheries, transports	Agriculture	Terres publiques
Monnaies, banques		Hôpitaux, asiles, hospices
Défense		
Service postal, télégraphe	Immigration	Institutions municipales
Indiens et territoires des indiens		Travaux publics autres que chemins de fer, canaux et télégraphe
Taxes directes (impôts) et indirectes (douanes, taxe de vente, etc.)		Taxes directes (impôts)
Pouvoirs résiduaires		Affaires locales
Article 132		*Article 93*
Relations avec les pays étrangers		Éducation

5.28

24 En 1867, est-ce le drapeau canadien ou le drapeau québécois que l'on devrait voir au bureau de poste ? à l'hôpital ? à l'école ? sur une base militaire ? à l'ambassade ? à l'hôtel de ville ?

25 Selon l'AANB, chacun des énoncés suivants est-il vrai ? faux ? partiellement vrai ? partiellement faux ? Justifie ta réponse.

   a) Le Québec ne peut ni émettre sa propre monnaie ni prélever des impôts sur les revenus des particuliers.

   b) Les réserves amérindiennes et l'immigration sont de compétence fédérale.

LE FÉDÉRALISME

Le Canada créé en 1867 est une fédération, c'est-à-dire une « union de plusieurs États qui se soumettent à un pouvoir général, tout en conservant un gouvernement particulier », tel que le définit un dictionnaire de l'époque. Le point le plus important de l'Acte de l'Amérique du Nord britannique est la répartition des pouvoirs entre les deux niveaux de gouvernement. Le **gouvernement fédéral** légifère dans le domaine des **affaires générales** tandis que les **gouvernements provinciaux** gèrent les **affaires locales**. Chaque gouvernement est considéré comme autonome dans ses domaines, c'est-à-dire libre de ses décisions et de ses actes dans ses sphères de compétence. Les deux niveaux de gouvernement sont donc à la fois indépendants et complémentaires.

> Fédération

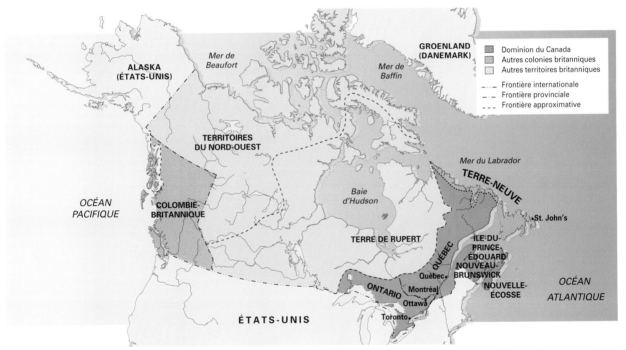

5.29 Le Canada en 1867, après l'Acte de l'Amérique du Nord britannique.

LA CENTRALISATION

Le fédéralisme canadien défini dans l'AANB comporte une nette tendance à la centralisation : le gouvernement fédéral possède les pouvoirs résiduaires et les principales sources de revenus. De plus, il a le pouvoir d'annuler une loi provinciale et d'intervenir dans les domaines de compétence provinciale en y investissant de l'argent ou en décrétant que l'intérêt national l'exige.

LES INSTITUTIONS POLITIQUES EN 1867

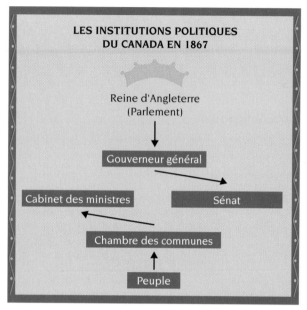

LES INSTITUTIONS POLITIQUES DU CANADA EN 1867

Reine d'Angleterre
(Parlement)

Gouverneur général

Cabinet des ministres   Sénat

Chambre des communes

Peuple

5.30

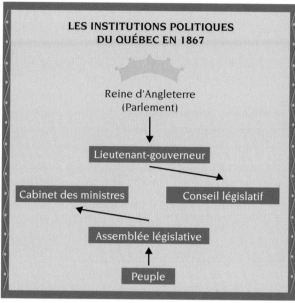

LES INSTITUTIONS POLITIQUES DU QUÉBEC EN 1867

Reine d'Angleterre
(Parlement)

Lieutenant-gouverneur

Cabinet des ministres   Conseil législatif

Assemblée législative

Peuple

5.31

LES INSTITUTIONS POLITIQUES CONTEMPORAINES

Canada	Québec
Le premier ministre nomme le gouverneur général et les sénateurs.	Le premier ministre, conjointement avec le premier ministre du Canada, nomme le lieutenant-gouverneur. Le Conseil législatif a été aboli en 1968. L'Assemblée législative se nomme «Assemblée nationale» depuis 1968.

5.32

26 À l'aide des documents 5.30 à 5.32, fais des organigrammes des institutions politiques du Canada et du Québec d'aujourd'hui.

27 *a)* Que désigne l'expression «gouvernement québécois»? «Parlement québécois»?

b) Aujourd'hui, qui est le chef du gouvernement québécois? Où situerais-tu cette personne dans le document 5.31?

c) Dans la pratique, est-ce le pouvoir exécutif (Cabinet des ministres) ou le pouvoir législatif (Assemblée nationale) qui dirige la province de Québec? Justifie ta réponse.

LE BILINGUISME

Dans l'article 133 de l'AANB, les langues anglaise et française sont reconnues comme langues officielles des institutions politiques et des tribunaux fédéraux. Au niveau provincial, cet article ne s'applique que dans la province de Québec.

L'ÉDUCATION

Selon l'article 93, le gouvernement provincial a le droit exclusif de légiférer dans le domaine de l'éducation. Toutefois, les minorités religieuses protestante et catholique peuvent obtenir des écoles séparées en Ontario et au Québec. De plus, si une Assemblée provinciale vote une loi portant atteinte aux droits d'une minorité religieuse reconnue, celle-ci peut faire appel au gouvernement fédéral pour qu'il adopte une loi réparatrice.

 ## LE PARLEMENTARISME

L'AANB ne fait pas du Canada un pays souverain : celui-ci demeure une colonie de l'Angleterre. Il jouit cependant d'une **autonomie intérieure**, c'est-à-dire que son gouvernement est issu de sa population et qu'il possède le droit exclusif de légiférer sur son territoire. Mais il dépend de sa métropole pour tout ce qui touche les relations extérieures. De plus, tout changement à sa constitution doit être voté par le Parlement de Londres.

Le Canada est une **monarchie constitutionnelle** qui fonctionne toujours selon le modèle anglais, le **système parlementaire**.

 ## LA JUSTICE

Le système judiciaire canadien reflète bien l'esprit du fédéralisme. C'est le gouvernement fédéral qui nomme les juges des tribunaux supérieurs des provinces. De plus, il est prévu que le gouvernement du Canada pourra créer une cour d'appel. Les juges des tribunaux inférieurs sont nommés par les gouvernements des provinces.

Ce système reflète aussi la situation coloniale du Canada. C'est un comité judiciaire du Conseil privé anglais qui constitue le plus haut tribunal du pays. Il est l'ultime tribunal d'appel et a de plus la charge d'interpréter la Constitution.

5.33 Défilé de la Saint-Jean devant l'hôtel du Parlement de Québec en construction.
Pourquoi, après 1867, a-t-il été nécessaire de construire un tel édifice au Québec ?

Échelle de temps

1867
ACTE DE
L'AMÉRIQUE
DU NORD
BRITANNIQUE

1866
FIN DU TRAITÉ
DE RÉCIPROCITÉ
AVEC LES
ÉTATS-UNIS
CONFÉRENCE
DE LONDRES
RAIDS DES
FÉNIENS

1865
ADOPTION DES
RÉSOLUTIONS
DE QUÉBEC AU
CANADA-UNI

1864
CONFÉRENCE
DE QUÉBEC
CONFÉRENCE DE
CHARLOTTETOWN
GRANDE
COALITION

1863
DEUX
GOUVERNEMENTS
SUCCESSIFS AU
CANADA-UNI

1862
DEUX
GOUVERNEMENTS
SUCCESSIFS AU
CANADA-UNI

1861
DÉBUT DE LA
GUERRE DE
SÉCESSION AUX
ÉTATS-UNIS

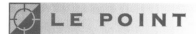

LE POINT

1 Sur l'échelle de temps ci-contre, repère les événements qui ont pu favoriser l'avènement d'une union des colonies anglaises de l'Amérique du Nord.

« Je ne peux pas fermer les yeux sur le fait qu'ils veulent se débarrasser de nous. Ils entretiennent une peur servile des États-Unis et ils nous abandonneraient plutôt que de nous défendre, ou d'encourir le risque d'une guerre contre ce pays. »

Alexander Galt, lettre à sa femme, Londres, 1867

5.34

Le 14 mars 1864, George Brown fait un discours à la Chambre d'assemblée du Canada-Uni. Il y parle des nombreuses crises ministérielles qui se sont succédé au cours des dernières années: deux en 1854, deux en 1855, deux en 1857, deux en 1858, une en 1862 et une en 1863. Il termine son discours en déclarant: « Et combien d'autres nous réserve 1864 ? »

5.35

« [...] le chemin de fer Intercolonial [aura comme effet] d'activer le commerce et de favoriser intensément la colonisation. »

Journal *Le Courrier de Saint-Hyacinthe*, 1867

5.36

2 À l'aide des documents 5.34 à 5.36 et de l'échelle de temps ci-contre, rédige un court texte montrant les principales causes de la formation de la fédération canadienne et les liens qui existent entre ces causes.

3 Associe au bon personnage chacun des énoncés suivants.

John Alexander Macdonald	George-Étienne Cartier
Antoine-Aimé Dorion	George Brown

a) C'est un chaud partisan de la représentation proportionnelle.

b) Il aurait préféré une union législative à une union fédérale.

c) C'est le chef du Parti bleu.

d) Il est contre la Confédération parce qu'il y voit une « union législative déguisée ».

4 Remplis un tableau semblable au suivant.

	Conférence de Charlottetown	Conférence de Québec	Conférence de Londres
Année Objectif Résultat			

« [...] nous avons concentré la force dans le gouvernement général. Nous avons déféré à la législature fédérale toutes les grandes questions de législation. Nous lui avons conféré, non seulement en les spécifiant et détaillant, tous les pouvoirs inhérents à la souveraineté et à la nationalité, mais nous avons expressément déclaré que tous les sujets d'un intérêt général, non délégués aux législatures locales, seraient du ressort du gouvernement fédéré [...] Par ce moyen nous avons donné de la force au gouvernement général. »

John A. Macdonald, 1865

5.37

5 *a*) Quel est le principe de base d'une fédération ?

b) Selon Macdonald, la Confédération canadienne est-elle une fédération centralisée ou décentralisée ? Relève deux points du document 5.37 qui le démontrent.

✕ EN RÉSUMÉ

1 Les origines de la Confédération canadienne sont:

- la **crainte d'une invasion américaine**, qui incite les colonies anglaises à établir entre elles une union militaire, d'autant plus que l'Angleterre veut renoncer à assurer la défense de ses colonies;

- la **fin du traité de réciprocité** avec les États-Unis, qui pousse les colonies à former un vaste ensemble commercial, et le fait que les Maritimes et le Canada-Uni aient des économies complémentaires;

- la **nécessité de construire un chemin de fer**, l'Intercolonial, pour relier les Grands Lacs à l'Atlantique sans passer par les États-Unis, qui amène le Canada-Uni et les Maritimes à souhaiter une union;

- l'**instabilité politique** du Canada-Uni, qui pourrait prendre fin grâce à la coalition de Brown, Macdonald et Cartier et à leur projet d'union fédérale. Dans une union fédérale, les querelles à propos de la double majorité et du « *Rep by Pop* » n'auraient plus leur raison d'être.

2 La Confédération a été bâtie en plusieurs étapes.

- Septembre 1864: à la **conférence de Charlottetown**, les participants envisagent la création d'une **union fédérale centralisée** de toutes les colonies anglaises de l'Amérique du Nord.

- Octobre 1864: à la **conférence de Québec**, on concrétise ce projet en adoptant les **Soixante-douze résolutions**.

- 1865-1866: le projet d'union est rejeté à Terre-Neuve et à l'Île-du-Prince-Édouard; il est accepté au Canada-Uni, au Nouveau-Brunswick et en Nouvelle-Écosse.

- Décembre 1866: à la **conférence de Londres**, on finalise le projet de confédération.

- Mars **1867**: l'**Acte de l'Amérique du Nord britannique** est adopté au Parlement de Londres.

- Le 1er juillet 1867, le **Dominion du Canada** est officiellement né. Il est formé de quatre provinces: l'Ontario, le Québec, le Nouveau-Brunswick et la Nouvelle-Écosse.

3 Fédéralisme et parlementarisme constituent les deux dominantes du système politique canadien.

- Le **fédéralisme** se définit par deux niveaux de gouvernement:
  - le **gouvernement fédéral** gère les **affaires générales**;
  - le **gouvernement provincial** gère les **affaires locales**.

  Le fédéralisme canadien manifeste une tendance centralisatrice, c'est-à-dire qu'il attribue beaucoup de pouvoirs au gouvernement fédéral.

- Le **parlementarisme** demeure tel qu'il était auparavant, c'est-à-dire que la structure des institutions politiques est calquée sur le modèle anglais.

5.38 Alors que des députés s'en vont présenter la Confédération à Londres, Antoine-Aimé Dorion tente de se joindre à eux.
Pourquoi George-Étienne Cartier lui fait-il un pied-de-nez?

POUR LA SUITE DE L'HISTOIRE...

L'Acte de l'Amérique du Nord britannique a donné naissance au Canada moderne. L'adoption de cette constitution entraînera l'expansion territoriale du pays ainsi que le développement d'une économie intégrée entre les provinces. Mais elle engendrera aussi de graves problèmes...

LE QUÉBEC DE 1867 À 1896

5.2 Évolution du Québec au sein de la nouvelle réalité canadienne.

CARICATURES ET ACTUALITÉ

Les journaux utilisent souvent des caricatures pour illustrer l'actualité avec humour. En exagérant certains traits, les caricaturistes veulent attirer notre attention et nous amener à jeter un regard critique sur notre société.

Pour bien décoder une caricature, il faut en observer tous les détails : allure, position et propos des personnages, légende, etc.

5.39 Un jeune Canada plutôt dodu !

1 *a*) Dans le document 5.39, pourquoi le Canada est-il représenté par un jeune garçon ?

    b) Pourquoi est-il gros ?

    c) Les grands personnages de gauche et de droite représentent trois pays importants.

       Quels sont ces pays ?

    d) L'attitude de ces trois personnages démontre leur surprise et même leur inquiétude devant le Canada.

       D'après toi, de quelle nature est cette inquiétude ? En 1880, avaient-ils raison de manifester une telle attitude ? De nos jours, cette attitude serait-elle encore pertinente ? Justifie tes réponses.

2 Dans les journaux récents, trouve une caricature à contenu politique et fais-en l'analyse.

| PÉRIODE AUTOCHTONE | PÉRIODE DU RÉGIME FRANÇAIS | PÉRIODE DU RÉGIME BRITANNIQUE | PÉRIODE CONTEMPORAINE |

LE QUÉBEC À LA FIN DU 19ᵉ SIÈCLE

1867   1896

PANORAMA

Au cours des 30 années qui suivent l'adoption de l'Acte de l'Amérique du Nord britannique, le Canada vit d'importants changements. Sur le plan territorial, de nouvelles provinces joignent la Confédération : le Canada s'étale désormais « d'un océan à l'autre ». Sur le plan politique, l'application du fédéralisme engendre des tensions entre les deux paliers de gouvernement. Sur le plan économique, une crise contraint le gouvernement à adopter une nouvelle stratégie de développement, la « politique nationale ».

Au cours de cette période, la province de Québec connaît une première étape d'industrialisation. Les nouvelles conditions de travail subies par les ouvriers les poussent à lutter pour leur syndicalisation. Les villes se développent et les conditions de vie y diffèrent de plus en plus de celles des régions rurales. L'agriculture se transforme et les chemins de fer permettent l'ouverture de nouvelles régions à la colonisation. Cependant, le développement économique ne suffit pas à assurer du travail à une population en constante croissance. De nombreux habitants de la province de Québec émigrent aux États-Unis pour améliorer leurs conditions de vie.

5.40 Grève au port de Montréal en 1880.

La religion occupe toujours une place importante dans la vie des Canadiens français et le clergé y joue un rôle déterminant.

- *Quels sont les principaux problèmes liés aux changements apportés par la Confédération ?*

- *Quelles solutions sont envisagées pour résoudre ces problèmes ?*

- *Comment le Québec réagit-il à la nouvelle réalité politique et économique ?*

- *Comment les ouvriers et les agriculteurs réagissent-ils à leurs nouvelles conditions de vie ?*

LA CROISSANCE DU CANADA

5.2.1 Tentatives de solutions aux problèmes de croissance du Canada.

LES MÉTIS ET LA COLONISATION

Les Métis, ou «sang-mêlé», forment un peuple entre Blancs et Amérindiens. Beaucoup d'entre eux sont issus de l'union de coureurs des bois canadiens-français et d'Amérindiennes.

3 Quelles informations peux-tu tirer du document 5.41 quant à la vie d'un Métis de 1860?

5.41 Un Métis de la région de la rivière Rouge.

«Ces impulsifs Métis doivent être tenus en respect jusqu'à ce que l'arrivée massive de nouveaux colons les engloutisse.»

John A. Macdonald, 1870

5.42

4 Beaucoup de Canadiens de l'époque auraient pu écrire la phrase du document 5.42.

a) Que révèle ce document sur l'attitude des Canadiens à l'égard des Métis?

b) Crois-tu que ces propos pourraient aussi avoir été tenus à l'endroit des Amérindiens de l'époque? Justifie ta réponse.

c) D'après toi, cette attitude existe-t-elle encore aujourd'hui? Justifie ta réponse.

UN GRAND CANADA

Quelques années après la naissance de la Confédération, trois nouvelles provinces s'ajoutent au Canada.

LE MANITOBA

En 1859, le bail que la Compagnie de la baie d'Hudson avait signé avec l'Angleterre concernant la Terre de Rupert prend fin. Le Canada souhaite annexer ce territoire peuplé de quelques colons venus de l'Ontario et d'une majorité de **Métis** dont la plupart sont des catholiques franco-phones vivant de la chasse au bison et du commerce des fourrures.

Métis

Au printemps de 1870, une délégation de Métis, dirigée par Louis Riel, se rend à Ottawa pour réclamer une province distincte dans laquelle leurs droits seraient reconnus. Le 12 mai, la Chambre des communes vote le *Manitoba Act*, ou Loi du **Manitoba**, qui reconnaît aux Métis le droit de propriété des terres qu'ils occupent et le droit au bilinguisme et aux écoles confessionnelles distinctes.

Au cours des années suivantes, les Métis sont contraints d'émi-grer vers l'Ouest à cause de la venue de colons blancs. Installés dans la région de la rivière Saskatchewan, ils voient leurs conditions de vie se détériorer d'année en année. La disparition des troupeaux de bisons et l'ar-rivée de nouveaux colons ne font qu'empirer la situation.

En 1884, devant l'insensibilité des autorités politiques canadiennes, ils font appel à Louis Riel, alors réfugié aux États-Unis, pour plai-der leur cause. Riel tente de né-gocier une nouvelle entente avec le gouvernement fédéral, mais il rencontre un refus et 8 000 sol-dats sont envoyés pour mater la révolte des Métis. Riel est fait prisonnier, jugé et reconnu coupa-ble de haute trahison. Le 16 no-vembre 1885, il est pendu à Régina.

5.43 Les chefs de la rébellion de 1885. À cheval, Louis Riel.

Un grand Canada unifié

Aussitôt après avoir pris possession des Territoires du Nord-Ouest et de la Terre de Rupert, le Canada signe une série de traités avec les Amérindiens. Par ces traités, ces derniers cèdent leurs terres au gouvernement fédéral et consentent à vivre dans des réserves en échange de certaines compensations.

5.44

Lors des premières élections qui suivent la naissance de la Confédération, la population de la Nouvelle-Écosse élit une majorité de députés qui souhaitent que cette province se retire du Canada. Macdonald propose alors d'améliorer l'entente financière entre le gouvernement fédéral et la Nouvelle-Écosse et invite Joseph Howe, le chef du mouvement contestataire, à faire partie du cabinet fédéral. La Nouvelle-Écosse demeure dans la Confédération canadienne.

5.45

 « […] nous devons prendre immédiatement des mesures énergiques pour contrecarrer [les] plans [des États-Unis dans l'Ouest]. Pour bien démontrer notre détermination, la première chose à faire, c'est de construire le chemin de fer. »

John A. Macdonald, 1870

5.46

5.47 Pont en bois du Canadien Pacifique.

5 a) À l'aide des documents 5.44 à 5.46, explique de quelle façon le gouvernement fédéral s'y prend pour créer un Canada unifié.

b) Aujourd'hui, les Amérindiens sont-ils satisfaits du système des réserves et des compensations obtenues?

c) Existe-t-il aujourd'hui des régions qui songent à se retirer du Canada? Justifie ta réponse.

Le procès et la condamnation de Riel suscitent des réactions contradictoires. En Ontario, on se réjouit de sa mort, qui venge celle de Thomas Scott, arpenteur canadien-anglais fusillé par les Métis en 1870. Le gouvernement ontarien avait d'ailleurs offert une récompense de 5 000 $ à qui trouverait les meurtriers de Scott.

Au Québec, on est solidaire de celui qu'on surnomme « notre frère Riel ». À l'annonce de sa mort en 1885, le journal *La Presse* titre : « Montréal en larmes. » Cinquante ans après la pendaison de Riel, un des jurés du procès de Régina avoue : « Nous avons jugé Riel pour trahison et il a été pendu pour le meurtre de Scott. »

LA COLOMBIE-BRITANNIQUE

Après avoir hésité entre l'annexion aux États-Unis et l'intégration au Canada, la **Colombie-Britannique** entre dans la Confédération en 1871. Le gouvernement fédéral s'engage alors à construire un **chemin de fer** pour relier cette province aux autres.

L'ÎLE-DU-PRINCE-ÉDOUARD

L'**Île-du-Prince-Édouard**, qui avait refusé de faire partie du Canada en 1867, rejoint la Confédération en 1873. Le gouvernement fédéral accepte de défrayer les coûts d'un service de **traversier** reliant cette province au continent et d'y construire un chemin de fer.

5.48 Le sort de Riel est entre les mains de Macdonald.

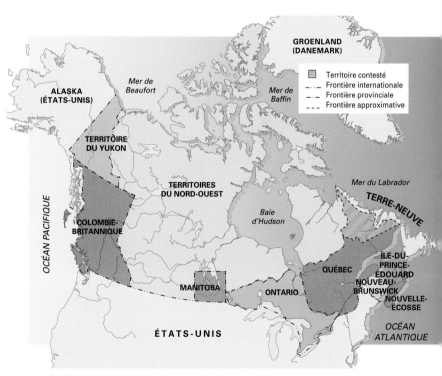

5.49 Le Canada vers 1900.

CENTRALISATION ET DÉCENTRALISATION

« Si la Confédération dure, vous verrez [...] le pouvoir général absorber les Parlements et les gouvernements locaux. Pour moi, c'est aussi évident que si je le voyais accompli mais, bien sûr, on ne peut pas adopter ce point de vue en discutant du sujet dans le Bas-Canada. »

John A. Macdonald, 1864

5.50

« En se constituant en confédération, les provinces n'ont pas entendu renoncer et de fait n'ont pas renoncé à leur autonomie ; cette autonomie, leurs droits, leurs pouvoirs et leurs prérogatives, elles les ont expressément conservés, pour ce qui est du ressort de leur gouvernement interne ; en formant entre elles une association fédérale sous les rapports politiques et législatifs, elles n'ont formé un gouvernement central que pour des fins interprovinciales. »

Thomas-Jean-Jacques Loranger, juge, 1883

5.51

6 *a*) Résume en deux paragraphes l'opinion de Macdonald et celle de Loranger sur les rapports entre le gouvernement fédéral et les gouvernements provinciaux.

   b) Aujourd'hui, quelle est la position des principaux partis politiques canadiens à l'égard de la politique de centralisation du gouvernement fédéral ? Quelle est la position du Québec sur ce point ?

« Dans les limites de sujets précités [article 92], la législature locale exerce un pouvoir souverain et possède la même autorité que le Parlement impérial ou le Parlement du Dominion aurait, dans des circonstances analogues. »

Conseil privé de Londres, 1883

5.52

7 *a*) En 1883, le Conseil privé de Londres se prononce-t-il dans le sens de la position de Macdonald ou de celle de Loranger ? Justifie ta réponse.

   b) Est-il favorable à une union législative ou à une véritable confédération ? Justifie ta réponse.

LE FÉDÉRALISME

Au cours des 25 années qui suivent la naissance de la Confédération, John A. Macdonald demeure presque sans interruption premier ministre du Canada.

CENTRALISATION FÉDÉRALE ET AUTONOMIE PROVINCIALE

Macdonald croit en la nécessité d'un **gouvernement fédéral fort**. Pour lui, le gouvernement central du Canada devrait détenir à peu près tous les pouvoirs. Il utilise donc au maximum les pouvoirs que, selon lui, l'AANB lui confère, et cela se fait souvent au détriment des gouvernements provinciaux. En dix ans, il intervient 29 fois pour faire annuler des lois votées par l'Assemblée législative de l'Ontario. Les relations qu'il entretient avec le premier ministre de cette province, Oliver Mowatt, sont pour le moins tendues. Les deux hommes n'ont manifestement pas la même interprétation de la Constitution. En 1883, le Conseil privé de Londres donne raison à l'Ontario en reconnaissant à cette province les pleins pouvoirs dans les domaines qui relèvent de sa compétence.

Dans sa lutte contre la centralisation fédérale, Mowatt trouve un allié précieux en la personne d'**Honoré Mercier**, premier ministre du Québec. S'inspirant de la thèse du juge Thomas-Jean-Jacques Loranger, Mercier élabore la théorie selon laquelle ce sont les **provinces** qui ont créé le Canada. Elles doivent donc être **autonomes** et souveraines dans leurs champs de compétences et conserver tous les pouvoirs qui n'ont pas été concédés au gouvernement fédéral, c'est-à-dire les pouvoirs résiduaires. Cette conception va à l'encontre de celle de Macdonald, pour qui ces pouvoirs appartiennent au fédéral.

> «Nous ne sommes pas une demi-douzaine de provinces. Nous sommes un seul grand Dominion.»
>
> John A. Macdonald, Chambre des communes, 1882

> «[…] une vaste conspiration est en permanence contre l'autonomie provinciale.»
>
> Honoré Mercier, Assemblée législative de la province de Québec, 1884

Autonomie

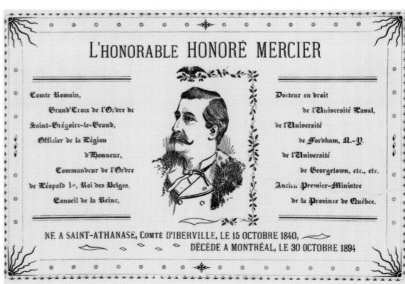

5.53 Carte mortuaire imprimée à la suite du décès d'Honoré Mercier. Près de 25 000 personnes défilèrent devant sa dépouille.

L'HONORABLE HONORÉ MERCIER

Comte Romain,
Grand'Croix de l'Ordre de Saint-Grégoire-le-Grand,
Officier de la Légion d'Honneur,
Commandeur de l'Ordre de Léopold 1er, Roi des Belges,
Conseil de la Reine,

Docteur en droit de l'Université Laval,
de l'Université de Fordham, N.-Y.
de l'Université de Georgetown, etc., etc.
Ancien Premier-Ministre de la Province de Québec.

NÉ A SAINT-ATHANASE, Comte D'IBERVILLE, LE 15 OCTOBRE 1840,
DÉCÉDÉ A MONTRÉAL, LE 30 OCTOBRE 1894

LES ÉCOLES DU NOUVEAU-BRUNSWICK

« [Je dis] que les catholiques canadiens-français ont toujours traité libéralement les autres croyances. Ce n'était pas une affaire de majorité ou de minorité : c'était une affaire de justice [...] [Certaines] personnes disaient : "Pourquoi donner aux protestants du Bas-Canada les avantages que [ceux-ci] n'accordent pas aux catholiques ?" [...] je répondais : "[...] il faut accorder toute liberté religieuse à ces compatriotes [...] Ce sera aux autres à faire leur devoir comme nous." »

Georges-Étienne Cartier, 1867

5.54

« Les catholiques [...] ont demandé par requête que l'on accordât le droit dont jouit la minorité protestante de la province de Québec d'établir des écoles [...] séparées, ce qui leur fut refusé [...] En conséquence, vos requérants prient humblement [le gouverneur général du Canada] de désavouer cet acte. »

Pétition des catholiques du Nouveau-Brunswick contre l'abolition des écoles publiques catholiques, 1871

5.55

« La loi passée par le Nouveau-Brunswick est constitutionnelle et je ne vois rien qui puisse justifier le gouvernement du Canada de la désavouer. »

Georges-Étienne Cartier, 1872

5.56

Avant de répondre aux questions suivantes, consulte les documents 5.54 à 5.56.

8 *a*) Comment expliques-tu que l'Assemblée législative du Nouveau-Brunswick ait pu voter une loi abolissant les écoles publiques catholiques ?

   b) À qui les catholiques du Nouveau-Brunswick demandent-ils de l'aide ? Pourquoi ?

9 Vois-tu une contradiction entre le discours de Cartier de 1872 et celui de 1867 ? Justifie ta réponse.

10 De nos jours, existe-t-il encore au Canada des problèmes en ce qui a trait aux droits scolaires des minorités officielles ? Justifie ta réponse.

En 1887, Mercier organise la première rencontre interprovinciale au Canada. Cinq premiers ministres provinciaux y assistent: ils dénoncent l'ingérence du gouvernement fédéral dans les affaires provinciales et exigent une augmentation des subsides fédéraux aux provinces.

5.57 Les «médecins» provinciaux au chevet d'une malade, Miss Canada.

DROITS DES MINORITÉS RELIGIEUSES

L'article 93 de l'AANB attribue le secteur de l'éducation à la compétence provinciale. Cependant, le gouvernement fédéral est le gardien des droits des minorités religieuses en matière d'instruction: il peut voter des lois réparatrices à l'intention de ces minorités.

En 1871, l'Assemblée législative du **Nouveau-Brunswick** vote une loi décrétant la **non-confessionnalité** des écoles publiques. L'existence des écoles catholiques est alors menacée. En 1890, le **Manitoba** fait de même en modifiant sa loi sur les écoles publiques. Dans les deux cas, les catholiques font appel au gouvernement fédéral, qui refuse d'intervenir sous prétexte que l'enseignement est de compétence provinciale. À la même époque, au Québec, la minorité protestante se voit confirmer son droit à des écoles publiques.

UNE ÉCONOMIE DÉPENDANTE

Le développement économique du Canada a toujours été dépendant des marchés extérieurs. Les richesses naturelles du pays – fourrures, bois, etc. – ont toujours été vendues à d'autres pays.

11 Fais les bonnes associations entre les éléments du tableau suivant.

Produits canadiens	Périodes	Pays importateurs	Motifs
Fourrures	Avant 1800	États-Unis	Tarifs préférentiels
Bois	1800-1850	France Angleterre	Traité de réciprocité
Blé, bois, poisson, minerai	1854-1866	Angleterre	Forte demande de peaux

COMMERCE MONDIAL ET ÉCONOMIE CANADIENNE			
	Taux de croissance annuelle		
	Avant 1870	1870-1890	Vers 1900
Commerce mondial	5,5 %	2,2 %	
Produit national brut du Canada	4,0 % et plus	2,5 % à 3,5 %	5,5 % et plus

5.58

12 *a*) D'après le document 5.58, crois-tu que les soubresauts de l'économie mondiale affectent la croissance économique du Canada? Justifie ta réponse.

  b) Selon toi, quel est le taux de croissance annuelle du commerce mondial vers 1900?

13 Pour caractériser les économies canadienne et québécoise, on a l'habitude de dire: «Quand les États-Unis ont la grippe, le Canada et le Québec toussent!»

  a) Selon toi, quelle est la signification de cette boutade?

  b) Est-elle représentative de la réalité actuelle? Si oui, donnes-en des exemples.

  c) De nos jours, la tendance mondiale en matière d'économie est-elle protectionniste ou libre-échangiste? Justifie ta réponse.

L'ÉCONOMIE

Au cours des 30 dernières années du 19e siècle, l'**économie** du monde atlantique fonctionne **au ralenti**. Le Canada en subit les conséquences. Cependant, toutes les régions et tous les secteurs ne sont pas affectés de la même façon.

Les entreprises de construction navale disparaissent presque complètement de la ville de Québec et des provinces Maritimes. Ces chantiers ne peuvent répondre à la nouvelle demande de bateaux de fer nécessaires au transport des marchandises sur l'océan. Par contre, à cause de la construction des chemins de fer, la production de charbon est en pleine expansion en Nouvelle-Écosse.

THE WAY HE WOULD LIKE IT.
CANADA FOR SALE.

PUBLISHED BY THE INDUSTRIAL LEAGUE, FREDERIC NICHOLLS, HON. SEC.

5.59 Miss Canada à vendre.
Selon toi, quel est le sens de cette caricature ?

Une économie au ralenti

Selon l'historien Gilles Piédalu, la situation économique du Canada au cours des 30 dernières années du 19e siècle peut se résumer ainsi :

1867-1873 : relative prospérité ;

1873-1879 : crise économique (mondiale) ;

1879-1882 : reprise économique ;

1882-1886 : dépression économique ;

1886-1890 : relative prospérité ;

1890-1896 : dépression économique.

Les petits commerces et les petites banques ont plus de difficulté à s'ajuster aux changements que les entreprises importantes. Certaines petites entreprises font faillite alors que d'autres s'unissent pour subsister. La constitution de monopoles commence à inquiéter le gouvernement fédéral qui adopte, en 1889, une première loi anti-trust, c'est-à-dire une loi qui empêche les entreprises de s'unir pour réduire la concurrence. Cependant, comme cette loi est appliquée très timidement, elle donne peu de résultats. Au plan social, le ralentissement économique entraîne de lourdes conséquences. Le Canada, et le Québec en particulier, est incapable de fournir du travail à la totalité de la main-d'oeuvre disponible. Des centaines de milliers de gens émigrent aux États-Unis, où une croissance économique nettement supérieure permet la création d'emplois.

LA RELANCE ÉCONOMIQUE

En 1879, le gouvernement fédéral lance un plan de développement, la «politique nationale», afin de mettre fin à la «première grande crise de l'ère industrielle au Canada».

«La politique nationale canadienne de 1879 a plusieurs volets: un volet construction de chemins de fer, le Canadien Pacifique, un volet politique de terres gratuites, de stimulation de l'immigration et puis, et surtout [...], c'est une politique protectionniste, une politique tarifaire, construite pour stimuler l'industrialisation.»

Gilles Paquet, historien, 1981

5.60

14 À quel volet de la politique nationale associes-tu chacun des effets mentionnés dans le tableau suivant?

Volets	Effets
a) Augmentation des tarifs douaniers	1. Peuplement de l'Ouest
b) Construction du Canadien Pacifique	2. Hausse des revenus du gouvernement
c) Encouragement de l'immigration	3. Augmentation du nombre de consommateurs

15 Selon toi, chacun des trois volets de la politique nationale favorise-t-il vraiment l'industrialisation? Justifie ta réponse.

16 Quels ont été les effets de la politique nationale sur

a) les grands entrepreneurs?

b) les ouvriers?

c) les fermiers de l'Ouest?

d) les Métis de l'Ouest?

Justifie tes réponses.

17 À travers la politique nationale, l'État intervient beaucoup dans le secteur de l'économie.

a) Donne quelques exemples d'interventions.

b) Quel effet l'intervention du gouvernement pourrait-elle avoir sur la dette publique?

c) Crois-tu qu'aujourd'hui, les gouvernements du Québec et du Canada aient tendance à intervenir dans l'économie? Justifie ta réponse.

La politique nationale

La crise économique mondiale de 1873-1879 incite le gouvernement fédéral à élaborer un plan de relance de l'économie, la « **politique nationale** ». Ce plan comporte trois points principaux : la construction du **chemin de fer** Canadien Pacifique, l'encouragement de l'**immigration** et la hausse des **tarifs douaniers**.

Ces trois volets sont interreliés. La construction des chemins de fer stimule l'industrialisation et rend l'Ouest accessible aux immigrants. L'immigration augmente la demande de produits de consommation qui peuvent être distribués dans tout le pays grâce aux chemins de fer. La hausse des tarifs douaniers favorise l'industrialisation en protégeant la production des manufactures cana-diennes. Enfin, une plus grande indus-trialisation attire les immigrants et enraie l'émigration vers les États-Unis.

Toutefois la politique nationale ne pro-duit pas tous les effets escomptés. Le développement tant souhaité de l'Ouest se fait très lentement et ne prendra de l'ampleur qu'au tournant du siècle. Quant à la construction des chemins de fer, elle entraîne un gas-pillage énorme ainsi qu'un important drainage des investissements.

5.61 Les bienfaits de la politique nationale.
Quels sont ces bienfaits ?

Industrialisation

C'est dans le domaine de l'**industrialisation** que le succès de la poli-tique nationale est le plus évident. En limitant les importations et en protégeant les produits domestiques, elle encourage la création de ma-nufactures. Des dizaines de milliers d'emplois sont ainsi créés. Cepen-dant, l'industrialisation ne réussit pas à garder au pays les émigrants pour qui le Canada constitue une porte d'entrée vers les États-Unis. Même les Canadiens, et les Canadiens français en particulier, incapables de se trouver de l'emploi, prennent le chemin des « États ».

2 DES TRANSFORMATIONS ÉCONOMIQUES AU QUÉBEC

5.2.2 Transformations économiques et politique nationale.

UNE AGRICULTURE EN TRANSFORMATION

CHEPTEL LAITIER DE LA PROVINCE DE QUÉBEC	
Années	Nombre de vaches
1851	296 000
1871	407 000
1891	550 000

5.62

PRODUCTION DE PRODUITS LAITIERS DANS LA PROVINCE DE QUÉBEC (milliers de livres*)	
Années	Beurre et fromage
1850	10 374
1870	24 801
1890	34 374

5.63

EXPORTATIONS CANADIENNES DE PRODUITS LAITIERS (millions de livres*)		
Périodes	Beurre et fromage	
	Tous pays	Angleterre
1870-1874	29,6	24,4
1880-1884	67,1	64,6
1890-1894	126,3	125,0

5.64

18 À l'aide des informations contenues dans les documents 5.62 à 5.64, décris l'évolution de l'industrie laitière de la province de Québec au cours de la seconde moitié du 19e siècle.

« Mon père a connu le temps de la faucille et celui de la moissonneuse-lieuse. Il a connu la herse à dents de bois et le semoir mécanique […], le fléau et la machine à battre […], la fourche de bois et la fourche d'acier mécanique […] »

Adélard Beauregard, cultivateur, 1894

5.65

CULTURE DU BLÉ ET DE LA POMME DE TERRE DANS LA PROVINCE DE QUÉBEC (milliers d'hectares**)		
Années	Blé	Pomme de terre
1851	166	30
1871	98	52
1891	68	49

5.66

19 À l'aide des documents 5.65 et 5.66, nomme deux transformations importantes survenues dans l'agriculture québécoise au cours de la seconde moitié du 19e siècle.

---

*   Une livre = 454 grammes.
**   Un hectare = 100 mètres carrés.

L'AGRICULTURE

Vers 1870, l'agriculture québécoise est à un point tournant : si
elle ne s'ajuste pas à l'époque,
elle est appelée à connaître une
décroissance marquée. Les agriculteurs optent donc pour la modernisation.

Délaissant la culture traditionnelle du blé, ils s'orientent vers
de nouvelles cultures, telles que
celles des pois et des pommes de
terre. L'**industrie laitière** connaît
une croissance vertigineuse. En
quelques années, beurreries et
fromageries s'installent dans
presque tous les villages. La
très forte demande de produits
laitiers en Angleterre suffit à
assurer un marché intéressant
aux producteurs québécois.

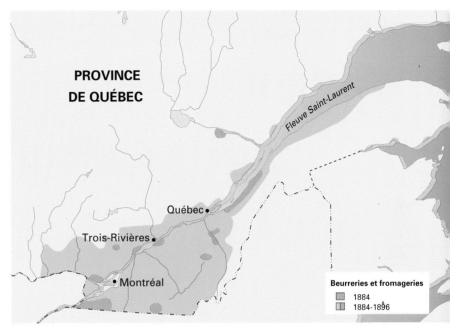

5.67 Les beurreries et les
fromageries de la
province de Québec
entre 1884 et 1896.

Les régions agricoles situées à proximité des villes commencent à se
spécialiser pour répondre à une population urbaine en pleine croissance.
Les agriculteurs développent la culture maraîchère dans les campagnes
avoisinant Montréal.

On améliore les techniques de culture. Les agriculteurs ont accès à une
grande variété de machines agricoles : batteuse, faucheuse, moisson-
neuse, herse. Ces machines leur permettent de rentabiliser leurs terres.
La modernisation de l'agriculture est aussi favorisée par le soutien qu'y
apporte le gouvernement. Des sociétés d'agriculture sont créées dans
le but de diffuser de l'information et d'aider les agriculteurs.

 ## LES CHEMINS DE FER

Le Québec est en retard sur l'Ontario dans le domaine des chemins de
fer. Aussi essaie-t-il de se rattraper en construisant de nouvelles lignes.
Ces voies visent à rendre accessibles les **régions éloignées** afin d'inciter
les gens à s'y établir et à les développer. Le chemin de fer du Nord
mène aux Laurentides, au nord de Montréal, celui du Québec – Lac-
Saint-Jean, à la région du Saguenay – Lac-Saint-Jean, et celui de la baie
des Chaleurs, à la Gaspésie.

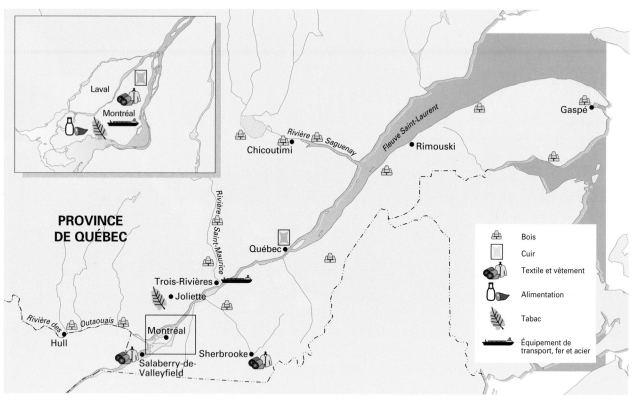

5.68   Les principales industries de la province de Québec à la fin du 19ᵉ siècle.

IMPORTANCE RELATIVE DE CERTAINS SECTEURS INDUSTRIELS DANS LA PROVINCE DE QUÉBEC		
Secteurs	**1870**	**1900**
Alimentation	24 %	24 %
Cuir	19 %	12 %
Bois	15 %	10 %
Vêtement	8 %	10 %
Équipement de transport	4 %	5 %
Fer et acier	4 %	6 %
Tabac	2 %	5 %
Textile	2 %	4 %
Papier	2 %	5 %

5.69

20 À la fin du 19ᵉ siècle, la province de Québec n'a plus une économie uniquement axée sur une agriculture de subsistance.

À l'aide des documents 5.68 et 5.69, démontre-le.

21 Quelle conséquence la première phase d'industrialisation a-t-elle sur les déplacements de population qui ont lieu dans la province de Québec?

C L'INDUSTRIALISATION

Bien que l'industrialisation ait débuté bien avant la Confédération, c'est au cours des années 1870 qu'elle se développe suffisamment pour qu'on puisse parler de « révolution industrielle » au Canada.

Au Québec comme dans tout le Canada, l'industrialisation se manifeste particulièrement dans certains domaines. Pour répondre aux besoins de la population, les **secteurs** de l'alimentation (meuneries, raffineries, beurreries, fromageries) et du vêtement (textile, chaussure) se développent dans les centres urbains. Pour répondre à la demande américaine de bois de sciage (planches, madriers), l'industrie du bois se transforme. La construction des chemins de fer favorise la croissance des usines de produits du fer et de l'acier.

5.70 Ouvriers de la fonderie Clendinning de Montréal en 1872.

Bien que la majorité des usines soient concentrées dans les grandes villes, particulièrement à Montréal, des industries s'implantent dans quelques **régions** : le textile dans les régions de Salaberry-de-Valleyfield et de Magog, le bois dans la région du Saguenay – Lac-Saint-Jean, le tabac dans la région de Joliette.

Au Québec, la plupart des moyennes et grosses entreprises sont entre les mains de riches anglophones qui bénéficient de techniques venues d'Angleterre et des États-Unis. De grandes entreprises parviennent à exercer un monopole presque total dans certains secteurs, comme dans celui du tabac ou des matériaux destinés à la construction de chemins de fer. Cependant, dans l'ensemble, la concurrence entre entrepreneurs demeure forte.

Le travail en usine ne nécessite pas une main-d'oeuvre spécialisée. Les Canadiens français et les nouveaux arrivants peu instruits constituent une main-d'oeuvre abondante et peu exigeante. Les patrons ont donc le loisir d'imposer leurs conditions : horaires prolongés et salaires minimes.

DES CHANGEMENTS SOCIAUX AU QUÉBEC

5.2.3 Changements sociaux à la fin du 19e siècle.

L'ÉMIGRATION DES CANADIENS FRANÇAIS

ÉMIGRATION QUÉBÉCOISE AUX ÉTAT-UNIS ENTRE 1840 ET 1900		
Périodes	**Nombre d'émigrants**	**Pourcentage de la population**
1840-1850	35 000	5,4 %
1850-1860	70 000	7,8 %
1860-1870	100 000	9,0 %
1870-1880	120 000	10,1 %
1880-1890	150 000	11,3 %
1890-1900	140 000	9,6 %

5.71

« Les habitants du Canada débordent par-dessus nos frontières. La victoire remportée par les hommes de la race anglo-saxonne sur les plaines d'Abraham est vengée par les femmes de la race de Montcalm. [...] Les essaims détachés de la ruche française prennent possession du terrain [...] Les jeunes gens de la Nouvelle-Angleterre [...] s'en vont [...] pour échapper à la concurrence des nouveaux venus [...] »

Commercial Advertiser, New York, 1890

5.72

Afin de favoriser le retour des Canadiens français de la province de Québec émigrés aux États-Unis, l'Assemblée législative de cette province vote en février 1875 l'Acte de rapatriement.

5.73

22 À l'aide des documents 5.71 à 5.73, donne trois preuves de l'importance de l'émigration québécoise aux États-Unis.

23 Selon toi, quelle est la principale raison de cette hémorragie démographique ?

UNE POPULATION
EN MOUVEMENT

Au cours des 30 dernières années du 19e siècle, la population de la province de Québec augmente de 38 %, surtout grâce au taux de natalité très élevé du milieu rural. Devant le manque de terres agricoles, les jeunes quittent la terre.

5.74 La gare de Drummondville. De nombreux habitants des campagnes avoisinantes y prennent le train pour se rendre à Montréal, d'où ils partent vers les manufactures de la Nouvelle-Angleterre.

L'ÉMIGRATION

Entre 1850 et 1900, plus d'un demi-million de Canadiens français **émigrent** aux États-Unis. Beaucoup d'entre eux trouvent du travail dans les fermes du centre-ouest du pays. Mais c'est surtout dans les États de la Nouvelle-Angleterre que s'installent la plupart des nouveaux arrivants. Ceux-ci sont attirés par les villes industrielles, où on engage une main-d'oeuvre peu qualifiée. Les salaires qu'ils touchent dans les manufactures leur permettent d'améliorer leur niveau de vie.

> Émigration

LA COLONISATION

L'émigration massive des Canadiens français inquiète les nationalistes. Pour garder au pays les fils d'agriculteurs, ils les incitent à s'établir dans des régions récemment ouvertes à la **colonisation**. Le clergé vante chaudement les valeurs attachées au rôle de pionnier. Pour sa part, le gouvernement provincial subventionne la construction de chemins de fer donnant accès aux régions éloignées.

> Colonisation

L'agriculturisme

En 1954, l'historien Michel Brunet est invité à donner une conférence devant les membres de la Fédération des sociétés Saint-Jean-Baptiste. Il y dénonce «une conception statique de la vie, de l'économie, de l'État, de la politique, de l'éducation…» qu'il décèle chez les Canadiens français. Pour désigner cette conception, il crée le terme «agriculturisme».

Selon lui, l'agriculturisme est une conception traditionnelle de la société qui existe depuis les débuts de l'industrialisation. Elle valorise l'agriculture et la vie rurale au détriment de l'industrie et de la vie urbaine. Pour Brunet, cette conception constitue un refus du monde moderne.

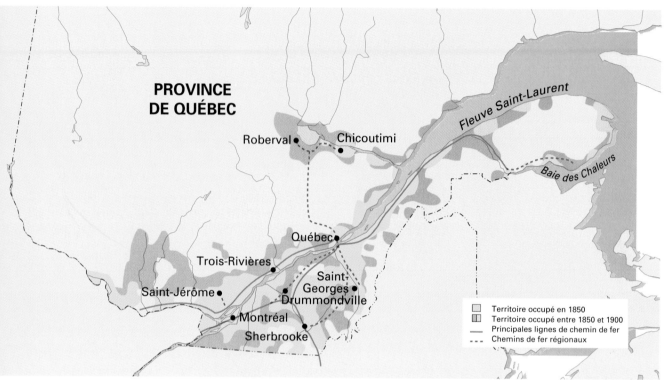

DE NOUVELLES RÉGIONS DE COLONISATION

5.75 Territoire occupé et chemins de fer de la province de Québec entre 1850 et 1900.

5.76

« Toute nation qui fait de l'agriculture sa principale occupation conserve toujours un degré de vitalité et de santé qui lui assure l'avenir. L'ouvrier peut gagner parfois plus d'argent que le cultivateur, mais la constitution du premier se détériore au travail délétère des fabriques et l'affaiblissement de ses descendants qui suivent la même carrière ne fait que progresser de génération en génération et entraîne les maux lamentables qui sont les plaies des pays manufacturiers [...] »

Rapport du ministère de l'Agriculture et de la Colonisation, 1888

24 *a*) À l'aide des documents 5.75 et 5.76, nomme deux moyens de favoriser l'établissement de colons sur de nouvelles terres.

b) Explique de quelle façon ces moyens favorisent la colonisation.

c) D'après toi, les efforts de colonisation réussissent-ils à enrayer la forte émigration vers les États-Unis? Justifie ta réponse.

Malgré ces efforts, la colonisation n'est pas un grand succès. Les nouvelles régions offrent peu de bonnes terres agricoles, le climat y est rigoureux et elles sont éloignées des marchés. Le défrichement des terres se fait donc très lentement et la production agricole suffit à peine à nourrir les familles de colons.

Ces régions sont par contre couvertes de forêts. Aussi, pour vendre du bois aux États-Unis, le gouvernement y concède un droit de coupe à des entreprises forestières. En hiver, les colons « montent dans le bois » pour se faire bûcherons, ce qui leur permet de boucler leur budget.

5.77 Colons du Lac-Saint-Jean au 19e siècle.

Les régions de colonisation ont donc une **économie agro-forestière**, c'est-à-dire qu'on y pratique à la fois l'agriculture et la coupe du bois.

L'URBANISATION

Au cours de la deuxième moitié du 19e siècle, la population urbaine de la province de Québec augmente de 140 %. Vers 1900, plus du tiers de la population vit en ville. L'**urbanisation** est étroitement **liée à l'industrialisation**. En effet, les gens qui quittent les régions agricoles migrent vers les villes pour y devenir ouvriers.

Urbanisation

À cause de l'accroissement de la population ouvrière, le visage de Montréal se modifie radicalement. Cette ville redevient majoritairement francophone. Les quartiers situés à proximité du port et des manufactures ont une très forte densité de population. Une grande partie de la classe ouvrière connaît des conditions de vie pénibles : pauvreté, promiscuité, pollution, analphabétisme, alcoolisme, maladie, taux de mortalité élevé. De son côté, la bourgeoisie, surtout constituée d'anglophones, vit dans de somptueuses résidences sur les pentes du mont Royal.

POPULATION URBAINE DE LA PROVINCE DE QUÉBEC	
Années	**Pourcentage de la population**
1861	16,6 %
1881	23,8 %
1901	36,1 %

5.78

LE MONDE OUVRIER

BUDGET ANNUEL D'UN PEINTRE-OUVRIER DE MONTRÉAL EN 1890		
	Dépenses	**Revenu**
Loyer	108,00 $	
Taxe d'eau	10,00 $	
Chauffage	52,00 $	
Vêtement et nourriture	365,00 $	
Total	535,00 $	452,96 $*
* Revenu au-dessus de la moyenne.		

5.79

5.80   Montréal, ville malsaine.

«Les villes du Canada sont fondamentalement des villes non civilisées. Elles sont [...] mal alimentées en eau potable et leurs services d'hygiène sont inadéquats.»
Helen Mc Murchy, médecin, 19e siècle

 «On a des exemples d'enfants de moins de 10 ans travaillant 10 heures par jour pour 1,25 $ ou 1,50 $ par semaine qui, le samedi arrivé, ne reçoivent rien comme salaire. Après avoir donné 60 heures de travail à leur maître, ils doivent 50 ou 75 centins comme balance des amendes qu'on leur avait infligées.»

Jean-Baptiste Gagnepetit, pseudonyme du journaliste Jules Helbronner, *La Presse*, 1887

5.81

25 *a*) À l'aide des documents 5.79 à 5.81, décris les conditions de vie d'un ouvrier de 1890.

b) Es-tu d'accord avec l'opinion exprimée dans l'encadré de la page 333? Justifie ta réponse.

LA SYNDICALISATION

Le développement industriel entraîne une modification des rapports entre ouvriers et patrons. Dans les manufactures et les usines, la concentration de travailleurs croît sans cesse. Leurs tâches sont monotones et répétitives. Ils sont tenus de suivre le rythme imposé par les machines et d'obéir aux ordres de leurs employeurs, sous peine de renvoi.

> « La classe ouvrière pourrait se débrouiller avec un salaire moindre si elle vivait moins luxueusement. »
>
> *Ontario Workman*, 1872

LES CONDITIONS DE TRAVAIL

Pour réaliser de gros profits, les entrepreneurs imposent aux travailleurs un rendement élevé tout en leur octroyant un salaire très bas.

- Les ouvriers travaillent entre 60 et 70 heures par semaine, donc entre 10 et 12 heures par jour, 6 jours par semaine.

- Ils reçoivent en moyenne entre 5,00 $ et 9,00 $ par semaine.

Les patrons emploient beaucoup de femmes et d'enfants, qui constituent une main-d'oeuvre moins coûteuse et plus docile que les hommes. Ils ne se préoccupent pas de la santé et de la sécurité de leurs ouvriers. De plus, ils interdisent tout regroupement ou action collective de travailleurs.

LE SYNDICALISME

Poussés à bout par ces pénibles conditions de travail, des ouvriers se révoltent. Ils commencent par refuser de travailler et en viennent à saccager des usines. Puis ils forment des associations dont l'objectif est de revendiquer de meilleures conditions de travail: c'est la naissance des **syndicats**. Peu à peu, certains d'entre eux vont jusqu'à réclamer des transformations sociales et politiques visant à améliorer le sort de la classe ouvrière.

5.82 À la fin du 19e siècle, les métiers à tisser mécanisés apparaissent dans les usines de textile.

Syndicat

LES SYNDICATS

En 1889, le propriétaire d'une usine de tabac de Montréal, William Mac Donald, comparaît devant une commission d'enquête sur les conditions de travail des ouvriers. On lui reproche de couper les salaires en hiver, alors que c'est la période de l'année où le coût de la vie est le plus élevé.

Les commissaires – Vous ne travaillez pas dans un esprit de charité?

Mac Donald – Non, Monsieur, je suis en affaires pour faire des affaires.

Commission royale d'enquête sur les relations du capital et du travail, 1889

5.83

«[Assurer] aux travailleurs leur part légitime [...] des richesses qu'ils créent [...]

[Adopter] des mesures ayant pour objet de pourvoir à la santé et à la sécurité des ouvriers [...]

[Interdire l'embauche des] enfants au-dessous de 15 ans [...]

[Mettre] en application le principe "à travail égal, salaire égal" pour les deux sexes.

[Raccourcir] la journée de travail, en refusant de travailler plus de huit heures par jour.»

Extraits de la Déclaration de principe de l'Ordre des chevaliers du travail, 1887

5.84

26 Selon les documents 5.83 et 5.84, les patrons et les syndicats ne considèrent pas le travail des ouvriers de la même façon.

Quelle différence y a-t-il entre leurs points de vue?

«Tenez-vous éloignés de certaines autres sociétés [syndicats] [...] trop dangereuses. Sous prétexte de protéger les pauvres ouvriers contre les riches et les puissants [...], les chefs et les propagateurs de ces sociétés cherchent à s'élever et à s'enrichir aux dépends de ces mêmes ouvriers trop souvent crédules.»

Lettre pastorale des Pères du quatrième concile provincial du Québec, 1868

5.85

27 *a)* Que penses-tu de la mise en garde du document 5.85?

b) D'après toi, un tel jugement est-il encore possible de nos jours?

c) Quelle est ton opinion sur les syndicats?

Les regroupements d'ouvriers ne font pas l'affaire des patrons, qui estiment avoir tous les droits. Ils ne plaisent pas non plus au clergé, qui y voit une « influence internationale » et une menace de socialisme. Le gouvernement, pour sa part, manifeste plus d'intérêt pour les droits des patrons que pour ceux des travailleurs.

Socialisme

Malgré tout, le mouvement syndical progresse. Entre 1880 et 1890, le nombre d'associations ouvrières passe de 22 à 91. Leurs actions vont de la réclamation de meilleures conditions de travail aux arrêts de travail. Entre 1851 et 1896, 119 grèves sont déclenchées dans la province de Québec, dont 70 par des syndicats. La présence de briseurs de grève et l'intervention de policiers provoquent parfois des affrontements mortels.

5.86 Grève des débardeurs aux entrepôts de la compagnie Allen en 1877.

Pourquoi y a-t-il des policiers dans cette scène ?

LES VICTOIRES DU SYNDICALISME

En 1872, le gouvernement fédéral vote une loi qui légalise les unions ouvrières, auparavant prohibées par le code criminel. De plus, il crée une commission d'enquête chargée d'étudier « les rapports entre le capital et le travail », c'est-à-dire entre les patrons et les ouvriers. En 1889, cette commission remet un rapport dans lequel elle dénonce les mauvaises conditions de travail des ouvriers et fait des recommandations visant l'amélioration de leur sort.

En 1885, le gouvernement du Québec vote une loi qui impose des normes aux patrons :

• Il leur est désormais interdit d'engager des filles de moins de 14 ans et des garçons de moins de 12 ans.

• Ils doivent fixer le nombre maximum d'heures de travail par semaine à 60 pour les femmes et les enfants et à 72,5 pour les hommes.

Le clergé catholique demeure méfiant à l'égard des syndicats, mais cesse de les interdire. En 1891, dans l'encyclique *Rerum novarum*, le pape Léon XIII reconnaît aux travailleurs le droit de former des associations chargées de défendre leurs intérêts.

Une province de Québec cléricale

<table>
<tr><td colspan="2">PRÊTRES ET FIDÈLES</td></tr>
<tr><td>Années</td><td>Proportion</td></tr>
<tr><td>1850</td><td>Un prêtre pour 1 080 fidèles</td></tr>
<tr><td>1890</td><td>Un prêtre pour 510 fidèles</td></tr>
</table>

5.87

COMMUNAUTÉS RELIGIEUSES		
Années	**Religieux**	**Religieuses**
1850	243	650
1901	1 984	6 628

5.88

« J'écoute mon Curé, mon Curé écoute l'Évêque, l'Évêque écoute le Pape, le Pape écoute Notre Seigneur Jésus-Christ. »

Mgr Ignace Bourget, lettre pastorale, 1875

5.89

Excommunication et punitions

1858 : Mgr Ignace Bourget excommunie les membres de l'Institut canadien qui conservent dans leur bibliothèque des livres mis à l'Index (interdits) par l'Église.

1869 : Un membre de l'Institut, Joseph Guibord, se voit interdire l'absolution. Il meurt sans avoir reçu les derniers sacrements.

Le curé Victor Rousselot refuse d'inhumer le corps de Guibord dans la partie bénite du cimetière de la Côte-des-Neiges.

Le corps de Guibord est enterré dans un cimetière protestant.

5.90

28 L'Église est très présente dans la société de la province de Québec au cours des années 1850 à 1900.

À l'aide des documents 5.87 à 5.90, démontre cette réalité.

29 *a*) Les données des documents 5.87 et 5.88 te semblent-elles correspondre à la réalité actuelle du Québec ?

b) Une situation comme celle présentée dans le document 5.90 est-elle encore pensable de nos jours ?

c) D'après toi, quelle est la place de l'Église dans la société québécoise contemporaine ?

Une Église très présente

En 1871, 85 % de la population de la province de Québec est catholique et presque tous les Canadiens français pratiquent cette religion. L'Église, et en particulier l'évêque de Montréal, Mgr Ignace Bourget, partage les opinions du pape Pie IX, qui s'élève avec vigueur contre les « idées modernes » de l'époque.

Pour les ultramontains, l'**Église** doit bien sûr régner sur la société religieuse, mais également sur la société civile. Elle se prononce donc sur tous les sujets et **intervient dans tous les domaines** : colonisation, syndicalisme, élections… Sa présence est très marquée dans le domaine des services sociaux : éducation des enfants, création de crèches et d'orphelinats pour les enfants abandonnés, d'hôpitaux pour les malades et d'hospices pour les personnes âgées.

Pour mieux répandre sa doctrine, l'Église diffuse des ouvrages de piété et organise des pèlerinages et des processions. Les paroisses et les diocèses se multiplient. Des milliers de gens deviennent religieux afin de travailler à l'accomplissement de la mission de l'Église.

L'ultramontanisme

L'ultramontanisme est une doctrine qui affirme la suprématie du religieux sur le civil. Comme le pape est le représentant de Dieu sur la Terre, les ultramontains considèrent que tous les catholiques devraient se soumettre à son enseignement.

Vue de la France, la demeure du pape est située au-delà des Alpes. Les Français ont inventé le mot « ultramontain » (« au-delà des montagnes ») pour désigner les personnes qui adhèrent fidèlement à la pensée du pape.

5.91 Religieuses distribuant de la nourriture aux défavorisés.

LE POINT

1 *a)* Que représente le document 5.92 ?

b) En 1884, combien y a-t-il de provinces dans le Canada ? Nomme ces provinces.

2 *a)* À l'aide de l'échelle de temps ci-contre, nomme les trois provinces qui se sont intégrées au Canada après 1867.

b) Quelle est la principale raison pour laquelle chacune de ces provinces est entrée dans la Confédération ?

3 *a)* Lequel des trois volets de la politique nationale est représenté dans le document 5.93 ?

b) Quels sont les deux autres volets de cette politique ?

c) Selon toi, le mot « nationale » est-il pertinent dans l'expression « politique nationale » ? À l'aide du document 5.93, justifie ta réponse.

1896
LAURIER PREMIER MINISTRE DU CANADA

1890
ABOLITION DES ÉCOLES CATHOLIQUES PUBLIQUES AU MANITOBA

1889
RAPPORT DE LA COMMISSION ROYALE D'ENQUÊTE SUR LE CAPITAL ET LE TRAVAIL

1887
PREMIÈRE CONFÉRENCE INTERPROVINCIALE

1885
PENDAISON DE LOUIS RIEL

1881
CRÉATION DU CANADIEN PACIFIQUE

1880-1890
ÉMIGRATION DE 150 000 CANADIENS FRANÇAIS AUX ÉTATS-UNIS

1879
POLITIQUE NATIONALE

1873
CRISE ÉCONOMIQUE MONDIALE ENTRÉE DE L'ÎLE-DU-PRINCE-ÉDOUARD DANS LA CONFÉDÉRATION

1871
ENTRÉE DE LA COLOMBIE-BRITANNIQUE DANS LA CONFÉDÉRATION

1870
NAISSANCE DU MANITOBA

1867
ACTE DE L'AMÉRIQUE DU NORD BRITANNIQUE

5.92 Macdonald « équeutant » les provinces du Canada.

5.93 Les effets bénéfiques de la politique nationale.

4 *a*) L'auteur du texte du document 5.94 souligne deux aspects importants de l'agriculture de la province de Québec au cours du dernier tiers du 19ᵉ siècle.

Quels sont ces aspects?

b) D'après toi, Adélard Beauregard est-il «agriculturiste» ou «moderne»? Justifie ta réponse.

«Quelle satisfaction j'aurais eue si j'avais pu élever ma famille sur une terre, faire jouir mes enfants de ces belles années de jeunesse! Quand ils seront avancés en âge, ils ne se rappelleront que de la poussière des rues et la rencontre de quelque ivrogne sur le trottoir. [...]

[Joseph Allard] se mit en campagne et inscrivit le nombre de vaches desquelles chaque habitant lui promettait de lui fournir le lait. [...] Après qu'il eut un nombre de vaches suffisant pour faire fonctionner une fromagerie, il acheta tout ce qu'il fallait et au mois de mai 1872, les portes de la fromagerie étaient ouvertes.»

Adélard Beauregard, cultivateur, 1894

5.94

5 Au cours du dernier tiers du 19ᵉ siècle, la province de Québec connaît une importante évolution dans les domaines de l'industrialisation, de l'urbanisation et du syndicalisme.

Dans un texte d'une quinzaine de lignes, montre les liens qui existent entre ces trois domaines.

6 En 1849, 1857, 1868 et 1894, le gouvernement de la province de Québec nomme des comités ayant pour mandat d'étudier le phénomène de l'émigration des Canadiens français.

a) Pourquoi le gouvernement multiplie-t-il les études sur ce phénomène?

b) Où les Canadiens français émigrent-ils en majorité?

c) Pourquoi quittent-ils leur patrie?

✕ EN RÉSUMÉ

1 Quelques années après la naissance de la Confédération, le Canada s'agrandit jusqu'à couvrir la moitié du continent nord-américain.

1870 : le **Manitoba** est créé à la suite des pressions des **Métis** et de leur chef Louis Riel, lequel sera pendu en 1885.

1871 : la **Colombie-Britannique** entre dans la Confédération parce que le gouvernement fédéral a promis de construire un **chemin de fer** qui la relie aux autres provinces canadiennes.

1873 : l'**Île-du-Prince-Édouard** accepte de faire partie du Canada à condition d'y être liée par un service de **traversier**.

2 L'application du **fédéralisme** suscite des controverses au Canada.

- Le gouvernement fédéral, dirigé par **John A. Macdonald**, pratique la **centralisation** des pouvoirs.

- Les gouvernements provinciaux, particulièrement représentés par le premier ministre de l'Ontario, Oliver Mowatt, et le premier ministre du Québec, **Honoré Mercier**, défendent l'**autonomie provinciale**.

- L'article 93 de l'AANB attribue le secteur de l'éducation à la compétence provinciale. Le **Nouveau-Brunswick** et le **Manitoba** décident d'**abolir les écoles confessionnelles**. Menacés de perdre leurs écoles, les catholiques francophones se tournent vers le gouvernement fédéral, qui a le pouvoir de voter des lois réparatrices en faveur des minorités religieuses. Le gouvernement fédéral refuse d'intervenir.

3 Les années 1867 à 1896 constituent une période de **ralentissement économique**. Pour relancer l'économie canadienne, le gouvernement fédéral crée la **politique nationale**, plan qui comporte trois volets :

- la construction du chemin de fer Canadien Pacifique ;

- l'encouragement de l'immigration ;

- la hausse des tarifs douaniers.

C'est dans le domaine de l'industrialisation que la politique nationale connaît le plus de succès.

4 Dans la province de Québec, d'importants changements ont lieu dans le domaine de l'**économie**.

- L'agriculture s'ajuste à l'époque afin de survivre et de se développer. L'**industrie laitière** est en pleine expansion.
- La construction de nouvelles lignes de **chemins de fer** permet l'accès aux régions éloignées.
- Les **industries** se multiplient dans les villes, particulièrement dans les secteurs de l'alimentation, du vêtement et du fer. Le secteur du bois se développe dans les régions forestières.

5 Dans la province de Québec, les cultivateurs manquent de terres agricoles. Ils sont alors placés devant un choix:

- **émigrer aux États-Unis** pour y travailler dans les fermes ou les industries;
- **aller s'établir dans les nouvelles régions de colonisation**, pour y travailler à la fois comme cultivateurs et comme bûcherons;
- **migrer vers la ville** (Montréal) pour y travailler comme ouvriers.

6 Dans les usines et les manufactures, les conditions de travail sont mauvaises et les salaires, très bas.

Les travailleurs réagissent à cette situation en formant des **syndicats**, associations chargées de défendre leurs intérêts.

Les gouvernements finissent par légaliser les syndicats et par voter des lois qui améliorent le sort des travailleurs.

7 L'**Église** est **omniprésente** dans la province de Québec. Un clergé aux idées conservatrices y intervient dans tous les domaines de la vie civile: politique, économie, société.

POUR LA SUITE DE L'HISTOIRE...

Au début du 20e siècle, une période de croissance économique s'amorce: c'est la « Belle Époque ». Quelles répercussions aura cette période sur le Canada et sur le Québec?

AUTOÉVALUATION

1 Sur une ligne de temps semblable au document 5.95, situe:

a) la signature des Soixante-douze résolutions de Québec;

b) l'attaque des Féniens à la frontière canado-américaine;

c) la première conférence interprovinciale canadienne;

d) la proclamation de l'Acte de l'Amérique du Nord britannique;

e) la grande coalition au Parlement du Canada-Uni;

f) l'instauration de la politique nationale;

g) la fin du traité de réciprocité entre le Canada-Uni et les États-Unis;

h) la réunion de délégués des colonies anglaises à Charlottetown.

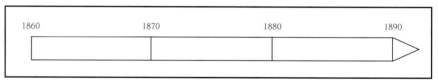

5.95

2 Complète un schéma semblable au document 5.96.

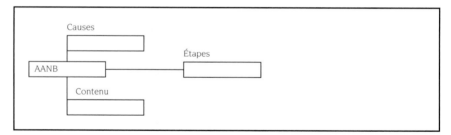

5.96

3 Associe chacun des personnages suivants à la déclaration appropriée.

Riel – Galt – Brown – Macdonald – Cartier – Mercier

a) Je suis le premier dirigeant du gouvernement canadien et je souhaite un Canada fort et centralisé.

b) Je suis le chef des *Clear Grits* et, depuis le début des années 1850, je lutte pour le « *Rep by Pop* ».

c) Je suis le chef des bleus et je jouis d'une confortable majorité dans le Canada-Est.

d) J'ai défendu la cause des Métis et j'ai été pendu pour trahison.

e) Je suis un porte-parole de la minorité anglaise du Canada-Est.

f) Je me suis battu aux côtés d'Oliver Mowatt pour défendre le principe de l'autonomie provinciale.

4 Complète un schéma semblable au document 5.97.

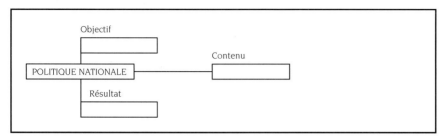

5.97

5 Complète un schéma semblable au document 5.98.

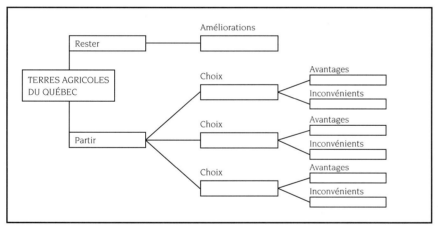

5.98

6 Complète un schéma semblable au document 5.99.

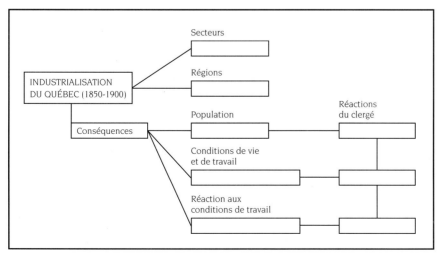

5.99

MODULE 6

LE DÉVELOPPEMENT INDUSTRIEL

Principaux facteurs économiques, politiques et sociaux qui ont marqué la deuxième phase d'industrialisation du Québec.

CHAPITRE 11

LE QUÉBEC ET LE CANADA DE 1896 À 1929

6.1 Principaux effets sur le Québec et le Canada de l'essor économique nord-américain au cours de la période 1896 à 1929.

6.1 En avril 1917, des soldats canadiens montent à l'assaut de Vimy, en France.

LA GRANDE GUERRE

Certains événements sont étroitement liés à la Première Guerre mondiale et aux années de l'après-guerre. Peut-être as-tu déjà entendu parler, par exemple, de la guerre des tranchées, de la grippe espagnole, de la naissance du charleston...

1 Demande à des personnes âgées de ton entourage de te parler de :

   a) la guerre des tranchées ;

   b) la grippe espagnole ;

   c) la naissance du charleston.

2 Sur une ligne de temps semblable à la suivante, situe les trois événements mentionnés dans l'activité 1.

1860	1870	1880	1890	1900	1910	1920	1930

6.2 Une danse à la mode : le charleston.

PANORAMA

L'élection de Wilfrid Laurier comme premier ministre du Canada coïncide avec le début d'une ère de prospérité qui s'étendra sur trois décennies. Pendant que le boom du blé permet l'enrichissement de l'Ouest du Canada, l'industrialisation se poursuit dans l'Est. De plus, la venue de nombreux immigrants en provenance d'Europe de l'Est contribue à augmenter et à diversifier la population canadienne.

La Première Guerre mondiale (1914-1918) favorise la croissance économique du Canada et lui permet de s'affirmer comme puissance sur la scène internationale. Cependant, elle accentue l'éternel affrontement entre Canadiens français et Canadiens anglais.

La province de Québec vit une deuxième phase d'industrialisation. De nouveaux secteurs prennent de l'expansion, ce qui entraîne le développement de certaines régions. De plus, l'industrialisation contribue fortement à l'urbanisation.

Grâce aux syndicats, les travailleurs affirment de plus en plus leurs droits. On assiste également à la naissance du mouvement féministe québécois, qui réussit à faire quelques gains importants.

6.3 En 1917, une manifestation contre la conscription a lieu à Montréal.

- *Qu'est-ce que le boom du blé ?*
- *Quels moyens le gouvernement adopte-t-il pour favoriser l'immigration ?*
- *Quelles sont les conséquences de la Première Guerre mondiale au Canada ?*
- *Quels sont les secteurs et les régions qui se développent dans la province de Québec ?*
- *Comment réagit la population québécoise aux nouvelles conditions de vie résultant du développement de l'industrialisation et de l'urbanisation ?*
- *Quel rôle les femmes jouent-elles dans la société québécoise ? Quels droits obtiennent-elles grâce au mouvement féministe ?*

LE CANADA AU DÉBUT DU 20ᵉ SIÈCLE

6.1.1 Caractéristiques de la réalité canadienne.

LE DÉVELOPPEMENT DE L'AGRICULTURE

6.4   Batteuse à blé et tracteur utilisés dans les Prairies vers 1910.

6.5   Immigrants allemands.

EXPORTATIONS CANADIENNES DE BLÉ	
Années	Millions de boisseaux*
1891	2
1901	10
1911	46
* Un boisseau = 36,36 litres.	

6.6

CHEMINS DE FER DES PRAIRIES	
Années	Voies ferrées
1901	6 400 km
1914	19 000 km

6.8

POPULATION DES PRAIRIES	
Années	Nombre de personnes
1901	420 000
1921	2 000 000

6.7

3 À l'aide des documents 6.4 à 6.8, rédige un texte d'une quinzaine de lignes portant sur le développement de l'agriculture dans les Prairies au début du 20ᵉ siècle.

4 Compare ce développement avec la situation de l'agriculture dans la province de Québec au cours de la seconde moitié du 19ᵉ siècle.

UNE ÈRE DE PROSPÉRITÉ

En 1896, Wilfrid Laurier est élu premier ministre du Canada. C'est la première fois qu'un francophone occupe ce poste depuis la naissance de la Confédération.

La reprise qui a lieu dans l'économie mondiale entraîne un accroissement du **développement économique** du Canada. En 1914, la Première Guerre mondiale éclate. Pour répondre aux besoins d'une économie de guerre, le Canada doit augmenter sa production agricole et industrielle. Cette croissance se poursuivra pendant les dix années qui suivent la fin des hostilités.

LE BOOM DU BLÉ DANS L'OUEST

En vingt ans, la production de **blé** passe de 8 à 130 millions de boisseaux dans l'**Ouest** du Canada. La baisse des coûts du transport maritime et les besoins des autres pays industrialisés favorisent les exportations canadiennes de céréales.

Par ailleurs, le gouvernement fédéral adopte des mesures favorisant l'**immigration**, ce qui amène une augmentation de la main-d'oeuvre. Pour attirer les colons européens – Allemands, Scandinaves, Ukrainiens – le gouvernement leur attribue gratuitement des terres de grandes dimensions. De plus, il réduit les coûts du voyage de ces immigrants en octroyant des primes aux entreprises de transport. En vingt ans, la population des Prairies quadruple, atteignant plus de deux millions d'habitants. Deux nouvelles provinces, l'Alberta et la Saskatchewan, naissent en 1905.

L'INDUSTRIALISATION DE L'EST

Dans les provinces de l'**Est**, particulièrement en Ontario et au Québec, l'**industrialisation** ne cesse de croître. L'arrivée de nombreux immigrants contribue à l'augmentation de la demande de produits manufacturés. La construction de nouvelles lignes de chemin de fer favorise la production minière et la fabrication des trains. Le boom du blé entraîne une hausse de la production de machinerie agricole.

> **Un écart étonnant**
>
> Au début du 20e siècle, se rendre à Winnipeg depuis Montréal coûte 43,00 $ alors que le voyage entre Londres et Winnipeg ne coûte que 22,00 $!

6.9 Affiche publicitaire conçue pour attirer les immigrants dans les Prairies.

Pourquoi cette affiche est-elle en anglais ?

Un Canada anglais

 «Si nous voulons créer une race supérieure sur le continent nord-américain [...], quel est notre devoir envers ceux qui sont aujourd'hui nos compatriotes [les immigrants]? [...] Ils sont venus dans ce pays jeune et libre pour trouver un foyer pour eux-mêmes et leurs enfants. Nous avons le devoir [...] de faire germer dans leur esprit les principes et les idéaux de la civilisation anglo-saxonne.»

Missionnary Outlook, journal méthodiste, 1908

6.10

6.11 Timbre émis en 1898 pour souligner l'existence d'un réseau postal dans tout l'Empire britannique.

En 1905, deux nouvelles provinces sont créées: l'Alberta et la Saskatchewan. La langue officielle de ces deux provinces est l'anglais.

6.12

 «Un système scolaire bilingue favorise les divisions raciales [...] et empêche la fusion des divers éléments de la population [...] L'expérience des États-Unis, où le système scolaire ne reconnaît qu'une seule langue, prouve bel et bien la sagesse d'un tel système.»

Howard Fergusson, politicien ontarien, 1913

6.13

5 Après avoir pris connaissance des documents 6.10 à 6.13, crois-tu que l'historien Ramsay Cook ait raison d'affirmer: «À l'extérieur du Québec, le Canada se veut un pays de langue anglaise»? Justifie ta réponse.

6 Selon toi, quel est le sentiment des Canadiens anglais sur leur appartenance à l'Empire britannique? Justifie ta réponse.

GUERRE ET POLITIQUE

En 1900, le Canada est toujours une colonie britannique. Bien qu'il jouisse d'une grande autonomie sur le plan de la politique intérieure, il est dépendant de l'Angleterre sur le plan des relations extérieures. À titre de membre de l'Empire britannique, il doit jouer un rôle dans les guerres de sa métropole. Mais la participation du Canada aux guerres anglaises a heureusement comme conséquence d'accélérer sa marche vers une plus grande autonomie.

> «[…] chaque fois que la nation anglaise sera en guerre avec une grande puissance […], notre devoir sera de prêter main-forte à la mère patrie.»
>
> William Stevens Fielding, ministre des Finances du Canada, 1910

IMPÉRIALISME ET NATIONALISME

À la fin du 19e siècle, l'Angleterre se trouve dans une situation paradoxale. Elle entend maintenir et même étendre ses visées impérialistes dans le monde, mais sa supériorité militaire est menacée par la montée de deux nouvelles puissances, l'Allemagne et les États-Unis. Le gouvernement britannique cherche donc à se rapprocher de ses colonies afin de bénéficier de leur aide.

(Impérialisme)

Au Canada, la **fidélité à l'Empire britannique** est partagée par la majorité des **Canadiens anglais**. Pour ces descendants de colons anglais, le Canada doit manifester sa solidarité à l'égard de l'Angleterre, sa mère patrie. Ce rôle peut consister en l'envoi de contingents de soldats, comme ce fut le cas au moment de la guerre des Boers (1899-1901) en Afrique du Sud, ou par une contribution technique et financière, telle la construction de navires de guerre, comme le souhaite l'Angleterre en 1910.

6.14 En juin 1901, les Torontois célèbrent la victoire britannique en Afrique du Sud, qui met fin à la guerre des Boers.

Par contre la majorité des **Canadiens français** ne montrent pas ce type d'attachement à l'Angleterre. Pour eux, le Canada n'est pas concerné par les guerres de sa métropole. S'il décide d'y participer, son rôle doit être très limité. Plusieurs d'entre eux pensent même que le Canada devrait refuser toute participation à ces guerres et affirmer ainsi son **autonomie** face à l'Angleterre. Le chef des nationalistes canadiens-français, Henri Bourassa, au contraire de ses compatriotes canadiens-anglais, s'oppose à l'envoi de soldats canadiens en Afrique du Sud et au financement de la marine impériale.

LES CANADIENS FRANÇAIS ET LE NATIONALISME

« Notre nationalisme à nous est le nationalisme canadien fondé sur la dualité des races [...] Nous travaillons au développement du patriotisme canadien [...] Les nôtres [...] sont les Canadiens français; mais les Anglo-Canadiens ne sont pas des étrangers [...] La patrie pour nous, c'est le Canada tout entier, c'est-à-dire une fédération de races distinctes et de provinces autonomes. La nation que nous voulons voir se développer, c'est la nation canadienne [...] »

Henri Bourassa, 1904

6.15

« Notre nationalisme à nous est le nationalisme canadien-français. [...] Ce que nous voulons voir fleurir, c'est le patriotisme canadien-français; les nôtres, pour nous, sont les Canadiens français; la patrie pour nous, nous ne disons pas que c'est précisément la province de Québec, mais le Canada français; la nation que nous voulons voir se fonder [...], c'est la nation canadienne-française. »

Jules-Paul Tardivel, journaliste, 1904

6.16

7 Parmi les textes des documents 6.15 à 6.17, y en a-t-il qui sont favorables à l'impérialisme britannique? Justifie ta réponse.

8 *a*) Quelle différence y a-t-il entre les opinions exprimées dans ces documents?

   b) Y a-t-il des opinions conciliables? Justifie ta réponse.

9 De nos jours, de pareilles opinions existent-elles encore au Québec? Justifie ta réponse.

6.17 Manchette annonçant la motion Francoeur.

LA PARTICIPATION DES CANADIENS FRANÇAIS

Au cours de la Première Guerre mondiale, les points de vue des nationalistes canadiens-français et des impérialistes canadiens-anglais sont exprimés avec force.

L'attitude de Bourassa est d'abord ambiguë: il se prononce en faveur de la participation canadienne tout en réaffirmant ses convictions nationalistes. Mais par la suite, il revient au «nationalisme intégral» en s'opposant à toute participation canadienne à la guerre. Quand, en **1917**, le gouvernement Borden vote la **conscription**, c'est-à-dire l'enrôlement obligatoire, Bourassa s'oppose avec vigueur à ce que «les flots de sang français [fassent] germer des moissons d'or anglais».

De leur côté, les Canadiens anglais reprochent aux Canadiens français d'éviter leur devoir en refusant de participer à la guerre.

Les prises de position d'**Henri Bourassa** révèlent deux aspects fondamentaux de son **nationalisme**. Premièrement, face à l'impérialisme britannique, il défend l'idée d'un **Canada autonome** dont la politique de défense doit être essentiellement basée sur l'intérêt national. Deuxièmement, il affirme que le Canada constitue une «libre et volontaire association de deux peuples jouissant de droits égaux en toutes matières». Selon cette affirmation, il se doit donc de défendre les **droits des Canadiens français**, particulièrement dans les domaines de la langue et de la religion.

D'autres Canadiens français manifestent encore plus fortement leur opposition à la conscription. Au printemps 1918, une émeute éclate à Québec, faisant cinq morts et des dizaines de blessés. Un député, Joseph-Napoléon Francoeur, va même jusqu'à proposer une motion à l'Assemblée législative afin que le Québec se retire de la Confédération.

Conscription

Nationalisme

«Nous ne resterons catholiques qu'à condition de rester français et nous ne resterons français qu'à condition de rester catholiques.»

Henri Bourassa, 1915

«En toute logique, j'aurais dû combattre toute intervention militaire.»

Henri Bourassa, 1916

6.18 En 1915, Henri Bourassa célébrait avec sa famille son dixième anniversaire de mariage dans sa maison d'été à Sainte-Adèle.

LES EFFETS DE LA GUERRE

6.19   Des soldats canadiens ont été enterrés à Verdun, en France.

6.20   Ouvrières au travail dans une usine de
        munitions de Verdun.

Au cours de la Première Guerre mondiale, les Canadiens vivent des
« vendredis sans viande » et des « dimanches sans essence ».

6.21

10 *a*) À l'aide des documents 6.19 à 6.21, donne trois conséquences de la
        Première Guerre mondiale sur la population canadienne.

   b) Selon toi, cette guerre a-t-elle été une bonne ou une mauvaise
        affaire pour le Canada ? Justifie ta réponse.

   c) Si tu avais vécu à cette époque, te serais-tu enrôlé de ton plein
        gré ? Pour quelle raison ?

Conséquences de la guerre

Au cours de la Première Guerre mondiale, 600 000 Canadiens s'enrôlent dans l'armée. Environ 60 000 d'entre eux perdent la vie au front et 170 000 reviennent au pays avec des blessures.

Une reconnaissance internationale

Le rôle joué par le Canada au cours de cette guerre favorise sa marche vers une pleine autonomie. En 1919, le Canada signe le traité de Versailles, qui met fin à la Première Guerre mondiale, à titre de nation autonome, et il devient membre de la Société des Nations.

Au cours de la décennie suivante, le statut du Canada continue de se modifier. En 1923, il signe un accord commercial avec les États-Unis. En 1926, le rapport Balfour, commandé par Londres, reconnaît que les Dominions et l'Angleterre constituent des partenaires égaux dans le Commonwealth. En 1931, le Statut de Westminster, adopté à Londres, confirme l'**indépendance politique** du Canada vis-à-vis de l'Angleterre. Désormais, seuls les amendements à la Constitution du Canada continuent de relever du Parlement britannique.

> « On aurait tort de s'attendre à ce que nous envoyions 400 000 à 500 000 hommes sur le front et que nous acceptions de n'être pas [d'avantage] pris en considération que si nous étions des jouets mécaniques. »
>
> Robert Borden, premier ministre du Canada, 1916

Commonwealth

Une économie de guerre

Pour financer l'effort de guerre, le gouvernement canadien emprunte près de deux milliards à la population sous forme de « **bons de la Victoire** ». De plus, il vote un **impôt** sur les profits des entreprises et sur les revenus des particuliers. Malgré ces mesures, en 1918, la **dette nationale** atteint 2,46 milliards alors qu'elle était de 436 millions en 1913.

Le gouvernement surveille la production des industries et impose le **rationnement** de certains produits afin d'en diminuer la consommation.

Mais la guerre n'a pas que des mauvais côtés. Elle **relance l'économie,** qui fonctionnait jusqu'alors au ralenti. Le **chômage disparaît**. On fait appel aux femmes afin de combler le manque de main-d'oeuvre dans les usines.

6.22 Sous-marins construits à Montréal pendant la Première Guerre mondiale.

2 UNE SECONDE PHASE D'INDUSTRIALISATION

6.1.2 La deuxième phase de l'industrialisation du Québec et les différences régionales.

RICHESSES ET DÉVELOPPEMENT

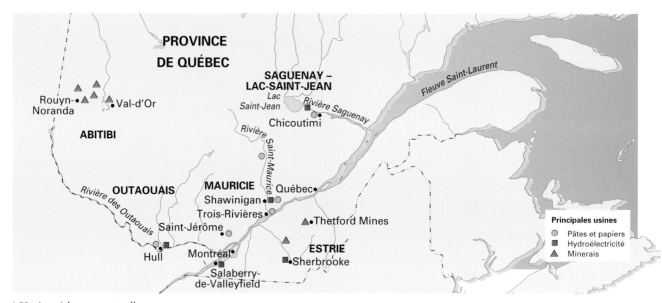

6.23 Les richesses naturelles de la province de Québec vers 1930.

Certaines régions de la province de Québec connaissent un développement remarquable à cause de leurs richesses naturelles.

11 Quelle richesse naturelle est à l'origine :

a) des usines de pâtes et papiers ?

b) des centrales hydroélectriques ?

c) des mines ?

12 Dans quelles régions trouve-t-on chacun des types d'industries mentionnés à l'activité 11 ?

13 *a*) Selon toi, ces régions bénéficient-elles de l'exploitation de leurs richesses naturelles ? Justifie ta réponse.

b) D'où proviennent les capitaux nécessaires à l'exploitation de ces richesses ?

c) Quel pays importe une grande partie de ces richesses ? Pourquoi ?

NOUVEAUX SECTEURS ET NOUVELLES RÉGIONS

Au cours des premières décennies du 20ᵉ siècle, la prospérité du Canada entraîne une accélération de l'industrialisation dans la province de Québec. De nouveaux secteurs se développent pour répondre à la demande croissante des marchés intérieurs et extérieurs. L'exploitation de ressources naturelles jusqu'alors peu ou pas exploitées amène le développement de nouvelles régions, souvent très éloignées des grands centres.

L'**hydroélectricité** devient une importante source d'énergie. Grâce à son immense réseau hydrographique, la province de Québec est en mesure d'en accroître rapidement la production. Une usine d'aluminium, la future Alcan, grande consommatrice d'électricité, peut alors s'établir au **Lac-Saint-Jean**. Contrairement à l'Ontario, où la production et la distribution de l'électricité dépendent d'une entreprise d'État, le réseau hydroélectrique du Québec est pris en charge par des entreprises privées. Les tarifs y sont plus élevés qu'en Ontario, ce qui freine la consommation d'énergie.

Dans les régions industrialisées du Québec, de l'Ontario et des États-Unis, la demande de **minerais** se fait de plus en plus pressante. L'exploration minière et les nouveaux procédés d'extraction amènent la multiplication des mines. À la fin du 19ᵉ siècle, l'exploitation de l'amiante commence en **Estrie** et au cours des années vingt, des villes minières apparaissent en **Abitibi** à la suite de la découverte de gisements de cuivre et d'or.

Comme les journaux à grand tirage se multiplient, la demande de papier journal va croissant. Les régions de la **Mauricie** et du **Saguenay – Lac-Saint-Jean**, riches en forêts et en cours d'eau, se lancent dans l'industrie des **pâtes et papiers**. Les exportations de papier vers le Sud connaissent par ailleurs une forte croissance dès 1913, les États-Unis ayant abandonné la perception de leurs droits de douane.

Pendant que les **régions** se développent grâce à l'exploitation de leurs richesses naturelles, les **villes** voient leur croissance industrielle s'accélérer. À Montréal, Québec, Salaberry-de-Valleyfield, Saint-Jean, Sherbrooke, Drummondville, Trois-Rivières, les usines d'**alimentation**, de **textile**, de **vêtements**, de **cigarettes**, de **produits chimiques** et de **produits du fer et de l'acier** prolifèrent.

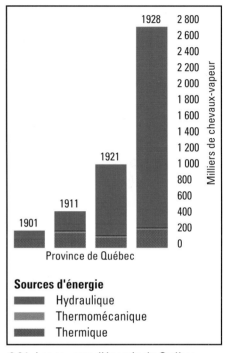

6.24 Les sources d'énergie du Québec entre 1901 et 1928.

Une économie renouvelée

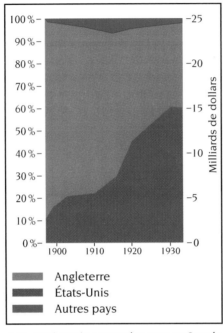

6.25 Les investissements étrangers au Canada entre 1900 et 1930.

Angleterre
États-Unis
Autres pays

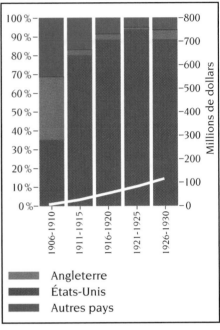

6.26 Les exportations canadiennes de papier journal entre 1906 et 1930.

Angleterre
États-Unis
Autres pays

BANQUES À CHARTE AU CANADA	
Années	Nombre
1891	38
1931	10

6.27

SIÈGES SOCIAUX DE BANQUES AU CANADA	
Années	Villes
1891	18
1931	2

6.28

14 *a*) À l'aide du document 6.25, trace un portrait des investissements étrangers au Canada entre 1900 et 1930.

b) Selon toi, pourquoi y a-t-il décroissance des investissements britanniques ? croissance des investissements américains ?

15 *a*) À l'aide du document 6.26, nomme le principal pays importateur de papier journal canadien.

b) Selon toi, quelle est la raison de l'accroissement de la demande de papier journal dans ce pays ?

16 *a*) Nomme le phénomène dont témoignent les documents 6.27 et 6.28.

b) D'après toi, quelles sont les deux villes où sont situés les sièges sociaux des banques canadiennes en 1931 ? Pourquoi les sièges sociaux des banques sont-ils situés dans ces villes ?

c) Nomme quelques grandes banques canadiennes actuelles.

INVESTISSEMENTS ET CONCENTRATION

Au cours des trente premières années du 20e siècle, deux phénomènes prennent de l'ampleur dans l'économie canadienne et québécoise: l'investissement américain et la concentration des entreprises.

L'économie québécoise passe sous l'**emprise américaine**. Dans le secteur des investissements étrangers, la part des États-Unis remplace progressivement celle de l'Angleterre. Plusieurs entreprises américaines ouvrent des filiales au Québec et une bonne partie de la production québécoise s'écoule sur le marché américain. Une grande part de l'économie de la province de Québec se retrouve donc entre les mains des Américains et se développe en fonction des besoins des États-Unis.

Par ailleurs, la tendance à la **concentration** des entreprises prend beaucoup d'importance. Certaines entreprises exercent presque un **monopole** dans leur secteur. C'est le cas par exemple de la Shawinigan Water and Power dans le secteur de l'électricité et de la compagnie Price dans celui des pâtes et papiers. Dans le domaine de la finance, quelques grandes banques et compagnies d'assurances exercent un monopole sur le marché de l'argent, dont Montréal est le centre névralgique pour tout le Canada. Cependant, Toronto est en train de devenir une dangereuse concurrente, car son expansion est plus rapide que celle de Montréal.

6.29 La menace américaine.

6.30 La rue Saint-Jacques, à Montréal.
À l'époque, pourquoi cette rue était-elle importante?

DE NOUVELLES CONDITIONS DE VIE

6.1.3 Conditions de vie.

UN QUÉBEC URBANISÉ

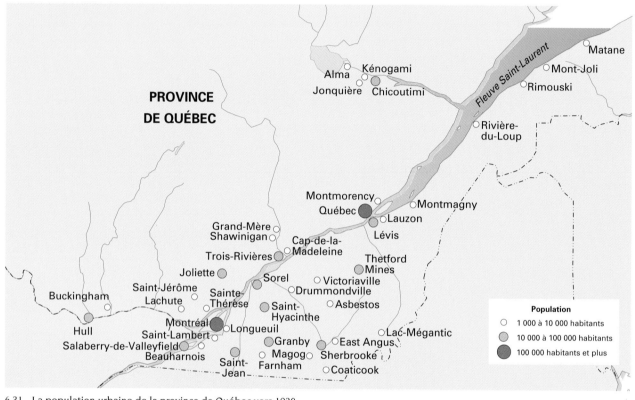

6.31   La population urbaine de la province de Québec vers 1930.

URBANISATION DE LA PROVINCE DE QUÉBEC		
Années	**Villes**	**Population urbaine**
1901	55	36%
1911	73	45%
1921	107	52%
1931	122	60%

6.32

17 *a)* Quel phénomène d'ordre économique explique l'urbanisation de la province de Québec au cours des premières décennies du 20ᵉ siècle ?

b) D'après toi, pourquoi y a-t-il des villes dans des régions éloignées des grands centres que sont Québec et Montréal ?

LE MONDE URBAIN

L'industrialisation de la province de Québec contribue fortement à l'**urbanisation**, c'est-à-dire à la concentration de la population dans les villes. De nombreux Canadiens français, attirés par les emplois offerts dans les usines, délaissent la campagne. De plus, la plupart des immigrants s'installent dans les villes, particulièrement à Montréal. En 30 ans, le taux d'urbanisation du Québec passe de 36 % à 60 %. De nouvelles villes apparaissent alors que d'autres connaissent un développement spectaculaire. Des banlieues naissent autour de Montréal et de Québec.

En 1906, 167 automobiles circulent dans la province de Québec. En 1930, il y en a 178 548 !

Le paysage des villes se transforme. Les rues sont asphaltées afin de faciliter la circulation des automobiles. Les premiers tramways apparaissent. Les magasins à rayons offrent une grande variété de produits de consommation. Des édifices à bureaux de plusieurs étages sont érigés. L'électricité se répand partout.

Les services publics se multiplient : police, pompiers, aqueduc, bains publics, parcs. On construit des écoles et des hôpitaux. La ville se **modernise** sur le modèle des villes américaines.

Cependant, la majorité des travailleurs continuent de subir de **pénibles conditions de vie**. Le taux de mortalité a certes diminué, mais la maladie et la mort frappent toujours durement les quartiers ouvriers. Vers 1905, Montréal détient le record du plus haut taux de mortalité dû à la tuberculose de toute l'Amérique du Nord. Les institutions de charité privées doivent secourir les indigents, car l'État ne semble pas vouloir leur venir en aide. Ce n'est qu'en 1921 que le gouvernement de la province de Québec adopte une loi d'assistance publique. Cette loi soulève d'ailleurs la critique du clergé et des catholiques conservateurs, pour qui l'État n'a pas à intervernir dans les affaires sociales.

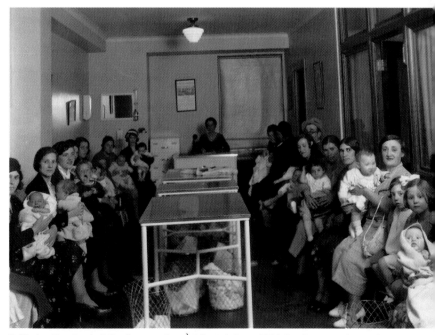

6.33 La Goutte de lait, dispensaire. À Montréal, en 1914, la plus grande partie du lait n'est pas pasteurisée. Pour diminuer les risques de maladie chez les enfants des quartiers défavorisés, la municipalité distribue gratuitement du lait de bonne qualité dans des dispensaires.

LE SYNDICALISME CATHOLIQUE

6.34 Affiche posée sur les portes de l'église de Jonquière en 1912.

ALLÉGEANCE SYNDICALE (Province de Québec)		
Années	**Syndicats internationaux**	**Syndicats catholiques**
1916	236	23
1921	334	120
1926	314	103
1931	286	121

6.35

« Il y a d'abord la peur des organisations neutres à conjuguer.

[…] ceux qui emploient s'organisent, il devient nécessaire que leurs employés s'organisent aussi.

[…] la CTCC [ne] prépare [pas] les troupes pour la guerre des classes.

[…] organisations distinctes et intérêts différents [employeurs et employés] ne signifient pas intérêts opposés et organisations ennemies.

La CTCC professe […] que la définition des principes directeurs des organisations syndicales appartient en propre à l'Église catholique.

La CTCC est une organisation essentiellement canadienne. »

Confédération des travailleurs catholiques du Canada, 1921

6.36

18 À l'aide des documents 6.34 à 6.36, donne quelques caractéristiques des syndicats catholiques.

OUVRIERS ET SYNDICATS

6.37 En 1924, les allumetières de la compagnie Eddy Matches de Hull, membres d'un syndicat catholique, font la grève. À l'époque, il était rare que des femmes soient syndiquées et encore plus rare qu'elles fassent la grève.

L'industrialisation du Québec entraîne également la syndicalisation des travailleurs. Dans les usines, ceux-ci réclament l'amélioration de leurs conditions de travail : ils veulent de meilleurs salaires et la sécurité d'emploi. Bien que la majorité d'entre eux ne soient pas encore regroupés en syndicats, le mouvement syndical progresse au Québec. Pour contrer l'avance que les « unions » (syndicats) internationales américaines ont prise depuis le début du 20ᵉ siècle, le clergé propage l'idée d'un **syndicalisme catholique**. Il veut créer des syndicats ayant « la double caractéristique d'être nationaux et catholiques », dans lesquels le respect de la doctrine sociale de l'Église serait assuré par la présence d'un prêtre. En 1921, les syndicats catholiques de la province de Québec se regroupent pour former la Confédération des travailleurs catholiques du Canada (CTCC), qui deviendra plus tard la Confédération des syndicats nationaux (CSN).

Après avoir subi des pressions de la part des syndicats et pris connaissance des rapports des commissions d'enquête sur les conditions de travail, le gouvernement québécois adopte certaines mesures. En 1909, la Loi des accidents de travail est créée pour indemniser les travailleurs qui subissent des blessures sur leurs lieux de travail. Des bureaux de placement publics sont ouverts, qui ont pour tâche de trouver du travail aux chômeurs. L'embauche des enfants de moins de 14 ans et des enfants analphabètes de moins de 16 ans est interdite. En 1919, la semaine de travail des femmes est réduite à 60 heures et on leur octroie un salaire minimum.

LA RÉSISTANCE AU CHANGEMENT

« Les campagnes elles-mêmes ne sont plus un refuge assuré pour nos vieilles coutumes. Depuis longtemps déjà, mais surtout depuis l'invasion de nos paisibles paroisses par la grosse presse, l'automobile et les catalogues des grosses maisons d'affaires, nos bonnes gens s'enorgueillissent d'adopter le langage, des modes et des moeurs américaines. »

Adélard Dugré, jésuite, 1925

6.38

19 *a*) De quelle idéologie le document 6.38 témoigne-t-il ?

b) Nomme deux caractéristiques de cette idéologie.

« Le mari peut demander la séparation de corps pour cause d'adultère de la femme. La femme peut demander la séparation de corps pour cause d'adultère du mari lorsqu'il tient sa concubine dans la maison commune. »

Code civil de la province de Québec, 1866

6.39

« [...] quoi qu'on dise, on sait bien qu'en fait, la blessure faite au coeur de l'épouse n'est pas généralement aussi vive que celle dont souffre le mari trompé par sa femme. »

Deuxième rapport de la Commission des droits civils de la femme, 1929

6.40

20 *a*) D'après les documents 6.39 et 6.40, quel aspect de la société traditionnelle est encore bien présent dans la province de Québec au cours des années 1900 à 1930 ?

b) Si tu vivais à cette époque, serais-tu en accord ou en désaccord avec les opinions exprimées dans ces documents ? Justifie ta réponse.

c) Selon toi, comment la société québécoise d'aujourd'hui réagirait-elle à de pareilles déclarations ? Justifie ta réponse.

LE MONDE RURAL

Les cultivateurs des campagnes québécoises écoulent facilement leurs
produits dans les nombreux marchés
des villes. Bien que la production agricole connaisse une augmentation, la
population rurale diminue, car le perfectionnement de la machinerie agricole
élimine une partie de la main-d'oeuvre.

Dans la province de Québec, l'agriculture est une **activité familiale**. Cependant, les agriculteurs se regroupent de
plus en plus pour former des coopératives. En 1924, un syndicat agricole
voit le jour, l'Union catholique des cultivateurs (UCC), qui deviendra plus tard
l'Union des producteurs agricoles
(UPA). En 1910, un journal d'information est fondé, le *Bulletin des agriculteurs*, et en 1915, une association
féminine est créée, les Cercles de
fermières.

6.41 Sur la ferme, toute la
famille est au travail !

Dans le milieu rural, les conditions de vie se modifient beaucoup plus
lentement que dans le milieu urbain. Les **traditions** y sont profondément ancrées et l'influence de la ville ne s'y est pas encore vraiment
répandue.

 # LE MOUVEMENT FÉMINISTE

Au cours des premières décennies du 20e siècle, malgré les progrès
accomplis dans bien des domaines, la condition de la femme ne
s'améliore guère. Sous la pression du **mouvement féministe** naissant,
certains gains sont faits. Mais dans l'ensemble, la femme est toujours
considérée comme inférieure à l'homme sur les plans juridique, politique et social.

> Féminisme

LA CONDITION FÉMININE

Selon le *Code civil de la province de Québec*, la femme mariée a un
statut de mineure vis-à-vis de son mari : elle doit donc lui être soumise.
Le choix du domicile relève de son époux et elle ne peut disposer ni
de ses biens ni de son salaire.

LES LUTTES FÉMINISTES

En 1926, les fileurs de la province de Québec gagnent 30,7¢ l'heure et les fileuses, 24,3¢ l'heure.

6.42

En 1915, Annie Macdonald poursuit le Barreau de Québec, qui lui refuse l'accès à la profession d'avocate.

6.43

En 1903, il faut qu'un projet de loi privé soit adopté par l'Assemblée législative pour qu'Irma Levasseur ait le droit de pratiquer la médecine dans la province de Québec.

6.44

En 1929, les tribunaux canadiens déclarent que les femmes sont des personnes et que par conséquent, elles ont le droit d'accéder au Sénat canadien.

6.45

 « Une législation qui ouvrirait la porte au suffrage des femmes serait un attentat contre les traditions fondamentales de notre race et de notre foi. »

Mgr Paul-Eugène Roy, 1922

6.46

21 *a*) Après avoir pris connaissance des documents 6.42 à 6.46, crois-tu que les luttes menées par les féministes au début du siècle étaient légitimes? Justifie ta réponse.

b) Selon toi, quels groupes de la société québécoise de l'époque pourraient s'opposer aux demandes des féministes? Quels arguments invoqueraient-ils pour justifier leur opposition?

c) Crois-tu qu'aujourd'hui, la condition de la femme puisse encore s'améliorer? Justifie ta réponse.

À cause de l'industrialisation et de la guerre, il y a davantage de femmes sur le marché du travail. Ces femmes sont à 85 % des célibataires : la femme mariée est donc confinée au rôle de « femme au foyer ». Le salaire moyen d'une femme équivaut à la moitié du salaire d'un homme. Les femmes peuvent devenir enseignantes ou infirmières, mais les autres professions leur sont interdites, puisqu'elles ne peuvent accéder aux études supérieures.

En 1917, le gouvernement fédéral accorde le **droit de vote** aux femmes dont un parent est dans l'armée. Entre 1917 et 1922, toutes les femmes du Canada, à l'exception de celles de la province de Québec, obtiennent le droit de vote aux élections provinciales.

6.47 Idola Saint-Jean. Féministe la plus en vue de l'époque, elle fonde en 1927 l'Alliance canadienne pour le vote des femmes du Québec.

6.48 Thérèse Casgrain. Vue comme « le chef de file du 20e siècle des réformistes canadiennes », elle fonde en 1921 le Comité provincial pour le suffrage des femmes.

LES LUTTES DES FEMMES

Des femmes courageuses et déterminées revendiquent la reconnaissance des droits des femmes. Thérèse Casgrain et Idola Saint-Jean réclament le droit de vote. Cette dernière affirme qu' « on ne peut parler de suffrage universel quand toute une moitié de la société est privée de son droit de vote ». Marie Gérin-Lajoie lutte pour faire amender les articles du *Code civil* qui concernent les femmes mariées. Annie Macdonald et Irma Levasseur se battent pour faire reconnaître leur droit d'exercer leurs professions d'avocate et de médecin.

LA RÉSISTANCE

La société québécoise du début du 20e siècle est réfractaire à l'émancipation des femmes. Il y a même beaucoup de femmes qui pensent être plus utiles à leur patrie en élevant de nombreux enfants qu'en prenant « part à cette agitation qui trouble la paix habituelle de certains foyers ». Cependant, les principaux opposants au mouvement féministe sont les prêtres et les politiciens. Pour eux, reconnaître certains droits aux femmes serait ouvrir une brèche au désordre social.

6.49 Marie Gérin-Lajoie. En 1929, elle publie *La Femme et le Code civil* et témoigne devant la Commission Dorion sur les amendements du *Code civil*.

LE POINT

Échelle de temps (colonne de gauche) :

1929
PARUTION DE
*LA FEMME ET
LE CODE CIVIL*
DE MARIE
GÉRIN-LAJOIE

1926
RAPPORT
BALFOUR
FONDATION DE
ROUYN ET
NORANDA

1923
TRAITÉ DU
FLÉTAN AVEC
LES ÉTATS-UNIS

1921
FONDATION DE LA
CONFÉDÉRATION
DES
TRAVAILLEURS
CATHOLIQUES DU
CANADA

1919
CRÉATION DE
LA SOCIÉTÉ
DES NATIONS

1918
ÉMEUTE À
QUÉBEC
DROIT DE VOTE
PARTIEL
ACCORDÉ
AUX FEMMES

1917
CONSCRIPTION

1914
PREMIÈRE
GUERRE
MONDIALE

1912
RÈGLEMENT 17
LIMITANT
L'ENSEIGNEMENT
DU FRANÇAIS
EN ONTARIO

1910
FONDATION
DU *DEVOIR*

1905
NAISSANCE
DES PROVINCES
DE L'ALBERTA
ET DE LA
SAKATCHEWAN

1899
GUERRE DES
BOERS

1898
CONSTRUCTION
DU BARRAGE
SHAWINIGAN

1896
LAURIER
PREMIER
MINISTRE DU
CANADA

---

1 Dans l'échelle de temps ci-contre, relève un ou des événements

  a) favorisant l'autonomie canadienne.

  b) provoquant des affrontements entre Canadiens français et Canadiens anglais.

  c) se rapportant au développement économique de la province de Québec.

  d) se rapportant à la syndicalisation des travailleurs.

  e) concernant la condition féminine.

2 Quel lien y a-t-il entre le document 6.50 et

  a) les exportations canadiennes?

  b) le développement des chemins de fer?

  c) l'immigration?

  d) la naissance de nouvelles provinces?

FERMES CANADIENNES SITUÉES DANS LES PRAIRIES	
Années	**Pourcentage**
1901	10 %
1911	30 %

6.50

« [...] la race anglo-saxonne [...] est infailliblement destinée à être la force prédominante dans l'histoire et la civilisation futures du monde.»

Joseph Chamberlain, ministre des Colonies, 1887

6.51

3 *a)* Selon toi, à quoi peut mener la conviction exprimée par Joseph Chamberlain dans le texte du document 6.51?

  b) Henri Bourassa réagit contre ce mode de pensée en affichant un fervent nationalisme. Définis les grandes tendances du nationalisme de Bourassa.

  c) Selon toi, les Canadiens anglais partagent-ils le nationalisme de Bourassa? Justifie ta réponse.

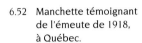

4 *a*) Quelle décision gouvernementale a provoqué l'émeute de Québec?

b) Pourquoi certains Québécois se sont-ils révoltés à la suite de cette décision?

6.52 Manchette témoignant de l'émeute de 1918, à Québec.

5 Au cours des premières décennies du 20ᵉ siècle, la province de Québec connaît une deuxième phase d'industrialisation.

Écris un court texte sur cette question, dans lequel tu aborderas les sujets suivants.

a) Investissements étrangers.

b) Secteurs de l'économie.

c) Régions.

d) Syndicalisme.

e) Urbanisation.

«[La guerre] a forcé la femme à donner son plein rendement à la société. Elle a rempli toutes les charges, accompli toutes les besognes. Elle est par conséquent devenue consciente de ses capacités, et les ayant mises au service de l'humanité, elle ne veut plus retourner à sa vie incomplète d'avant-guerre.»

Idola Saint-Jean, 1929

6.53

«Nous affirmons que l'immense majorité des mères de famille et des épouses canadiennes-françaises [...] demanderont aux autorités compétentes de mettre fin à cette agitation [autour du droit de vote des femmes] qui trouble la paix habituelle de certains foyers.»

Rolande Savard-Désilets, 1936

6.54

6 *a*) Quelles sont les positions exprimées dans les textes des documents 6.53 et 6.54 au sujet du féminisme?

b) Partages-tu l'une ou l'autre de ces opinions? Pour quelles raisons?

EN RÉSUMÉ

1 Les trente premières années du 20e siècle constituent une **ère de prospérité** pour le Canada:

- deux nouvelles provinces voient le jour en 1905: l'Alberta et la Saskatchewan;
- le **boom du blé** permet le développement de l'**Ouest**;
- l'**immigration**, encouragée par des mesures gouvernementales, contribue fortement à l'augmentation de la population;
- l'**industrialisation** se poursuit dans l'**Est**, particulièrement en Ontario et au Québec.

2 La Première Guerre mondiale, et particulièrement la **conscription** de 1917, est une occasion d'affrontement entre Canadiens anglais et Canadiens français au sujet de l'**impérialisme britannique**.

Les **Canadiens anglais** souhaitent que le Canada soit **solidaire de l'Angleterre** même dans ses guerres.

Les **Canadiens français**, représentés par **Henri Bourassa**, ont une opinion contraire. Le **nationalisme** de Bourassa comporte deux aspects:

- le Canada doit affirmer son **autonomie face à l'Angleterre**: il ne doit donc pas participer à ses guerres;
- les **droits des Canadiens français** doivent être défendus, particulièrement en matière de langue et de religion.

3 La Première Guerre mondiale a des conséquences au Canada:

- le pays est reconnu comme une puissance sur la scène internationale (traité de Versailles, Société des Nations) et il obtient son **indépendance politique** (traité de Westminster);
- pour financer l'effort de guerre, le gouvernement fédéral émet des **bons de la Victoire** et vote des **impôts**;
- la **dette nationale** augmente;
- le gouvernement impose également le **rationnement** de certains produits afin d'en diminuer la consommation;
- l'économie connaît une **relance**, le **chômage disparaît**.

4 Entre 1900 et 1930, le Québec connaît une **deuxième phase d'industrialisation**. Cette phase est caractérisée par :

- le développement de nouveaux secteurs basés sur les **richesses naturelles** (**hydroélectricité**, **minerais**, **pâtes et papiers**) ;
- le développement des **régions** (Abitibi, Mauricie, Saguenay – Lac-Saint-Jean, Estrie) ;
- le développement des **villes** (Montréal, Québec, Salaberry-de-Valleyfield, Saint-Jean, Sherbrooke, Drummondville, Trois Rivières).

5 L'économie canadienne passe sous l'**emprise américaine** :

- les investissements des États-Unis remplacent progressivement les investissements de l'Angleterre ;
- les filiales des entreprises américaines se multiplient ;
- les exportations canadiennes se font de plus en plus vers les États-Unis.

La **concentration** (**monopole**) des entreprises prend de l'ampleur.

6 L'industrialisation du Québec entraîne l'**urbanisation**. Dans les villes **modernisées**, les ouvriers connaissent toujours de **pénibles conditions de vie**.

L'industrialisation entraîne également la syndicalisation, qui se développe sous la forme d'un **syndicalisme catholique**.

7 Le **mouvement féministe** fait quelques gains :

- obtention du **droit de vote** partout au Canada, sauf au Québec, où le clergé et les politiciens résistent au changement ;
- reconnaissance de **certains droits** dans le domaine juridique.

Cependant, les femmes sont toujours exclues de l'enseignement supérieur et continuent d'occuper les emplois les moins rémunérateurs.

POUR LA SUITE DE L'HISTOIRE...

Les années de prospérité prennent fin. Qu'adviendra-t-il du Canada au cours de la Crise économique ?

CHAPITRE 12

LA CRISE ÉCONOMIQUE

6.2 Effets de la Crise économique au Canada et au Québec.

TRAVAILLER, C'EST GAGNER SA VIE

Il existe plusieurs conceptions du travail. Pour les uns, il s'agit d'un droit fondamental, alors que pour d'autres, le travail est une obligation, une contrainte.

6.55 Le jour de Noël, des chômeurs font la file à la Old Brewery Mission, à Montréal. En 1933, 26,6 % des travailleurs canadiens sont sans emploi. Il faudra attendre 1940 pour qu'un programme d'assurance-chômage soit instauré au Canada.

1 *a*) Quelle est ta propre conception du travail?

   b) Quels sont les arguments des personnes qui ne partagent pas ta conception du travail?

2 *a*) Que penses-tu de l'opinion selon laquelle les chômeurs seraient des paresseux, des parasites de la société?

   b) Crois-tu qu'une telle opinion aurait été pertinente dans le contexte des années trente? Justifie ta réponse.

3 Félix Leclerc a chanté: «La meilleure façon de tuer un homme, c'est de le payer à ne rien faire.»

   a) Selon toi, qu'a-t-il voulu dire?

   b) Partages-tu son opinion? Justifie ta réponse.

8000 av. J.-C.		1534		1763	1867

PÉRIODE AUTOCHTONE — PÉRIODE DU RÉGIME FRANÇAIS — PÉRIODE DU RÉGIME BRITANNIQUE — PÉRIODE CONTEMPORAINE

CRISE ÉCONOMIQUE

1929 — 1939

PANORAMA

Le 24 octobre 1929, la Bourse de New York s'effondre. Quelque temps après, la plupart des pays industrialisés vivent une crise économique majeure. Cette crise, aussi appelée « la Grande Dépression », frappe durement le Canada pendant une dizaine d'années.

Les exportations chutent de façon dramatique. De nombreuses entreprises ferment leurs portes. Le chômage atteint des proportions catastrophiques.

Comme l'État n'intervient pas auprès des indigents, ceux-ci sollicitent grandement les institutions religieuses de charité. Peu à peu, le gouvernement leur vient en aide et met en place des mesures visant à relancer l'économie.

La Crise économique favorise une plus grande concentration des pouvoirs du gouvernement fédéral. De nouveaux partis politiques apparaissent et remettent en cause les principes fondamentaux du système capitaliste.

- *Pourquoi une crise économique qui éclate aux États-Unis a-t-elle des répercussions sur le Canada ?*

6.56 Une famille démunie en 1938.

- *Quels sont les secteurs de l'économie touchés par la Crise ?*

- *Quelles sont les conséquences de la Crise dans le domaine social ?*

- *De quelle façon les gouvernements réagissent-ils à la Crise ?*

LA CRISE ÉCONOMIQUE MONDIALE

6.2.1 Conséquences de la Crise sur l'économie.

UN OPTIMISME EXCESSIF?

 «Nous, en Amérique, nous sommes aujourd'hui plus près du triomphe final contre la pauvreté qu'on ne l'a jamais été auparavant dans l'histoire de tous les pays. La maison du pauvre est en train de disparaître de chez nous.»

Herbert Clark Hoover, président des États-Unis, 1929

6.57

 «[Le capitalisme américain] a trouvé des mécanismes pour se développer dans l'intérêt de toutes les classes de la société.»

Jay Lovestone, secrétaire du Parti communiste américain, vers 1927

6.58

4 *a*) Selon les documents 6.57 et 6.58, quelle est la situation socio-économique aux États-Unis en 1929?

   b) Trouves-tu étonnant que le président d'un pays capitaliste et le secrétaire du Parti communiste de ce pays partagent la même opinion? Justifie ta réponse.

Des chiffres éloquents

• Au cours des années qui précèdent 1929, il y a entre 3 et 4 millions de chômeurs aux États-Unis.

• En 1929, près de 60% des familles américaines ont des revenus annuels inférieurs à 2000,00$, montant considéré comme le minimum vital.

• En 1929, quelques privilégiés, représentant 0,3% de la population américaine, retirent 78% des dividendes déclarés des entreprises.

6.59

5 Au début de l'année 1929, on entendait souvent des discours réclamant «la richesse pour tous».

   D'après le document 6.59, crois-tu que cette revendication était légitime? Justifie ta réponse.

KRACH À LA BOURSE DE NEW YORK

La prospérité économique des années vingt, ou « Années folles », qui semblait inébranlable, montre des signes d'essouflement dès le début de 1929. En octobre **1929**, la **Crise économique** des années trente débute et se propage rapidement dans la plupart des pays industrialisés. Le capitalisme, que l'on croyait synonyme de prospérité généralisée et permanente, est fortement ébranlé dans ses assises mêmes. Aussi la Crise de 1929 durera-t-elle beaucoup plus longtemps que les crises antérieures.

Crise économique

Le 24 octobre 1929, ou « Jeudi noir », marque le véritable début de la Crise. Ce jour-là, à New York, un vent de panique souffle sur Wall Street, le quartier de la finance. Les détenteurs d'actions, affolés par la baisse de production ou la faillite de certaines entreprises, cherchent à se débarrasser de leurs titres de propriété, ce qui entraîne l'effondrement de la valeur de ces actions. Les pertes enregistrées par la Bourse de New York en cette seule journée sont estimées à trois milliards de dollars ! Les jours qui suivent constituent un court répit mais, le 29 octobre, l'économie mondiale tombe en chute libre.

6.60 En 1929, la Bourse s'effondre à New York.

D'après toi, un tel événement s'est-il reproduit depuis 1929 ?

 # LES CONSÉQUENCES ÉCONOMIQUES DE LA CRISE AU CANADA

Le Canada ressent très rapidement les secousses engendrées par la Crise économique américaine.

Malgré une industrialisation soutenue au cours des premières années du siècle, l'économie canadienne demeure dépendante des richesses naturelles et de l'agriculture. Ces deux secteurs sont les premiers touchés par la dépression parce que leur prospérité dépend des exportations vers les États-Unis, pays d'origine de la Crise.

Le 24 octobre 1929, en deux heures seulement, 16 millions de titres de toutes origines sont mis en vente à la Bourse de New York.

Les actions de la compagnie Chrysler, par exemple, passent en quelques jours de 135,00 $ à 5,00 $!

UNE ÉCONOMIE DÉPENDANTE

EXPORTATIONS CANADIENNES

Années	Revenus
1929	1 169 000,00 $
1933	532 000,00 $

6.61

En 1930, les États-Unis adoptent une politique tarifaire afin de protéger leur marché intérieur.

6.62

Entre 1928 et 1933, le revenu annuel par habitant chute de 48 % au Canada.

6.63

Avant la Crise, les exportations canadiennes représentaient plus du tiers du revenu national.

6.64

6 *a*) Mets en ordre logique les documents 6.61 à 6.64.

b) Quels documents illustrent les conséquences de la Crise ? Lequel révèle une cause de la Crise au Canada ?

c) Selon ces documents, l'économie canadienne est-elle dépendante des marchés extérieurs ? Justifie ta réponse.

L'ÉCONOMIE QUÉBÉCOISE

Secteurs	1929	1933
Exportations	422 000 000 $	238 000 000 $
Industrie	1 106 000 000 $	604 000 000 $
Mines	46 000 000 $	28 000 000 $
Tourisme	61 000 000 $	35 000 000 $

6.65

7 Selon les chiffres du document 6.65, peut-on dire que la Crise économique au Québec soit liée à l'économie mondiale ? Pour chacun des secteurs mentionnés dans ce document, justifie ta réponse.

LES RICHESSES NATURELLES

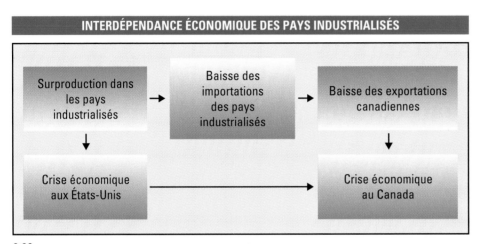

INTERDÉPENDANCE ÉCONOMIQUE DES PAYS INDUSTRIALISÉS

Surproduction dans les pays industrialisés → Baisse des importations des pays industrialisés → Baisse des exportations canadiennes

Crise économique aux États-Unis → Crise économique au Canada

6.66

Le secteur des **richesses naturelles** est durement secoué par la Crise, notamment l'industrie des pâtes et papiers. En 1929, les États-Unis, auparavant grands importateurs de papier journal canadien, diminuent leur demande, ce qui entraîne une importante baisse de production et de nombreuses coupures d'emplois au Canada.

L'industrie du bois de sciage subit le même sort. La construction, considérablement ralentie par la dépression, chute de façon dramatique.

L'AGRICULTURE

Le secteur de l'**agriculture** est aussi durement touché par la Crise économique. Vers la fin des années vingt, l'Europe a presque atteint l'autosuffisance dans le secteur des produits alimentaires. L'exportation de blé des provinces des Prairies vers l'Europe baisse donc considérablement. Lorsque survient la Crise, le prix du blé s'effondre sur les marchés mondiaux, passant de 1,03 $ le boisseau en 1928 à 0,29 $ le boisseau en 1933 ! De plus, entre 1929 et 1937, l'agriculture des Prairies subit une sécheresse, une épidémie de sauterelles et une maladie du blé.

Dans la province de Québec, la situation est moins dramatique parce que l'agriculture y est moins dépendante des marchés extérieurs. Cependant, entre 1926 et 1935, les revenus des agriculteurs diminuent à cause de la baisse des prix des produits agricoles. Cette baisse de revenus a pour principale conséquence de ralentir la mécanisation des fermes.

Les effets de la Crise en Saskatchewan

En 1933, les fermiers de la Saskatchewan vivent une situation dramatique. Ils ne peuvent rembourser les prêts qu'ils ont contractés, ni même l'intérêt de ces prêts, lequel représente près des quatre cinquièmes de la valeur du blé qu'ils mettent en vente. De surcroît, les impôts agricoles qu'ils doivent payer grugent déjà les deux tiers de leurs revenus.

Aussi, en 1937, 95 % des municipalités de cette province sont au bord de la faillite.

LES RÉPERCUSSIONS DE LA CRISE ÉCONOMIQUE SUR LA SOCIÉTÉ CANADIENNE

* 6.2.2 Répercussions de la Crise économique.

UNE ÉCONOMIE EN CRISE

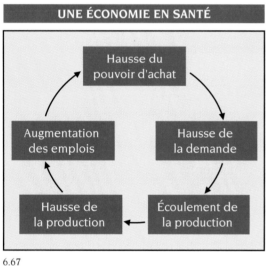

UNE ÉCONOMIE EN SANTÉ

Hausse du pouvoir d'achat → Hausse de la demande → Écoulement de la production → Hausse de la production → Augmentation des emplois → (retour à Hausse du pouvoir d'achat)

6.67

« [...] à partir du moment où beaucoup de gens étaient devenus incapables d'acheter, il y avait une baisse de la « demande globale » et, conséquemment, une accumulation des stocks de marchandises non vendues, laquelle entraînait une baisse de production, laquelle entraînait une croissance du chômage, laquelle entraînait une réduction encore plus grande du pouvoir d'achat des travailleurs, etc. »

Michel Pelletier et Yves Vaillancourt, sociologues, 1975

6.68

8 À l'aide du document 6.68, fais un schéma semblable à celui du document 6.67, mais décrivant une économie « malade ».

« [La Crise s'explique par] l'accumulation croissante du capital entre les mains de la bourgeoisie [...] La Crise a été préparée et causée, pendant la période dite de « prospérité » de la deuxième moitié des années vingt, par l'inégale distribution des richesses réglementée par le mécanisme dit « naturel » de l'organisation capitaliste du travail. »

Michel Pelletier et Yves Vaillancourt, sociologues, 1975

6.69

9 *a*) Selon les auteurs du texte du document 6.69, la Crise de 1929 est-elle accidentelle ou liée au fonctionnement du système capitaliste de l'époque ? Justifie ta réponse.

   b) À quel élément du schéma que tu as fait à l'activité 8 associes-tu « l'accumulation croissante du capital entre les mains de la bourgeoisie » ? Pourquoi ?

FAILLITES ET CHÔMAGE

La Crise bouleverse les conditions de vie de toute la société canadienne. Jusqu'au milieu des années trente, les **faillites** se succèdent et le **chômage** va croissant.

La baisse des exportations entraîne la réduction des revenus des producteurs. Ceux-ci se voient alors dans l'obligation de congédier des employés pour tenter d'éviter la faillite. Les travailleurs, privés de leur revenu, perdent leur pouvoir d'achat et ne sont plus en mesure de contribuer au fonctionnement de l'économie. Et plus il y a de chômage, plus il y a baisse du pouvoir d'achat.

Quelques rares entrepreneurs parviennent à subsister. Les autres, accablés de dettes, n'ont d'autre choix que de mettre la clé dans la porte de leur entreprise.

Ces fermetures provoquent un nouvel accroissement du chômage. En 1929, environ 3 % des Canadiens sont sans emploi ; en 1933, c'est le quart de la population canadienne qui se retrouve en chômage.

> Pouvoir d'achat

6.70 Faillite due à la Crise.

LE CHÔMAGE

TAUX DE CHÔMAGE AU CANADA (1930-1939)

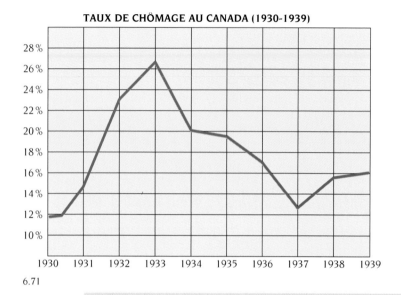

6.71

10 *a*) Quel est le taux de chômage actuel au Canada? au Québec?

b) À l'aide du document 6.71, compare le taux de chômage actuel du Canada avec ceux des années trente. Crois-tu que l'économie actuelle du Canada se porte bien? Justifie ta réponse.

c) Existe-t-il actuellement des programmes par lesquels les gouvernements viennent en aide aux chômeurs? Y en avait-il en 1930?

«[…] il y avait une surabondance de main-d'oeuvre disponible. [Les entrepreneurs] avaient le choix et pouvaient payer ce qu'ils voulaient. Si le travailleur se plaignait, on lui disait simplement de déguerpir; il y avait des piles de demandes d'emploi de dix pieds [environ trois mètres] de haut».

Témoignage recueilli par Barry Broadfoot, journaliste, et publié en 1978

6.72

«Attendu que l'une des causes principales du chômage est le développement exagéré du travail féminin, le Congrès demande à la législation provinciale de restreindre à de justes proportions l'emploi de la main-d'oeuvre féminine […] en commençant par le congédiement des femmes mariées.»

Congrès de la Confédération des travailleurs catholiques du Canada, 1935

6.73

11 À l'aide du document 6.72, indique une conséquence du taux de chômage élevé dans le domaine des relations de travail.

12 Dans le texte du document 6.73, à quelle cause la Confédération des travailleurs catholiques du Canada attribue-t-elle le chômage? Que penses-tu d'une telle affirmation?

13 Décris en quelques paragraphes les conditions de vie – nourriture, logement, vêtement, santé – d'une famille au chômage au cours des années trente.

Les chômeurs

Avant la Crise, il n'y avait pas de système d'aide sociale au Canada. L'ère de prospérité amenée par la Première Guerre mondiale avait permis à l'ensemble de la population de subsister sans le recours de l'État.

Cependant, dès le début des années trente, le gouvernement fédéral et les gouvernements provinciaux ont de la difficulté à faire face à la pénible situation créée par la Crise. Ils espèrent néanmoins que cette crise se résorbera d'elle-même assez rapidement et ne croient pas à la nécessité d'intervenir auprès de la population.

Les chômeurs ne peuvent alors compter que sur les **institutions de charité privées**. Les agriculteurs sans emploi désertent les villages pour tenter de trouver du travail à Montréal. Leur migration se solde par l'encombrement des refuges pour chômeurs et indigents. Ces refuges, financés par des particuliers et des organismes religieux, sont bientôt submergés et n'arrivent pas à secourir tous les miséreux.

6.74 Mary Travers, dite «la Bolduc», chanteuse populaire des années trente.

Moé, j'vous dis qu'au Canada,
On voit nos braves Canadiens,
Leurs pauvres enfants meurent de faim,
On en voit dans la rue
Un pied chaussé, l'autre nu.
Extrait de *Sans travail*, chanson enregistrée le 2 juillet 1932

6.75 Refuge de chômeurs.

L'ÉTAT INTERVIENT

6.77   Bon des secours directs.

6.76   Travailleurs du camp de Valcartier construisant un entrepôt, en 1933.

 «[…] pour justifier nos quelques dollars, on faisait des bien drôles de travaux qui n'avaient rien à voir avec la réalité quotidienne. On nous faisait ouvrir des sentiers d'excursion pour piétons, clairer des parcs et si on pense à l'ambiance de l'époque, ça prenait un sentier mauditement fantastique pour qu'une bande d'hommes prennent leur travail à coeur. Ou encore, plutôt que d'utiliser les machines existantes, on choisissait de faire creuser des fossés par 50 hommes au pic et à la pelle, tandis que le *bulldozer* de 3000$ restait stationné sur le bord de la route. »

Témoignage recueilli par Barry Broadfoot, journaliste, et publié en 1978

6.78

14 *a*) À l'aide des documents 6.76 à 6.78, décris deux types d'interventions gouvernementales auprès des chômeurs au cours des années trente.

   b) Quels objectifs poursuivent les gouvernements en proposant de telles mesures?

   c) Quelle est l'opinion émise dans le texte du document 6.78 sur une de ces mesures? Quelle est ton opinion sur cette mesure?

   d) De telles mesures existent-elles encore de nos jours? Justifie ta réponse.

L'INTERVENTION DES GOUVERNEMENTS

Après quelque temps, l'État se décide à intervenir. Le gouvernement fédéral, les gouvernements provinciaux et les municipalités conjuguent leurs efforts pour soulager la misère et relancer l'économie.

DU TRAVAIL

Des **travaux publics** sont entrepris pour occuper les chômeurs. Ils rénovent des édifices publics et des monuments historiques, travaillent à la construction de ponts et au terrassement de parcs municipaux. Mais ces travaux ne mettent à contribution qu'une partie des chômeurs. On invite les hommes célibataires à vivre dans des **camps de travail** où ils exécutent diverses tâches. En échange, ils sont nourris, logés et reçoivent un salaire de 0,20 $ l'heure. Ces camps sont vivement critiqués à cause du maigre salaire des travailleurs et des dures conditions de vie qu'ils y subissent. Ils sont fermés au cours de l'été 1936.

DÉPENSES GOUVERNEMENTALES LIÉES À LA CRISE ÉCONOMIQUE AU QUÉBEC (1930-1940)				
	Secours directs (millions de $)	Travaux publics (millions de $)	Total (millions de $)	Pourcentage des dépenses
Fédéral	45,9	17,1	63,0	27,6 %
Provincial	59,6	56,4	116,0	50,9 %
Municipal	39,4	9,7	49,1	21,5 %
Total	144,9	83,2	228,1	100,0 %

6.79

6.80 Travaux publics à Lachine, en 1938.

LES « SECOURS DIRECTS »

En 1932, le gouvernement fédéral se résout à apporter une aide financière directe aux familles nécessiteuses. Les « **secours directs** », distribués sous forme de bons, sont attribués en fonction des besoins de chacune de ces familles. Une famille de six enfants, par exemple, reçoit plus de coupons d'approvisionnement qu'une famille de deux enfants. Ces coupons servent à se procurer de la nourriture, des vêtements et du combustible.

3

LES RÉACTIONS
À LA CRISE ÉCONOMIQUE

6.2.3 Réactions à la Crise économique.

DE NOUVELLES SOLUTIONS

« Nous visons à remplacer le système capitaliste en place, injuste et inhumain, par un ordre socialiste dans lequel la domination et l'exploitation d'une classe par une autre seraient impossibles et dans lequel la planification économique remplacerait l'entreprise privée non réglementée et la compétition. »

Manifeste de Régina de la Cooperative Commonwealth Federation, 1933

6.81

« [...] pour le Crédit social [...], la Crise a sa source dans les failles du système bancaire [...], dans un manque chronique de pouvoir d'achat [...] que l'on pourrait facilement éliminer en imprimant de la monnaie nouvelle et en distribuant des dividendes sociaux aux consommateurs ou des subventions aux producteurs pour leur permettre de vendre leurs produits à des prix moins élevés. »

Gilles Paquet, historien, 1981

6.82

« [...] les libéraux et les conservateurs sont des représentants de la classe des richards qui gouverne le Canada [...] Nous ne pouvons placer notre confiance en eux [...] Travailleurs du Québec, ouvriers et chômeurs [...], tournez-vous vers le Parti communiste [...] »

Programme électoral du Parti communiste du Canada, 1935

6.83

15 *a)* Quel est le point de vue partagé par les trois nouveaux partis canadiens sur le capitalisme pratiqué au Canada à l'époque de la Crise?

b) Quelles sont les solutions proposées par ces partis pour remédier à la Crise?

c) Crois-tu que ces partis ont de réelles chances de percer dans la province de Québec? Justifie ta réponse.

d) Si tu étais un chômeur ou une chômeuse des années trente, auquel de ces partis accorderais-tu ta confiance? Pourquoi?

LE CAPITALISME REMIS EN QUESTION

Les crises sont souvent des occasions de remise en question. Au cours des années trente, de nombreux Canadiens remettent en cause l'efficacité du **système capitaliste** et cherchent des solutions pour pallier les lacunes de ce système.

Le capitalisme est un système économique basé sur la libre-entreprise dans lequel l'individu est responsable de son sort. Selon ce système, l'État n'a pas à intervenir pour soulager la misère engendrée par une crise économique. Cependant, à cause des conséquences dramatiques de la Crise, il apparaît bientôt évident aux Canadiens que l'État doit désormais assumer plus de responsabilités sur le plan social.

Capitalisme

«Les banquiers d'aujourd'hui sont des gangsters et des pirates […] Qu'un indigent vole un pain et il fera deux ans de prison. Un banquier prend 10 000 $ et le voilà capitaine d'industrie.»

Charles Smart, député, 1932

DE NOUVEAUX PARTIS POLITIQUES

Les partis politiques traditionnels – libéral et conservateur – perdent de leur popularité. Beaucoup de Canadiens croient que les solutions à la Crise doivent être cherchées à l'extérieur de ces partis. Au cours des années trente, plusieurs **formations politiques** apparaissent ou se développent dans le paysage politique canadien.

Le **Crédit social** (CS) affirme qu'une politique monétaire adéquate peut assurer le développement économique. Pour ce parti, le gouvernement n'a qu'à imprimer et à distribuer des billets de banque pour favoriser la consommation et donc, la production. Préconisant des solutions économiques simples, ce parti suscite beaucoup d'intérêt chez les agriculteurs des Prairies. En 1935, il réussit à former le gouvernement de la province de l'Alberta. La **Cooperative Commonwealth Federation** (CCF), de tendance socialiste, préconise l'intervention massive de l'État dans la planification économique. Selon la CCF, c'est le seul moyen d'amener la justice sociale. Le **Parti communiste du Canada** (PCC) prône l'abolition de la libre-entreprise. Pour le PCC, le système capitaliste doit être remplacé par un système dans lequel l'État possède tous les leviers de l'économie.

6.84 James S. Woodsworth, premier dirigeant de la Cooperative Commonwealth Federation, et sa fille devant leur maison, à Winnipeg.

UN CATHOLICISME SOCIAL

« L'ouvrier ne doit [pas] recevoir en charité ce qui lui revient en justice [...]
Personne ne peut être en même temps bon catholique et vrai socialiste. »

Pie XI, pape, 1931

6.85

« [...] l'Église catholique [...] désire le rapprochement des patrons et des ouvriers
[et] la reconstruction de la corporation industrielle chrétienne. »

Alfred Charpentier, syndicaliste, 1922

6.86

16 Selon toi, dans le document 6.85, y a-t-il une contradiction dans les
propos tenus par le pape? Justifie ta réponse.

17 En quoi les souhaits exprimés par l'Église dans les textes des
documents 6.85 et 6.86 se distinguent-ils de ceux de la Cooperative
Commonwealth Federation, du Crédit social et du Parti communiste
du Canada?

LE NATIONALISME CANADIEN-FRANÇAIS

« À l'heure actuelle, pour sauver leur avenir et leur culture, les Canadiens
français auront besoin de conquérir en même temps leur liberté économique. »

Lionel Groulx, historien, 1936

6.87

« Québec doit devenir au plus tôt un État libre dans lequel la nation canadienne-
française sera absolument maîtresse de ses destinées. »

Paul Simard, membre du groupe nationaliste Jeune Canada, 1935

6.88

18 *a)* Dans les documents 6.87 et 6.88, Lionel Groulx et Paul Simard
poursuivent-ils le même objectif. Si oui, quel est-il?

b) En quoi leurs propositions diffèrent-elles?

c) Laquelle des deux options te paraît la plus apte à atteindre
l'objectif poursuivi?

DANS LA PROVINCE DE QUÉBEC

Au Québec, ces nouveaux partis politiques ne sont guère populaires. Fortement attachés aux valeurs traditionnelles liées à la famille, à la langue et à la religion, les Canadiens français n'adhèrent pas aux nouvelles doctrines.

La critique du capitalisme faite par l'élite canadienne-française repose sur deux points essentiels. L'élite désapprouve l'existence des monopoles – surtout américains – tel le monopole de l'électricité, qu'elle estime responsables de la Crise. De plus, elle reproche aux capitalistes de se montrer hostiles envers les Canadiens français. L'économiste Édouard Montpetit et le prêtre-historien Lionel Groulx luttent pour propager l'idée que les Canadiens français doivent s'emparer de l'économie de leur province. La Crise aura donc servi à raviver le **nationalisme canadien-français**.

DEUX NOUVEAUX PARTIS

Deux nouvelles formations politiques apparaissent au Québec. Le Parti fasciste d'Adrien Arcand préconise l'État-dictature appuyé sur le nationalisme. L'**Union nationale** (UN), quant à elle, préconise un programme de réformes politiques, économiques et sociales. Déjà en 1935 s'était formée une coalition entre le Parti conservateur de Maurice Duplessis et l'Action libérale nationale de Paul Gouin. Cette coalition devient l'Union nationale, qui remporte les élections en 1936. Cette victoire fait de son chef, **Maurice Duplessis**, le premier ministre du Québec.

LE RETOUR À LA TERRE

Au cours de la Crise, le gouvernement québécois, en collaboration avec l'Église, préconise le **retour à la terre** pour contrer la misère engendrée par le chômage. Les chômeurs sont invités à s'établir dans les régions de colonisation : l'Abitibi, la Gaspésie et le Lac-Saint-Jean. Selon les dirigeants québécois, une famille arrive toujours à survivre sur une terre parce qu'elle y puise au moins sa nourriture.

6.89 Travaux de jardinage sur une terre de colonisation de l'Abitibi, en 1935.

Un gouvernement fédéral interventionniste

« Mes collègues et moi-même sommes convaincus qu'un régime national d'assurance-chômage contribuerait à la sécurité matérielle des individus et à la stabilité industrielle du Canada [...] S'il est possible d'obtenir la coopération des gouvernements des diverses provinces, nous sommes prêts à soumettre [...] des projets de loi à cet effet [...] »

William Lyon Mackenzie King aux premiers ministres des provinces du Canada, 5 novembre 1937

6.90

« Le gouvernement du Québec est toujours prêt à collaborer et à coopérer, mais il est fermement et irrémédiablement opposé à l'union législative. Il serait possible d'établir un système d'assurance-chômage sans empiéter sur les droits de la province. »

Maurice Duplessis à Mackenzie King, 23 novembre 1937

6.91

« [...] l'assurance-chômage doit avoir une portée nationale pour être efficace [...] Il faut que le Parlement national soit muni de pouvoirs absolus pour ériger un organisme d'une pareille étendue. »

Mackenzie King à Duplessis, 26 novembre 1937

6.92

« [La province de Québec est prête] à collaborer à l'établissement d'un système d'assurance-chômage qui pourrait avoir une portée nationale sans empiéter sur les droits et l'autonomie des provinces. »

Duplessis à Mackenzie King, 30 novembre 1937

6.93

19 *a*) Les premiers ministres Mackenzie King et Duplessis sont-ils d'accord sur la nécessité de créer un programme d'assurance-chômage au Canada ?

b) Sur quel point sont-ils en désaccord ?

c) Quel est l'argument de Mackenzie King pour défendre son point de vue ? Quel est celui de Duplessis ?

d) De nos jours, quel palier de gouvernement est responsable du programme d'assurance-chômage au Canada ?

C L'ÉTAT EN MARCHE

Au début de la Crise, personne n'aurait pu croire qu'elle allait durer dix ans. On pensait plutôt qu'elle s'achèverait après quelques mois ou quelques années, comme les crises précédentes. Aussi, lorsque le gouvernement fédéral intervient, il propose des mesures temporaires pour pallier les effets désastreux de cette crise.

En 1935, comme il constate que la Crise perdure, le premier ministre du Canada, Richard Bedford Bennett, propose un plan de redressement économique. Ce plan, inspiré du *New Deal* du président américain Franklin Delano

6.94 Richard Bedford Bennett, premier ministre du Canada de 1930 à 1935.

Roosevelt, prévoit une présence accrue de l'État dans les domaines économique et social. Cependant, plusieurs des mesures préconisées par le *New Deal* sont critiquées par les gouvernements des provinces parce qu'elles leur retirent des pouvoirs pour les attribuer au gouvernement fédéral.

En 1937, le Conseil privé de Londres donne raison aux provinces en déclarant ces mesures inconstitutionnelles. Au cours de cette même année, le nouveau premier ministre du Canada, William Lyon Mackenzie King, crée une commission royale d'enquête, la **Commission Rowell-Sirois**, chargée d'étudier les relations entre le Dominion et les provinces.

En 1940, la Commission dépose son rapport, dans lequel elle recommande une augmentation de la **centralisation des pouvoirs** à Ottawa. Le gouvernement fédéral prendrait en charge les programmes sociaux et les dettes des provinces. Par contre, pour s'assurer des revenus supplémentaires, il recevrait les impôts jusqu'alors perçus par les provinces. En contrepartie, il leur attribuerait des subventions compensatoires.

Le *New Deal* canadien

Le *New Deal* du premier ministre Bennett préconise les mesures suivantes :

- la diminution de la durée de la journée et de la semaine de travail ;
- l'abolition du travail des enfants ;
- l'imposition d'un salaire minimum ;
- la création de l'assurance-chômage ;
- le placement ;
- l'assistance sociale ;
- l'attribution de prêts aux agriculteurs et aux pêcheurs ;
- la création de la Commission canadienne du blé.

1939
16 % DE
CHÔMEURS
AU CANADA

1937
AGRICULTURE
DUREMENT
TOUCHÉE DANS
LES PRAIRIES
COMMISSION
ROWELL-SIROIS
PLUSIEURS
MESURES
DU *NEW DEAL*
CANADIEN
CRITIQUÉES PAR
LE CONSEIL
PRIVÉ
DE LONDRES

1936
DUPLESSIS
PREMIER
MINISTRE DU
QUÉBEC

1935
MACKENZIE KING
PREMIER
MINISTRE DU
CANADA
NEW DEAL DE
BENNETT

1933
26,6 % DE
CHÔMEURS AU
CANADA

1932
DISTRIBUTION
DES SECOURS
DIRECTS
CAMPS
DE TRAVAIL
FONDATION
DE LA
COOPERATIVE
COMMONWEALTH
FEDERATION
ET DU
CRÉDIT SOCIAL

1930
POLITIQUE
TARIFAIRE AUX
ÉTATS-UNIS
LE GOUVERNEMENT
DU QUÉBEC
OCTROIE
500 000 $
AUX TRAVAUX
PUBLICS

1929
KRACH À LA
BOURSE DE
NEW YORK

REVENUS DES CANADIENS (1928-1933)	
Provinces	**Pourcentage de la baisse des revenus**
Saskatchewan	72 %
Alberta	61 %
Manitoba	49 %
Colombie-Britannique	47 %
Île-du-Prince-Édouard	45 %
Ontario	44 %
Québec	44 %
Nouveau-Brunswick	39 %
Nouvelle-Écosse	36 %
Moyenne au Canada	48 %

6.95

6.96   Un élévateur à grain déserté à Lachine, sur l'île de Montréal.

❶ À l'époque de la Crise économique, pourquoi les provinces des Prairies ont-elles subi les plus importantes pertes de revenus?

❷ *a)* Vois-tu un lien entre le document 6.95 et le document 6.96? Si oui, lequel?

b) Pendant la Crise, pour quelle raison l'activité portuaire était-elle faible en général?

c) D'après toi, cette faible activité a-t-elle été une cause ou une conséquence de la Crise? Justifie ta réponse.

6.97 Chômeurs participant à des travaux publics au cours de l'hiver 1938, à Verdun.

«Il faut savoir que le village de Saint-Guy a été fondé en juillet 1935, conformément au plan mis de l'avant par le ministre de la Colonisation d'alors, Irénée Vautrin. Le gouvernement offrait un plan d'établissement d'un an [...] Les colons étaient payés 1,60$ pour huit heures de travail. On leur retirait 30 cents par jour pour la pension, on leur remettait 30 autres cents comme salaire régulier, tandis qu'on gardait pour eux le dollar qui restait, afin de leur rendre la cagnotte accumulée au bout d'un an, s'ils choisissaient de s'établir à demeure.»

Gilles Normand, *La Presse*, 30 janvier 1993

6.98

❸ À l'aide de l'échelle de temps de la page 390 et des documents 6.97 et 6.98, explique les répercussions de la Crise

a) sur le plan social,

b) sur le plan politique.

Au cours de la campagne électorale de 1936, Maurice Duplessis se présente comme l'homme du «réveil national». Il s'élève avec vigueur contre «le plus pernicieux des trusts dans la province de Québec [...], le trust de l'électricité, [constitué de] quatre ou cinq grandes compagnies».

6.99

❹ À l'aide du document 6.99, nomme un aspect du système économique du Québec qui est critiqué par de nombreux Canadiens français de l'époque.

EN RÉSUMÉ

1 Au Canada, les secteurs des **richesses naturelles** et de l'**agriculture** sont durement touchés par la **Crise économique** qui débute en **1929**.

- Les États-Unis réduisent leur demande de pâtes et papiers canadiens, ce qui entraîne une baisse de production et des coupures d'emplois.

- En raison de son autosuffisance croissante, le marché européen des produits alimentaires se ferme aux importations canadiennes. Le prix du blé des Prairies s'effondre.

2 Pendant la Crise, les **faillites** se multiplient et le **chômage** augmente.

3 Au début de la Crise, en l'absence de mesures d'aide sociale gouvernementales, les chômeurs doivent recourir aux **institutions de charité privées**.

4 Les gouvernements finissent par intervenir pour combattre la misère et relancer l'économie.

- Ils entreprennent des **travaux publics** et engagent des hommes dans des **camps de travail**.

- Ils offrent une aide financière aux familles dans le besoin : les « **secours directs** ».

5 La Crise met en lumière les lacunes du **système capitaliste**. Pour de nombreux Canadiens, l'État devrait assumer plus de responsabilités dans les domaines social et économique.

6 Pour tenter de contrer les effets de la Crise, des **partis politiques** sont formés ou consolidés au Canada : la **Cooperative Commonwealth Federation**, le **Crédit social** et le **Parti communiste du Canada**.

7 Dans la province de Québec, la Crise ravive le **nationalisme canadien-français**. Les nationalistes canadiens-français s'attaquent aux monopoles américains, dénoncent l'hostilité des capitalistes envers les Canadiens français et exhortent le peuple à s'emparer de l'économie de sa province.

C'est dans ce climat que naît l'**Union nationale**, dirigée par **Maurice Duplessis**.

8 Le gouvernement québécois préconise le **retour à la terre** comme moyen de soulager la misère des chômeurs.

9 Comme la Crise se prolonge, le gouvernement fédéral met en place de nouvelles mesures :

- le *New Deal* canadien, plan de redressement économique proposé par le premier ministre du Canada, Richard Bedford Bennett ;

- la **Commission Rowell-Sirois**, qui recommande une augmentation de la **centralisation des pouvoirs** à Ottawa.

POUR LA SUITE DE L'HISTOIRE...

La Crise économique commence à décliner en 1937. Toutefois, il faudra attendre la fin des années trente pour que le Canada bénéficie d'une réelle reprise économique, qui se verra stimulée par la Deuxième Guerre mondiale.

AUTOÉVALUATION

① Sur une fresque de temps semblable au document 6.100, situe chacun des événements suivants et place-le dans la région appropriée.

a) Adoption du Statut de Westminster.

b) Création des provinces de l'Alberta et de la Saskatchewan.

c) Création de la Commission Rowell-Sirois.

d) Fondation de la Cooperative Commonwealth Federation et du Crédit social.

e) Crise de la conscription.

f) Début de la Première Guerre mondiale.

g) Début de la guerre des Boers.

h) Présentation du *New Deal* de Richard Bedford Bennett.

i) Élection de Maurice Duplessis.

j) Élection de Wilfrid Laurier.

k) Fondation du journal *Le Devoir* par Henri Bourassa.

l) Fondation de la Confédération des travailleurs catholiques du Canada.

m) Instauration des secours directs.

n) Krach boursier à New York.

o) Octroi du droit de vote aux femmes de soldats.

p) Plus haut taux de chômage au Canada.

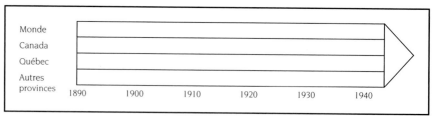

6.100

② Complète un schéma semblable au document 6.101.

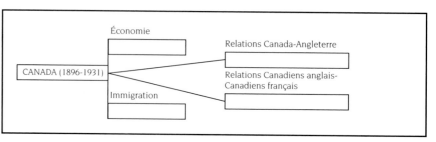

6.101

❸ Complète un schéma semblable au document 6.102.

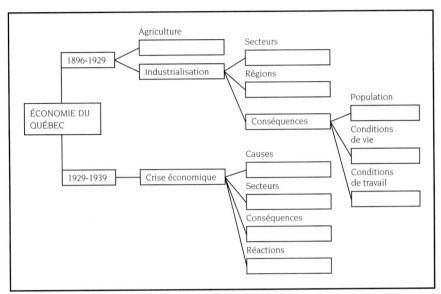

6.102

❹ Complète un schéma semblable au document 6.103.

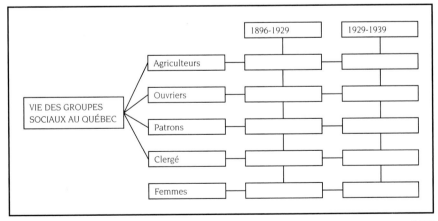

6.103

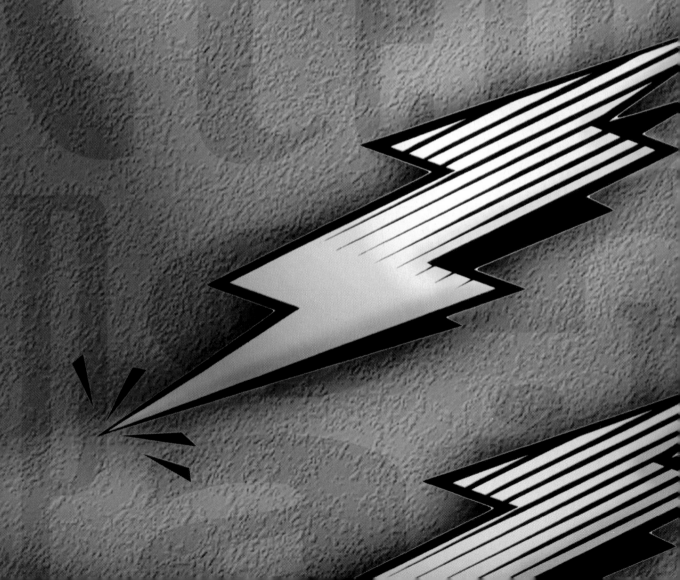

LA PÉRIODE CONTEMPORAINE

MODULE 7

LE QUÉBEC CONTEMPORAIN

Principales transformations de la société québécoise de 1939 à nos jours.

CHAPITRE 13

LA SECONDE GUERRE MONDIALE

7.1 Répercussions de la Seconde Guerre mondiale sur le Québec.

LA CONSCRIPTION : OUI OU NON ?

Au cours de la Seconde Guerre mondiale, le gouvernement fédéral canadien demande à la population de se prononcer sur la conscription par voie de référendum. Le résultat de cette consultation fait ressortir une fois de plus la dualité canadienne : Canadiens français et Canadiens anglais forment deux camps aux opinions opposées.

7.1 Lors de la campagne précédant le plébiscite de 1942, la publicité s'adresse aussi aux femmes canadiennes.

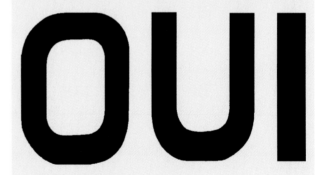

7.2 L'autre côté de la médaille…

1 *a)* Qu'est-ce qu'un référendum ? une conscription ?

b) Quelle est la position défendue dans le texte du document 7.1 ? du document 7.2 ?

c) Selon toi, quelle a été la réponse des Canadiens français ? des Canadiens anglais ? Justifie tes réponses.

8000 AV. J.-C.		1534		1763	1867
PÉRIODE AUTOCHTONE		PÉRIODE DU RÉGIME FRANÇAIS		PÉRIODE DU RÉGIME BRITANNIQUE	PÉRIODE CONTEMPORAINE

SECONDE GUERRE MONDIALE

1939   1945

PANORAMA

La Seconde Guerre mondiale (1939-1945) met fin à la Crise économique des années trente. La production industrielle et agricole redémarre et s'adapte à l'effort de guerre du Canada.

Au cours des premières années du conflit, l'enrôlement des soldats est volontaire. Toutefois, lors du plébiscite de 1942, le gouvernement fédéral demande à la population l'autorisation de recourir à la conscription si nécessaire. Les résultats de cette consultation mettent une fois de plus en lumière les conceptions opposées des Canadiens français et des Canadiens anglais sur l'effort de guerre canadien. La majorité des Canadiens français votent contre l'enrôlement obligatoire ; la majorité des Canadiens anglais votent en faveur de cette mesure.

Comme la guerre concerne les secteurs des relations internationales et de la défense du pays, elle relève du gouvernement fédéral, qui en profite pour intensifier sa politique de centralisation des pouvoirs. Malgré cela, dans la province de Québec, le gouvernement Godbout parvient à faire adopter quelques mesures réformistes.

7.3 Une manifestation contre la conscription à Montréal.

- *Quel est le rôle du Canada au cours de la Seconde Guerre mondiale ?*
- *Quelle est la participation du Québec à l'effort de guerre ?*
- *Dans quel contexte la conscription est-elle votée ?*
- *Quelles sont les mesures réformistes adoptées par le gouvernement québécois ?*

L'EFFORT DE GUERRE

7.1.1 Participation du Québec à l'effort de guerre.

DÉMOCRATIES ET DICTATURES EN GUERRE

Au cours de la Seconde Guerre mondiale, démocraties et dictatures sont en lutte. Les pays démocratiques sont appelés « les Alliés » et les dictatures, « les forces ou les pays de l'Axe ».

DÉMOCRATIE ET DICTATURE	
Démocratie	**Dictature**
Plusieurs partis politiques	Un seul parti politique
Partage du pouvoir	Pouvoir absolu du dictateur
Liberté d'expression	Répression de la liberté d'expression

7.5

7.4 En 1942, 720 Canadiens d'origine japonaise sont déplacés et internés dans des camps.

2 *a)* Chacun des pays suivants fait-il partie des Alliés ou des forces de l'Axe ?

Allemagne	États-Unis
France	Grande-Bretagne
Italie	Japon

b) Selon toi, quel groupe de pays le Canada appuie-t-il ? Pour quelles raisons ?

3 *a)* Pourquoi le gouvernement canadien a-t-il envoyé les Japonais dans des camps en 1942 ?

b) Crois-tu qu'une telle mesure ait été justifiée à l'époque ? Pourquoi ?

c) En 1990, le gouvernement canadien a dédommagé les Japonais internés en 1942.

Es-tu d'accord avec cette mesure ? Pourquoi ?

LE MONDE EN GUERRE

En Europe, au cours des années trente, de grandes tensions naissent entre certains pays. Les **démocraties** sont inquiètes de la montée des **dictatures** : l'Allemagne, dirigée par Adolf Hitler, et l'Italie, menée par Benito Mussolini. Le 3 septembre **1939**, à la suite de l'invasion allemande en Pologne, la Grande-Bretagne et la France déclarent la **guerre** à l'Allemagne. Cette guerre, qui durera six ans, s'étendra jusqu'en Afrique du Nord et au Japon. À partir de 1941, l'U.R.S.S. et les États-Unis y sont également impliqués.

Au cours des premières années de la Seconde Guerre mondiale, les pays démocratiques, mal préparés au combat, perdent la plupart des batailles. Cependant, à partir de 1942, l'Allemagne amorce un recul devant la riposte des démocraties, qui font alors appel à tous leurs alliés pour mettre un terme à cette guerre. Une participation accrue des colonies et des dominions britanniques s'avère alors indispensable.

Depuis le statut de Westminster de 1931, le Canada est un pays indépendant de la Grande-Bretagne et doit donc faire sa propre déclaration de guerre.

> Dictature

7.6 Adolf Hitler, führer du Parti nazi en Allemagne.
Que signifie le mot « führer » ?
Qu'est-ce que le nazisme ?

7.7 Winston Churchill, Franklin D. Roosevelt et Joseph Staline à la conférence de Yalta, en Crimée, en février 1945.

7.8 Benito Mussolini, dit « le duce », chef du Parti fasciste en Italie.
Que signifie le mot « duce » ?
Qu'est-ce que le fascisme ?

LE CANADA EN GUERRE

7.9 Chars d'assaut fabriqués au Canada pendant la Seconde Guerre mondiale.

7.10 Sur les 5 000 soldats canadiens qui ont participé au raid de Dieppe en août 1942, 3 000 ont été tués, blessés ou faits prisonniers.

PRODUCTION DE GUERRE CANADIENNE	
Matériel	**Quantité**
Avions	16 000
Chars d'assaut	6 500
Fusils	1 000 000
Mitrailleuses	250 000
Automobiles	1 000 000

7.11

En 1943, 85 000 hommes font partie de la marine royale canadienne et les 365 navires de guerre canadiens servent surtout à escorter les convois transatlantiques.

7.12

4 *a*) À l'aide des documents 7.9 à 7.12, décris trois aspects de la participation canadienne à la Seconde Guerre mondiale.

   b) Selon toi, la participation du Canada à cette guerre a-t-elle été suffisante ? Justifie ta réponse.

   c) Demande aux personnes âgées de ton entourage ce qu'elles pensent de la participation du Canada à la Seconde Guerre mondiale.

B L'EFFORT DE GUERRE DU CANADA

Le 10 septembre 1939, le Canada entre en guerre. Le premier ministre Mackenzie King engage le Canada dans ce conflit en affirmant que le pays n'assumera qu'une « **responsabilité limitée** ». La participation canadienne est surtout dispensée sous forme d'**aide économique**. Le Canada fournit de la nourriture et du matériel de guerre aux Alliés.

Le Canada se transforme en un immense arsenal au service de la guerre des démocraties. Des usines sont converties afin de produire du matériel de guerre : avions, chars d'assaut, armes, munitions. L'agriculture s'adapte aussi afin de répondre aux besoins de ravitaillement des pays alliés.

Comme, en 1940, Mackenzie King a promis au peuple canadien de ne pas avoir recours à la conscription, la participation des soldats canadiens se limite à l'envoi de volontaires qui demeurent cantonnés en Angleterre au cours des premières années de la guerre. Ce n'est qu'à partir de 1942 que les soldats canadiens participent activement aux opérations militaires menées en France et en Italie.

En 1942, pour répondre à un pressant appel de la Grande-Bretagne, Mackenzie King consulte la population canadienne par voie de plébiscite afin de pouvoir recourir à la conscription. Le vote de la majorité de la population lui permet d'autoriser l'envoi de 16 000 conscrits en Europe deux ans plus tard.

La Seconde Guerre mondiale a coûté cher en vies humaines. Sur les 600 000 soldats canadiens ayant participé à ce conflit, 42 000 ont perdu la vie et 53 000 sont revenus au pays avec des blessures. Par contre, la guerre a été bénéfique pour l'économie canadienne. Elle a mis fin à la Crise en éliminant presque complètement le chômage et en accélérant l'industrialisation du pays.

La production industrielle de guerre

En avril 1940, le gouvernement fédéral crée le ministère des Munitions et des Approvisionnements, qui a pour tâche de coordonner la production de matériel de guerre et de réglementer la consommation de produits essentiels rares comme l'essence. De plus, le gouvernement met sur pied 28 sociétés d'État chargées de la fabrication des produits que l'entreprise privée ne peut usiner (caoutchouc artificiel, uranium enrichi).

7.13 Le 6 juin 1944, appelé « jour J », l'infanterie canadienne débarque en Normandie, en France.

L'EFFORT DE GUERRE DE LA POPULATION

7.14 Publicité invitant les femmes à acheter des obligations de la Victoire.

7.15 Carnet de rationnement.

IMPÔTS PERÇUS PAR LE GOUVERNEMENT FÉDÉRAL CANADIEN (millions de dollars)		
Types d'impôts	**1939**	**1944**
Impôts sur les revenus des particuliers	46	930
Impôts sur les profits des entreprises	77	850

7.16

Au cours de la Seconde Guerre mondiale, le gouvernement fédéral canadien invite la population civile à participer à l'effort de guerre.

5 *a*) À l'aide des documents 7.14 à 7.16, nomme quatre secteurs dans lesquels la population canadienne apporte une participation.

   b) Explique de quelle façon cette participation permet au Canada de contribuer à l'effort de guerre.

LES COÛTS DE LA GUERRE

La conversion de l'économie de paix en une économie de guerre coûte très cher au Canada. Pour combler son déficit, le gouvernement **augmente les impôts** et émet des **obligations de la Victoire**, auxquelles la population du Québec contribue pour 715 millions de dollars.

LES RESTRICTIONS

Le Canada impose le **rationnement** à la population, c'est-à-dire une consommation limitée de produits alimentaires importés (sucre, bananes) et locaux (viande, beurre). Il réduit également la consommation d'essence et de caoutchouc. De plus, comme les matériaux de construction sont réservés au secteur militaire, il s'ensuit une grave crise du logement dans la ville de Montréal.

EFFORT DE GUERRE DU CANADA · DÉPENSES · TAXES · EMPRUNTS
CHIFFRES EN MILLIONS DE DOLLARS — ANNÉE FINISSANT LE 31 MARS

ITEM	1939	1940	1941	1942	1943·	1944··
DÉPENSES DE GUERRE	$34	$235	$1,186	$2,476	$3,867	$4,890
CIVILES	$540	$569	$494	$551	$659	$610
DÉPENSES TOTALES	$574	$804	$1,680	$3,027	$4,526	$5,500
Moins: REVENUS DE L'IMPOT	$499	$534	$857	$1,469	$2,261***	$2,752***
Solde à obtenir par LES EMPRUNTS:	$75	$270	$823	$1,558	$2,265	$2,748

7.17

 ## L'EFFORT DE GUERRE DU QUÉBEC

Au cours de la Seconde Guerre mondiale, la proportion de **soldats canadiens-français** membres de l'armée canadienne augmente de 8 % par rapport à la Première Guerre mondiale.

Si la moitié des soldats canadiens-français font partie de bataillons francophones, l'autre moitié est mal à l'aise dans les bataillons anglophones à cause de problèmes de langue. De plus, peu de ces soldats accèdent aux grades supérieurs et rares sont ceux qui font partie des unités techniques comme la marine et l'aviation. Dans l'ensemble, les francophones servent dans l'infanterie, qui subit les pertes les plus élevées en vies humaines.

7.18 Gratien Gélinas, homme de théâtre québécois.

Le conscrit – Je serais prêt à faire tirer mon portrait pour la propagande: « Un autre conscrit part pour le front, le sourire aux lèvres! »

La serveuse – Le sourire serait pas... un peu jaune?

Le conscrit – Bah! Sur un portrait en noir et blanc, ça paraît pas!

« Le retour du conscrit », tiré de *Fridolinons 46*

LES FEMMES ET LA GUERRE

7.19   Défilé de soldates canadiennes.

7.20   Publicité adressée aux «femmes au foyer».

6   À l'aide des documents 7.19 et 7.20, nomme deux secteurs de participation des femmes à l'effort de guerre. Nomme deux autres secteurs
qui ne sont pas présentés dans ces documents.

 «Une des conséquences les plus tristes du capitalisme industriel a été d'attirer
hors du foyer vers les usines une proportion croissante de main-d'oeuvre féminine. La femme y est allée [...], séduite par une propagande intéressée ou aveu-
gle qui faisait consister la dignité de la femme non pas dans son rôle d'épouse,
de mère et de reine du foyer, mais [...] dans son «émancipation». Les résultats
[contrôle des naissances, divorces, etc.] sont [observés] partout... En certains
milieux responsables, on se désintéresse des répercussions morales de nos
activités de guerre.»

Relations, revue des Jésuites, mars 1942

7.21

7   *a*)   Pourquoi, en temps de guerre, le gouvernement incite-t-il les
femmes à travailler dans les usines?

b)   Selon l'auteur du texte du document 7.21, pourquoi les femmes
devraient-elles éviter de travailler à l'extérieur? D'après lui, quel
devrait être leur «vrai rôle» dans la société?

c)   Quelle est ton opinion sur le travail des femmes? sur le texte du
document 7.21?

L'EFFORT DE GUERRE DES FEMMES

Au cours de ce conflit, toutes les forces sont mobilisées. Les femmes sont elles aussi invitées à fournir leur effort de guerre.

LES FEMMES AU FOYER

Les femmes au foyer, ces « gardiennes de l'unité familiale dans une période de drames due à la guerre », doivent ajuster le **budget familial** aux circonstances en limitant les dépenses au maximum. On leur demande également de faire de la **récupération** en mettant de côté tous les matériaux qui peuvent être recyclés.

LES FEMMES À L'USINE

Comme une grande partie des hommes ont rejoint les rangs de l'armée, le gouvernement encourage les femmes à travailler dans les **usines de guerre**, lesquelles ont grand besoin de personnel. En 1941, 40 000 Canadiennes travaillent dans ces usines ; en 1944, elles sont plus de 265 000.

LES FEMMES DANS L'ARMÉE

En 1941, les forces armées commencent à enrôler des femmes. La plupart d'entre elles occupent des postes traditionnels de secrétaires et de commis de bureau. Cependant, quelques-unes deviennent mécaniciennes ou chauffeuses de camions, travaux auparavant réservés aux hommes. Au cours de cette guerre, près de 50 000 Canadiennes s'enrôlent dans l'**armée**.

7.22 Ouvrière dans une usine d'armements. Pour inciter les femmes mariées à travailler en usine, le gouvernement fédéral leur offre du travail à mi-temps, des services de garderie et une réduction de l'impôt sur le revenu.

7.23 Une équipe de hockey constituée de militaires canadiennes.
D'après toi, ces femmes pouvaient-elles s'adonner au hockey dans la vie civile ?

LES QUÉBÉCOIS ET LA CONSCRIPTION

7.1.2 Réactions des Québécois à la conscription.

« J'ai énoncé mon opposition à la conscription il y a environ un an […] à cause de sa faillite lors de la dernière guerre et parce qu'elle a provoqué la mésentente et des différends chez nous. »

Robert James Manion, chef du Parti conservateur, 19 mars 1940

7.24

« Nous, la province de Québec, nous avons donné des droits à Ottawa par le pacte de 1867. Mais si, dans une proportion de 95 %, nous ne voulons pas telle chose [la conscription], Ottawa ne peut pas lier le peuple canadien-français. »

René Chaloult, député provincial du Parti national, 4 septembre 1939

7.25

« Le régime actuel ne croit pas que la conscription des Canadiens pour le service d'outre-mer soit nécessaire ni qu'elle soit une menace efficace. Une telle mesure ne sera pas proposée par le présent gouvernement. »

William Lyon Mackenzie King, premier ministre du Canada, 8 septembre 1939

7.26

« Nous avons dit à nos compatriotes de tout le pays […] que jamais nous ne consentirions à la conscription et que nous refuserions d'appuyer un gouvernement qui essaierait de la mettre en vigueur. »

Ernest Lapointe, chef des libéraux fédéraux du Québec, 9 octobre 1939

7.27

8 *a*) Mets en ordre chronologique les documents de cette page et résume leurs propos.

b) D'après les propos tenus dans ces documents, crois-tu qu'en 1940, les Canadiens français du Québec s'attendaient à ce que le gouvernement fédéral ait un jour recours à la conscription ? Pourquoi ?

c) D'après toi, qu'est-ce qui peut justifier un recours à la conscription ?

LA CONSCRIPTION

La question de la conscription divise le peuple canadien en deux camps : les Canadiens français ne veulent pas s'engager à fond dans la guerre et les Canadiens anglais sont en faveur d'une participation plus active du Canada.

LES ÉLECTIONS DE 1939

Le 25 octobre 1939, des élections provinciales ont lieu au Québec, au terme desquelles les libéraux d'Adélard Godbout sont portés au pouvoir. Godbout, solidement appuyé par les libéraux fédéraux, affirme que le Canada ne doit assumer qu'une **participation limitée et volontaire** à la Deuxième Guerre mondiale. Les libéraux fédéraux et provinciaux promettent une « participation sans conscription ».

LE RECRUTEMENT

Le recrutement des volontaires commence au Canada dès 1939. En 1940, en vertu de la Loi sur la mobilisation des ressources nationales, Mackenzie King autorise une conscription limitée à la défense du Canada. Cette loi rend le service militaire obligatoire mais ne prévoit pas l'envoi de conscrits outre-mer.

L'enrôlement des volontaires canadiens-français du Québec est plus lent que celui des Canadiens anglais du reste du Canada. Les Canadiens français, contrairement aux Canadiens anglais, ne perçoivent pas l'Angleterre comme une mère patrie à défendre. De plus, les officiers qui dirigent l'enrôlement au Québec sont anglophones, ce qui n'incite guère les Canadiens français au zèle. En dépit de ces problèmes, en mars 1942, 55 000 volontaires canadiens-français font partie de l'armée canadienne.

> « Je m'engage sur l'honneur à quitter mon parti et même à le combattre si un seul Canadien français, d'ici la fin des hostilités en Europe, est mobilisé contre son gré sous un régime libéral. »
>
> Adélard Godbout, premier ministre de la province de Québec, 1939

7.28 Au début de l'été 1939, 106 couples se marient au stade Delorimier.
D'après toi, ce mariage collectif a-t-il un lien avec la guerre ? Si oui, lequel ?

LE PLÉBISCITE DE 1942

« La promesse de ne pas imposer la conscription aux fins de service militaire outre-mer fut faite pour maintenir l'unité du Canada […] Il ne faut jamais oublier l'importance de cette « unité nationale » […] Ce qu'il s'agit de décider, c'est si le gouvernement sera – oui ou non – libre de statuer sur |la question de la conscription| […] Notre patrie, nos libertés doivent être défendues sans plus tarder. Devant ce péril, le gouvernement vous demande de lui donner pleins pouvoirs. »

William Lyon Mackenzie King, premier ministre du Canada, avril 1942

7.29

« Notre devoir est manifeste. M. King et son gouvernement doivent être dégagés de toute restriction, légale ou morale, quant au service de notre capital humain en ce moment si critique […] Le sort du gouvernement n'est pas en jeu – mais c'est peut-être le sort de la patrie qui dépend de votre réponse […] Il est essentiel que l'union règne d'un littoral à l'autre de ce pays […] »

R.B. Hanson, conservateur et chef de l'opposition, avril 1942

7.30

9 *a*) Quel est le message transmis dans le texte du document 7.29? dans le texte du document 7.30?

b) À ton avis, comment se fait-il que le chef du gouvernement et le chef de l'opposition soient du même avis?

RÉSULTATS DU PLÉBISCITE DE 1942			
Vote	**Canada**	**Province de Québec**	**Autres provinces**
Oui	64 %	29 %	77 %
Non	36 %	71 %	23 %

7.31

10 *a*) Dans les textes des documents 7.29 et 7.30, Mackenzie King et Hanson insistent sur la nécessité de maintenir l'unité canadienne.

D'après les résultats du plébiscite de 1942, crois-tu que l'unité du pays ait été préservée? Justifie ta réponse.

b) D'après toi, pourquoi Canadiens français et Canadiens anglais ont-ils voté dans des sens opposés?

LE PLÉBISCITE

Depuis 1939, le Canada apporte une contribution économique et politique à la guerre. Cependant, comme l'enrôlement volontaire n'a pas donné les résultats escomptés, le gouvernement fédéral cherche d'autres moyens d'apporter une contribution militaire au conflit.

Mackenzie King est coincé entre les Canadiens anglais désireux de porter secours à la Grande-Bretagne et les Canadiens français qui lui rappellent sa promesse de ne pas avoir recours à la conscription. Il demande alors aux Canadiens de le libérer de sa promesse par voie de **plébiscite** (référendum).

Ce référendum porte un dur coup à l'unité canadienne en accentuant la division entre Canadiens français et Canadiens anglais. Les Canadiens français sont regroupés autour de la Ligue pour la défense du Canada, dirigée par André Laurendeau et Maxime Raymond. Pour eux, le Canada doit s'en tenir à une participation sans conscription. De plus, ils considèrent comme malhonnête que Mackenzie King demande au pays entier de le libérer d'une promesse faite au Québec. Les Canadiens anglais s'en tiennent pour leur part à leur idéal de *Total War Effort*.

Le 27 avril 1942, les Canadiens répondent à la question de Mackenzie King : **80 % des Canadiens anglais votent « oui »**, **85 % des Canadiens français votent « non »**. La population canadienne a voté « oui » à 64 % : Mackenzie King pourra donc, si nécessaire, imposer la **conscription**.

> **Référendum**

Les plébiscites

Au Canada, il est exceptionnel que le gouvernement demande à la population de se prononcer sur une mesure, sur un projet. Au cours de ces plébiscites, aujourd'hui appelés « référendums », les citoyens répondent par « oui » ou par « non » à une question posée par leurs dirigeants. Depuis les débuts du Canada, le gouvernement canadien n'a tenu que trois référendums.

7.32 La question posée au peuple canadien lors du plébiscite de 1942.

7.33 Le résultat du plébiscite dans la province de Québec.

UN NOUVEAU PARTI

En 1942 naît le Bloc populaire, parti politique québécois qui prône l'auto-nomie provinciale, propose des réformes sociales et valorise l'agriculture.

« Le Bloc populaire cherche de propos délibéré à soulever le Québec contre le reste du Canada [...] Le but véritable de ses chefs est de [...] s'assurer de l'influence en exploitant les différences ethniques et en fomentant des querelles de races. »

William Lyon Mackenzie King, premier ministre du Canada, 1943

7.34

« [Le Bloc populaire réussira en autant qu'il sera] un vrai bloc canadien-français [qui] pré-conise, défend et réalise une doctrine sociale et économique complète, une politique pro-canadienne-française. »

Paul Gouin, ancien dirigeant de l'Action libérale nationale, 1943

7.35

11 *a*) Que reproche Mackenzie King au Bloc populaire ?

    b) Quelle est l'opinion de Paul Gouin sur ce parti politique ?

    c) Que penses-tu de la formation d'un parti politique canadien-français dans le contexte de 1942 ? Justifie ta réponse.

ÉLECTIONS PROVINCIALES DE 1944		
Partis	**Répartition du vote**	**Sièges**
Union nationale	38 %	48
Parti libéral	40 %	37
Bloc populaire	15 %	4
Commonwealth Cooperative Federation	1 %	1
Indépendants	6 %	1

7.36

12 *a*) D'après le document 7.36, quel est le parti victorieux ? Qu'est-ce qui détermine la victoire d'un parti ?

    b) Pourquoi y a-t-il un écart entre la répartition du vote et le nombre de sièges obtenus ?

13 Quel est le sens des résultats de cette élection pour le Bloc populaire ?

LES RENFORTS ET LA CONSCRIPTION

Au cours de l'année 1944, les démocraties intensifient leur lutte contre l'Allemagne. Comme d'importantes opérations militaires sont prévues, les Alliés comptent sur l'aide des soldats canadiens. Mackenzie King a alors **recours à la conscription** et autorise l'envoi de 16 000 soldats conscrits en Europe.

Chez les Canadiens anglais, la conscription est accueillie avec enthousiasme. Par contre, elle suscite la contestation chez les Canadiens français. Ces derniers se sentent obligés d'aller se battre pour défendre des valeurs auxquelles ils ne croient pas : l'impérialisme britannique et le protestantisme. Seule la certitude qu'ils ont de la victoire imminente des Alliés permet d'éviter de violentes protestations.

Des zombies dans l'armée canadienne

En 1944, 60 000 soldats canadiens s'entraînent pour participer à la Seconde Guerre mondiale mais ne vont pas sur les champs de bataille européens. Ces soldats de « l'armée inactive » sont surnommés « zombies », mot créole qui signifie « personne sans volonté ».

LE BLOC POPULAIRE

Comme ils avaient obtenu du succès dans la province de Québec lors du plébiscite sur la conscription, les membres de la Ligue pour la défense du Canada forment, en septembre **1942**, un parti politique, le **Bloc populaire**, dirigé par André Laurendeau.

Aux élections provinciales de 1944, le Bloc populaire, qui propose des réformes économiques et sociales, ne remporte qu'un succès mitigé. C'est l'**Union nationale** de Maurice Duplessis qui déloge le Parti libéral d'Adélard Godbout, au pouvoir depuis 1939. Aux élections fédérales de 1945, le Parti libéral de Mackenzie King remporte une éclatante victoire alors que le Bloc populaire ne remporte que deux sièges à la Chambre des communes.

7.37 André Laurendeau, chef provincial du Bloc populaire, lors d'une assemblée.

3 LE GOUVERNEMENT QUÉBÉCOIS ET LA GUERRE

* 7.1.3 Politiques du gouvernement québécois et la guerre.

LES IMPÔTS DIRECTS

GUERRE ET IMPÔTS	
Dates	**Événements**
10 septembre 1939	Le Canada déclare la guerre à l'Allemagne.
16 mai 1940	La Commission Rowell-Sirois recommande au gouvernement fédéral de prendre en charge les programmes sociaux et les impôts directs des provinces.
2 novembre 1940	Mackenzie King déclare que l'adoption des recommandations de la Commission Rowell-Sirois est nécessaire pour que le Canada poursuive son effort de guerre.
15 janvier 1941	Lors d'une conférence fédérale-provinciale, Godbout affirme: «Nous voulons collaborer.» Six provinces acceptent de céder les impôts directs.
1941	Le gouvernement fédéral exerce son droit de percevoir les impôts directs.
1946	Plus de la moitié (56 %) des revenus fédéraux proviennent des impôts directs.

7.38

«Invoquant le prétexte de la guerre [...], une campagne [...] de centralisation [...] s'accentue de façon intolérable [...] Québec entend conserver sa pleine autonomie et exiger de l'autorité fédérale, quelle qu'elle soit, le respect intégral des droits qui lui sont garantis par la Constitution. Nous sommes pour la coopération en autant qu'elle respecte les droits du Québec.»

Maurice Duplessis, premier ministre du Québec, 24 septembre 1939

7.39

14 *a*) D'après toi, Maurice Duplessis a-t-il raison d'affirmer que le gouvernement fédéral invoque «le prétexte de la guerre» pour s'accaparer les pouvoirs des provinces? Justifie ta réponse.

b) Comment expliques-tu qu'en 1941, six provinces acceptent de céder les impôts directs au gouvernement fédéral?

15 En 1944, Maurice Duplessis redevient premier ministre de la province de Québec.

Selon toi, quelle sera son attitude à l'égard des impôts directs?

DES MESURES ÉCONOMIQUES ET SOCIALES

Pendant la Seconde Guerre mondiale, le gouvernement québécois est confronté à un contexte de guerre. Le premier ministre libéral **Adélard Godbout**, en poste de 1939 à 1944, doit donc administrer le Québec avec un budget restreint. Malgré cette restriction, le gouvernement Godbout réussit à apporter des **réformes** dans les domaines économique et social :

* 1940 : droit de vote accordé aux femmes.
* 1941 : création du ministère de la Santé et du Bien-être social.
* 1943 : loi sur l'instruction publique obligatoire jusqu'à 14 ans.
* 1944 : création d'Hydro-Québec.

7.40 En avril 1941, les membres de la Ligue pour les droits de la femme célèbrent le premier anniversaire de l'obtention du droit de vote par les femmes québécoises.

Le gouvernement de la province de Québec était-il en avance sur ceux des autres provinces du Canada en accordant le droit de vote aux femmes en 1940 ?

 # LES POUVOIRS À OTTAWA

Au cours de la Seconde Guerre mondiale, le gouvernement fédéral canadien accentue sa politique de **centralisation des pouvoirs**. En 1940, le rapport Rowell-Sirois propose un nouveau partage des pouvoirs au profit d'Ottawa : les allocations familiales, l'assurance-chômage, l'impôt des particuliers et des entreprises seront de compétence fédérale.

Entre 1939 et 1945, le nombre de fonctionnaires fédéraux passe de 46 à 115 mille et la dette nationale, de 5 à 18 milliards de dollars !

La centralisation entraîne le retrait des pouvoirs des provinces. En 1944, Maurice Duplessis devient premier ministre de la province de Québec. Il se fait le défenseur de l'autonomie provinciale et touche ainsi la fibre nationaliste des Canadiens français.

1945
RÉÉLECTION
DE MACKENZIE
KING AU
FÉDÉRAL
FIN DE LA
SECONDE
GUERRE
MONDIALE

1944
CONSCRIPTION
POUR SERVICE
OUTRE-MER
DUPLESSIS
PREMIER
MINISTRE DU
QUÉBEC
CRÉATION
D'HYDRO-QUÉBEC

1943
LOI SUR
L'INSTRUCTION
OBLIGATOIRE
AU QUÉBEC

1942
FONDATION DU
BLOC POPULAIRE
PLÉBISCITE SUR
LA CONSCRIPTION

1941
CONFÉRENCE
FÉDÉRALE-
PROVINCIALE SUR
LE RAPPORT DE
LA COMMISSION
ROWELL-SIROIS

1940
DÉPÔT DU RAPPORT
DE LA COMMISSION
ROWELL-SIROIS
DROIT DE VOTE
ACCORDÉ AUX
FEMMES DU
QUÉBEC
RÉÉLECTION DE
MACKENZIE KING
AU FÉDÉRAL

1939
GODBOUT
PREMIER
MINISTRE DU
QUÉBEC
DÉBUT DE LA
SECONDE
GUERRE
MONDIALE

❶ À l'aide de l'échelle de temps ci-contre, nomme trois réformes apportées par le gouvernement québécois entre 1939 et 1945.

❷ Dans un tableau semblable au suivant, compare les deux guerres mondiales.

	Première guerre	Seconde guerre
Périodes		
Nombre de soldats		
Nombre de blessés et de morts		
Économie		
Rôle des femmes		
Mesures gouvernementales		
Conséquences de la conscription		

❸ À l'aide du document 7.41, nomme trois conséquences de la Seconde Guerre mondiale au Canada.

7.41 Le 8 septembre 1944, une ouvrière remet à C.D. Howe, ministre des Munitions et des Approvisionnements, le cent millionième projectile lourd fabriqué au Canada.

4 *a*) Parmi les documents 7.42 à 7.45, lequel reflète la crise de la conscription ? Justifie ta réponse.

b) Quels résultats d'élections témoignent de la promesse de Mackenzie King de ne pas imposer la conscription ? À qui avait été faite cette promesse ?

c) Quel parti remporte les élections provinciales de 1939 ? de 1944 ? Donne deux raisons de ce revirement.

ÉLECTIONS PROVINCIALES DE 1939 (Province de Québec)	
Partis	**Sièges**
Parti libéral	70
Union nationale	15
Autres	1

7.42

ÉLECTIONS FÉDÉRALES DE 1940		
Partis	**Sièges au Québec**	**Sièges au Canada**
Parti libéral	61	181
Parti conservateur	1	40
Autres	3	24

7.43

PLÉBISCITE DE 1942		
Vote	**Province de Québec**	**Autres provinces**
Oui	29 %	77 %
Non	71 %	23 %

7.44

ÉLECTIONS PROVINCIALES DE 1944 (Province de Québec)	
Partis	**Sièges**
Union nationale	48
Parti libéral	37
Autres	6

7.45

5 *a*) À quelle tendance politique peut être associée l'expression «Ottawa maître à Québec» ? «Québec maître à Québec» ? Définis ces deux tendances.

b) Au cours de la Seconde Guerre mondiale, laquelle de ces tendances l'emporte ? Donnes-en un exemple.

Dans l'édition du 21 octobre 1939 du *Devoir*, Georges Pelletier, directeur de ce journal, écrit qu'il faut choisir «entre Ottawa maître à Québec et Québec maître à Québec».

7.46

EN RÉSUMÉ

1 En **1939**, la **Seconde Guerre mondiale** éclate. Les **démocraties** luttent contre deux **dictatures** : l'Allemagne et l'Italie.

2 Entre 1939 et 1942, la participation du Canada consiste principalement en une **aide économique**. Le Canada fournit de la nourriture et du matériel de guerre aux pays alliés.

3 L'économie de guerre coûte cher au Canada. Pour combler son déficit, le gouvernement **augmente les impôts** et émet des **obligations de la Victoire**. Pour limiter la consommation de produits jugés essentiels, il impose le **rationnement** à la population.

4 Jusqu'en 1944, l'**enrôlement** des soldats canadiens est **volontaire**. Par la suite, comme la conscription a été votée, le gouvernement peut expédier des conscrits outre-mer.

5 Les femmes canadiennes participent aussi à l'effort de guerre. Les femmes au foyer **réduisent le budget familial** et **récupèrent les matériaux** qui peuvent être recyclés. Des femmes remplacent les hommes dans les **usines de guerre** ; d'autres se joignent à l'**armée canadienne**.

6 En 1940, **William Lyon Mackenzie King**, premier ministre du Canada, avait promis de ne pas recourir à la **conscription**. En 1942, il demande à la population canadienne de le relever de sa promesse par la voie d'un **plébiscite** (référendum).

Le Canada est alors divisé en deux groupes opposés : les **Canadiens anglais votent «oui»** et les **Canadiens français votent «non»**. Comme les Canadiens français sont minoritaires, Mackenzie King peut, si nécessaire, imposer la conscription.

7 En **1942**, le **Bloc populaire** est formé. Ce parti politique, qui propose des réformes économiques et sociales, remporte peu de succès aux élections provinciales québécoises de 1944 et aux élections fédérales de 1945.

8 En 1944, Mackenzie King **impose la conscription** afin d'**accroître la participation canadienne** à l'effort de guerre.

9 **Adélard Godbout**, premier ministre du Québec pendant la guerre, doit administrer la province avec un budget restreint. Malgré cela, il apporte des **réformes** importantes : le droit de vote aux femmes, l'instruction obligatoire et la création d'Hydro-Québec.

10 Au cours de la guerre, la **centralisation des pouvoirs** à Ottawa s'accentue. En 1940, le rapport Rowell-Sirois propose que le gouvernement fédéral gère les allocations familiales, l'assurance-chômage et les impôts sur les revenus, qui devraient être de compétence provinciale.

POUR LA SUITE DE L'HISTOIRE...

En 1944, Maurice Duplessis redevient premier ministre de la province de Québec. De quelle façon dirigera-t-il la société québécoise d'après-guerre ?

CHAPITRE 14

L'ÉPOQUE DUPLESSISTE

7.2 Opposition entre le traditionnalisme et les transformations de la société québécoise à l'époque duplessiste.

LE ROCK AND ROLL : MUSIQUE INFERNALE ?

7.47 Elvis Presley,
dit « le King ».

7.48 Réactions à un concert d'Elvis Presley en 1957, à Ottawa.

Pour Georges-René Côté, journaliste commentant un concert de *rock* des années cinquante, le *rock and roll* est « une musique infernale et barbare [...], le produit d'une civilisation décadente ». Pour Jacques Lévesque, président de l'Association de la jeunesse canadienne-française, il faut interdire « de semblables manifestations » et « instruire la population des dangers que présente le *rock and roll* ».

7.49

1 *a*) Que sais-tu d'Elvis Presley ?

b) Dans ton milieu, écoute-t-on encore ses chansons ?

c) Quels artistes sont à la mode aujourd'hui dans le domaine du *rock* ? Leurs chansons ressemblent-elles à celles d'Elvis Presley ?

2 *a*) Les documents 7.48 et 7.49 illustrent deux attitudes de la société québécoise des années cinquante. Lesquelles ?

b) Ces attitudes existent-elles encore aujourd'hui ? Justifie ta réponse.

PANORAMA

Après la Seconde Guerre mondiale, le Québec vit une ère de prospérité et de changement. Grâce à l'exploitation de leurs richesses naturelles, certaines régions connaissent un rapide développement. Les travailleurs luttent pour améliorer leurs conditions de travail. Entre 1945 et 1960, le mode de vie des Québécois s'adapte progressivement à la vie moderne.

Cependant, ces changements ne se font pas sans résistance dans un Québec plutôt traditionnaliste. L'Église occupe encore une place importante dans la société, car elle contrôle presque entièrement les affaires sociales. Les agriculturistes considèrent toujours la vie rurale comme la valeur de base de la société québécoise.

Maurice Duplessis, premier ministre du Québec de 1944 à 1959, doit diriger un Québec à la fois attaché aux valeurs traditionnelles et en marche vers le progrès.

- *Dans quel contexte évolue la société québécoise des années quarante-cinq à soixante ?*

- *Quels changements surviennent dans le domaine économique ? social ? culturel ?*

7.50   Maurice Le Noblet Duplessis.

« L'homme le plus roué de toute notre histoire politique. »

Gérard Bergeron, politicologue, 1971

« Duplessis était un grand premier ministre et peut-être le plus grand. »

Robert Rumilly, historien, 1978

- *Quelles sont les valeurs traditionnelles qui y perdurent ?*

- *De quelle façon Maurice Duplessis dirige-t-il le Québec ?*

DES CHANGEMENTS DANS LA SOCIÉTÉ QUÉBÉCOISE

7.2.1 Changements qui rendent compte de l'évolution sociale du Québec au cours de la période.

LA PROSPÉRITÉ ÉCONOMIQUE

«On avait connu la crise des années trente. La guerre a relancé l'économie. La religion d'austérité d'hier ne marchait plus avec le confort qu'on venait d'acquérir. C'était une véritable libération. Il s'est produit alors un changement de mentalité dans la vie, même si les institutions ne bougeaient pas encore tellement.»

Jacques Grand'Maison, sociologue, 1993

7.51

3 *a*) Dans quel contexte économique le Canada se retrouve-t-il au lendemain de la Seconde Guerre mondiale?

b) D'après toi, de quelle façon le confort matériel peut-il amener un changement dans la perception de la religion?

c) En quoi consiste le changement de mentalité dont parle Jacques Grand'Maison?

LE « BABY BOOM »

POPULATION ET NATALITÉ AU QUÉBEC (1931-1961)			
Années	**Population**	**Naissances**	**Taux de natalité**
1931	2 875 000	85 000	29,7 ‰
1936	3 099 000	77 000	24,8 ‰
1941	3 332 000	91 000	27,3 ‰
1946	3 629 000	114 000	31,3 ‰
1951	4 056 000	123 000	30,4 ‰
1956	4 628 000	139 000	30,0 ‰
1961	5 259 000	140 000	26,6 ‰

7.52

4 *a*) À l'aide du document 7.52, définis le « *Baby Boom* ».

b) Pendant quelle période ce phénomène a-t-il eu lieu?

c) De nos jours, on parle beaucoup des *Baby Boomers*.
   Quelles sont les opinions émises sur les gens de cette génération?

UN CONTEXTE FAVORABLE

Au lendemain de la Seconde Guerre mondiale, la situation internationale est favorable à la **prospérité économique** du Canada. L'Europe dévastée fait appel aux pays épargnés par les ravages de la guerre afin d'assurer sa reconstruction. De plus, comme leur expansion économique se poursuit, les États-Unis ont de plus en plus besoin des matières premières canadiennes. Enfin, la production de matériel de guerre se poursuit à cause du climat de « guerre froide » qui persiste entre pays capitalistes et pays communistes.

7.53 Un symbole de prospérité : la voiture américaine.

Le niveau de vie des Canadiens s'améliore sensiblement entre 1945 et 1960. Grâce au faible taux de chômage et à l'augmentation des salaires, la plupart des familles jouissent d'une relative prospérité.

B UNE POUSSÉE DÉMOGRAPHIQUE

Entre 1939 et 1959, la population du Québec augmente davantage qu'au cours des 40 années précédentes. Les deux causes de cette croissance sont la hausse de la natalité et l'augmentation de l'immigration.

LA NATALITÉ

La Crise économique et la Seconde Guerre mondiale avaient largement contribué au ralentissement de la **natalité** au Canada. Après la guerre, les couples se « rattrapent » : entre 1946 et 1960, 135 000 enfants naissent chaque année au Québec.

Les enfants du « *Baby Boom* », comme on les appelle, ont plus de chances de survie qu'autrefois grâce à l'amélioration de la qualité de l'eau et du lait et au perfectionnement des soins médicaux.

Les allocations familiales

En 1945, le gouvernement fédéral met en place un programme d'allocations familiales.

Dans une famille, le montant des allocations augmente en fonction de l'âge des enfants mais décroît avec leur nombre. L'allocation attribuée pour un cinquième enfant, par exemple, sera moins élevée que celle attribuée pour chacun des quatre premiers enfants.

Ces allocations peuvent augmenter le revenu mensuel d'une famille nombreuse de l'équivalent d'une cinquième semaine de travail.

UNE SOCIÉTÉ PLURIETHNIQUE

ORIGINE ETHNIQUE DE LA POPULATION QUÉBÉCOISE (1941-1961)			
Origine	1941	1951	1961
Française	2 695 032	3 327 128	4 241 354
Britannique	452 887	491 818	567 057
Italienne	28 051	34 165	108 552
Juive	66 277	73 019	74 677
Allemande	8 880	12 249	39 457
Polonaise	10 036	16 998	30 790
Amérindienne et inuite	13 641	16 620	21 343
Grecque	2 728	3 388	19 390
Asiatique	7 119	7 714	14 801

7.54

5 *a*) Quels sont les six groupes dont la population augmente le plus rapidement au Québec entre 1941 et 1961? Selon toi, la croissance de chacun de ces groupes est-elle due à la natalité? à l'immigration? Justifie tes réponses.

b) L'immigration est-elle de plus en plus francophone? anglophone? allophone?

ORIGINE ETHNIQUE DE LA POPULATION DE L'ÎLE DE MONTRÉAL (1941-1961)			
Années	Française	Britannique	Autres
1941	62 %	25 %	13 %
1961	62 %	18 %	20 %

7.55

RÉPARTITION DE LA POPULATION ANGLOPHONE DU QUÉBEC (1901-1971)		
Années	Île de Montréal	Reste du Québec
1901	44 %	56 %
1931	65 %	35 %
1971	74 %	26 %

7.56

Dans les années trente, la majorité des enfants d'origine italienne fréquentaient les écoles françaises du Québec. En 1963, seulement 25 % d'entre eux fréquentent les écoles françaises.

7.57

6 À l'aide des documents 7.55 à 7.57, résume les changements survenus dans la population anglophone du Québec et de Montréal entre 1901 et 1971.

L'IMMIGRATION

Entre 1945 et 1960, l'**immigration** augmente la population du Québec d'environ **400 000 personnes**. Ces nouveaux venus, pour la plupart européens, sont désireux de profiter de la prospérité nord-américaine.

La plupart s'établissent dans les villes, et particulièrement à Montréal, qui devient de plus en plus cosmopolite. Avec les jeunes qui désertent les campagnes à cause de la mécanisation des fermes, ils viennent joindre les rangs des ouvriers des manufactures.

À Montréal, les Canadiens français forment 62 % de la population. Les **immigrants**, bien qu'ils ne soient plus d'origine britannique comme auparavant, **s'intègrent à la population anglophone**. Pour les nouveaux venus, il apparaît évident que, dans la province de Québec, l'ascension sociale se fait en anglais. De plus, les Canadiens français, influencés par l'opinion des élites traditionalistes, se montrent peu ouverts aux étrangers. Pourtant, la majorité des immigrants ressemblent aux Canadiens français sur le plan socio-économique : ce sont des ouvriers peu scolarisés qui occupent des emplois subalternes.

7.58 Travailleurs d'origine grecque et italienne dans une manufacture de Montréal.

CROISSANCE DÉMOGRAPHIQUE ET ÉCONOMIE

La croissance démographique influence la prospérité économique. La présence d'un plus grand nombre de personnes entraîne une plus grande consommation, ce qui provoque une augmentation de la production industrielle et des services.

Croissance démographique

LA PRODUCTION MINIÈRE

7.59 Le développement économique de la Côte-Nord et du
Nouveau-Québec vers 1960.

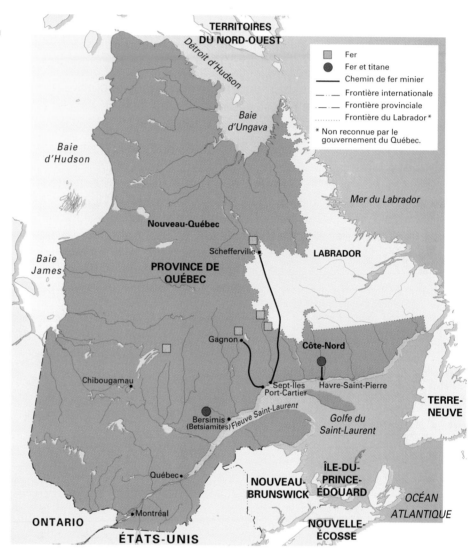

7.60 L'écluse de Saint-Lambert,
dans la voie maritime du
Saint-Laurent. La voie
maritime du Saint-Laurent,
inaugurée en 1959, permet
aux navires de se rendre
jusqu'aux Grands Lacs.

7 *a*) À l'aide des documents 7.59 et 7.60, décris
le trajet du minerai de fer de Schefferville
vers les usines américaines de la région
des Grands Lacs.

b) Selon toi, la construction des chemins de fer
et de la voie maritime du Saint-Laurent est-
elle financée par le gouvernement fédéral ?
par le gouvernement provincial ? par l'entreprise privée ? Justifie ta réponse.

UNE ÉCONOMIE FLORISSANTE

Après la Seconde Guerre mondiale, le Québec connaît une ère de prospérité économique.

LES INDUSTRIES

Entre 1945 et 1960, la **production industrielle** double dans la province de Québec. Les industries modernes (appareils électroménagers, industries liées aux dérivés du pétrole et du charbon), connaissent une croissance beaucoup plus rapide que les industries traditionnelles (cuir, vêtement, textile, tabac).

LES RICHESSES NATURELLES

Le secteur des **richesses naturelles** connaît un essor remarquable. L'entrée du Québec dans une ère de modernité provoque une recrudescence des besoins d'énergie et de matières premières.

À Montréal, la consommation d'énergie électrique grimpe de 10 % par année. À la campagne, en 1961, 97 % des fermes sont électrifiées. Pour répondre à la demande croissante d'électricité, de nouvelles centrales hydroélectriques sont construites : Beauharnois II, Carillon, etc.

La production minière se développe de façon spectaculaire. Pour répondre à la demande de minéraux provenant des États-Unis, on exploite de nouvelles régions comme la **Côte-Nord** et le **Nouveau-Québec**.

Les États-Unis ne se contentent pas d'importer les matières premières du Québec, ils investissent localement dans leur transformation, s'accaparant ainsi une part importante de l'économie québécoise.

7.61 La centrale hydroélectrique de Beauharnois en 1961.

LE SECTEUR TERTIAIRE

Entre 1941 et 1961, la main-d'oeuvre québécoise qui travaille dans le **secteur tertiaire** passe de 38 % à 51 %. Cette évolution est due au fait que la population a de plus en plus besoin de services : hôpitaux, écoles, routes, magasins, etc.

LE MOUVEMENT COOPÉRATIF

« Dans la collaboration capitaliste […], le contrôle est réservé à une oligarchie ou à un petit groupe de détenteurs de capitaux […]

La coopérative est une association libre de personnes […] non imposée par des lois, par des décrets […] comme cela arrive dans les régimes collectivistes et totalitaires […]

[Un des traits] essentiels à une coopérative [est] l'attribution d'un seul vote à chaque membre afin de laisser vraiment le contrôle au peuple des coopérateurs et de ne pas risquer que ce contrôle passe entre les mains des plus gros détenteurs de capitaux. »

Manifeste du Conseil supérieur de la coopération, 1940

7.62

8 *a*) En quoi le coopératisme se distingue-t-il du communisme ?

   b) Quelle différence y a-t-il entre une coopérative dont les membres possèdent des parts sociales et une entreprise capitaliste émettant des actions ?

« [La] Coopérative Fédérée agit comme organe de centralisation des commandes recueillies par les coopératives [agricoles] locales pour l'achat des marchandises nécessaires à la culture. Elle constitue également l'intermédiaire entre les cultivateurs et les commerçants pour la vente des produits agricoles. »

Annuaire statistique de Québec, 1925

7.63

9 Selon le document 7.63, de quels avantages bénéficient les cultivateurs membres de coopératives agricoles ?

10 Il existe toutes sortes de coopératives. On en trouve dans le domaine des pêcheries, de l'habitation, de la consommation, de l'épargne, etc. Nommes-en quelques-unes.

11 Crois-tu qu'il soit possible de fonder une coopérative étudiante dans ton école ? Quel pourrait être son rôle ?

L'AGRICULTURE

L'**agriculture** québécoise s'engage également dans la voie de la modernisation. En 1945, dans la majorité des fermes, on pratiquait une agriculture de subsistance, c'est-à-dire une agriculture axée sur la survie de la famille. Quelques années plus tard, 65 % des fermes québécoises sont devenues des **entreprises commerciales**.

Bien que la population rurale diminue, la production agricole augmente parce que les fermiers font un effort de modernisation. Grâce à des taux d'intérêts réduits et à des subventions gouvernementales, ils achètent des tracteurs, font installer l'électricité dans leurs bâtiments et profitent des nouvelles techniques apparues sur le marché.

LE COOPÉRATISME

Dès le début du 20e siècle, les agriculteurs avaient formé des associations ayant pour objectif de développer l'économie rurale. Au cours de la période qui va de 1945 à 1960, le mouvement coopératif, encouragé par les élites québécoises, prend de l'ampleur. Les coopératives agricoles permettent aux agriculteurs de se procurer à bon prix des produits essentiels et des instruments agricoles. De plus, ces associations se chargent de la mise en marché des produits agricoles.

Le **mouvement coopératif** existe aussi dans le domaine des pêcheries, de l'industrie forestière, de l'habitation, de la consommation et de l'épargne. Les caisses populaires constituent une réussite exemplaire en ce domaine. En 1900, Alphonse Desjardins avait fondé la première caisse populaire à Lévis. Au cours des décennies suivantes, ce type de coopérative s'installe dans tout le milieu rural, puis atteint les villes. En 1960, le tiers des caisses populaires sont situées en milieu urbain.

7.64 Une ferme électrifiée.

Coopérative

LE COOPÉRATISME AU QUÉBEC (1938-1960)		
Types de coopératives	**Années**	**Nombre**
Coopératives agricoles	1938	215
	1960	482
Caisses populaires	1940	549
	1960	1 227

7.65

LES LUTTES OUVRIÈRES

LES GRÈVES IMPORTANTES AU QUÉBEC (1946-1959)

Années	Lieux	Durée	Effectifs	Revendications	Faits marquants	Bilan
1946	Salaberry-de-Valleyfield et Montréal (textile)	100 jours	6 000	Reconnaissance syndicale Convention collective Hausse salariale Formule Rand*	Intervention de la police Emprisonnement des chefs syndicaux	Reconnaissance syndicale Convention collective Semaine de 40 heures Hausse salariale Formule Rand
1947	Lachute (textile)	5 mois	700	Hausse salariale Convention collective	Retrait de la reconnaissance syndicale La police accompagne les briseurs de grève Arrestation de chefs syndicaux	Hausse salariale
1949	Asbestos et Thetford Mines (amiante)	11 mois	5 000	Formule Rand Régime d'assurance-maladie Hausse salariale	Appui de Mgr Charbonneau Quête de 500 000 $ pour les grévistes Intervention de la police Proclamation de la Loi de l'émeute	Hausse salariale Reconnaissance syndicale Réengagement des ouvriers
1952	Montréal (magasin à rayons)	13 semaines	1 000	Hausse salariale	La majorité des grévistes sont des femmes	Semaine de 40 heures Formule Rand Hausse salariale
1957	Murdochville (mines)	7 mois	965	Reconnaissance syndicale Réengagement du chef syndical	Affrontement entre briseurs de grève et grévistes Affrontement entre police et grévistes Un front commun de syndicats appuie les grévistes	Réengagement de 200 grévistes Embauche de briseurs de grèves comme ouvriers réguliers
1958	Montréal (journalistes)	13 jours		Liberté d'information accrue Congé sans solde au chef syndical	Publication de 100 000 exemplaires de *La Presse syndicale*	Congé sans solde accordé au chef syndical Réorganisation de la rédaction
1959	Montréal (réalisateurs)	69 jours	75	Reconnaissance syndicale des cadres	Intervention de la police Arrestation de plusieurs manifestants 2 000 employés respectent les lignes de piquetage	Reconnaissance du syndicat des réalisateurs

* Retenue de cotisations syndicales sur la paye de tous les employés d'une entreprise, qu'ils soient syndiqués ou non.

7.66

12 *a*) À part les grévistes, quels sont les divers intervenants dans les grèves québécoises ? Quelle est leur attitude envers les grévistes ?

b) Dans toutes ces grèves, quels sont les principaux gains des ouvriers ?

D UN SYNDICALISME REVENDICATEUR

Parallèlement au développement industriel, le syndicalisme ouvrier s'affirme de plus en plus au Québec. En 1941, un travailleur sur cinq fait partie d'un syndicat; en 1956, un travailleur sur trois est syndiqué.

Les syndicats québécois, tout comme les syndicats américains et les autres syndicats canadiens, ont tendance à se regrouper. En 1957, les « unions internationales » du Québec forment la Fédération des travailleurs du Québec (FTQ). Les « unions catholiques », déjà regroupées sous la Confédération des travailleurs catholiques du Canada, abandonnent progressivement leur caractère religieux et forment en 1960 la Confédération des syndicats nationaux (CSN).

Le **syndicalisme** se fait plus **revendicateur** au Québec. La nouvelle génération de dirigeants syndicaux (Gérard Picard, Jean Marchand, Madeleine Parent) voit la grève comme un recours ultime mais légitime pour faire pression sur les patrons intransigeants. Au cours des années quarante et cinquante, les conflits de travail entraînent la perte de nombreux jours de travail. Les ouvriers ont même parfois recours à des grèves illégales, particulièrement dans les cas où le tribunal du travail leur semble faire preuve de partialité en faveur des employeurs.

7.67 Manifestation d'appui envers les grévistes de Murdochville, en 1957.

LA BELLE VIE

7.68 Annonces
publicitaires
des années
cinquante.

13 D'après le document 7.68, à quoi pouvait ressembler la « vie moderne »
dans les années cinquante ?

14 *a)* Interroge des gens qui étaient adolescents à cette époque sur leur
musique, leurs loisirs, leurs achats, leurs vacances, etc., et demande-
leur de comparer leur adolescence avec celle de leurs parents.

b) Rédige un compte rendu de ton enquête.

Une société moderne

Au cours des années quarante-cinq à soixante, les Québécois entrent dans la « **société de consommation** ». Après les années de restrictions viennent les années de prospérité. L'augmentation du pouvoir d'achat et la publicité commerciale incitent les gens à améliorer leurs conditions de vie.

Bien vivre au cours des années d'après-guerre, c'est se soustraire aux travaux domestiques en utilisant les tout nouveaux modèles d'appareils électroménagers. C'est réussir en gagnant le plus d'argent possible. C'est partir en balade vers son chalet dans une auto de modèle récent. C'est aller passer ses vacances en Nouvelle-Angleterre. C'est occuper ses loisirs en regardant la télévision, en écoutant de la musique et en allant au cinéma.

La culture américaine

Le nouveau mode de vie des Québécois est fortement influencé par le modèle américain. Les médias, qui se développent rapidement, véhiculent les valeurs de l'« **American Way of Life** », fondées sur la réussite individuelle et le confort matériel.

La culture française

Certains francophones du Québec se nourrissent également de la culture venue de France. Chansons, livres et films français font leurs délices. Cette culture n'intéresse cependant pas un aussi grand nombre de Canadiens français que la culture américaine.

LA TÉLÉVISION DANS LES FOYERS QUÉBÉCOIS	
Années	**Pourcentage**
1953	9,5 %
1955	38,6 %
1958	79,4 %
1960	88,8 %

7.69

7.70 Le roman de Claude-Henri Grignon, *Un homme et son péché*, devient un film en 1949 et une série télévisée, *Les Belles Histoires des Pays-d'en-Haut*, en 1956.

2 Un Québec traditionaliste

7.2.2 Éléments traditionnels de la société québécoise.

Une Église omniprésente

7.71 Défilé de la Saint-Jean-Baptiste en 1954.

Lors du congrès marial tenu en 1947 à Montréal, 100 000 personnes se rendent à l'oratoire Saint-Joseph pour manifester leur ferveur envers la Vierge Marie.

7.72

 « Le théâtre, le cinéma, les spectacles, les émissions radiophoniques accumulent [...] les périls les plus graves [...] La moralité baisse encore par l'action de ces bandes comiques que dévorent les enfants, jeunes et vieux. »

Lettre des évêques catholiques du Québec, 1946

7.73

LE CLERGÉ AU QUÉBEC			
Années	**Population du Québec**	**Prêtres**	**Religieux**
1941	3 332 000	5 000	33 000
1961	5 259 000	8 400	45 000

7.74

15 À l'aide des documents 7.71 à 7.74, trace un portrait de l'Église québécoise des années quarante-cinq à soixante.

L'AGRICULTURISME

Malgré la rapide urbanisation du Québec, les tenants de l'**agriculturisme** continuent de valoriser la vie rurale. Ils considèrent que la campagne constitue le milieu le plus propice à la conservation des **valeurs traditionnelles** qui leur sont chères: union des familles, travail gratifiant, pratique religieuse fervente. De plus, ils affirment que l'agriculture a toujours été et doit demeurer la base de l'économie québécoise et qu'elle permet d'éviter l'aggravation des problèmes de chômage et de crise du logement propres à la vie urbaine.

 # LE RÔLE DE L'ÉGLISE

En matière d'évolution économique, la province de Québec suit les tendances canadiennes-anglaises et américaines. Il en va tout autrement au plan des institutions religieuses et de leurs valeurs.

7.75 Une religieuse et ses élèves dans une église de Montréal, en 1952. Vers 1950, on compte un prêtre pour 504 fidèles et un religieux ou une religieuse pour 89 catholiques dans la province de Québec.

UN CLERGÉ TOUJOURS PRÉSENT

Au cours de la période qui va de 1945 à 1960, l'**Église** tente de conserver le rôle qu'elle s'était attribué au début de la colonie: être présente dans tous les secteurs de la société. Cependant, dans un Québec en voie de transformation, on commence à contester la forte présence de l'Église dans le domaine des **services sociaux**: éducation des enfants, soins aux malades, secours aux miséreux. Sous le règne de Maurice Duplessis, l'Église conserve toutefois son rôle prédominant et bénéficie de la générosité de l'État.

Un gouvernement interventionniste

Années	Mesures
	MESURES DU GOUVERNEMENT FÉDÉRAL
1944	Loi sur les allocations familiales
1951	Commission Murray sur les subventions aux universités
	Création du régime de pension de vieillesse
1954	Assistance aux invalides
1957	Création du Conseil des arts
	Loi sur la participation du gouvernement fédéral au programme d'assurance-hospitalisation provincial

7.76

16 Dans le document 7.76, relève les mesures prises par le gouvernement fédéral dans les domaines social et culturel et dans les secteurs de la santé et de l'éducation.

Au Québec, plusieurs groupes résistent à l'instauration d'un régime d'assurance-santé:
- les compagnies d'assurances privées;
- la Conférence catholique des hôpitaux;
- la Société Saint-Jean-Baptiste;
- le Collège des médecins;
- la Chambre de commerce.

7.77

« [La loi créant les allocations familiales est une] ingérence extraordinairement abusive de l'État dans la conduite de la famille [...] comme si le père de famille devait devenir un simple intermédiaire pour transmettre aux enfants les largesses de l'État-père, comme si l'éducation familiale allait être fonctionnarisée. »

Relations, revue des Jésuites, 1944

7.78

17 Pour quelles raisons chacun des groupes mentionnés dans les documents 7.77 et 7.78 s'oppose-t-il à certaines mesures gouvernementales?

Les valeurs répandues par une Église appuyée par l'État exercent une grande influence sur les Canadiens français de l'après-guerre. Au Québec, la religion catholique constitue un élément d'unité du peuple canadien-français favorisant le respect de la famille, du travail et de l'Autorité.

7.79 Une famille québécoise en prière.

L'Église veille aussi à la lutte contre le socialisme et le communisme, qu'elle considère comme des « doctrines pernicieuses ». À la « lutte des classes sociales » proposées par ces doctrines, elle oppose un « ordre nouveau » basé sur l'harmonie entre patrons et ouvriers.

> Communisme

LE RÔLE DE L'ÉTAT

Alors que le **gouvernement fédéral** canadien intensifie ses **tendances interventionnistes**, le **gouvernement provincial** québécois se contente d'un **rôle de soutien**.

Dans le domaine social, l'implication du gouvernement de Maurice Duplessis consiste à attribuer des subventions à l'Église pour qu'elle s'occupe de ce secteur. Dans le domaine économique, ses interventions se limitent à la mise en place de conditions favorables à l'implantation d'entreprises privées et à l'entrée d'investissements étrangers au Québec.

> « Le gouvernement de la province a foi en l'entreprise privée [...] Il est convaincu que le paternalisme et le socialisme sont les ennemis les plus dangereux du progrès et de la liberté. »
>
> Maurice Duplessis, 1959

LE GOUVERNEMENT DE MAURICE DUPLESSIS

7.2.3 Politiques duplessistes et tiraillements de la société québécoise de l'époque.

LA CARTE ÉLECTORALE

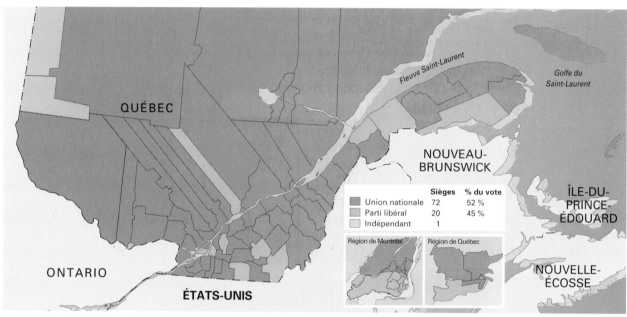

	Sièges	% du vote
Union nationale	72	52 %
Parti libéral	20	45 %
Indépendant	1	

7.80 Les élections
provinciales
de 1956.

QUELQUES DISTRICTS ÉLECTORAUX DU QUÉBEC (1956)			
Districts urbains	**Nombre d'électeurs**	**Districts ruraux**	**Nombre d'électeurs**
Laval	135 733	Berthier	14 206
Notre-Dame-de-Grâce	66 027	Huntington	7 454
Québec-Est	42 780	Rouville	11 555

7.81

18 *a*) D'après toi, le politicologue Gérard Bergeron a-t-il raison de dénoncer «l'absurdité de notre carte électorale» en parlant de celle de 1956? Justifie ta réponse.

b) Quelle est la conséquence politique de ce déséquilibre?

c) Si la carte électorale de 1956 avait été plus équilibrée, quel parti aurait très probablement remporté la victoire? Justifie ta réponse.

LA SOCIÉTÉ QUÉBÉCOISE SOUS DUPLESSIS

Maurice Duplessis, qui avait été premier ministre du Québec de 1936 à 1939, dirige de nouveau le destin de cette province de **1944 à 1959**.

Perçu par les uns comme un dictateur sans scrupules et par les autres comme le sauveur de la race canadienne-française, Duplessis fut l'un des personnages politiques les plus controversés de l'histoire du Québec.

L'AGRICULTURE

Duplessis est un grand **défenseur de la vie rurale**. Comme les agriculturistes, il affirme que l'agriculture est la base de l'économie québécoise, la « clé de voûte de la stabilité économique ». Comme la carte électorale du Québec privilégie les districts ruraux, Duplessis veut gagner l'appui des agriculteurs. Il s'attire donc leurs votes en les qualifiant de personnes laborieuses, responsables, vertueuses et respectueuses des traditions. Dans ses discours, il célèbre la vie à la campagne, selon lui une existence « gaie, intéressante et agréable ».

Le gouvernement Duplessis met sur pied un programme d'électrification rurale et encourage la création de coopératives agricoles et d'écoles d'agriculture. Il crée l'Office du crédit agricole, qui permet aux cultivateurs d'acheter du matériel à taux d'intérêts réduits et l'Office des marchés agricoles, qui régit la mise en marché des produits agricoles.

7.82 Le retour de Maurice Duplessis au pouvoir.

7.83 Une agriculture mécanisée.

LE DÉVELOPPEMENT ÉCONOMIQUE
SELON DUPLESSIS

«[La] confiance manifestée très ouvertement dans le monde financier américain s'explique par l'assurance que notre pays continue son ascension rapide vers les sommets.»

Duplessis, 1950

7.84

«C'est la construction, par le gouvernement de l'Union nationale, du chemin de Chibougamau d'une longueur de 150 milles* qui a permis le développement de cette région [...]»

Duplessis, 1954

* Un mille = 1,609 kilomètre.

7.85

«Seule une administration stable peut promouvoir une telle marche vers le progrès et l'avenir.»

Duplessis, 1954

7.86

«La stabilité du Québec donne confiance aux industriels. Les grèves sont plutôt rares. Les chefs d'entreprise sont assurés de trouver chez nous une population respectueuse des lois et du bon ordre.»

Duplessis, 1955

7.87

19 *a*) À l'aide des documents 7.84 à 7.87, insère dans un schéma semblable au suivant les quatre conditions que Maurice Duplessis juge essentielles au développement économique du Québec.

```
┌──────────────────┐        ┌──────────────────┐
│                  │        │                  │
└──────────────────┘        └──────────────────┘
        ┌─────────────────────────────────┐
        │   DÉVELOPPEMENT ÉCONOMIQUE   │
        └─────────────────────────────────┘
┌──────────────────┐        ┌──────────────────┐
│                  │        │                  │
└──────────────────┘        └──────────────────┘
```

b) Rédige un texte établissant des liens entre les éléments de ton schéma.

L'ENTREPRISE PRIVÉE

Duplessis est conscient que le développement économique du Québec doit être axé sur la production industrielle et sur l'exploitation des richesses naturelles. Il veut attirer au Québec « les dirigeants industriels et financiers de pays aussi riches et aussi puissants que les États-Unis ».

Trois conditions lui semblent nécessaires pour réussir à attirer les **investisseurs étrangers** au Québec :

- Sur le plan politique, démontrer que le Québec est capable d'assurer une « stabilité progressive » en réélisant l'Union nationale avec une confortable majorité à chaque élection.

- Sur le plan économique, rendre la pratique des affaires alléchante en offrant un régime de taxation généreux aux **entreprises privées** et améliorer l'infrastructure afin de faciliter le transport des richesses naturelles.

- Sur le plan social, assurer « l'excellent caractère de la population » en faisant régner l'ordre social. La « loi du cadenas », imposée par Duplessis en 1937, autorise la police provinciale à mettre sous clé toute entreprise soupçonnée de communisme. Cette mesure est fréquemment appliquée contre les syndicats et permet à la police d'intervenir contre les grévistes et de protéger les briseurs de grève.

Vers 1950, le gouvernement du Québec retire 0,01 $ pour une tonne* de fer en redevances d'une entreprise américaine à laquelle il a concédé une mine. À Terre-Neuve, le gouvernement retire 0,33 $ pour la même quantité de fer.

* Une tonne = 1 000 kilogrammes.

L'ÉGLISE

Duplessis attribue une **place importante à l'Église** dans la société québécoise. Sous son règne, l'Église et l'État marchent « main dans la main ».

Il attribue des **subventions aux oeuvres sociales de l'Église** et le clergé prêche les valeurs liées à l'ordre et au respect de l'Autorité prônées par l'Union nationale. Lors des élections, les organisateurs de Duplessis disent au peuple que « le ciel est bleu (couleur de l'Union nationale) » et que « l'enfer est rouge (couleur du Parti libéral) ».

7.88 Jean Drapeau, le cardinal Paul-Émile Léger et Maurice Duplessis en compagnie de membres du clergé québécois, en 1955.

UN BON SYSTÈME D'ÉDUCATION ?

FRÉQUENTATION DES ÉCOLES AU QUÉBEC (1951-1952)		
Classes	**Catholiques**	**Protestants**
1re année	100,0 %	100,0 %
5e année	89,6 %	92,2 %
6e année	80,0 %	89,9 %
7e année	62,9 %	85,9 %
8e année	40,9 %	79,6 %
9e année	30,2 %	67,3 %
10e année	18,5 %	51,5 %
11e année	13,5 %	35,9 %

7.89

DIPLÔMÉS DES UNIVERSITÉS QUÉBÉCOISES (1946-1955)			
Cycles	**Université Laval**	**Université de Montréal**	**Université McGill**
1er	4 645	5 597	9 860
2e	1 224	1 394	1 217
3e	161	226	823

7.90

En 1957-1958, près de 48 % des enseignants du Québec n'ont pas la formation exigée dans les autres provinces du Canada et dans les autres pays.

7.91

20 Après avoir pris connaissance des documents 7.89 à 7.91, crois-tu que Maurice Duplessis ait raison d'affirmer que les Canadiens français possèdent « le meilleur système d'éducation du monde » ? Justifie ta réponse.

LES POLITIQUES SOCIALES

Dans le domaine social, le Québec des années 1945 à 1960 est en **retard** sur l'Ontario, particulièrement sur le plan de l'**éducation**, de la **santé** et du **revenu** moyen.

L'ÉDUCATION

Duplessis vante le système d'éducation du Québec. Cependant, beaucoup de jeunes ne fréquentent pas l'école, les études secondaires sont presque inaccessibles aux filles et les francophones sont beaucoup moins nombreux que les anglophones dans les universités. De plus, on manque d'écoles, d'équipements et de spécialistes et les enseignants sont mal payés. Pourtant, Maurice Duplessis s'oppose toujours à l'instruction obligatoire et minimise l'importance de l'instruction en affirmant qu'il ne lit jamais.

> À des gens qui lui demandaient quel commentaire ils devaient faire à propos d'une nouvelle parue dans un journal, Duplessis répondit: «Faites comme moi, je ne lis pas. Comme ça, vous n'aurez pas à en parler!»

LA SANTÉ

Comme Duplessis refuse d'instaurer un programme d'assurance-maladie, les gens doivent payer pour avoir accès aux soins médicaux. Pour bénéficier des services gratuits de l'Assistance publique, ils doivent répondre à des critères rigides et humiliants. De plus, les hôpitaux sont vieux et mal équipés car ils ne reçoivent pas assez d'argent de l'État et n'arrivent à subsister que grâce à l'aide des institutions de charité et aux contributions des patients.

LA PAUVRETÉ

Même si le revenu personnel moyen augmente sensiblement au Québec, l'écart qui le sépare de celui de l'Ontario demeure important. Des habitants de régions entières (Abitibi, Gaspésie) et des résidants de certains quartiers de Montréal vivent encore dans une grande pauvreté.

7.92 Dans un quartier défavorisé de Montréal, en 1949.

LA « MENACE COMMUNISTE »

Vers 1930, une trentaine de Canadiens français sont membres du Parti communiste du Canada.

7.93

« Les Canadiens français et tous les Canadiens en général craignent le communisme. »

Camilien Houde, maire de Montréal, 1938

7.94

« Notre population et les industriels étrangers savent que nos ouvriers […] ne veulent pas devenir la proie des agitateurs qui veulent tout simplement les exploiter au profit de l'idéologie communiste. »

Maurice Duplessis, 1948

7.95

En 1937, Maurice Duplessis fait adopter la « loi du cadenas ». Cette loi autorise le gouvernement à cadenasser tout établissement jugé utile à la propagande communiste.

7.96

21 *a)* En tenant compte des textes des documents 7.93 à 7.96, crois-tu que la « loi du cadenas » vise réellement à contrer la menace communiste ?

b) Selon toi, pourquoi Duplessis a-t-il fait adopter cette loi ?

c) Quel usage Duplessis fait-il de cette loi à l'égard :
   • de la population ?
   • des investisseurs étrangers ?
   • des syndicats ?

d) Crois-tu qu'aujourd'hui, il soit encore rentable pour les politiciens d'utiliser dans leurs discours des arguments faisant appel aux sentiments ? Justifie ta réponse.

La « petite politique »

Duplessis a une conception précise de la politique : au sommet du gouvernement doit trôner un chef incontesté. Il se plaît à dire qu'« un bon gouvernement n'a pas besoin d'opposition ». Aussi **étouffe**-t-il rapidement toute tentative de **résistance**. Ses conférences de presse sont des « monologues hebdomadaires » et pour lui, la fonction des journalistes est de transcrire fidèlement ses propos. Les dissidents sont tout simplement expulsés. Il traite les chefs syndicaux trop exigeants d'« agitateurs à la solde de Moscou » et les intellectuels contestataires de « rêveurs et [de] poètes ». Même ses ministres ne sont pas épargnés par son autoritarisme : il lui arrive d'annoncer à leur place des décisions sans les avoir consultés.

Le « chef » distribue généreusement certaines faveurs. Les « amis du parti » bénéficient de subventions et de contrats ; en retour, ils doivent voter « du bon bord » et fournir de l'argent à la caisse électorale de l'Union nationale. Sous le règne de Duplessis, les **pratiques électorales douteuses** abondent : achats de votes, personnes votant à plusieurs bureaux de scrutin, vols de boîtes de scrutin.

Si certains historiens jugent avec nuance le règne de Duplessis, d'autres le qualifient de « record de la plus malhonnête démagogie ». Cependant, élection après élection, une grande partie de la population lui accorde son support.

> « Le duplessisme, c'est du "bossism". M. Duplessis, c'est un *boss*. Et un *boss* ne l'est que lorsqu'il a absorbé ou rendu impuissante toute opposition. Lorsqu'il l'a fait taire. Lorsqu'il a stérilisé les libres initiatives. Lorsqu'il a établi un réseau d'involontaires connivences. Le *boss*, c'est celui qui se fait craindre avant d'agir. »
>
> Gérard Bergeron, politicologue, 1957

7.97 Réunion de préparation des élections partielles de 1945.

LE NATIONALISME DE DUPLESSIS

« Les pères de la Confédération ont voulu par la Constitution de 1867 maintenir les provinces libres et souveraines dans un Canada grand et prospère. Ils ont voulu respecter [...] les aspirations des deux grandes races et à cette fin, ils ont confié à l'autorité fédérale certains pouvoirs bien définis, tout en conservant aux provinces les pouvoirs essentiels à leur vie économique, religieuse et culturelle. »

Maurice Duplessis, 1954

7.98

22 *a*) D'après le document 7.98, quelle conception Duplessis a-t-il du fédéralisme ?

   b) Quel argument peut-il invoquer pour créer un impôt provincial ?

En janvier 1948, Maurice Duplessis devance le député indépendant René Chaloult, qui avait l'intention de proposer à l'Assemblée législative du Québec l'adoption d'un drapeau québécois. Par un arrêté du Conseil, il fait approuver le fleurdelisé comme drapeau officiel du Québec.

Comme l'adoption de ce drapeau fait l'unanimité dans la population québécoise, un journaliste de l'époque s'exclame : « Monsieur Duplessis vient de gagner 100 000 votes ! »

7.99

23 D'après les documents 7.98 à 7.100, le nationalisme de Duplessis est-il fondé sur des convictions politiques ? sur une stratégie électorale ? sur une autre base ? Justifie ta réponse.

En 1945, Duplessis annonce un projet de loi visant à créer une radio jugée importante pour l'éducation, Radio-Québec. Le gouvernement fédéral refuse d'accorder un permis de diffusion à cette radio en alléguant que le domaine de la radiodiffusion est de compétence fédérale.

7.100

L'AUTONOMIE PROVINCIALE

La Crise et la Seconde Guerre mondiale avaient amené le gouvernement fédéral à accentuer ses politiques de centralisation des pouvoirs et à ressembler de plus en plus à un État-providence.

Maurice Duplessis se montre peu favorable à l'intervention de l'État et se fait l'ardent défenseur de l'**autonomie provinciale**. Selon lui, le Québec doit stopper la tendance centralisatrice du gouvernement fédéral et reprendre les pouvoirs accordés par la Constitution de 1867. Il crée à cette fin une commission portant sur les problèmes constitutionnels, la Commission Tremblay.

En 1951, il refuse les subventions fédérales aux universités provinciales pour contrer l'ingérence d'Ottawa dans l'éducation. De plus, il s'oppose à la remise d'allocations familiales provenant du fédéral aux familles québécoises, alléguant que ce secteur devrait être de compétence provinciale.

Afin de « reprendre notre butin », il crée en 1954 un impôt provincial, forçant ainsi le gouvernement fédéral à réduire le sien et assurant au gouvernement québécois une source de revenus provinciale.

Certaines personnes considèrent Duplessis comme le sauveur de la race canadienne-française menacée par la centralisation des pouvoirs à Ottawa. D'autres jugent excessif un nationalisme qui prive le Québec de centaines de millions de dollars.

> **L'État-providence**
>
> L'État-providence, c'est l'État qui, tout comme un dieu bienveillant, vient en aide aux gens. Cette aide peut-être dispensée, par exemple, sous forme de prestations d'assurance-chômage ou d'allocations familiales.

7.101 Présentation du drapeau québécois à l'Assemblée législative, en 1948.
Quelle différence y a-t-il entre ce drapeau et le drapeau actuel du Québec?

LA SOCIÉTÉ VUE PAR DES ARTISTES...

« Les frontières de nos rêves ne sont plus les mêmes [...] La honte du servage sans espoir fait place à la fierté d'une liberté possible à conquérir de haute lutte.

Au diable le goupillon et la tuque ! [...]

Le règne de la peur multiforme est terminé [...] Refus de fermer les yeux sur les vices, les duperies perpétrées sous le couvert du savoir, du service rendu [...] Refus de se taire [...] Place à la magie [...], place à l'amour [...] Que ceux tentés par l'aventure se joignent à nous [...] [Nous] poursuivrons dans la joie notre sauvage besoin de libération. »

Paul-Émile Borduas, peintre, et quinze autres artistes, *Refus global*, 1948

7.102

24 *a*) Quels aspects de la société sont dénoncés par Borduas dans le texte du document 7.102 ?

b) Un mois après la parution du *Refus global*, le gouvernement québécois congédie Borduas de son poste de professeur à l'École du meuble de Montréal.

D'après toi, pour quelle raison le gouvernement agit-il de la sorte ?

... ET PAR UN UNIVERSITAIRE

« La sphère politique est devenue un *clearing-house* entre les intérêts cléricaux et les intérêts financiers ; les politiciens sont de bien petits agents de change qui travaillent à salaire ou à commission [...] Le sort et le fonctionnement de la démocratie dans notre province sont confiés [...] à des partis qui croient si peu à la démocratie qu'ils n'ont jamais imaginé d'en appliquer les règles à leur propre structure. La conclusion est claire. Regroupons les hommes libres autour d'un objectif commun, la démocratie. »

Pierre Elliott Trudeau, professeur de droit, *Cité libre*, 1958

7.103

25 *a*) Que dénonce Trudeau dans le texte du document 7.103 ?

b) Quelle solution propose-t-il ?

c) En quoi les textes des documents 7.102 et 7.103 se ressemblent-ils ? se distinguent-ils ?

UNE OPPOSITION S'ÉLÈVE

Sur le plan politique, le parti d'opposition à l'Assemblée législative du Québec, le Parti libéral, ne réussit pas à ébranler les assises de l'Union nationale. Cependant, sur la scène sociale, on **critique** vivement le **régime de Duplessis**.

Des **chefs syndicaux** dénoncent le traditionnalisme et le conservatisme de Duplessis. Ils lui reprochent de s'opposer au progrès social et de servir les intérêts des capitalistes américains.

7.104 Une militante syndicale active : Madeleine Parent.

Même dans les rangs du **clergé**, la dissidence s'installe. Mgr Joseph Charbonneau appuie ouvertement les ouvriers lors de certaines grèves, notamment celle d'Asbestos. Les abbés Gérard Dion et Louis O'Neill dénoncent les pratiques électorales de l'Union nationale.

Les **intellectuels** du Québec expriment leur opposition dans les journaux, les revues et à la télévision, apparue en 1952. André Laurendeau, rédacteur en chef du *Devoir*, appuie le nationalisme mais dénonce le conservatisme de Duplessis. Pierre Elliott Trudeau fustige le nationalisme dans la revue *Cité libre*. René Lévesque, animateur de l'émission *Point de mire*, ouvre les Québécois aux réalités internationales.

> « La classe ouvrière est victime d'une conspiration qui veut son écrasement et quand il y a conspiration pour écraser la classe ouvrière, c'est le devoir de l'Église d'intervenir. »
>
> Mgr Joseph Charbonneau, 1949

1959
MORT DE
DUPLESSIS
INAUGURATION
DE LA VOIE
MARITIME DU
SAINT-LAURENT

1957
FONDATION DE
LA FÉDÉRATION
DES TRAVAILLEURS
DU QUÉBEC

1956
CRÉATION DE
L'OFFICE DES
MARCHÉS
AGRICOLES
LETTRE DES
ABBÉS DION
ET O'NEILL

1955
FONDATION DE
SCHEFFERVILLE

1954
IMPÔT PROVINCIAL
SUR LE REVENU

1952
APPARITION DE
LA TÉLÉVISION

1950
CHAPELET EN
FAMILLE À
LA RADIO
FONDATION DE
LA REVUE
CITÉ LIBRE
GUERRE
DE CORÉE

1949
GRÈVE DE
L'AMIANTE À
ASBESTOS
TERRE-NEUVE
ENTRE DANS LA
CONFÉDÉRATION

1948
PARUTION DU
REFUS GLOBAL
ADOPTION DU
DRAPEAU
QUÉBÉCOIS

1945
ALLOCATIONS
FAMILIALES
ÉLECTRIFICATION
RURALE

1944
DUPLESSIS
REDEVIENT
PREMIER
MINISTRE DU
QUÉBEC

1 Dans l'échelle de temps ci-contre, relève :

a) deux mesures créées pour favoriser l'agriculture ;

b) un événement culturel ayant eu un impact sur la population ;

c) deux décisions reflétant le nationalisme de Duplessis ;

d) trois événements constituant une contestation d'un ou de plusieurs aspects de la société de l'époque ;

e) deux événements liés à l'exploitation du minerai du Nouveau-Québec.

7.105   Les trois faces du pouvoir dans le Québec des années cinquante.

2 *a)* Nomme les trois catégories de citoyens représentées dans le document 7.105.

b) Quel est le rôle de chacune de ces catégories de personnes dans la société québécoise ?

c) Y a-t-il des liens entre leurs différents rôles ? Si oui, lesquels ?

7.106   Grève à la Montreal Cottons Limited de Salaberry-de-Valleyfield, en 1946.

Au cours des années cinquante, Marcel Rioux, anthropologue socialiste, athée et anticlérical notoire, se voit refuser un poste de professeur dans une université québécoise. Selon le sociologue Jules Duchastel, « [les convictions de Rioux le disqualifient] aux yeux de la hiérarchie religieuse qui contrôle l'entrée aux universités canadiennes-françaises au Québec ».

7.107

3 *a*) D'après les documents 7.106 et 7.107, les Québécois des années cinquante étaient-ils gouvernés par un pouvoir plutôt réformiste ? plutôt conservateur ? Justifie ta réponse.

b) Les Québécois étaient-ils tous soumis au pouvoir politique ? Justifie ta réponse.

4 Maurice Duplessis avait l'appui des agriculteurs québécois.

À l'aide de la carte électorale de 1956 (document 7.80, page 438), des mesures et des discours de Duplessis liés à l'agriculture, confirme ou infirme la justesse de cette affirmation.

EN RÉSUMÉ

1 Les années de l'après-guerre (1945-1960) constituent une période favorable à la **prospérité économique** du Canada. La production minière et la production industrielle augmentent considérablement pour répondre à la demande croissante de l'Europe et des États-Unis.

2 La population du Québec, comme celle du Canada, augmente considérablement grâce à la hausse de la **natalité** (*Baby Boom*), à la baisse de la mortalité et à l'augmentation de l'**immigration**.

De plus en plus, **les immigrants** proviennent d'un peu partout en Europe et non plus essentiellement de la Grande-Bretagne. Ils s'installent pour la plupart à Montréal et **s'intègrent à la population anglophone**.

3 Dans la province de Québec, d'importants **changements** se manifestent dans plusieurs domaines.

La **production industrielle** connaît une importante croissance, particulièrement dans le domaine des appareils électroménagers.

L'exploitation des **richesses naturelles** connaît un essor remarquable. De nouvelles régions (**Côte-Nord, Nouveau-Québec**) sont exploitées afin de répondre à la demande de minéraux provenant des États-Unis.

Le **secteur tertiaire** (services) se développe en fonction des besoins des Québécois.

L'**agriculture** québécoise se modernise, grâce à des taux d'intérêts réduits et à des subventions gouvernementales.

Le **mouvement coopératif**, apparu au début du siècle, prend de l'ampleur et englobe plusieurs domaines : agriculture, pêcheries, épargne, etc.

4 Le **syndicalisme** ouvrier prend de l'ampleur et se fait de plus en plus **revendicateur**.

5 Les Québécois entrent dans la « **société de consommation** » et adoptent un **mode de vie à l'américaine**, aux valeurs fondées sur la réussite individuelle et le confort matériel.

6 Malgré son entrée dans une ère de modernité, la société québécoise demeure attachée aux **valeurs traditionnelles**.

Les fervents de l'**agriculturisme** considèrent la vie rurale comme un milieu propice à la conservation des valeurs traditionnelles et comme la base de l'économie québécoise.

L'**Église occupe une place importante** dans la société, particulièrement dans le domaine des **services sociaux**.

Le **gouvernement du Québec intervient peu** dans les domaines économique et social tandis que le **gouvernement fédéral** ressemble de plus en plus à un **État-providence**.

7 **Maurice Duplessis**, premier ministre du Québec de 1936 à 1939, puis de **1944 à 1959**, laisse sa marque dans tous les domaines de la vie québécoise.

Duplessis est un ardent **défenseur de la vie rurale**. Il s'attire les votes des agriculteurs en vantant leur mode de vie et en subventionnant leurs entreprises.

Il **encourage l'entreprise privée** en attirant des **investisseurs étrangers**.

Il **attribue des subventions aux oeuvres sociales de l'Église**.

Il **maintient le Québec dans son retard** sur l'Ontario dans les domaines de l'**éducation**, de la **santé** et du **revenu**.

Il **étouffe** toute **opposition** et tolère les **pratiques électorales douteuses**.

8 Devant les tendances centralisatrices d'Ottawa, Duplessis défend ardemment l'**autonomie provinciale**.

9 Le **régime** de **Duplessis** est vivement **critiqué** par certains **chefs syndicaux**, **prêtres** et **intellectuels** québécois.

POUR LA SUITE DE L'HISTOIRE...

Maurice Duplessis meurt à Schefferville en 1959. Lors de ses funérailles, le journaliste Cyrille Felteau a « l'impression – physique – d'assister à la fin d'une époque ». Quelle sera l'époque suivante dans l'histoire du Québec ?

CHAPITRE 15

LA RÉVOLUTION TRANQUILLE ET SES SUITES

7.3 La Révolution tranquille et les années suivantes.

LES MOTS DE LA POLITIQUE

Certains mots et expressions utilisés actuellement dans les relations entre le gouvernement fédéral canadien et le gouvernement provincial québécois viennent des années soixante à quatre-vingt.

 «"Statut particulier", "États associés", "société distincte", ce sont des concepts qui se recoupent d'une certaine façon. »

Robert Bourassa, premier ministre du Québec, 1990

7.108

 «Aux fédéralistes d'expliquer que les termes "souveraineté", "indépendance", "séparation" [...] sont synonymes [...] »

Stéphane Dion, politologue, 1994

7.109

Quelques expressions de la politique canadienne

États associés Association du Canada et du Québec à titre d'États autonomes.

Indépendance Accession du Québec à l'autonomie politique, économique et sociale, c'est-à-dire au statut de pays indépendant.

Séparation Accession du Québec à l'autonomie par rapport au reste du Canada.

Société distincte Caractère particulier du Québec dans l'ensemble canadien.

Souveraineté Pouvoir du Québec de diriger seul sa destinée.

Souveraineté-association Statut par lequel un Québec indépendant maintiendrait des liens économiques avec le Canada.

Statut particulier Droit réclamé par le Québec de gérer certains pouvoirs sur son territoire à cause de son caractère distinct des autres provinces canadiennes.

Statu quo Maintien de la Constitution canadienne actuelle.

7.110

1 *a*) Après avoir pris connaissance du document 7.110, que penses-tu de l'affirmation faite par Robert Bourassa dans le texte du document 7.108 ? Justifie ta réponse.

b) Es-tu d'accord avec la déclaration faite par Stéphane Dion dans le texte du document 7.109 ? Justifie ta réponse.

PANORAMA

Entre 1960 et 1980, les changements amorcés dans la société québécoise au cours de la période duplessiste se poursuivent : le Québec entre de plain-pied dans l'ère moderne. Les femmes s'émancipent, de nouveaux citoyens d'origines diverses viennent modifier le visage de la population. Le Québec se laïcise, vit une nouvelle forme de nationalisme et s'ouvre sur le monde.

De 1960 à 1970, les gouvernements de Jean Lesage, de Daniel Johnson et de Jean-Jacques Bertrand font souffler un vent de réformes sur le Québec dans les domaines économique, social et culturel. C'est l'époque de la « Révolution tranquille ». À compter de 1970, le gouvernement de Robert Bourassa, plutôt préoccupé par la création d'emplois, freine ce courant. En 1976, l'arrivée au pouvoir du gouvernement de René Lévesque remet le réformisme à la mode.

Les années soixante à quatre-vingt voient par ailleurs les relations entre le gouvernement fédéral et le gouvernement provincial du Québec se modifier en profondeur. L'évolution du nationalisme québécois provoque une remise en question du fédéralisme. Un parti souverai-

7.111   Un moyen de transport moderne : le métro de Montréal.

niste, le Parti québécois, s'attire de plus en plus de sympathie. Devant cette situation, le nouveau premier ministre du Canada, Pierre Elliott Trudeau, durcit ses positions envers le Québec.

- *Quel est le visage du Québec entre 1960 et 1980 ?*
- *Quelles sont les orientations des gouvernements qui se succèdent au cours de cette période ?*
- *De quelle façon les relations entre le gouvernement fédéral et le gouvernement provincial du Québec évoluent-elles ?*

LA SOCIÉTÉ QUÉBÉCOISE DE 1960 À 1980

7.3.2 Manifestations de la diversité culturelle du Québec.

LA POPULATION QUÉBÉCOISE

TAUX DE NATALITÉ AU QUÉBEC	
Années	**Évolution**
1960	27,5 ‰
1965	21,7 ‰
1970	16,1 ‰
1975	15,6 ‰
1980	15,3 ‰

7.112

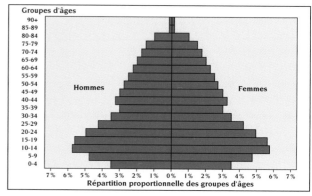

7.113 Les groupes d'âges au Québec en 1973.

2 À l'aide des documents 7.112 et 7.52 (page 422), compare les taux de natalité des années soixante à quatre-vingt avec ceux des années quarante à soixante.

3 Selon toi, au cours des années soixante à quatre-vingt, quelles sont les conséquences du *Baby Boom* dans le domaine de l'éducation? du travail?

ORIGINE ETHNIQUE DES IMMIGRANTS DU QUÉBEC				
Années	**Afrique**	**Amérique**	**Asie**	**Europe**
1968	11 %	14 %	12 %	62 %
1971	6 %	30 %	15 %	49 %
1974	9 %	38 %	17 %	36 %
1977	9 %	31 %	25 %	34 %
1980	7 %	18 %	51 %	24 %

7.114

7.115 Migrations entre 1961 et 1981.

4 D'après le document 7.114, quelle différence y a-t-il par rapport à la période duplessiste en ce qui a trait à l'origine des immigrants?

5 À l'aide des documents 7.112 à 7.115, rédige un texte d'une page sur la population du Québec entre 1960 et 1980.

NOUVEAUX ASPECTS DE LA SOCIÉTÉ QUÉBÉCOISE

Dès la fin des années cinquante, le **taux de natalité décroît** dans la province de Québec. Puisque les enfants du *Baby Boom* avancent en âge, il s'ensuit un vieillissement progressif de la population.

Comme les femmes accèdent plus facilement au marché du travail, nombre d'entre elles songent à faire carrière avant de fonder une famille. De plus, la diffusion de contraceptifs modernes permet un plus grand contrôle de la fécondité. Le **rôle** joué par les **femmes** dans la société québécoise est aussi **modifié** par de nouvelles façons de penser et de vivre liées à la baisse de la ferveur religieuse, à l'apparition des unions libres, à l'augmentation des divorces…

À partir du milieu des années soixante, le nombre d'**immigrants** qui s'établissent au Québec va décroissant. La plupart d'entre eux viennent désormais de l'Asie, de l'Amérique latine, d'Haïti, de Grèce, du Portugal et de l'Afrique. Ils s'installent en majorité dans la région de **Montréal** et s'intègrent presque toujours à la population **anglophone**. De plus, un nombre grandissant de gens quittent le Québec pour d'autres provinces du Canada ou pour d'autres pays.

À cause de la baisse de la natalité, de la baisse de l'immigration et de la migration de certains Québécois, la proportion de la population québécoise dans le Canada est à la baisse. Au Québec, ces changements démographiques entraînent deux conséquences importantes. Les institutions scolaires et le marché du travail sont de plus en plus envahis par les jeunes et la survie de la langue française est menacée par l'anglicisation.

LES FAMILLES QUÉBÉCOISES	
Années	**Nombre d'enfants**
1960	3,76
1970	1,97 *
1980	1,70

* Le seuil de renouvellement d'une population est de 2,1 enfants par famille.

7.116

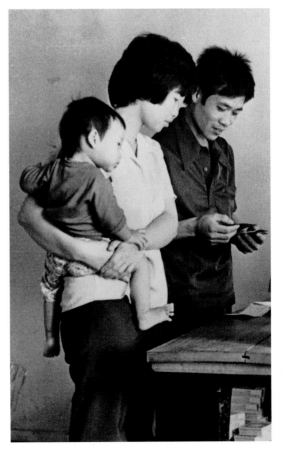

7.117 De nouveaux visages à Montréal.

UNE GÉNÉRATION LUDIQUE

7.118 Les Beatles, groupe britannique apparu au début des années soixante. Les Beatles ont chanté au Forum de Montréal en 1964.

Pierre Brochu, scénariste, a affirmé que les années soixante « ont été celles de la génération qui a amené le "fun" au Québec ».

6 Demande à des gens qui étaient adolescents à cette époque le sens de l'affirmation de Pierre Brochu.

UN REJET DE LA RELIGION

 « À l'époque de la Révolution tranquille [...], je me suis absentée durant quelque dix ans de cette Église qui [...] ne correspondait plus à mes aspirations. [...] Vers le milieu des années soixante-dix, comme bien d'autres couples libérés et modernes, je fus prise dans le tourbillon des divorces nouvellement instaurés au Québec. »

Céline Lagacé, 1994

7.119

7 Quelles différences y a-t-il entre le témoignage du document 7.119 et ceux des périodes précédentes en ce qui a trait à la religion ?

LE CONFORT MATÉRIEL

La baisse du nombre d'enfants par famille, l'apport financier du travail de la femme et la hausse salariale permettent aux Québécois de se procurer un plus grand **confort matériel**. La publicité et l'accès aux cartes de crédit incitent les gens à consommer. Les nouveaux « centres commerciaux » sont littéralement envahis par la foule.

LA CULTURE

Bien que la chanson américaine demeure en vogue, la mode est à la musique qui témoigne de l'**identité québécoise**. C'est la période des « boîtes à chansons », où se produisent des artistes comme Gilles Vigneault, Monique Leyrac, Félix Leclerc, Jean-Pierre Ferland, Clémence Desrochers, Renée Claude… Le cinéma et le théâtre offrent de plus en plus d'oeuvres de créateurs québécois.

LA DIVERSITÉ ETHNIQUE

La venue d'immigrants des quatre coins du monde modifie le visage de **Montréal**. Les contacts entre nouveaux arrivants et anciens résidants entraînent des changements dans les mentalités et les habitudes de vie. Les Montréalais s'adaptent peu à peu au caractère **pluriethnique** de leur ville.

LA LAÏCISATION

Si les centres commerciaux et les salles de spectacles attirent les foules, en revanche les églises sont désertées. La pratique religieuse est en chute libre. De nombreux prêtres et religieux quittent les ordres. Bien que les célébrations religieuses se soient adaptées aux fidèles, nombre d'entre eux leur préfèrent les cours de croissance personnelle et les regroupements alternatifs.

Les Expos

Depuis le départ des Royaux, équipe de base-ball mineur, en 1960, la ville de Montréal est sans équipe de base-ball.

En 1968, Montréal est choisie par la Ligue nationale de base-ball comme ville d'accueil d'une nouvelle équipe de base-ball majeur. Pour souligner l'Exposition universelle de 1967, cette nouvelle équipe est appelée les Expos de Montréal.

7.120 Trois grands de la chanson québécoise : Robert Charlebois, Gilles Vigneault et Félix Leclerc, le 13 août 1975.

PROSPÉRITÉ ET INÉGALITÉS

TAUX DE CHÔMAGE SELON L'ÂGE ET LE SEXE				
Années	**Jeunes (15-24 ans)**	**Femmes (24 ans et +)**	**Hommes (24 ans et +)**	**Moyenne**
1966	4,5 %	3,1 %	4,2 %	4,1 %
1974	10,9 %	5,9 %	4,5 %	6,6 %

7.121

TAUX DE CHÔMAGE SELON LES RÉGIONS			
Régions	**1961**	**1971**	**1981**
Bas-Saint-Laurent – Gaspésie	8,25 %	15,99 %	17,9 %
Saguenay – Lac-Saint-Jean	8,63 %	15,37 %	12,9 %
Québec	3,68 %	8,69 %	10,7 %
Trois-Rivières	4,83 %	12,24 %	11,3 %
Estrie	3,75 %	9,25 %	11,1 %
Montréal	3,64 %	9,36 %	9,3 %
Outaouais	5,02 %	9,25 %	11,6 %
Abitibi – Témiscamingue	8,66 %	12,77 %	14,9 %
Côte-Nord – Nouveau-Québec	7,17 %	11,00 %	14,9 %

7.122

8 Selon les documents 7.121 à 7.123, le chômage affecte-t-il tous les travailleurs et toutes les régions de la même façon ? Quelle est la situation des chômeurs des années soixante-dix ?

LOI DE L'ASSURANCE-CHÔMAGE		
	Avant 1971	**Après 1971**
Critère d'admissibilité	30 semaines de travail au cours des deux dernières années	8 semaines de travail au cours de la dernière année
Durée des prestations	La moitié du nombre de semaines de travail	Jusqu'à 44 semaines selon les régions
Pourcentage des prestations	50 % du salaire	67 % du salaire

7.123

UNE ÉCONOMIE PROSPÈRE

Au cours des années soixante à soixante-quinze, l'**économie** québécoise connaît une **croissance** soutenue. Après 1975, la hausse du prix du pétrole sur les marchés mondiaux ralentit ce rythme, mais, en général, le niveau de vie des Québécois s'améliore sensiblement.

Cette période en est une de grandes réalisations : métro de Montréal, Exposition universelle de 1967, barrages hydroélectriques de la Côte-Nord et de la baie James, Stade olympique. Dans le **secteur tertiaire**, le nombre d'emplois se multiplie. Les salaires sont à la hausse dans les domaines de la construction et des services publics et parapublics. Les syndicats obtiennent des conventions collectives avantageuses pour les travailleurs.

Cependant, à partir de 1967, le **chômage** augmente. Il atteint particulièrement les **femmes** et les **jeunes** récemment arrivés sur le marché du travail. Par ailleurs, certaines régions qui sont demeurées en marge du développement économique connaissent de graves difficultés. Enfin, la hausse du prix des produits de consommation gruge une partie du pouvoir d'achat qu'avait procuré la hausse salariale.

La plupart des immigrants travaillent dans le secteur secondaire (fabrication, assemblage et réparation de biens divers). Vers la fin des années soixante, le gouvernement fédéral resserre sa politique d'immigration, favorisant ainsi la venue de membres de professions libérales et d'entrepreneurs.

Le Montréal souterrain

En 1962 débutent les travaux de construction de la Place Ville-Marie. C'est là que sont ouverts les premiers magasins souterrains de Montréal et que sont creusées les premières galeries de métro, menant à la gare Centrale et à la Place Bonaventure.

En 1966, le métro de Montréal, qui compte 26 stations, est inauguré. Les citoyens de Montréal sont alors dotés d'un réseau souterrain qui leur permet d'accéder à tous les services sans se déplacer à l'extérieur.

7.124 Le Stade olympique de Montréal en construction, en novembre 1975.

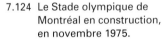 ## UN NOUVEAU NATIONALISME

Pendant la période duplessiste, le **nationalisme** canadien-français prônait une attitude défensive à l'égard du gouvernement fédéral. Au cours des années soixante, il se fait plus **revendicateur**. Selon ce nouveau nationalisme, le Québec doit accroître ses pouvoirs et ses revenus afin d'entrer dans l'ère moderne.

LA RÉVOLUTION TRANQUILLE

7.3.1 Principales transformations du Québec.

L'HYDROÉLECTRICITÉ

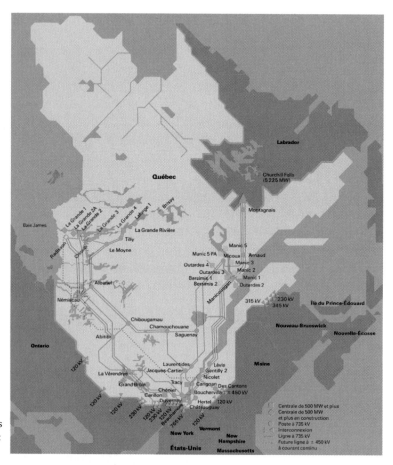

7.125 Les centrales hydroélectriques d'Hydro-Québec en 1989.

 « [Hydro-Québec] a servi de base expérimentale au « management » francophone […] [Cette entreprise] a corrigé [le] complexe d'infériorité historique en mettant le pouvoir entre les mains de francophones […] [Elle a produit] un vaste réservoir de techniciens, d'ingénieurs et d'administrateurs de classe. »

Jean-Paul Gignac, commissaire d'Hydro-Québec, 1987

7.126

En nationalisant les entreprises privées productrices d'électricité en 1963, le gouvernement permet à Hydro-Québec de mettre la main sur tout le réseau hydroélectrique du Québec.

9 *a)* Quel est l'impact économique de cette nationalisation?

b) Selon Jean-Paul Gignac, quelles autres conséquences la création d'Hydro-Québec a-t-elle eues?

LE GOUVERNEMENT DE JEAN LESAGE

L'arrivée au pouvoir des libéraux de Jean **Lesage** en **1960** constitue une rupture politique par rapport à la période duplessiste et marque le début de la **Révolution tranquille**. Lesage s'entoure de ministres dynamiques et compétents, désignés comme « l'équipe du tonnerre ». En quelques années, d'importantes **réformes** sont implantées au Québec, tant sur le plan économique que sur le plan social. Pour que la société québécoise soit **moderne**, le gouvernement Lesage considère qu'il doit rattraper le retard du Québec sur les autres provinces du Canada **en intervenant** massivement dans tous les secteurs.

LE DOMAINE ÉCONOMIQUE

Le gouvernement Lesage devient le maître d'oeuvre du développement économique. Il s'implique parfois directement, en mettant par exemple une usine sur pied (Sidérurgie du Québec), et parfois indirectement, en donnant un appui financier à une entreprise (Marine Industries). Il crée d'ailleurs à cette fin la Société générale de financement. Il vient également en aide au développement des régions en difficulté en fondant le Bureau d'aménagement de l'Est du Québec.

Après les élections de 1962, dont le thème principal était la nationalisation de l'électricité, le gouvernement prend en charge l'ensemble du réseau hydroélectrique de la province de Québec.

La « Révolution tranquille »

C'est dans le journal anglophone torontois *The Globe and Mail* qu'est utilisée pour la première fois l'expression « The Quiet Revolution » pour décrire les transformations amorcées au Québec depuis 1960. Très rapidement, les dirigeants francophones du Québec s'approprient l'expression. Encore aujourd'hui, on parle de la Révolution tranquille pour désigner les années soixante au Québec.

7.127 Les élections provinciales de 1962.

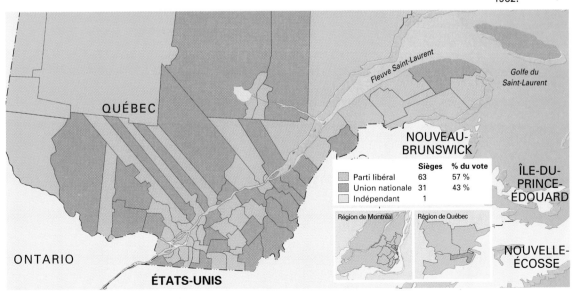

	Sièges	% du vote
Parti libéral	63	57 %
Union nationale	31	43 %
Indépendant	1	

Région de Montréal

Région de Québec

L'ÉCOLE POLYVALENTE

 « La société a le devoir de faire accéder tous les jeunes à l'enseignement secondaire.

La formation équilibrée nécessite une exploration de quatre domaines du savoir et de la culture : les langues, les sciences, les arts et les techniques.

À l'école secondaire polyvalente se retrouveront non seulement les cours généraux et les cours-options mais aussi l'enseignement spécial destiné aux principales catégories de handicapés.

On favorise les contacts entre divers groupes d'élèves. Les étudiants venus de divers milieux et s'acheminant vers divers horizons [y] trouveront [...] un milieu social. »

Rapport Parent, 1964

7.128

10 *a*) Selon le document 7.128, quels sont les grands objectifs des créateurs de l'école polyvalente ?

b) D'après toi, les écoles polyvalentes d'aujourd'hui répondent-elles à ces objectifs ? Justifie ta réponse.

L'APPAREIL D'ÉTAT

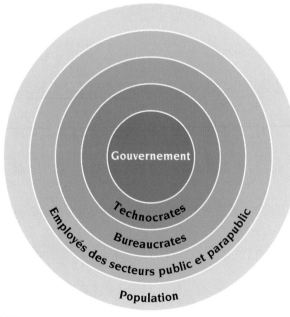

Gouvernement

Technocrates

Bureaucrates

Employés des secteurs public et parapublic

Population

7.129

L'ÉTAT DES ANNÉES SOIXANTE

11 Auquel des groupes présentés dans le document 7.129 s'applique chacune des définitions suivantes ?

a) Conseillers spéciaux parfois appelés « les grands commis de l'État ».

b) Travailleurs du secteur des services.

c) Fonctionnaires gouvernementaux.

d) Élus chargés d'administrer l'État.

LES DOMAINES SOCIAL ET CULTUREL

Le gouvernement de Jean Lesage met sur pied un programme d'assurance-hospitalisation et crée le ministère de la Famille et du Bien-être social. Il assure un revenu aux travailleurs retraités grâce à la Régie des rentes du Québec et adopte un nouveau Code du travail afin de faciliter la syndicalisation et d'améliorer les relations de travail. De plus, en 1964, il adopte une loi reconnaissant l'égalité juridique de la femme mariée.

7.130 Des élèves de l'école polyvalente de Charlesbourg dans les années soixante.

Le gouvernement crée la Commission Parent, chargée de faire des recommandations dans le but d'améliorer le système d'éducation québécois. Il crée ensuite le ministère de l'Éducation, les commissions scolaires régionales et les écoles polyvalentes. L'âge limite de l'instruction obligatoire est porté à 16 ans. Les manuels scolaires sont gratuits jusqu'à la fin des études secondaires. Un système de transport des étudiants est mis sur pied. L'Éducation permanente est créée pour les étudiants adultes.

Dans le domaine culturel, le gouvernement crée le ministère des Affaires culturelles, l'École nationale de théâtre, le Conseil des arts et l'Office de la langue française.

LES AFFAIRES INTERNATIONALES

Le gouvernement Lesage considère que le Québec doit accroître sa présence sur la scène internationale. C'est bien sûr vers la mère patrie que sont dirigés les premiers efforts. En 1961, il inaugure en grande pompe la Maison du Québec à Paris et conclut avec la France des ententes dans le domaine de la culture et de l'éducation. Par la suite, d'autres délégations du Québec verront le jour, entre autres à Londres et à New York.

L'APPAREIL D'ÉTAT

Comme le gouvernement s'implique massivement dans de nombreux secteurs, il lui faut développer l'appareil d'État, c'est-à-dire augmenter le nombre de ses collaborateurs. Des technocrates apparaissent comme conseillers dans les ministères et les organismes d'État. On engage plus de fonctionnaires et des milliers de travailleurs augmentent les effectifs des hôpitaux, des écoles et d'Hydro-Québec.

En 1965, la délégation du Québec à Paris jouit presque d'un statut diplomatique. Le délégué général, Jean Chapdelaine, est appelé « Monsieur l'ambassadeur ».

Lorsque des ententes sont conclues entre le Québec et la France, Ottawa proteste en invoquant que les relations internationales relèvent du gouvernement fédéral. Le Québec affirme au contraire que les domaines de ces ententes sont de compétence provinciale.

LA GUERRE DES LANGUES

Printemps 1968	Des parents d'origine italienne réclament une école de langue anglaise pour leurs enfants.
	Raymond Lemieux fonde le Mouvement pour l'intégration scolaire (MIS) des immigrants.
	Les membres du MIS, majoritaires à la Commission scolaire de Saint-Léonard, votent un règlement stipulant qu'à compter du mois de septembre 1968, la langue d'enseignement sera le français.
	L'Association des parents anglo-catholiques de Saint-Léonard est formée. La majorité de ses membres sont d'origine italienne. Cette association est soutenue financièrement par des anglophones de Montréal.
	L'Association des parents anglo-catholiques de Saint-Léonard manifeste à Ottawa. Pierre Elliott Trudeau déclare : « La crise de Saint-Léonard montre l'urgence d'adopter une charte canadienne des droits de l'homme. »
	Le MIS manifeste à Saint-Léonard. L'éditorialiste du *Devoir*, Jean-Marc Léger, écrit : « Il faut créer dix, vingt, cinquante Saint-Léonard. »
Été 1968	Les commissaires décrètent qu'en septembre, l'enseignement se donnera en français à l'école Aimé-Renaud.
Automne 1969	Le gouvernement de Jean-Jacques Bertrand dépose le projet de Loi 63 à l'Assemblée nationale, lequel assure le libre choix de la langue d'enseignement.
	Près de 40 000 nationalistes manifestent contre ce projet de loi devant le parlement de Québec.
	La Loi 63 est adoptée par l'Assemblée nationale le 20 novembre.
Automne 1970	La Commission scolaire de Saint-Léonard ouvre des classes de langue anglaise en première année.

7.131

12 *a)* Selon toi, pourquoi les immigrants d'origine italienne veulent-ils que leurs enfants reçoivent une éducation en langue anglaise?

   b) Pourquoi les nationalistes s'opposent-ils à ce choix?

13 Le 7 novembre 1969, le député nationaliste Yves Michaud déclarait à l'Assemblée nationale: « Est-ce qu'un droit individuel poussé à la limite, à son amplitude exagérée, a le droit de mettre en danger un droit collectif et la survie d'une ethnie, d'un peuple ou d'une communauté linguistique? »

   Que répondrais-tu à cette question? Justifie ta réponse.

B LES GOUVERNEMENTS DE DANIEL JOHNSON ET DE JEAN-JACQUES BERTRAND

En **1966**, les Québécois, secoués par les chambarde-ments provoqués par le gouvernement Lesage, redon-nent le pouvoir à l'Union nationale. Daniel **Johnson**, élu pour mettre un frein aux **réformes** de ses prédécesseurs, n'a cependant d'autre choix que de les **poursuivre**. En 1968, Johnson meurt subitement et il est remplacé par Jean-Jacques **Bertrand** jusqu'aux élections de **1970**.

LE DOMAINE ÉCONOMIQUE

Dans le but d'augmenter sa production hydroélectrique, le gouvernement du Québec conclut une entente avec le gouvernement de Terre-Neuve, accord qui amènera le développement des chutes Churchill, au Labrador. Dans le domaine de l'agriculture, l'assurance-récolte et la Loi des marchés agricoles sont créées. L'Office de planification et de développement est fondé pour veiller au dévelop-pement économique.

LES DOMAINES SOCIAL ET CULTUREL

Au cours du régime de l'Union nationale, les collèges d'enseignement général et professionnel (cégeps), l'Université du Québec et l'École nationale d'administration publique sont fondés. Dans le domaine cul-turel, on inaugure Radio-Québec, la Bibliothèque nationale du Québec et le ministère des Communications.

Pour la première fois, une loi sur la langue est votée. La Loi 63 veut promouvoir la langue française. Cependant, elle laisse aux parents le libre choix de la langue enseignée à leurs enfants, ce qui provoque la colère des nationalistes. Ceux-ci affirment que cette loi légalise le choix des immigrants de s'assimiler à la popu-lation anglophone et que la survie de la langue française est donc menacée.

LES AFFAIRES INTERNATIONALES

Le Québec s'affirme de plus en plus sur la scène internationale. Des ententes sont conclues avec la France sur les télécommunications, l'éducation et la culture. L'Office franco-québécois est créé et Daniel Johnson est reçu à Paris comme un chef d'État. De plus, le Québec participe à des rencontres entre pays francophones au Gabon, au Niger et en France.

7.132 René Lévesque, Jean Lesage et Daniel Johnson lors de l'inauguration de la centrale hydroélec-trique Manic-Cinq. *Quel rôle à joué chacun de ces politiciens dans le développement de l'hydroélectricité au Québec?*

En 1968, le Conseil législatif est aboli et l'Assemblée législative porte désormais le nom d'«Assemblée nationale».

3

LE FÉDÉRALISME RENOUVELÉ ET LA SOUVERAINETÉ-ASSOCIATION

7.3.3 Débats depuis la Révolution tranquille.

LIBERTÉ ET DÉMOCRATIE

7.133 Des soldats montent la garde rue des Récollets, à Montréal, où le diplomate James Richard Cross est détenu par le FLQ.

« Le Front de libération du Québec veut l'indépendance totale des Québécois [...]

Travailleurs du Québec [...], faites vous-mêmes votre révolution dans vos quartiers, dans vos milieux de travail [...]

Nous voulons remplacer [...] cette société d'esclaves par une société libre, fonctionnant d'elle-même et pour elle-même, une société ouverte sur le monde. »

Manifeste du FLQ, 8 octobre 1970

7.134

« Pour survivre, toute société démocratique doit pouvoir se débarrasser du cancer que représente un mouvement révolutionnaire armé, voué à la destruction des fondements mêmes de notre liberté. »

Pierre Elliott Trudeau, 16 octobre 1970

7.135

14 *a)* Au cours des années soixante, des partis politiques prônaient l'indépendance du Québec. En 1970, le FLQ veut également que le Québec se sépare du Canada.

Quelle différence fondamentale y a-t-il entre le FLQ et les partis indépendantistes?

b) Crois-tu que les partis indépendantistes approuvent les gestes du FLQ? Pourquoi?

15 Le FLQ réclame une « société libre » alors que Trudeau affirme vouloir protéger « notre liberté » en proclamant la Loi des mesures de guerre.

Quelle différence y a-t-il entre la conception de la liberté du FLQ et celle de Trudeau?

LE GOUVERNEMENT
DE ROBERT BOURASSA

Entre **1970** et 1976, le Parti
libéral, dirigé par le jeune économiste Robert **Bourassa**, est
au pouvoir au Québec. L'ère
des grandes réformes prend
fin.

L'EMPLOI

Comme le chômage frappe
durement le Québec, Bourassa
fait de la **création d'emplois**
son principal objectif et veut
attirer les investisseurs étrangers au Québec. Il met sur
pied « le projet du siècle » : la

7.136 Robert Bourassa à la
baie James, en 1973.

construction de barrages hydroélectriques à la baie James. Malgré ce
projet et les quelque 100 000 emplois prévus, le taux de chômage ne
cesse de grimper au Québec.

LES RÉFORMES SOCIALES

Le gouvernement Bourassa, même s'il accorde la priorité à l'économie,
doit néanmoins mener à terme certaines réformes sociales mises de
l'avant par ses prédécesseurs. Il crée ainsi le programme d'assurance-
maladie, les Centres locaux de services communautaires (CLSC) et la
Loi sur l'environnement.

LA CRISE D'OCTOBRE

Né en 1963, le Front de libération du Québec (FLQ), mouvement révolutionnaire terroriste, prône un Québec indépendant et socialiste. Au
cours de l'automne 1970, il kidnappe James Richard Cross, attaché
commercial britannique, et Pierre Laporte, ministre du gouvernement
québécois. Le 17 octobre, Laporte est retrouvé mort dans le coffre
d'une voiture.

Robert Bourassa recourt alors au gouvernement fédéral, qui proclame la
Loi des mesures de guerre. L'armée entre au Québec, les libertés civiles
sont suspendues, 450 personnes sont emprisonnées. Des felquistes
sont condamnés à la prison pour meurtre; d'autres sont exhilés.

Terrorisme

Un syndicalisme radical

« Le régime capitaliste [...] peut compter maintenant sur un pouvoir politique bien développé pour le servir [...] Le système économique et politique dans lequel nous vivons tend à nous écraser. Nous n'avons pas d'autre choix que de le détruire pour ne pas être détruit. »

Fédération des travailleurs du Québec 1971

7.137

« Ce qu'on récupère collectivement est mis au service de tous et ensemble on décide quoi en faire et comment le faire : c'est ça une économie socialiste. »

Confédération des syndicats nationaux, 1971

7.138

« Il nous appartient d'inventer le vrai métier d'éducateur en nous alignant carrément aux côtés des autres travailleurs salariés [...] contre l'ennemi commun des travailleurs, le système capitaliste [...] [Les] enseignants [...] [sont] solidaires de la classe ouvrière. »

Corporation des enseignants du Québec, 1972

7.139

16 Au début des années soixante-dix, la Fédération des travailleurs du Québec, la Centrale des syndicats nationaux et la Centrale des enseignants du Québec s'unissent pour former un front commun intersyndical.

    a) D'après les documents 7.137 à 7.139, qu'est-ce qui les rapproche sur le plan idéologique ?

    b) Selon toi, pourquoi s'en prennent-ils au gouvernement de Robert Bourassa en 1972 ?

17 Crois-tu qu'aujourd'hui, le mouvement syndical québécois soit plus radical ou plus modéré que celui des années soixante-dix ? Justifie ta réponse.

LA GRÈVE DU FRONT COMMUN

Depuis les années soixante, l'État emploie des dizaines de milliers de travailleurs dont la plupart sont membres de l'une ou l'autre des trois grandes centrales syndicales du Québec : la Fédération des travailleurs du Québec (FTQ), la Confédération des syndicats nationaux (CSN) et la Corporation des enseignants du Québec (CEQ).

Les dirigeants de ces syndicats ne partagent pas les conceptions de Bourassa sur les questions sociales et économiques. Ils durcissent leurs positions face à l'État-patron et forment un front commun.

En 1972, près de 210 000 travailleurs des secteurs public et parapublic déclenchent une grève illimitée. Le gouvernement vote alors une loi pour les obliger à retourner au travail. Les chefs syndicaux sont emprisonnés pour avoir incité les travailleurs à défier cette loi. Résignés, ces derniers retournent au travail.

7.140 Les chefs syndicaux Louis Laberge (FTQ), Yvon Charbonneau (CEQ) et Marcel Pepin (CSN) lors d'une manifestation, en 1972.

LA LOI 22

Depuis la fin des années soixante, la question linguistique est devenue un sujet explosif au Québec. En général, les francophones veulent une loi qui oblige les immigrants à inscrire leurs enfants dans des écoles françaises alors que les anglophones insistent sur la liberté de choix en ce domaine.

Alors qu'en 1969, le gouvernement Bertrand avait reconnu la liberté de choix avec la Loi 63, en 1974, le gouvernement Bourassa vote la Loi 22, par laquelle le français est décrété seule langue officielle du Québec. Cependant, les enfants ayant une connaissance suffisante de la langue anglaise sont autorisés à fréquenter les écoles anglaises.

Cette loi, qui est l'une des causes majeures de la défaite de Bourassa en 1976, indispose tout le monde. Les francophones la trouvent trop permissive. Les anglophones considèrent qu'elle brime les droits des individus. Les immigrants se sentent divisés en deux catégories : ceux qui peuvent se débrouiller en anglais et les autres.

LA THÉORIE DES DEUX NATIONS

« Je ne dirigerai pas un Québec séparé du Canada [...] Nous sommes Québécois, mais nous sommes aussi Canadiens. »

Jean Lesage, premier ministre du Québec, 1965

« Il semble [...] que le Québec se dirige vers un statut particulier [...] [Ce] statut pourra être la conséquence des divergences qui se manifestent entre son désir de décentraliser les pouvoirs au Canada et le désir de centraliser vers Ottawa que démontrent certaines autres provinces. »

Jean Lesage, 1966

7.141

« Le Québec devra songer à se retirer de la Confédération si on ne parvient pas à faire vivre les deux nations du Canada sur un pied d'égalité dans un régime fédératif. »

René Lévesque, ministre libéral québécois, 1963

7.142

« [Il faut] maintenir entre les deux niveaux de gouvernement un partage de pouvoirs qui sera généralement le même d'une province à l'autre [...] [La] Constitution empêche le Québec de s'enfoncer dans un particularisme excessif [...] »

Pierre Elliott Trudeau, ministre libéral fédéral, 1966

7.143

18 Entre 1960 et 1966, Jean Lesage et René Lévesque font tous deux partie du gouvernement libéral québécois. En quoi leurs opinions sur la place que le Québec doit occuper dans le Canada se rapprochent-elles ? En quoi se distinguent-elles ?

19 Selon Pierre Elliott Trudeau, quelle place le Québec devrait-il occuper dans la fédération canadienne ?

20 Partages-tu l'opinion d'un de ces trois politiciens sur cette question ? Pour quelles raisons ?

B LE GOUVERNEMENT DE RENÉ LÉVESQUE

En **1976**, les Québécois élisent pour la première fois un parti souverainiste: le Parti québécois de René **Lévesque**. Au cours de sa campagne électorale, celui-ci a promis au peuple de le consulter par voie de référendum sur la question de la souveraineté-association.

AFFIRMATION NATIONALE ET SOUVERAINETÉ

Entre 1960 et 1980, le nationalisme québécois prend diverses formes successives. De plus en plus de francophones du Québec, animés d'une volonté d'affirmation collective, donnent leur appui aux projets fondés sur l'émancipation nationale.

DE 1960 À 1976

Au cours des premières années de la Révolution tranquille, la volonté d'affirmation des Québécois étonne le Canada anglais: «What does Quebec want?» Que veulent donc les Québécois? Affirmer leur différence dans le Canada ou former un pays bien à eux?

Sous le gouvernement **Lesage**, le nationalisme québécois est actif mais peu menaçant pour la survie du Canada. Le slogan «**Maîtres chez nous**» lancé par Jean Lesage au cours de la campagne électorale de 1962 est d'abord lié à une volonté de s'approprier le contrôle total du réseau hydroélectrique du Québec. Toutefois, ce slogan acquiert un sens plus vaste lorsque le gouvernement québécois entre en négociations avec le gouvernement fédéral afin de récupérer une importante partie des impôts payés par les contribuables québécois.

7.144 Publicité du Parti libéral du Québec lors de la campagne électorale de 1962.

7.145 Les relations franco-québécoises ne semblent pas très appréciées par le gouvernement fédéral !

Fédéralisme ou indépendance ?

« La meilleure façon d'obtenir l'égalité pour la nation canadienne-française dans un Canada vraiment binational serait de préparer immédiatement les conditions de l'indépendance du Québec qui deviendra inévitable si une nouvelle constitution n'est pas adoptée. »

Daniel Johnson, chef de l'Union nationale, 1965

7.146

« Il s'agit [...] d'acquérir la pleine liberté politique du Québec [...], il s'agit en même temps [d'] établir [...] avec le reste du Canada [...] [une] association essentiellement économique [...] »

René Lévesque, député indépendant, 1968

7.147

« [...] ce n'est pas la Confédération qui empêche le Québec de s'épanouir ou de prospérer : les Québécois n'ont qu'à retrousser leurs manches, comme les Canadiens des autres provinces. »

Pierre Elliott Trudeau, ministre libéral fédéral, 1967

7.148

21 *a*) Quelle différence y a-t-il entre l'opinion exprimée par René Lévesque en 1968 (document 7.147) et celle exprimée en 1963 (document 7.142, page 472) ?

b) À quelle opinion de Lévesque celle de Johnson ressemble-t-elle ? Justifie ta réponse.

c) Quelle différence essentielle y a-t-il entre l'opinion de Pierre Elliott Trudeau et celle de Daniel Johnson et René Lévesque ?

22 En 1990, Robert Bourassa confie au journaliste Michel Vastel : « Je dois dire qu'entre Johnson, Lévesque et Trudeau, il ne me restait pas grand place [...] La seule façon de nous singulariser, nous, les libéraux provinciaux, c'était de parler d'économie. »

En quoi le fait de « parler d'économie » permet-il à Robert Bourassa de se distinguer de Johnson, Lévesque et Trudeau ?

Indépendantiste

Peu à peu, des groupes et des partis politiques indépendantistes se forment au Québec. Au début, ils rejoignent peu de monde, mais, avec les années, ils augmentent progressivement leurs effectifs. Même le chef de l'Union nationale, Daniel **Johnson**, flirte avec l'idéologie indépendantiste lorsqu'il lance, en 1965, la formule « **Égalité ou indépendance** ! »

Aux élections fédérales de 1963, le premier ministre du Canada, le conservateur John **Diefenbaker**, qui prône le « **One Canada** », est défait. C'est le libéral Lester B. **Pearson**, plutôt sensible à la **dualité nationale**, qui est élu par les Canadiens. Pearson crée la Commission royale d'enquête sur le bilinguisme et le biculturalisme (Commission Laurendeau-Dunton), qui a pour mandat de faire des recommandations afin que « la Confédération canadienne se développe d'après le principe de l'égalité entre les deux peuples qui l'ont fondée ». En 1965, le Parti libéral du Canada accueille dans ses rangs Pierre Elliott **Trudeau**, qui deviendra premier ministre du Canada en 1968. Celui-ci a la ferme intention de « mettre le Québec à sa place ». Il considère que le **Québec** est une **province comme les autres** provinces du Canada, qui n'a aucun droit de revendiquer un statut particulier.

7.149 Des relations plutôt froides... Pierre Elliott Trudeau et Daniel Johnson, en 1968.

Au Québec, Daniel Johnson est élu en 1966, après une campagne électorale axée sur le thème « le Québec d'abord ! » La tension monte entre Québec et Ottawa. Elle atteint un sommet en 1967 lorsque le président de la République française, le général Charles de Gaulle, s'exclame lors d'une visite au Québec : « Vivre le Québec libre ! »

À la même époque, René **Lévesque** quitte le Parti libéral du Québec et fonde le **Mouvement souveraineté-association** (MSA), qui prône la souveraineté politique du Québec et son union économique avec le Canada. En 1968, il fonde le Parti québécois (PQ), qui regroupe bientôt les forces indépendantistes du Québec.

En 1970, avec l'élection de Robert Bourassa, un fédéraliste convaincu, une accalmie s'installe dans les relations entre Québec et Ottawa. Bourassa entend démontrer aux Québécois la rentabilité du fédéralisme. Cependant, une partie grandissante de la population penche vers l'option indépendantiste.

CANADIENS OU QUÉBÉCOIS ?

« Ce gouvernement a comme objectif fondamental l'accession de la collectivité québécoise à la souveraineté politique [...] Nous avons le sentiment de former une nation. Nous en avons toutes les caractéristiques : territoire bien défini, histoire, langue et culture commune, vouloir-vivre collectif, identité nationale [...] L'indépendance du Québec est donc devenue [...] naturelle, [...] normale, je dirais presque [...] inévitable [...] Il serait insensé de tout faire pour retarder l'aboutissement d'un processus aussi naturel qu'irréversible [...] Notre projet de souveraineté politique s'accompagne d'une proposition d'association économique avec le Canada. Nous n'avons pas le droit de ne pas réussir. »

René Lévesque, premier ministre du Québec, 1977

7.150

« [...] les événements du 15 novembre [élection du Parti québécois] nous obligent à faire un choix [...] Choisir une voie, c'est rejeter les autres [...] Ce qu'il faut, c'est sortir à un moment donné de l'incertitude [...] on ne peut pas [...] vouloir à la fois le fédéralisme et le séparatisme [...] Le parti de M. Lévesque [...] nous pose la question "Voulez-vous du Canada oui ou non ?" [...] Moi je suis Canadien, ça a toujours été mon opinion [...] La défense et l'illustration de la langue française peuvent se faire à l'intérieur de la Constitution actuelle [...] [J'ai voulu] entrer en politique parce que j'étais tanné d'entendre parler de séparatisme [...] Je souhaite qu'en fait, très bientôt, nous puissions le dire clairement, que nous voulons être Canadiens [...] »

Pierre Elliott Trudeau, premier ministre du Canada, 1977

7.151

23 À l'aide des documents 7.150 et 7.151, rédige :

   a) un paragraphe sur le thème de l'identité nationale selon Lévesque et Trudeau ;

   b) un paragraphe sur le thème de la Constitution canadienne selon Lévesque et Trudeau.

DE 1976 À 1980

Aux élections de 1976, le Parti québécois prend le pouvoir dans la province de Québec.

À cause de cette victoire, le premier ministre Trudeau doit reconnaître l'ampleur du mouvement souverainiste au Québec. Il crée la Commission de l'unité canadienne (Commission Pépin-Robarts), chargée de voir à « l'élaboration de moyens visant à renforcer l'unité canadienne ». Dans son rapport, la commission reconnaît le caractère distinct de la province de Québec et fait des recommandations qui ne seront jamais appliquées parce qu'elles vont à l'encontre des opinions de Trudeau.

Sous le gouvernement de René Lévesque, les réalisations sont nombreuses : assurance-automobile, gratuité des médicaments pour les personnes âgées, congés de maternité, droits des personnes handicapées, société de développement des industries culturelles, protection de l'environnement, protection des terres agricoles.

7.152 René Lévesque et Lise Payette le soir de la victoire du 15 novembre 1976.

En 1977, le Parti québécois adopte la **Charte de la langue française** (Loi 101). Cette loi proclame le français seule langue officielle du Québec. Elle impose l'unilinguisme français dans tous les domaines de la vie publique : législature, tribunaux, enseignement, travail, commerce, affichage. Les anglophones y réagissent fortement, affirmant qu'elle brime la liberté des individus. Certains d'entre eux contestent la légitimité de cette loi ; d'autres vont jusqu'à quitter le Québec.

En 1980, René Lévesque déclenche la campagne référendaire. La population devra se prononcer sur le projet du Parti québécois : la souveraineté-association.

Timeline (left column)

1980
CAMPAGNE RÉFÉRENDAIRE SUR LA SOUVERAINETÉ-ASSOCIATION

1977
CHARTE DE LA LANGUE FRANÇAISE (LOI 101)
COMMISSION DE L'UNITÉ CANADIENNE

1976
LÉVESQUE PREMIER MINISTRE DU QUÉBEC

1974
LOI 22 SUR LA LANGUE

1972
GRÈVE DU FRONT COMMUN

1971
SOCIÉTÉ DE DÉVELOPPEMENT DE LA BAIE JAMES

1970
CRISE D'OCTOBRE
BOURASSA PREMIER MINISTRE DU QUÉBEC

1969
LOI 63 SUR LA LANGUE

1968
BERTRAND PREMIER MINISTRE DU QUÉBEC
TRUDEAU PREMIER MINISTRE DU CANADA

1967
VISITE DU GÉNÉRAL DE GAULLE

1966
JOHNSON PREMIER MINISTRE DU QUÉBEC

1965
DANIEL JOHNSON PROCLAME: « ÉGALITÉ OU INDÉPENDANCE »

1964
MINISTÈRE DE L'ÉDUCATION

1963
NATIONALISATION DES ENTREPRISES D'ÉLECTRICITÉ
PEARSON PREMIER MINISTRE DU CANADA

1962
SOCIÉTÉ GÉNÉRALE DE FINANCEMENT

1961
COMMISSION PARENT SUR L'ÉDUCATION
ASSURANCE-HOSPITALISATION

1960
LESAGE PREMIER MINISTRE DU QUÉBEC

LE POINT

❶ À l'aide de l'échelle de temps ci-contre, inscris dans une fresque de temps semblable à la suivante les noms des premiers ministres du Canada et du Québec entre 1960 et 1980 et les partis politiques qu'ils dirigent.

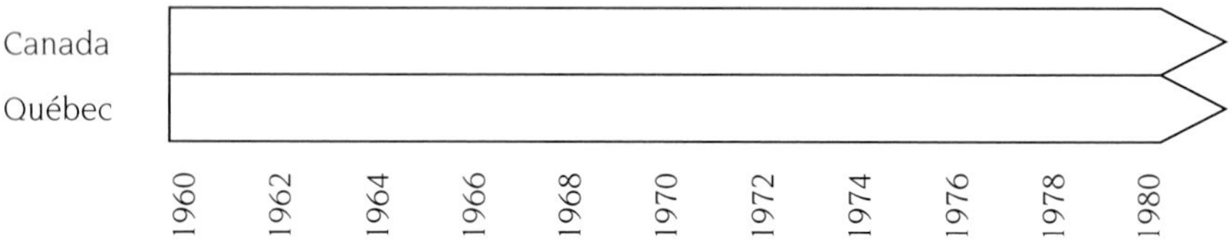

Canada

Québec

1960 1962 1964 1966 1968 1970 1972 1974 1976 1978 1980

« Qu'est-ce que [le Québec] voulait ? Les uns voulaient le fédéralisme. Pas nécessairement le statu quo mais enfin, le fédéralisme [...] Les autres disaient : "Non. Il faut un statut particulier." Les autres parlaient de deux nations. On parlait aussi d'États associés; on parlait de souveraineté-association et on parlait d'indépendance [...] Choisir une voie, c'est rejeter les autres. »

Pierre Elliott Trudeau, premier ministre du Canada, 1977

7.153

❷ *a*) Laquelle des voies mentionnées par Trudeau dans le document 7.153 a été privilégiée par Jean Lesage? par Daniel Johnson? par Robert Bourassa? par René Lévesque?

b) Quelles différences y a-t-il entre ces options?

❸ Devant les revendications des nationalistes québécois, quelle a été l'attitude de John Diefenbaker? de Lester B. Pearson? de Pierre Elliott Trudeau?

❹ *a*) Dans l'échelle de temps ci-contre, relève les événements qui concernent soit le développement économique, l'éducation, la santé, les relations internationales ou le contexte socio-politique.

b) Décris brièvement chacun de ces événements.

5 Au cours de la période qui va de 1960 à 1980, trois lois sur la langue ont été adoptées par l'Assemblée nationale du Québec.

    a) Quels numéros désignent ces lois? En quelle année ont-elles été votées?

    b) Par quels partis ont-elles été adoptées?

    c) En quoi consiste chacune de ces lois?

    d) Quelles différences y a-t-il entre elles?

    e) Comment la population a-t-elle réagi à chacune de ces lois?

    f) Es-tu d'accord avec l'opinion émise par Gérald Godin dans le texte du document 7.154? Justifie ta réponse.

> «Les conflits linguistiques ont toujours été, au Québec, la trame même des conflits politiques et les étincelles allumant les feux de brousse politiques qui ont vu naître et mourir les partis.»
>
> Gérald Godin, poète et député péquiste, 1987

7.154

> Au cours des années soixante et soixante-dix, la mode est à l'utilisation des sigles: BAEQ, CEGEP, CEQ, CLSC, CSN, FLQ, FTQ, MEQ, SGF, SIDBEQ, UQUAM, etc.

7.155

6 Parmi les sigles mentionnés dans le document 7.155,

    a) lequel désigne un groupe terroriste?

    b) lesquels désignent des syndicats?

    c) lesquels désignent des organismes liés à l'éducation? à l'économie? aux services sociaux?

EN RÉSUMÉ

1 Au cours des années soixante à quatre-vingt, la société québécoise se transforme:

- Le **taux de natalité décroît** considérablement.
- Les **femmes** tiennent un **rôle plus important**.
- L'origine des **immigrants** est plus diversifiée et **Montréal** devient **cosmopolite**.

2 À cause des hausses salariales, les Québécois jouissent d'un plus grand **confort matériel**.

3 La culture américaine est toujours à la mode mais les manifestations culturelles francophones sont de plus en plus fréquentes et affirment l'**identité québécoise**.

4 La pratique religieuse est en baisse et le clergé perd une grande partie de son pouvoir.

5 Dans l'ensemble, cette période en est une de **prospérité économique** et de grandes réalisations (métro de Montréal, barrages hydroélectriques, etc.).

6 Le **nationalisme québécois** est plus **revendicateur** qu'au cours de la période précédente. Les Québécois veulent affirmer plus fortement leur spécificité.

7 De **1960** à 1966, le libéral Jean **Lesage** est premier ministre du Québec. Son gouvernement entreprend des **réformes** dans tous les secteurs:

- Économie: création de sociétés d'État ayant pour but de favoriser le développement économique.
- Société et culture: mesures visant à assurer le mieux-être des citoyens.
- Affaires internationales: accords avec la France dans les domaines de l'éducation et de la culture.

Cette période est appelée la **Révolution tranquille**.

8 De **1966** à **1970**, l'Union nationale est au pouvoir, dirigée succes- sivement par Daniel **Johnson** et Jean-Jacques **Bertrand**.

L'**ère des réformes se poursuit** (création des cégeps, mise sur pied d'un office de développement régional, etc).

Une première loi sur la langue (Loi 63) est adoptée, mais elle est contestée par les nationalistes.

Le Québec participe à des rencontres réunissant les pays franco- phones.

9 Entre **1970** et 1976, le libéral Robert **Bourassa** dirige le Québec. Il met l'accent sur le développement économique et sur la **création d'emplois** (baie James).

Sous son règne, la contestation se fait vigoureuse : Crise d'octobre (1970), grève du Front commun (1972), Loi 22 (1974).

10 En **1976**, le péquiste René **Lévesque** devient premier ministre du Québec.

Entre 1960 et 1980, le nationalisme québécois prend diverses formes :

- Jean Lesage désire que le Québec gagne en autonomie en demeurant toutefois dans le Canada.

- Daniel Johnson réclame l'« égalité ou l'indépendance ».

- Robert Bourassa reconnaît le caractère particulier du Québec en voulant maintenir la Confédération canadienne.

- René Lévesque prône l'**indépendance** du Québec et l'**associa- tion économique** avec le Canada.

Le gouvernement de René Lévesque poursuit l'ère des réformes (assurance-automobile, congés de maternité, protection de l'envi- ronnement, etc.). Il fait adopter la Loi 101, qui proclame le français seule langue officielle du Québec.

POUR LA SUITE DE L'HISTOIRE...

Au cours des années quatre-vingt et quatre-vingt-dix, la société québécoise devra faire face à des défis d'envergure...

DE 1980 À NOS JOURS

7.3 La Révolution tranquille et les années suivantes.

7.156 Quelques aspects du Québec d'aujourd'hui.

1 Chaque élément du document 7.156 illustre une facette du Québec des années quatre-vingt à nos jours.

À l'aide de ce document, trace un portrait de la société québécoise contemporaine.

8000 AV. J.-C.		1534		1763	1867

PÉRIODE AUTOCHTONE	PÉRIODE DU RÉGIME FRANÇAIS	PÉRIODE DU RÉGIME BRITANNIQUE	PÉRIODE CONTEMPORAINE

DE 1980 À NOS JOURS

1980

PANORAMA

Après 1980, la société québécoise se retrouve à quelques croisées de chemins...

Dans le domaine politique, le gouvernement fédéral et le gouvernement du Québec poursuivent leurs luttes. Les Québécois rejettent la proposition souverainiste du Parti québécois. La place du Québec dans la fédération canadienne n'est toujours pas clairement définie. Les négociations constitutionnelles aboutissent à l'Accord du lac Meech, aussitôt rejeté par Terre-Neuve et le Manitoba. L'Accord de Charlottetown est refusé par la population canadienne. En 1995, les Québécois doivent se prononcer à nouveau sur l'option souverainiste.

Dans le domaine économique, la tendance est aux ententes internationales et à la formation de vastes ensembles économiques. Les finances du Canada sont en mauvaise posture, ce qui entraîne un désengagement de l'État. Le chômage va croissant, ce qui provoque une augmentation de la pauvreté.

Dans le domaine social, l'époque est aux grands défis. De nouvelles lois viennent modifier les règles liées à la langue. Les autochtones réclament de plus en plus de

7.157 Discussion entre les premiers ministres Brian Mulroney et Robert Bourassa, le 27 novembre 1987.

droits. La composition ethnique des immigrants se modifie. Les femmes accèdent à des postes importants. Les jeunes ont du mal à s'intégrer au marché du travail. Certains grands problèmes restent à régler.

- *Quels sont les débats autour de la souveraineté du Québec ? autour de la question constitutionnelle ?*
- *Quelles sont les nouvelles orientations de l'économie québécoise ?*
- *De quelle façon évolue la question de la langue ? des autochtones ? des immigrants ? de la condition féminine ? des jeunes ? de la pauvreté ? de la protection de l'environnement ?*

LES DÉBATS POLITIQUES

7.3.3 Débats depuis la Révolution tranquille.

LA POSITION DE RENÉ LÉVESQUE

 « Nous avons la maturité, la taille et la force pour assumer notre destin […] Comme 150 autres peuples du monde, nous pouvons, nous aussi, être en pleine possession de notre patrie […] Nous y ferons nos lois […] en fonction de nos besoins et de nos aspirations […] Nous y dépenserons chez nous et pour nous les impôts […] qui sont perçus pour la collectivité […] [Il] n'y aura plus de blocages imposés du dehors […] Cette souveraineté, nous la plaçons dans le cadre d'une nouvelle association avec le Canada […] C'est d'égal à égal […] que nous voulons proposer à nos partenaires du reste du Canada une nouvelle entente […] basée sur cette formule de libre association entre États souverains […] Cette association nous permettra de garder […] un espace économique dont la dislocation serait aussi coûteuse pour les uns que pour les autres. »

René Lévesque, automne 1979

7.158

2 À l'aide du document 7.158, résume en trois phrases les principaux arguments qui, selon Lévesque, devraient inciter les Québécois à voter « oui » lors du référendum de 1980.

3 À l'aide de tes connaissances sur le projet de souveraineté-association du Parti québécois, donne le sens de la page couverture figurant au document 7.159.

7.159 Livre blanc publié par le gouvernement du Québec en 1979. Un « livre blanc » est une publication dans laquelle le gouvernement expose certaines de ses politiques.

D'UN RÉFÉRENDUM À L'AUTRE

Aux élections de 1979, après plus de dix ans au pouvoir, le premier ministre libéral Pierre Elliott Trudeau cède la place au conservateur Joe Clark. Chef d'un gouvernement minoritaire à la Chambre des communes, Joe Clark ne demeure cependant pas longtemps en place. Dès 1980, Trudeau reprend la direction du gouvernement canadien, poursuivant ses deux grands objectifs : rapatrier la Constitution et combattre le nationalisme québécois, qui constitue selon lui une menace pour l'avenir du Canada.

LE RÉFÉRENDUM SUR LA SOUVERAINETÉ-ASSOCIATION

Au cours de la campagne électorale provinciale de 1976, René Lévesque avait promis un référendum sur le projet de souveraineté-association. Après son élection comme premier ministre du Québec, Lévesque fixe la date du **référendum**. Le 20 mai **1980**, le gouvernement du Québec demandera à la population de lui accorder le mandat de négocier « d'égal à égal » une nouvelle entente avec le reste du Canada. Le Québec deviendrait souverain mais maintiendrait une association économique avec le Canada.

La campagne référendaire scinde la population en deux camps. D'un côté, les tenants du « oui », représentés par le Parti québécois et autres indépendantistes. De l'autre, les partisans du « non », qui ont l'appui des chefs libéraux Pierre Elliott Trudeau (fédéral) et Claude Ryan (provincial). Une intervention de Trudeau s'avère déterminante : le 14 mai, devant 10 000 personnes, il promet aux Québécois qu'advenant une victoire du « non », il mettrait « en marche immédiatement le mécanisme de renouvellement de la Constitution ». Un sondage pré-référendaire avait justement révélé que certains partisans du « oui » ne souhaitaient au fond qu'une révision de la Constitution.

7.160 René Lévesque, Corrine Côté-Lévesque et Lise Payette le soir de la défaite du « oui ».

Le 20 mai, le « **non** » l'emporte avec **60 % des votes**. Pour beaucoup de Québécois, cette victoire représente l'espoir de voir le Québec participer à la construction d'un « nouveau Canada ».

Le « non » de Pierre Elliott Trudeau

« Et je sais – parce que je leur ai parlé ce matin, à ces députés –, je sais que je peux prendre l'engagement le plus solennel qu'à la suite d'un « non », nous allons mettre en marche immédiatement le mécanisme de renouvellement de la Constitution et nous n'arrêterons pas avant que ce soit fait. Nous mettons notre tête en jeu, nous, députés québécois, parce que nous le disons à vous des autres provinces, que nous n'accepterons pas ensuite que ce « non » soit interprété par vous comme une indication que tout va bien puisque tout peut rester comme c'était auparavant. Nous voulons du changement, nous mettons nos sièges en jeu pour avoir du changement. »

Pierre Elliott Trudeau, 14 mai 1980

7.161

4 *a*) D'après l'évolution du dossier constitutionnel au Québec depuis les années soixante, quel sens donnerais-tu au mot « changement » dans la déclaration faite par Trudeau en mai 1980 ? Justifie ta réponse.

b) D'après l'attitude de Trudeau devant les revendications du Québec en matière de constitution au cours des années soixante et soixante-dix, crois-tu que cette déclaration soit une promesse de satisfaire les demandes du Québec ? Justifie ta réponse.

« [Nous] avons dit […] que ça ne vaut pas la peine d'essayer de transférer des pouvoirs et des ressources aux provinces […] Je me suis dit […] qu'il valait mieux […] essayer de se plaire à nous-mêmes et […] aux gens qui pensent qu'il doit y avoir un gouvernement du Canada doté de pouvoirs et de ressources fiscales suffisantes. Et c'est ça le nouveau fédéralisme. »

Pierre Elliott Trudeau, février 1992

7.162

5 Crois-que que le « nouveau fédéralisme » dont parle Trudeau en 1992 soit celui auquel s'attendaient les gens qui avaient voté « non » au référendum de 1980 ? Justifie ta réponse.

LA LOI CONSTITUTIONNELLE DE 1982

En juillet 1980, peu après le référendum, débute une série de rencontres fédérales-provinciales sur la question constitutionnelle. Devant l'impossibilité de conclure une entente avec les gouvernements provinciaux, Trudeau annonce son intention de rapatrier unilatéralement la Constitution. En septembre 1981, la Cour suprême du Canada déclare ce projet légal mais contraire aux conventions constitutionnelles. Une semaine plus tard, lors de la « conférence de la dernière chance », Trudeau réussit à se rallier la majorité des premiers ministres provinciaux. Seul le premier ministre du Québec, René Lévesque, maintient son opposition au projet. Le 17 avril 1982, la reine Élisabeth II vient à Ottawa pour officialiser la nouvelle constitution du Canada.

La **Loi constitutionnelle de 1982** comporte trois volets : le rapatriement de la Constitution, une formule d'amendement à la Constitution et la Charte canadienne des droits et libertés. Aux yeux de la majorité des Québécois, cette loi est inacceptable puisqu'elle ne reconnaît pas le caractère particulier du Québec et limite les pouvoirs du Parlement. Tous les partis politiques du Québec sans exception déposent un vote de protestation à l'Assemblée nationale.

Le rapatriement de la Constitution

La première constitution du Canada moderne est issue d'une loi votée en 1867 par le Parlement britannique, l'Acte de l'Amérique du Nord britannique. Bien qu'en 1931, le Statut de Westminster ait reconnu la pleine souveraineté du Canada, la Constitution est toujours demeurée à Londres, qui conservait un droit exclusif d'y apporter des modifications. La Loi constitutionnelle de 1982 a permis au Canada de rapatrier sa constitution et d'être en mesure de la modifier.

L'ACCORD DU LAC MEECH

Au cours des années suivantes, avec l'arrivée au pouvoir de Brian Mulroney à Ottawa (1984) et de Robert Bourassa à Québec (1985), une tentative de réconciliation entre le Canada et le Québec a lieu. Bourassa y pose **cinq conditions** :

- droit de véto du Québec sur la question constitutionnelle ;

- reconnaissance du statut de « société distincte » ;

- limitation du pouvoir fédéral dans les domaines de compétence provinciale ;

- participation du Québec aux nominations de la Cour suprême du Canada ;

- reconnaissance du rôle du Québec en matière d'immigration.

7.163 Signature officielle de la Loi constitutionnelle de 1982.

Qui sont les deux personnages assis? Que représentent ces personnages?

L'ATTITUDE DE ROBERT BOURASSA

DU LAC MEECH À CHARLOTTETOWN	
Dates	**Événements**
23 juin 1990	Après l'échec du lac Meech, Robert Bourassa déclare : « Quoi qu'on en dise, quoi qu'on en pense, le Québec est aujourd'hui et pour toujours une société distincte, libre et capable d'assumer son destin et son développement. »
10 mars 1991	Le Parti libéral adopte le rapport Allaire.
20 juin 1991	Sur les recommandations de la Commission Bélanger-Campeau, l'Assemblée nationale du Québec vote la Loi 150, qui prévoit un référendum sur la souveraineté avant le 27 octobre 1992.
26 août 1992	Robert Bourassa signe l'Accord de Charlottetown.

7.164

LA RÉPARTITION DES POUVOIRS SELON LE RAPPORT ALLAIRE		
Gouvernement fédéral	**Gouvernement fédéral et gouvernement du Québec**	**Gouvernement du Québec**
Défense et sécurité du territoire Douanes et tarifs Monnaie et dette commune Péréquation	Affaires autochtones Fiscalité et revenu Immigration Institutions financières Justice Pêcheries Politique étrangère Postes et télécommunications Ressources naturelles Transport	Affaires sociales — Langue Affaires urbaines — Loisirs et sports Agriculture — Main-d'oeuvre et formation Assurance-chômage Communications — Politique familiale Culture — Recherche et développement Développement régional — Ressources naturelles Éducation — Santé Énergie — Sécurité publique Environnement — Sécurité du revenu Habitation — Tourisme Industrie et commerce

7.165

6 Selon le politologue Guy Laforest, « Robert Bourassa a souffert d'une incapacité chronique à décider, à trancher dans le vif ».

Après avoir consulté les documents 7.164 et 7.165 ainsi que l'encadré de la page 489, crois-tu que l'affirmation de Guy Laforest soit exacte ? Justifie ta réponse.

En **1987**, comme Bourassa a convaincu ses homologues d'accepter ses conditions, l'**Accord du lac Meech** est conclu entre le premier ministre du Canada et ceux des dix provinces. Cependant, une forte opposition s'élève au Canada anglais contre la reconnaissance de la « société distincte ». En **1990**, Terre-Neuve et le Manitoba refusent de ratifier l'entente de 1987, ce qui consacre la **fin de l'Accord du lac Meech**.

L'ACCORD DE CHARLOTTETOWN

Au Québec, l'échec du lac Meech démontre l'impasse du fédéralisme et intensifie les tendances nationalistes. Le gouvernement crée la Commission Bélanger-Campeau, chargée de redéfinir le statut politique et constitutionnel du Québec. Le rapport de cette commission conclut que le Québec n'a qu'une alternative : un fédéralisme renouvelé ou la souveraineté. Le rapport Allaire, issu du Comité constitutionnel du Parti libéral, élabore une nouvelle position constitutionnelle et revendique 22 compétences exclusives pour le Québec.

Sur les recommandations de ces deux commissions, Bourassa déclare que de nouvelles offres constitutionnelles acceptables devront être faites au Québec, faute de quoi un référendum sur la souveraineté aura lieu avant la fin d'octobre 1992.

Devant cette menace, le gouvernement fédéral entreprend une nouvelle ronde de négociations avec les provinces. Comme Bourassa entend désormais ne négocier qu'avec le gouvernement fédéral, il est absent de la table de négociations. En son absence, la question de la « société distincte » n'est pas abordée. Dans un dernier effort pour obtenir un minimum acceptable pour le Québec, Bourassa accepte de se joindre aux négociations. Le 26 août **1992**, il signe avec ses partenaires l'**Accord de Charlottetown**. Certains commentateurs ont affirmé à l'époque que Bourassa s'était « effondré » à la table des négociations, ne réussissant même pas à faire accepter ses cinq conditions.

Le 26 octobre suivant, la population canadienne se prononce sur cet accord par **référendum**. Il est **rejeté par la majorité des provinces**, dont le Québec.

L'Accord de Charlottetown

«Loin de reconnaître le statut distinct du Québec […], l'entente proposait une augmentation des pouvoirs du gouvernement central […] [et consolidait] la capacité du gouvernement central d'intervenir dans les sphères de compétence provinciale exclusive. L'entente contenait en outre […] le principe de l'égalité des provinces et l'obligation pour les Canadiens et leurs gouvernements de promouvoir la minorité anglophone du Québec.»

Alain G. Gagnon, politologue, 1994

7.166 Réunion des onze premiers ministres canadiens au lac Mousseau, deux semaines avant la signature de l'Accord de Charlottetown.

LE CHOIX DES QUÉBÉCOIS

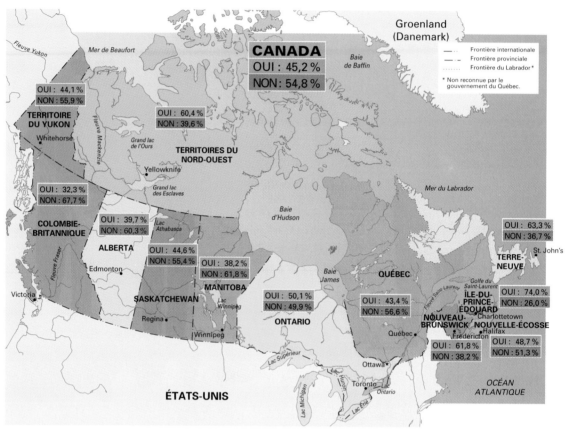

7.167 Le référendum de 1992 sur l'Accord de Charlottetown.

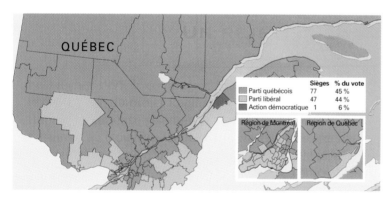

7.168 Les élections provinciales de 1994.

VOTE DU QUÉBEC AUX ÉLECTIONS FÉDÉRALES DE 1993	
Partis	**Sièges**
Bloc québécois	54
Parti libéral	19
Parti conservateur	1
Indépendant	1

7.169

7 Résume en trois phrases les résultats du référendum et des élections qui ont eu lieu au Québec entre 1992 et 1994. Selon toi, y a-t-il une continuité dans ces résultats ? Justifie ta réponse.

LE RÉFÉRENDUM SUR LA SOUVERAINETÉ

Aux élections fédérales de 1993, les Québécois élisent une majorité de députés du Bloc québécois, parti dirigé par Lucien Bouchard, qui prône la souveraineté du Québec. Bien que provenant exclusivement du Québec, la députation de ce parti forme l'opposition officielle à Ottawa. Pour sa part, le nouveau premier ministre du Canada, Jean Chrétien, qui s'oppose fermement au « séparatisme québécois », refuse de réouvrir le dossier constitutionnel.

7.170 Le chef du Parti québécois, Jacques Parizeau, s'adressant à des jeunes au cours de la campagne électorale de 1994.

En 1994, aux élections provinciales québécoises, la population élit un autre parti indépendantiste, le Parti québécois, dirigé par Jacques Parizeau. Au cours de la campagne électorale, Parizeau avait annoncé un **référendum sur la souveraineté** du Québec. En décembre, il met sur pied des comités régionaux, les Commissions sur l'avenir du Québec, chargés de recevoir les opinions de la population sur l'avant-projet de loi sur la souveraineté. Le Bloc québécois et l'Action démocratique annoncent leur intention de prendre part à cette consultation alors que les libéraux du Canada et du Québec préfèrent s'en abstenir.

Selon le Parti québécois, au cours de l'année **1995**, cinq étapes doivent être franchies :

• la consultation régionale sur l'avant-projet de loi sur la souveraineté ;

• le rapport des Commissions sur l'avenir du Québec ;

• la formulation du projet de loi sur la souveraineté ;

• le vote de l'Assemblée nationale sur le projet de loi ;

• le référendum sur le projet de loi.

2

L'ÉCONOMIE

7.3.3 Débats depuis la Révolution tranquille.

LE CANADA EN FAILLITE ?

7.171 Manchette parue dans *La Presse* du 18 janvier 1995.

Hausse brutale des taux d'intérêt
La Banque du Canada se porte à la rescousse du dollar

PAUL DURIVAGE

Les taux d'intérêt ont augmenté brutalement hier dans un coup de force de la Banque du Canada pour redresser sa devise qui, indifférente, approche dangereusement son plus bas niveau de tous les temps.

La Banque du Canada a surpris les observateurs et — espérait-elle — les spéculateurs en quarts de point de pourcentage de leur taux privilégié qui atteint 9,25 p. cent, son niveau le plus élevé depuis novembre 1992.

Il n'était que de 7 p. cent il y a deux mois à peine et aussi bas que 5,5 p. cent il y a un an. Le taux préférentiel, taux réservé aux meilleurs clients des institutions financières, constitue également un point de référence re. Par contre, la rémunération des dépôts n'a pas encore été bonifiée.

Priorité au dollar

Pour les spécialistes du marché, il est clair que la Banque du Canada se préoccupe maintenant davantage de sa devise que des taux d'intérêt. «La banque du Canada s'inquiète manifeste- d'un demi cent d'équivalence, hier, passant de 70,93 à 70,49 cents US, son plus bas niveau en neuf ans. Des cambistes croient qu'il pourrait franchir le seuil historique de 69,13 cents atteint en février 1986.

«Le Canada n'est pas, cette fois-ci, victime d'assauts purement spéculatifs sur sa devise comme cela a été fréquent quand la banque centrale a com- Selon elle, la confiance reviendra seulement si les gouvernements annoncent des mesures «crédibles et comprehénsibles» pour contrer leur déficit. Ce qui n'était pas le cas des annonces de Jean Chrétien, lundi: Selon M. Paul Ferley, assistant chef économiste la Banque de Montréal, le premier ministre a plutôt contribué à la dégelée du dollar hier en laissant planer des hausses d'impôts.

En 1994-1995, la dette du Canada s'élève à 551 milliards. Sur cette somme, 313 milliards – la valeur de 44% du produit intérieur brut du Canada – sont dus à des créanciers étrangers.

7.172

Pour l'année 1994-1995, le gouvernement fédéral enregistre un déficit budgétaire de 40 milliards.

7.173

«[La hausse des taux d'intérêt] va ralentir la consommation, retarder l'achat d'une maison ou d'une automobile. [Elle] vient freiner la reprise et miner la confiance des consommateurs.»

Ghislaine Beaulieu, Fédération nationale des associations de consommateurs, 17 janvier 1995

7.174

«[Parmi les grands financiers], personne ne met publiquement en cause la solvabilité du Canada. Mais dans les faits, le manque de confiance se manifeste par un délestage important de titres canadiens. Et plus on se débarrasse des obligations canadiennes, plus le dollar plonge.»

Claude Picher, journaliste, 21 janvier 1995

7.175

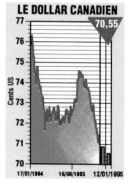

8 *a*) Place les documents 7.171 à 7.176 en ordre logique.

b) Rédige un texte d'une quinzaine de lignes sur les finances publiques du Canada en 1994-1995.

7.176 Les fluctuations de la valeur du dollar canadien en 1994.

LA MONDIALISATION DE L'ÉCONOMIE

Au cours des dernières décennies du 20ᵉ siècle, la mondialisation de l'économie s'accentue. Les marchés financiers n'ont presque plus de frontières, des ententes internationales sont conclues afin de restreindre les barrières douanières. La planète est devenue un vaste marché économique.

Comme de nombreux autres pays, le Canada et les États-Unis s'unissent pour former un vaste ensemble économique. Au début de 1989, un accord de libre-échange entre ces deux pays entre en vigueur. En 1992, le Mexique s'intègre à cette entente, qui porte aujourd'hui le nom d'**Accord de libre-échange nord-américain (ALENA)**.

 # LA CRISE DES FINANCES PUBLIQUES

En janvier 1995, le plus important journal économique des États-Unis, le *Wall Street Journal*, publie un éditorial intitulé : « Un Canada en faillite ? » Aux yeux de plusieurs observateurs, il semble évident que les finances publiques canadiennes sont en très mauvaise posture. Chaque année, le **déficit** des gouvernements s'accumule, ce qui provoque une augmentation de la **dette publique**. En 1994, la dette combinée du Canada et du Québec équivaut à un peu plus de 28 000 $ par habitant.

Depuis les années cinquante, le développement de l'État-providence et la réalisation de vastes projets ont amené les gouvernements à accroître leurs dépenses. Mais la récession économique du début des années quatre-vingt, la pire depuis celle de 1929, les oblige à reconsidérer leurs modes d'intervention.

7.177 Représentation fantaisiste de l'ALENA.
Quel pays est représenté par chacun des chapeaux ?

DETTE PUBLIQUE ET DÉFICIT DU CANADA EN 1994 (milliards de $)		
	Gouvernement du Québec	Gouvernement du Canada
Déficit	5,7	39,7
Dette	69,7	550,7

7.178

L'ÉQUILIBRE BUDGÉTAIRE

En 1992, le ministère de la Santé et des Services sociaux du Québec impose aux personnes du troisième âge un ticket modérateur de 2,00$ pour chaque ordonnance de médicaments couverts par l'assurance-médicaments. De plus, à partir de 1992, les soins dentaires dispensés aux jeunes de 10 à 15 ans et les examens de la vue des personnes de 18 à 40 ans ne sont plus couverts par l'assurance-maladie.

7.179

En 1993, le gouvernement du Québec impose aux secteurs de l'éducation, de la santé et des services sociaux une réduction de 20% de leurs cadres et de 12% de leurs autres employés.

7.180

En 1993, une loi provinciale impose un gel de salaire de deux ans aux employés du secteur public et abolit pour la même période le droit de grève de ces employés.

7.181

En 1994, le gouvernement du Québec confie à l'entreprise privée la gestion de la plupart des parcs et réserves provinciaux. Il songe également à privatiser la Société des alcools du Québec, après avoir envisagé de privatiser Hydro-Québec en 1993.

7.182

9 a) Après avoir pris connaissance des documents 7.179 à 7.182, nomme quatre mesures prônées par le gouvernement du Québec pour tenter d'équilibrer son budget.

   b) D'après toi, quelles conséquences ces mesures peuvent-elles avoir sur les différents groupes de la société québécoise?

   c) Es-tu d'accord avec chacune de ces mesures?

   d) Y a-t-il, selon toi, d'autres mesures auxquelles le gouvernement pourrait songer pour équilibrer son budget? Si oui, lesquelles?

LE DÉSENGAGEMENT DE L'ÉTAT

En 1986, un rapport du gouvernement québécois concluait : « il est de plus en plus difficile de justifier l'interventionnisme gouvernemental » dans le secteur des entreprises. D'autre part, la crise des finances publiques rend problématique le financement du secteur des services sociaux.

Depuis le début des années quatre-vingt, les gouvernements tentent de se retirer des secteurs économique et social. Après les années d'étatisation des entreprises, les gouvernements veulent **privatiser** certaines d'entre elles.

Pour diminuer ses dépenses, le gouvernement du Québec **gèle** pour quelques années **les salaires** des employés des secteurs public et parapublic. De plus, il **réduit les services sociaux** : diminution du nombre de lits dans les hôpitaux, baisse des prestations des assistés sociaux, etc.

7.183 À la recherche d'un emploi...

Malgré ces mesures, le déficit continue de croître. Plusieurs se demandent si le désengagement de l'État n'entraîne pas une plus grande pauvreté.

LE MARCHÉ DE L'EMPLOI

Depuis les années quatre-vingt, des entreprises québécoises dirigées par des francophones connaissent un grand succès (Cascades, Provigo). Quelques-unes sont reconnues à travers le monde pour leur dynamisme et leur expertise (Bombardier, SNC-Lavalin).

Cependant, la situation des travailleurs se détériore, leur niveau de vie se dégrade. Pendant les périodes de **récession**, le taux de **chômage** grimpe à 15 % ; même en dehors de ces périodes, il demeure très élevé (10 % à 12 %). Cette conjoncture ne favorise pas les hausses salariales. De plus en plus de gens ont des emplois temporaires, à mi-temps, ou travaillent à la pige. L'insécurité des travailleurs croît à mesure que les gouvernements songent à réduire les services sociaux.

« Pour de nombreux jeunes Québécois, les emplois réguliers, procurant une situation stable à temps plein, à l'année, avec un employeur unique, apparaissent comme une chose du passé. »

Alain Noël, spécialiste en économie politique, 1994

3

LA SOCIÉTÉ QUÉBÉCOISE D'AUJOURD'HUI

7.3.3 Débats depuis la Révolution tranquille.

LA LANGUE, L'ENSEIGNEMENT ET LES LOIS

« Les citoyens canadiens [...] qui ont reçu leur instruction, au niveau primaire, en français ou en anglais au Canada et qui résident dans une province où la langue dans laquelle ils ont reçu cette instruction est celle de la minorité francophone ou anglophone de la province [...], ont, dans l'un ou l'autre cas, le droit d'y faire instruire leurs enfants, au niveau primaire et secondaire, dans cette langue. »

Loi constitutionnelle de 1982, article 23

7.184

« L'enseignement se donne en français dans les classes maternelles, dans les écoles primaires et secondaires, sous réserve des exceptions prévues au présent chapitre. [...]

Peuvent recevoir l'enseignement en anglais, à la demande de l'un de leurs parents [...], les enfants dont le père ou la mère est citoyen canadien et a reçu un enseignement primaire en anglais au Canada [...] »

Charte de la langue française (Loi 101) modifiée en 1993, articles 72 et 73

7.185

« L'enseignement se donne en français dans les classes maternelles, dans les écoles primaires et secondaires, sous réserve des exceptions prévues au présent chapitre. [...]

Par dérogation à l'article 72, peuvent recevoir l'enseignement en anglais, à la demande de leur père et de leur mère [...], les enfants dont le père ou la mère a reçu un enseignement primaire en anglais au Québec [...] »

Charte de la langue française (Loi 101), articles 72 et 73, 1977

7.186

10 *a*) Mets les documents 7.184 à 7.186 en ordre chronologique.

b) Démontre l'influence de la Loi constitutionnelle de 1982 sur la Loi 101.

c) Aujourd'hui, quelle est la langue d'enseignement pour les enfants d'immigrants?

⬭Ⓐ LA LANGUE

La **Loi 101**, adoptée en **1977**, réaffirme que le **français** est la **seule langue officielle du Québec**. Au cours des années quatre-vingt, plusieurs articles de cette loi sont contestés, autant au Québec que dans le reste du Canada.

En 1982, la Loi constitutionnelle adoptée par le gouvernement fédéral impose le principe du choix individuel en matière linguistique. S'appuyant sur cette loi, la **communauté anglophone** du Québec exige la reconnaissance de sa **liberté de choix**, aussi bien dans le domaine de l'enseignement que dans celui de l'affichage public. Dans plusieurs cas, la Cour suprême du Canada émet à cet égard des jugements en sa faveur.

7.187 Des anglophones du Québec manifestent contre la Loi 178.

À partir de 1984, les parents peuvent appliquer la « clause Canada » au lieu de la « clause Québec » lorsqu'ils ont à choisir une école anglaise ou française pour leurs enfants. En 1988, l'affichage unilingue français est déclaré inconstitutionnel. Le gouvernement de Robert Bourassa invoque alors une clause spéciale de la loi de 1982, la « clause nonobstant », afin de faire voter la Loi 178. Cette loi permet de maintenir l'affichage unilingue français à l'extérieur des commerces en autorisant l'affichage bilingue ou multilingue à l'intérieur. En 1993, le gouvernement décide de ne pas prolonger la Loi 178 pour un autre terme de cinq ans.

Afin que le Québec ne soit plus une « poudrière linguistique », selon l'expression du journaliste Pierre Godin, trouverons-nous des solutions qui tiennent compte des droits de la majorité francophone tout en respectant ceux de la minorité anglophone ?

UN MODE D'ENTENTE

7.188 Les nations amérindiennes et inuite du Québec.

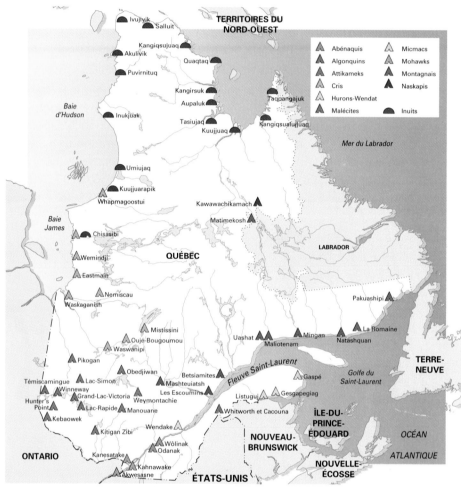

Le 3 février 1995, la compagnie Falconbridge annonce le démarrage du projet Raglan, c'est-à-dire l'exploitation d'un immense gisement de nickel et de cuivre à Katinniq, au Nouveau-Québec. Ce projet nécessite la construction d'une route entre le gisement et le port de la baie Deception, près de Salluit. Il a eu l'accord du ministère de l'Environnement et des communautés inuites du Nunavik (territoires des Inuits), qui, selon la convention de la baie James et du Nord québécois, signée en 1975, possèdent un droit de véto sur l'exploitation de ces territoires.

7.189

11 *a)* Sur le document 7.188, observe la localisation des communautés autochtones de Kanesatake et Salluit.

b) Nomme deux différences existant entre ces communautés.

12 Après avoir lu le texte du document 7.189, de quelle façon crois-tu que les autochtones devraient régler leur différend avec les gouvernements ? De quelle façon les gouvernements devraient-ils traiter avec les autochtones ? Justifie tes réponses.

LES NATIONS AUTOCHTONES

Avant l'arrivée des colonisateurs européens en Amérique, les autochtones constituaient des peuples libres et autonomes. Progressivement, ils ont été soumis aux décisions des autorités françaises et anglaises. Depuis 1867, ils relèvent essentiellement du gouvernement fédéral, bien que certaines ententes puissent être conclues entre eux et le gouvernement du Québec.

7.190 De jeunes Attikameks de Manouane.

Depuis de nombreuses années, s'appuyant sur la notion de **droits ancestraux**, les **autochtones** luttent pour que les gouvernements leur reconnaissent:

• le statut de nations distinctes;

• le droit à l'autodétermination;

• le recouvrement des territoires qu'ils n'ont pas cédés par traité.

Le gouvernement du Québec tente de se rapprocher des communautés autochtones. En 1985, l'Assemblée nationale signait avec les dirigeants de certaines nations amérindiennes et inuites des accords sur la santé, l'éducation et la police.

La question territoriale demeure cependant un point litigieux. Des ententes, parfois sujettes à révision, sont conclues entre le gouvernement et certaines nations autochtones. Alors que des nations semblent désireuses d'en arriver à un accord, d'autres durcissent leur position.

Les gouvernements et les chefs autochtones en viendront-ils à trouver un terrain d'entente qui satisfasse tout le monde?

« [...] le territoire est l'un des points névralgiques [dans] les relations [entre autochtones et Québécois francophones] [...] [car], pour les uns comme pour les autres [...], [il] constitue la base du développement économique et l'une des principales bases de l'identité. »

Sylvie Vincent, anthropologue, 1992

MULTICULTURALISME ET INTÉGRATION

Le multiculturalisme a pris avec le temps trois sens : une politique sociale visant à inciter les groupes ethniques à conserver leur patrimoine culturel et à participer pleinement à la vie canadienne, une philosophie ou une idéologie de pluralisme culturel et une société caractérisée par sa diversité ethnique. »

Jean Burnet, sociologue, 1988

7.191

« Il est tout à fait naturel que, quand [on est immigrant et qu'] on arrive dans un nouveau pays, on cherche ses concitoyens. Mais pourquoi faut-il [au Canada] une politique gouvernementale qui nous dit qu'il faut rester dans et conserver ces ghettos, ces enclaves ? [...] Chaque société a besoin de cohésion, de valeurs que tout le monde partage. [...] [Au Québec], les règles du jeu [à l'égard des nouveaux venus] sont établies. [Le message véhiculé par l'État est] : "Soyez vous-mêmes, mais soyez prêts à vous engager dans une société de langue française." »

Neil Bissoondath, écrivain, 1994

7.192

« Dans la mesure où le multiculturalisme encourage le maintien de valeurs sociales irréconciliables, il mine le consensus minimal indispensable à la vie d'une collectivité [...] J'adhère à la politique de l'intégration [...] [qui] consiste à faire connaître, comprendre et apprécier l'identité québécoise par ceux et celles qui viennent poursuivre ici leur destin. »

Claude Corbo, recteur de l'UQUAM, 1992

7.193

13 *a*) À l'aide des documents 7.191 à 7.193, nomme deux façons de concevoir l'avenir des immigrants dans la société canadienne.

   b) Selon toi, laquelle de ces deux façons de voir a le plus de chances de mener à la paix sociale ? Justifie ta réponse.

C LES GROUPES ETHNIQUES

Depuis le début des années soixante, des **groupes ethniques** de plus en plus **diversifiés** sont venus augmenter la population du Canada et du Québec. En 1968, environ 60 % des immigrants provenaient d'Europe alors qu'en 1989, près de 70 % d'entre eux étaient originaires d'Asie, d'Afrique, d'Amérique centrale et d'Amérique du Sud.

Au cours des dernières années, les gouvernements du Canada et du Québec ont travaillé à la mise sur pied d'organismes visant l'adoption et le respect de lois concernant ces nouveaux citoyens. En 1968, le gouvernement du Québec crée le ministère de l'Immigration. En 1982, la Charte canadienne des droits et libertés reconnaît l'égalité de droits de toutes les personnes, « indépendamment de toute discrimination, notamment des discriminations fondées sur la race, l'origine nationale ou ethnique, la couleur, la religion, le sexe, l'âge ou les déficiences mentales ou physiques ».

7.194 De nouveaux citoyens du Québec.

L'arrivée massive de ces nouveaux citoyens crée un **choc** dans la société québécoise. La diversité de leurs cultures vient enrichir le patrimoine québécois, mais en revanche, certains écarts de moeurs et de coutumes sont susceptibles de provoquer de l'incompréhension et des heurts.

L'intégration de ces communautés pourra-t-elle se faire dans un esprit d'ouverture et de respect mutuel ?

 ## D LES FEMMES AU POUVOIR

Grâce au mouvement féministe, les **femmes** se sont vu reconnaître plus de **droits** et un nombre croissant d'entre elles occupent aujourd'hui des **postes clés** dans la société québécoise. Chefs d'entreprises, directrices d'organismes et politiciennes sont de plus en plus nombreuses.

7.195 Lise Watier, femme d'affaires québécoise.

ÊTRE JEUNE AUJOURD'HUI

LE CHÔMAGE AU QUÉBEC (1990-1993)		
Années	**15-24 ans**	**Population totale**
1990	15,0 %	10,1 %
1991	18,4 %	12,5 %
1992	18,2 %	12,8 %
1993	19,3 %	13,1 %

7.196

Le «décrochage» scolaire au secondaire

Une étude parue en 1993 rapporte que :

• moins des deux tiers des «décrocheurs» ont un emploi alors que les trois quarts des diplômés en ont un ;

• 30% des «décrocheuses» dépendent de l'aide sociale alors que seulement 10% des diplômées sont dans cette situation.

7.197

La clinique de l'adolescence

En 1993, l'hôpital Sainte-Justine de Montréal ouvrait une «clinique de l'adolescence». On y accueille les jeunes qui ont des problèmes liés au stress. Les causes du stress peuvent être d'origine :

• physiologique (changements physiques) ;

• psychologique (recherche d'identité, conflits avec l'autorité) ;

• économique (peur de ne pas avoir de place sur le marché du travail) ;

• sociale (recherche de performance, usage de drogue, rivalité entre groupes).

7.198

14 *a*) Interroge des jeunes de 16 à 20 ans sur :

  • leur situation scolaire (degré de scolarité);

  • leur situation économique (revenu, emploi);

  • leur situation psychologique (sentiments inspirés par leur avenir).

  b) Compare la situation des jeunes d'aujourd'hui avec celle des *Baby Boomers* lorsqu'ils avaient le même âge.

Dans le domaine politique, leur venue a provoqué des interventions dans des secteurs auparavant négligés: garderies, équité salariale, condition féminine, violence conjugale… De plus, il semble que leur présence contribue à l'humanisation de la politique. Selon l'historienne Yolande Cohen, la très grande majorité des femmes qui entrent en politique le font d'abord «pour améliorer la condition humaine».

Quelles nouvelles avenues exploreront les femmes de demain?

LE SORT DES JEUNES

Alors que les portes du marché du travail s'ouvraient toutes grandes pour les enfants du *Baby Boom*, elles se sont progressivement refermées devant les générations suivantes. Les **jeunes** d'aujourd'hui ont de la **difficulté** à se tailler une **place dans la société**. Quand ils arrivent à trouver un emploi, celui-ci est souvent précaire ou mal rémunéré.

Devant ces perspectives d'avenir peu reluisantes, de nombreux jeunes abandonnent leurs études. Il arrive que leur désarroi les pousse à l'intolérance, à la révolte ou même à la violence envers une société qui ne leur semble pas hospitalière.

Quel sera le sort de ces jeunes qui représentent l'avenir du pays?

7.199 De jeunes Québécois.

LES ARTS

Au cours des vingt dernières années, les arts québécois se sont ouverts sur le monde. Le **Québec reçoit les manifestations culturelles de nombreux pays** et, **partout dans le monde, on accueille les artistes québécois**: la danseuse Margie Gillis, le metteur en scène et comédien Robert Lepage, la troupe du Cirque du soleil, la chanteuse Céline Dion, la cinéaste Léa Pool, les écrivains Anne Hébert et Réjean Ducharme, le peintre Jean-Paul Riopelle, le pianiste Louis Lortie et combien d'autres…

Les arts québécois recevront-ils tout le soutien gouvernemental dont ils ont besoin pour continuer de percer à l'étranger?

VIVRE SOUS LE SEUIL DE LA PAUVRETÉ

Selon le Conseil national sur le bien-être social, on considère comme pauvre une personne ou une famille qui consacre plus de 56% de son revenu à la nourriture, au logement et à l'habillement.

7.200

Selon Statistiques Canada, en 1993, le revenu familial moyen des Canadiens est de 53 459 $. Il a baissé de 2,2% par rapport à celui de 1992. Il est même inférieur à celui de 1980.

En 1993, 17,9% de la population, c'est-à-dire 4,9 millions d'individus, vit sous le seuil de la pauvreté, alors qu'en 1992, 16,8% des Canadiens étaient dans cette situation.

7.201

15 *a*) Selon toi, quelles sont les causes de la pauvreté dans une société?

b) Quelles solutions devraient être appliquées pour enrayer la pauvreté? Justifie ta réponse.

 «Une personne [itinérante est une personne] qui n'a pas d'adresse fixe, de logement stable, sécuritaire et salubre pour les soixante jours à venir, à très faible revenu, avec une accessibilité discriminatoire à son égard de la part des services, avec des problèmes de santé mentale, d'alcoolisme, de toxicomanie ou de désorganisation sociale et dépourvue d'appartenance stable.»

Ville de Montréal, 1987

7.202

16 *a*) Selon toi, pourquoi y a-t-il tant d'«itinérants» dans les grandes villes modernes?

b) Quelle est ta première réaction quand tu rencontres un «itinérant» ou une «itinérante»? Comment expliques-tu ta réaction?

c) Selon toi, les gouvernements ont-ils une responsabilité vis-à-vis des «itinérants»? Justifie ta réponse.

UN AVENIR MEILLEUR...

À l'aube de l'an 2000, il est plus que jamais essentiel d'intensifier la lutte visant à régler les grands problèmes tels que la pauvreté et la pollution.

LA PAUVRETÉ

Au Québec, le nombre de gens vivant sous le seuil de la **pauvreté** va croissant. De plus en plus d'individus et de familles doivent avoir recours à l'État et aux organismes de charité afin d'assurer leur subsistance. Ce problème est particulièrement visible pendant la période des Fêtes, au cours de laquelle les médias organisent de vastes campagnes afin de stimuler la générosité de la population.

Trouverons-nous des moyens de provoquer de tels mouvements à longueur d'année ? Est-il possible d'en arriver à une meilleure répartition des biens dans notre société ?

LA POLLUTION

La **pollution**, qu'elle soit domestique, agricole ou industrielle, entraîne la dégradation du milieu physique que nous habitons. Heureusement, depuis quelques années, des organismes dédiés à la préservation de l'environnement ont forcé les gouvernements à prendre des mesures concrètes. Les gens sont de plus en plus conscients de ce problème et participent activement à la collecte sélective des ordures et aux programmes d'économie d'énergie. Cependant, des grandes entreprises, peu affectées par les amendes imposées par le gouvernement, continuent de déverser des déchets toxiques dans l'environnement.

Saurons-nous réagir efficacement avant qu'il soit trop tard ?

7.203 Une « itinérante » endormie dans un parc.

7.204 Incendie de pneus à Saint-Amable, en 1990.

1994
PARIZEAU
PREMIER
MINISTRE
DU QUÉBEC

1993
CHRÉTIEN
PREMIER
MINISTRE
DU CANADA

1992
RÉFÉRENDUM
SUR
L'ACCORD DE
CHARLOTTETOWN
ACCORD DE
CHARLOTTETOWN
ACCORD DE
LIBRE-ÉCHANGE
NORD-AMÉRICAIN
(ALENA)

1991
CRÉATION D'UN
GOUVERNEMENT
RÉGIONAL AU
NUNAVIK

1990
CRISE D'OKA
ÉCHEC DE
L'ACCORD DU
LAC MEECH

1988
ACCORD DE
LIBRE-ÉCHANGE
ENTRE LE
CANADA ET LES
ÉTATS-UNIS
LOI 178 SUR
L'AFFICHAGE

1987
ACCORD DU
LAC MEECH

1985
BOURASSA
PREMIER
MINISTRE
DU QUÉBEC

1984
MULRONEY
PREMIER
MINISTRE
DU CANADA

1982
LOI CONSTITU-
TIONNELLE
DE 1982

1980
RÉFÉRENDUM
SUR LA
SOUVERAINETÉ-
ASSOCIATION
TRUDEAU
PREMIER
MINISTRE
DU CANADA

LE POINT

❶ Résume brièvement la position de chacun des premiers ministres du Canada et du Québec depuis 1980 sur le statut politique du Québec.

> « Pour ceux qui, à l'instar de M. Trudeau, ont fait la réforme de 1982, le Canada ne se ramène pas à une union économique et politique. C'est une nation. Les Québécois, à titre individuel, sont des membres à part entière de cette nation. Toutefois […], il ne peut y avoir de nation ou de peuple québécois, pas même de société distincte jouissant de pouvoirs particuliers […] S'ajoutent à cela la réduction des pouvoirs du Québec en matière de langue et d'éducation […], le renforcement du pouvoir judiciaire dans un contexte où tous les juges des cours les plus importantes sont nommés unilatéralement par Ottawa et la possibilité de réformes constitutionnelles ultérieures sans le consentement du Québec. »
>
> Guy Laforest, politologue, 1995

7.205

❷ *a)* Quel poste occupait Pierre Elliott Trudeau en 1982 ?

b) Que désigne Guy Laforest par « la réforme de 1982 » ?

c) Devant cette réforme, quelle a été, à Québec, la position du Cabinet des ministres ? de l'Assemblée nationale ?

d) Pour quelles raisons le gouvernement a-t-il adopté cette position ?

❸ *a)* Dans l'échelle de temps ci-contre, relève deux accords liés aux relations entre le Québec et le Canada.

b) Qu'est-il advenu de chacun de ces accords ?

c) Relève deux accords liés aux relations économiques entre le Canada et d'autres pays.

❹ *a)* Quelles ont été les demandes de Robert Bourassa lors des négociations du lac Meech ?

b) De quelle façon ces demandes devaient-elles corriger les insatisfactions du Québec envers la Loi constitutionnelle de 1982 ?

5 Réponds aux questions suivantes à l'aide du document 7.206.

  a) Quel anniversaire était fêté en 1992 ?

  b) Pourquoi les autochtones n'avaient-ils pas « le goût de fêter » ?

  c) Quelles sont les revendications des peuples autochtones ?

  d) Selon toi, pourquoi Saganash dit-il qu'il faut agir « maintenant » et « à temps » ?

« Nous sommes en 1992 dans le contexte d'un anniversaire que nous ne pouvons ignorer, mais que les autochtones des Amériques n'ont pas le goût de fêter [...] L'histoire allait nous démontrer que la rencontre de 1492 était un rendez-vous manqué, une invasion et que ce rendez-vous est à reprendre. [...] Il doit avoir lieu maintenant. Mais cette fois, il faudra que ce soit une rencontre basée sur une réparation historique, sur une relation d'égal à égal et sur une perspective de paix, d'équité et de justice [...] Espérons [...] que les États sauront reconnaître à temps la légitimité des revendications de leurs populations, même minoritaires [...] »

Diom Roméo Saganash, vice-grand-chef du Grand Conseil des Cris du Québec, 1992

7.206

Une année cruciale pour le Canada
Le ministre des Finances a fort à faire pour que la crise des finances publiques ne dégénère pas en crise financière majeure

7.207   Manchette parue dans *Le Devoir* des 14 et 15 janvier 1995.

6 *a*) En quoi consiste la « crise des finances publiques » ?

  b) Pourquoi le gouvernement craint-il que cette crise se transforme en « crise financière majeure » ?

  c) Quelles mesures les gouvernements prennent-ils pour tenter de régler la crise des finances publiques ?

  d) Quelles conséquences la crise et les mesures gouvernementales peuvent-elles avoir sur la population ?

EN RÉSUMÉ

1 En **1980** a lieu au Québec un **référendum** par lequel le gouvernement du Québec demande à la population le mandat de négocier la souveraineté-association avec le reste du Canada. L'option du « **non** » l'emporte avec **60 % des votes**.

2 La **Loi constitutionnelle de 1982** entraîne le rapatriement de la Constitution canadienne, une formule d'amendement à la Constitution et la rédaction de la Charte canadienne des droits et libertés. De toutes les provinces du Canada, seul le Québec s'y oppose.

3 En **1987**, l'**Accord du lac Meech**, par lequel le Québec est réintégré à la Constitution canadienne, est signé par tous les premiers ministres canadiens. En **1990**, les provinces de Terre-Neuve et du Manitoba refusent de ratifier cette entente, ce qui consacre l'**échec du lac Meech**.

4 En **1992**, les premiers ministres de toutes les provinces du Canada signent l'**Accord de Charlottetown**. Cet accord est rejeté par la population canadienne lors du **référendum** d'octobre 1992.

5 En 1994, le Parti québécois remporte les élections provinciales et propose la tenue d'un **référendum** sur la souveraineté du Québec en **1995**.

6 L'économie se mondialise de plus en plus : en 1989, le Canada s'unit aux États-Unis pour former un vaste ensemble économique ; en 1992, le Mexique se joint à cette alliance, qui porte aujourd'hui le nom d'**Accord de libre-échange nord-américain (ALENA)**.

7 Les finances publiques du Canada sont en très mauvaise posture. Les **déficits** des gouvernements s'accumulent d'année en année, ce qui augmente la **dette publique**. Pour diminuer leurs dépenses, les gouvernements optent pour un **désengagement** dans le secteur des entreprises et pour une **réduction du nombre d'employés** dans les secteurs public et parapublic.

8 Le marché de l'emploi subit les effets du **ralentissement de l'économie** : chômage, baisse des salaires, emplois précaires…

9 La société québécoise est en pleine mutation.

Le **français** est reconnu en **1977** comme **seule langue officielle du Québec** (Loi 101). Cependant, depuis 1982, il n'est plus la langue exclusive dans les domaines de l'enseignement et de l'affichage.

Les **autochtones** luttent pour la **reconnaissance de leurs droits**.

L'**origine ethnique** des **immigrants** est de plus en plus **diversifiée** et leur arrivée massive entraîne des **remises en question**.

Les **femmes** ont plus de **droits** et accèdent à des **postes clés**.

Les **jeunes** ont de la **difficulté** à trouver leur place sur le **marché du travail**.

Le Québec reçoit des **artistes étrangers** et est représenté partout dans le monde par les **artistes québécois**.

10 D'importants problèmes demeurent sans réelle solution, dont la **pauvreté** et la **pollution**.

7.208 Nous sommes tous des Québécois.

POUR LA SUITE DE L'HISTOIRE...

Dans ce manuel, tu as fait un voyage dans l'histoire du Québec et du Canada. À toi maintenant de faire la suite de l'histoire...

AUTOÉVALUATION

① Associe chacun des personnages suivants à la déclaration appropriée.

> Bertrand – Bourassa – Chrétien – Duplessis – Godbout – Lesage – Lévesque – Johnson (père) – Mackenzie King – Mulroney – Parizeau – Pearson – Trudeau

a) Sous mon gouvernement, le droit de vote a été accordé aux femmes dans la province de Québec.

b) J'ai prôné la nationalisation de l'hydroélectricité et j'ai fondé le Parti québécois.

c) Je suis l'auteur de la formule « Égalité ou indépendance » et le barrage Manic-Cinq porte mon nom.

d) J'ai été premier ministre de la province de Québec pendant seize années consécutives et j'ai fait adopter le fleurdelisé comme drapeau officiel.

e) J'ai été premier ministre du Canada pendant la Deuxième Guerre mondiale et c'est sous mon gouvernement qu'a eu lieu le plébiscite sur la conscription.

f) J'étais favorable à la théorie des deux nations et j'ai créé la Commission sur le bilinguisme et le biculturalisme.

g) J'ai toujours pensé que le Québec devait être une province comme les autres et c'est sous mon gouvernement qu'a eu lieu le rapatriement de la Constitution canadienne.

h) J'ai été premier ministre du Québec pendant six ans et on me considère comme le père de la Révolution tranquille.

i) J'ai tenté d'aider le Québec à intégrer la Constitution canadienne et c'est sous mon gouvernement qu'a été signé l'ALENA.

j) Au cours de la campagne électorale au terme de laquelle je suis devenu premier ministre du Québec, j'ai promis de tenir un référendum sur la souveraineté.

k) On me considère comme le père du développement hydroélectrique de la baie James et j'ai été le plus jeune premier ministre de l'histoire du Québec.

l) Sous mon gouvernement, la première loi linguistique (Loi 63) a été adoptée au Québec.

m) En 1993, je suis devenu premier ministre du Canada. Sous mon gouvernement, l'opposition officielle est formée de députés souverainistes du Bloc québécois.

2 Complète un schéma semblable au document 7.209.

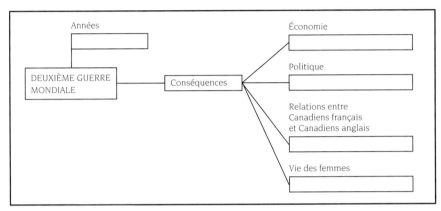

7.209

3 Complète un schéma semblable au document 7.210.

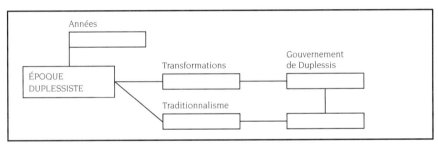

7.210

4 Coche les cases d'un schéma semblable au document 7.211 en fonction des performances de l'économie canadienne au cours des périodes mentionnées.

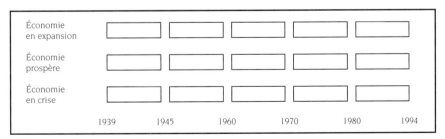

7.211

5 Dans un schéma semblable au document 7.212, place dans les cases appropriées les noms des premiers ministres et la lettre correspondant à chacun des événements suivants.

a) Le développement de l'électrification rurale.

b) La construction des barrages de la baie James.

c) L'adoption de la Loi 101.

d) La création du ministère de l'Éducation.

e) La création d'Hydro-Québec.

f) La nationalisation de l'électricité.

g) L'application de la « loi du cadenas ».

h) La création des Centres locaux de services communautaires.

i) La création de la Société générale de financement.

j) La création de l'assurance-maladie.

k) La création de l'assurance-hospitalisation.

l) La création de l'assurance-automobile.

m) L'adoption de la Loi 22.

n) La création des cégeps.

Premiers ministres			⋯			⋯		
Domaine social								
Domaine économique								
	1939	1944	1959	1960	1966	1968 1969 1970	1976	1985

7.212

6 Coche les cases d'un schéma semblable au document 7.213 en fonction du degré d'intervention de l'État canadien au cours des périodes mentionnées.

Énormément					
Beaucoup					
Passablement					
Peu					
	1939	1945	1960	1970	1980	1994

7.213

7 Dans un schéma semblable au document 7.214, place dans les cases appropriées les noms des premiers ministres suivants en fonction de la nature et de l'intensité de leurs convictions politiques.

> Bourassa – Duplessis – Johnson – Lesage – Lévesque – Mackenzie King – Parizeau – Pearson – Trudeau

	Centralisation fédérale	Autonomie provinciale	Souveraineté du Québec
Très favorable			
Favorable			
Moyennement favorable			

7.214

8 Dans un schéma semblable au document 7.215, place dans les cases appropriées la lettre correspondant à chacun des énoncés suivants en fonction des périodes mentionnées.

a) On commence enfin à nous reconnaître certains droits.

b) Pendant une phase de radicalisation, les syndicats affrontent le gouvernement.

c) Les nationalistes québécois exigent du gouvernement une loi qui nous oblige à envoyer nos enfants à l'école française.

d) Le gouvernement défend trop les intérêts des entreprises privées et ne devrait pas faire intervenir la police lors des grèves.

e) Nos enfants fréquentent l'école française, bien que nous considérions l'apprentissage de l'anglais comme important.

f) Les femmes se taillent une place dans la société.

g) Les féministes font face à des élites conservatrices qui considèrent que la place de la femme est au foyer.

h) Notre lutte consiste à contrer la détérioration des conditions de travail des ouvriers.

i) Comme il n'y a pas de loi sur la langue au Québec, nous pouvons envoyer nos enfants à l'école anglaise.

Syndicalistes			
Femmes			
Immigrants			
	1945	1960	1980	1994

7.215

L'HISTOIRE

LES LEÇONS DE L'HISTOIRE

1   Extrait d'un article paru dans *Le Devoir* du 6 octobre 1992.

L'Histoire nous commande de voter OUI

Prudence et réalisme doivent guider la décision des Québécois

Marcel Masse
Ministre de la Défense du Canada

Nous sommes de races différentes (...) afin de travailler en commun à notre propre bien-être.
— Georges-Étienne Cartier, 1865.

UNE SOCIÉTÉ vivante se perpétue, évolue, s'adapte et cherche à améliorer son sort. Son destin n'est jamais irrémédiablement bloqué, prédéterminé ou à la merci des circonstances.

PHOTO JACQUES GRENIER
Marcel Masse

2   Extrait d'un article paru dans *Le Devoir* du 22 octobre 1992.

L'Histoire nous enseigne de voter NON

Micheline Dumont, Christine Piette, Robert Comeau et Alfred Dubuc

Mme Dumont enseigne à l'Université de Sherbrooke, Mme Piette à l'Université Laval, MM. Comeau et Dubuc à l'UQAM. Les auteurs se présentent sous l'appellation des « historiens et historiennes pour le NON ». Leur texte a obtenu l'appui formel d'une centaine d'historiens québécois. Le texte original a été légèrement abrégé par LE DEVOIR, qui a aussi inséré les intertitres.

POUR UNE NOUVELLE fois dans leur histoire, les sociétés du Québec et du Canada sont confrontées l'une à l'autre dans leurs projets de développement.

La tête à Papineau mise à prix en 1837.

BIBLIOTHÈQUE NATIONALE DU QUÉBEC

---

1   *a)* Sur quoi portait le référendum de 1992?

b) Quel a été le résultat de ce référendum au Québec?

2   *a)* Dans l'article du document 1, pourquoi Marcel Masse met-il en exergue cette phrase de Georges-Étienne Cartier?

b) Dans l'article du document 2, pourquoi les quatre historiens présentent-ils l'affiche proclamant la mise à prix de la tête de Papineau?

3   Selon toi, quel est le rôle de l'histoire dans les choix que nous faisons aujourd'hui pour notre avenir? Justifie ta réponse.

LE RÔLE DE L'HISTOIRE

Au cours de cette année scolaire, tu as parcouru l'histoire du Québec et du Canada, depuis l'apparition des premiers autochtones jusqu'à nos jours. Nous espérons que la société québécoise te paraît maintenant plus compréhensible et que tes nouvelles connaissances te permettent de l'apprécier encore plus.

Tu ne dois cependant pas oublier que toute connaissance historique comporte une part d'interprétation. Les historiens ne font pas tous la même analyse du passé. Parfois, leurs visions peuvent diverger, voire même se contredire : le vrai visage du passé nous restera caché à jamais...

Si elle n'est pas infaillible, l'histoire peut néanmoins nous aider à comprendre le présent, et ainsi, à mieux planifier l'avenir. Il appartient à chacun et à chacune d'entre nous de savoir tirer les leçons qu'elle nous donne...

3 Les générations se transmettent leur vision du passé et de l'avenir.

ASCENDANTS ET DESCENDANTS

 « Le 12 novembre 1986, mon oncle André mourait. Il avait fêté ses cent ans quelque trente jours auparavant [...] [Quelques] jours après sa mort, on retrouvait dans ses effets personnels [...] une grande enveloppe brune. Celle-ci contenait un manuscrit de 75 pages. [...] Ce document, [l'] histoire de mes ancêtres, était daté du 23 août 1894 et il avait été écrit de la main de mon grand-père paternel, Adélard Beauregard. »

Monique Beauregard (née en 1928), 1992

4

 « Désirant que mes enfants connaissent un peu l'histoire de leur famille, j'écris ces notes que j'ai puisées dans différents vieux contrats que possédait mon grand-père paternel [Jean-Baptiste « II », né en 1786] ainsi que dans des souvenirs et histoires que nous racontait ce bon vieux grand-père.

Je l'ai bien connu puisque j'avais vingt-trois ans quand il mourut. Son père, mon aïeul [Jean-Baptiste « I », né en 1756], était né sous la domination française et mon père l'a bien connu. Par conséquent, mon père [Jean-Baptiste « III », né en 1815], a connu des gens ayant vécu sous le gouvernement de France. Ce n'est pas bien loin, après tout ! »

Adélard Beauregard (né en 1851), 1894

5

6 Adélard Beauregard en compagnie de sa petite-fille Monique et de son petit-fils Marcel, vers 1930.

4 *a*) Sur une ligne de temps, situe les dates de naissance de toutes les personnes mentionnées dans les documents 4 et 5.

b) Nomme un événement de l'histoire du Québec qui a eu lieu autour de chacune de ces dates.

5 En compagnie de membres de ta famille, essaie de faire ton arbre généalogique.

6 Crois-tu que tes descendants seraient heureux de découvrir un texte écrit de ta main ? Pourquoi ?

MULTIPLIER LES POSSIBLES

Tu as certainement déjà entendu dire que l'avenir était entre les mains des jeunes. Ta génération, pas plus que celle de tes parents ou de tes grands-parents, ne peut pas changer le passé, mais elle peut s'employer à construire l'avenir. Il t'appartient, de même qu'à tous les membres de ta société, de « faire apparaître de nouveaux possibles et [de] les réaliser progressivement », selon l'expression de Susan Crean et Marcel Rioux.

Dans plusieurs domaines, des choix te sont offerts. La liste du document 7 n'est pas exhaustive. À toi d'y ajouter tes propres choix ou de proposer d'autres domaines d'intervention...

> « Si [...] ce qui doit être fait n'est plus écrit dans les livres des maîtres-penseurs [...], il nous reste à imaginer autre chose. »
>
> Susan Crean, écrivaine, et Marcel Rioux, sociologue, 1980

QUELQUES POSSIBLES...	
Domaines	**Choix**
Constitution	Fédéralisme Souveraineté Vraie confédération **Tes solutions?**
Économie	Libéralisme Social-démocratie Corporatisme **Tes solutions?**
Langue	Unilinguisme français Bilinguisme institutionnel Bilinguisme personnel **Tes solutions?**
Jeunes	Création d'emplois Multiplication des organismes d'aide **Tes solutions?**
Autochtones	Indépendance Autonomie gouvernementale Cogestion Intégration **Tes solutions?**
Immigration	Assimilation Intégration Multiculturalisme **Tes solutions?**
Pauvreté	**Tes solutions?**
Pollution	**Tes solutions?**

7

ANNEXES

TROIS PÉRIODES DE NOTRE HISTOIRE

LE RÉGIME FRANÇAIS (1534-1763)

Rois et reines	Gouverneurs	Intendants	Population
Henri IV (1598-1610)			28 (1608)
Marie de Médicis* (1610-1617)			
	Samuel de Champlain (1612-1629)		117 (1629)
Louis XIII (1617-1643)			
	Samuel de Champlain (1633-1635)		
	Charles Huault de Montmagny (1636-1648)		
Anne d'Autriche* (1643-1661)			
	Louis d'Ailleboust, sieur de Coulonge (1648-1651)		
	Jean de Lauson (1651-1657)		
	Pierre de Voyer, vicomte d'Argenson (1657-1661)		
Louis XIV (1661-1715)	Pierre Dubois, baron d'Avaugour (1661-1663)		
	Augustin de Saffray, sieur de Mézy (1663-1665)		
	Daniel de Rémy, sieur de Courcelles (1665-1692)	Jean Talon (1665-1668)	3 215 (1666)
		Claude de Boutroue (1668-1670)	
		Jean Talon (1670-1672)	
	Louis de Buade, comte de Frontenac (1672-1682)	Sans intendant (1672-1675)	
		Jacques Duchesneau (1675-1682)	
	Joseph-Antoine Lefèbvre de La Barre (1682-1685)	Jacques de Meulles (1682-1686)	
	Jacques-René de Brisay, marquis de Denonville (1685-1689)		
		Jean Bochart de Champigny (1686-1702)	
	Louis de Buade, comte de Frontenac (1689-1698)		
	Louis-Hector, chevalier de Callières (1698-1703)		13 821 (1698)
		François de Beauharnois de La Chaussaye (1702-1705)	
	Philippe de Rigaud, marquis de Vaudreuil (1703-1725)		
		Jacques et Antoine-Denis Raudot (1705-1711)	
		Michel Bégon (1711-1725)	
Philippe d'Orléans* (1715-1723)			
Louis XV (1723-1774)		Claude-Thomas Dupuy (1725-1728)	
	Charles de Beauharnois de La Boische (1726-1747)		
		Gilles Hocquart (1729-1748)	34 053 (1730)
	Roland-Michel Barrin, comte de La Galissonnière (1747-1749)		
		François Bigot (1748-1760)	
	Jacques-Pierre de Taffanel, marquis de La Jonquière (1749-1752)		
	Ange Duquesne, marquis de Menneville (1752-1755)		55 500 (1754)
* Régence.	Pierre de Rigaud, marquis de Vaudreuil-Cavagnial (1755-1760)		

LE RÉGIME BRITANNIQUE (1763-1867)

Rois et reines	Gouverneurs	Population
George III (1760-1820)		
	James Murray (1763-1766)	69 810 (1765)
	Sans gouverneur en titre (1766-1768)	
	Guy Carleton (1768-1778)	
	Frederick Haldimand (1778-1784)	
	Sans gouverneur en titre (1784-1786)	
	Guy Carleton (lord Dorchester) (1786-1796)	146 281 (1790)
	Robert Prescott (1796-1799)	
	Sans gouverneur en titre (1799-1807)	
	James Henry Craig (1807-1811)	
	George Prevost (1811-1815)	
	John Coape Sherbrooke (1816-1818)	
	Charles Lennox, duc de Richmond (1818-1819)	
George IV (1820-1830)	George Ramsay, marquis de Dalhousie (1820-1828)	
	Sans gouverneur en titre (1828-1831)	
Guillaume IV (1830-1837)		
	Matthew Aylmer, comte de Withworth (1831-1835)	553 134 (1831)
	Archibald Acheson, comte de Gosford (1835-1838)	
Victoria (1837-1901)		
	John George Lambton, comte de Durham (1838)	
	John Colborne (lord Seaton) (1838-1839)	
	Charles Edward Poulett Thomson (lord Sydenham) (1839-1841)	
	Charles Bagot (1842-1843)	
	Charles Theophilus Metcalfe (1843-1845)	
	Charles Murray, comte de Cathcart (1846-1847)	
	James Bruce, comte d'Elgin (1847-1854)	890 261 (1851)
	Edmund Walker Head (1854-1861)	
	Charles Stanley, vicomte Monck (1861-1867)	1 111 566 (1861)

LA PÉRIODE CONTEMPORAINE (1867-1995)

Rois et reines	Premiers ministres		Population	
	Canada	Québec	Canada	Québec
Victoria (1837-1901)	John Alexander Macdonald (1867-1873)	Pierre-Joseph-Olivier Chauveau (1867-1873)	3 689 257 (1871)	1 191 516 (1871)
	Alexander Mackenzie (1873-1878)	Gédéon Ouimet (1873-1874)		
		Charles-Eugène Boucher de Boucherville (1874-1878)		
	John Alexander Macdonald (1878-1891)	Henri Joly (1878-1879)		
		Joseph-Adolphe Chapleau (1879-1882)	4 324 810 (1881)	1 359 027 (1881)
		Joseph-Alfred Mousseau (1882-1884)		
		John Jones Ross (1884-1887)		
		Louis-Olivier Taillon (1887)		
		Honoré Mercier (1887-1891)	4 833 239 (1891)	1 488 535 (1891)
	John Joseph Caldwell Abbott (1891-1892)	Charles-Eugène Boucher de Boucherville (1891-1892)		
	John Sparrow David Thompson (1892-1894)	Louis-Olivier Taillon (1892-1896)		
	Mackenzie Bowell (1894-1896)			
	Charles Tupper (1896)	Edmund James Flynn (1896-1897)		
	Wilfrid Laurier (1896-1911)			
		Félix-Gabriel Marchand (1897-1900)		
Édouard VII (1901-1910)		Simon-Napoléon Parent (1900-1905)	5 371 315 (1901)	1 648 898 (1901)
		Lomer Gouin (1905-1920)		
George V (1910-1936)	Robert Laird Borden (1911-1920)		7 206 643 (1911)	2 005 776 (1911)
	Arthur Meighen (1920-1921)	Louis-Alexandre Taschereau (1920-1936)	8 787 949 (1921)	2 360 510 (1921)
	William Lyon Mackenzie King (1921-1926)			
	Arthur Meighen (1926)			
	William Lyon Mackenzie King (1926-1930)			
	Richard Bedford Bennett (1930-1935)		10 376 786 (1931)	2 874 662 (1931)
Édouard VIII (1936)	William Lyon Mackenzie King (1935-1948)			
George VI (1936-1952)		Joseph-Adélard Godbout (1936)		
		Maurice Le Noblet Duplessis (1936-1939)		
		Joseph-Adélard Godbout (1939-1944)	11 506 655 (1941)	3 331 882 (1941)
		Maurice Le Noblet Duplessis (1944-1959)	14 009 429 (1951)	4 055 681 (1951)
Élisabeth II (1952-)	Louis Stephen Saint-Laurent (1948-1957)			
	John George Diefenbaker (1957-1963)			
		Paul Sauvé (1959-1960)		
		Antonio Barrette (1960)		
		Jean Lesage (1960-1966)	18 238 247 (1961)	5 259 211 (1961)
	Lester Bowles Pearson (1963-1968)			
		Daniel Johnson (père) (1966-1968)		
	Pierre Elliott Trudeau (1968-1979)	Jean-Jacques Bertrand (1968-1970)		
		Robert Bourassa (1970-1976)	21 568 311 (1971)	6 027 764 (1971)
		René Lévesque (1976-1985)		
	Charles Joseph Clark (1979-1980)			
	Pierre Elliott Trudeau (1980-1984)		24 343 180 (1981)	6 438 405 (1981)
	John Turner (1984)			
	Brian Mulroney (1984-1993)			
		Pierre-Marc Johnson(1985)		
		Robert Bourassa (1985-1994)	28 231 700 (1991)	7 101 600 (1991)
	Kim Campbell (1993)			
	Jean Chrétien (1993-)			
		Daniel Johnson (fils) (1994)		
		Jacques Parizeau (1994-)	29 361 700 (1994)	7 293 100 (1994)

LISTE DES CARTES

LISTE DES TABLEAUX ET SCHÉMAS

SOURCES DES DOCUMENTS

INTRODUCTION

1 : P. Roussel/Publiphoto ; **2** : Bibliothèque publique juive et Services canadiens d'assistance aux immigrants juifs ; **3** : M. Tremblay/Publiphoto ; **4** : S. Grandadam/Publiphoto ; **5** : *Régiment de Lenk, gardes françaises et suisses*/Détail/Delaistre/ © photo Musée de l'armée, Paris ; **6** : P. Quittemelle/ Publiphoto ; **8** : Congrès juif canadien/ Archives nationales ; **9** : Publiphoto/Image actuelle ; **10** : P. Brunet/ Publiphoto ; **12** : Y. Hamel/Publiphoto ; **13** : Publiphoto/ Image actuelle ; **14** : A. Guillou/Publiphoto/Explorer ; **16** : Archives nationales du Québec/Direction de l'Ouest du Québec/Fonds Armour Landry ; **17** : La société historique Alphonse-Desjardins ; **18** : Elmer Harp/Historical Photographs Collection, Documentation Center, Avataq Cultural Institute/Elmer Harp Jr. Collection ; **19** : Campus du centre-ville/Université McGill ; **24** : J. Lama/Publiphoto ; **27** et **28** : Les Éditions du Boréal ; **30** : G. Zimbel/Publiphoto ; **31** : F. Klus, M.E.F./Publiphoto ; **33** à **35** : F. Klus, M.E.F./Publiphoto.

AVANT LE RÉGIME FRANÇAIS

44 et **45** : Illustrations tirées de *Liber Cronicarum*, Hartman Schedel, imprimeur Anto Koberger, 1493 ; **47** : Musée canadien des civilisations/MCC S91-918 ; **48** : C. Lenars/ Publiphoto/Explorer ; **49** : Société d'archéologie préhistorique du Québec (1967) ; **53** : Publiphoto/ Image actuelle ; **54** : Bibliothèque nationale de France, Paris ; **55** : British Museum ; **58** : Illustration tirée de *Rêves d'empire*, p. 60/The British Library ; **59** et **60** : Bibliothèque nationale de France, Paris ; **62** : Extrait d'un tableau tiré de l'article de Christiane Beaudet, « Mes mocassins, ton canot, nos raquettes », *Recherches amérindiennes au Québec*, vol. 14, nº 3, automne 1989, p. 41 ; **63** : Serge Jauvin, photographe ; **65** : Artiste européen du 16e siècle ; **66** : H. Foster/Musée canadien des civilisations/F91-944 ; **67** : Illustration tirée de *The Herball; or, General Historie of Plantes*, John Gerard, Londres, J. Norton, 1597 ; **70** : Pierre Parent ; **72** et **73** : Archives nationales du Canada/C-38855 ; **74** : Charles Walter Simpson/Archives nationales du Canada/C-013949 ; **77** : Paul Kane/Art Gallery of Ontario, purchase 1932 ; **78** : Huile de Guy Lapointe, 1988/Ville de Tracy ; **82** : Charles William Jefferys/Archives nationales du Canada/C-069797 ; **86** : Illustration tirée de *Moeurs des sauvages amériquains comparées aux moeurs des premiers temps*, Joseph-François Lafitau, Paris, 1724 ; **88** : Voir 77 ; **89** : Charles William Jefferys/Archives nationales du Canada/C-070307 ; **90** : Archives nationales du Canada/C-113065/ Détail ; **93** : Charles William Jefferys/Archives nationales du Canada/C-069795.

CHAPITRE 1

P. 54 : Illustration Michel Juneau ; **1.2** : Bibliothèque nationale de France, Paris ; **1.3** : Archives nationales du Canada/ C-3278 ; **1.4** : Museo de América, Madrid ; **1.5** : Archives nationales du Québec à Québec/Coll. Initiale ; **1.7** : Archives nationales du Canada/A-10000, 1546 ; **1.8** : François Fortin/ Parcs Canada ; **1.9** : Bibliothèque nationale de France, Paris ; **1.11** : Illustration tirée de *El cronica y buen gobierno*, Felipe Guaman Poma de Ayale, 1612 ; **1.13** : Bibliothèque nationale de France, Paris ; **1.15** : H. Foster/Musée canadien des civilisations/F91-996 ; **1.17** : C. Hery/Centre culturel du palais Bénédictine ; **1.19** : Bibliothèque nationale de France, Paris ; **1.20** : Charles Walter Simpson/Archives nationales du Canada/C-13938 ; **P. 73** : Timbre reproduit avec la permission de la Canada Post Corporation ; **1.21** : Marc-Aurèle de Foy Suzor-Côté/Photo Jean-Guy Kérouac/ Musée du Québec ; **1.22** : Illustration tirée de *Raretés des Indes*, Louis Nicolas/Bibliothèque nationale de France, Paris ; **1.23** : H.R. Perrigard/Archives nationales du Canada/ C-12235 ; **1.24** : Bibliothèque nationale de France, Paris.

CHAPITRE 2

1.30 : Charles William Jefferys/Archives nationales du Canada/C-073422 ; **1.31** : Coke Smyth/Photo Musée du Québec ; **1.32** : Hudson's Bay Company Archives/Provincial Archives of Manitoba ; **1.33** : L. Geisler et Bombled/Archives nationales du Canada/C-7699 ; **1.34** : Archives nationales du Canada/C-016952 ; **1.37** : (A) Y. Beaulieu/Publiphoto, (B) P. Aubert/Publiphoto ; **1.38** : Illustration tirée de l'ouvrage *Le Parfait Négociant*, Jacques Savary, 1675 ; **1.41** : Illustration tirée de *Traité général des pêches*, Duhamel du Monceau, Paris, 1772 ; **1.43** : Bibliothèque nationale de France, Paris ; **1.44** : Bibliothèque nationale du Québec ; **1.47** : Archives nationales du Canada/C-99244/Détail ; **1.48** : Archives nationales de Paris/Service photographique ; **1.49** : Balthazar Moncornet/ Archives nationales du Canada/ C-006643 ; **1.54** : Bibliothèque nationale du Québec/ 3409120101 ; **1.57** : Charles William Jefferys/Archives nationales du Canada/C-070248 ; **1.59** : George Agnew Reid/ Archives nationales du Canada/ C-11013 ; **1.60** : Musée du château Ramezay ; **1.61** : Arthur Heming/Archives nationales du Canada/C-5746 ; **1.64** : Musée des Augustines de l'Hôtel-Dieu de Québec/P-117, diapo S-753 ; **1.66** : Archives nationales du Canada/ H3-900/1657/Détail ; **1.71** : Jules-Benoît Livernois/Archives nationales du Canada/C-06022 ; **1.72** et **1.73** : Charles William Jefferys/Archives nationales du Canada/C-070269 et C-7024 ; **1.74** : Archives nationales du Canada/C-082972 ; **1.75** : Archives de la Gironde.

CHAPITRE 3

P. 110 : Illustration Michel Juneau ; **2.1** : James Peachey/ Archives nationales du Canada/C-2006/Détail ; **2.2** : Bibliothèque nationale de France, Paris/Détail ; **2.3** : Musée des Augustines de l'Hôtel-Dieu de Québec/PH6-00034-163 ; **2.5** : Bibliothèque nationale du Québec ; **2.6** : Photo Raymond Gagnon/Ville de Montréal ; **2.8** : Photo André Tremblay/A1940 ; **2.10** : Graphique tiré de *Montréal : la formation d'une société : 1642-1663*, Marcel Trudel, Éditions Fides, 1976, p. 31 ; **2.14** : Charles William Jefferys/Archives nationales du Canada/C-10688 ; **2.20** : François Malepart de Beaucourt/Collection Musée McCord d'histoire canadienne, Montréal ; **2.21** : L.R. Batchelor/Archives nationales du Canada/C-11925 ; **2.23** : Graphique tiré de *Atlas de géographie historique du Canada*, Maurice Saint-Yves, Les Éditions françaises, 1982, p. 67 ; **2.25** et **2.26** : Michel Juneau ; **2.28** : Archives nationales du Canada/C-005400 ; **2.32** : Charles William Jefferys ; **2.34** : James Peachey/ Archives nationales du Canada/C-02029 ; **2.35** : Tableau tiré de *La Nouvelle-France*, Jacques Mathieu, Sainte-Foy, Presses de l'Université Laval, Paris, Éditions Belin, 1991, p. 160 ; **2.36** et **2.37** : Fonds ministère des Communications/ Archives nationales du Québec à Québec; **2.40**: Henri Beau/Archives nationales du Canada/C-17059; **2.41**: Bibliothèque nationale de France, Paris; **2.44**: Ressources naturelles Canada.

CHAPITRE 4

2.48: Frank Craig/Archives nationales du Canada/C-01062; **2.49**: Thomas Davies/Musée des beaux-arts du Canada, Ottawa; **2.53**: Musée des beaux-arts de Pau, Giraudon; **2.60**: Estampe du 18e siècle; **2.61**: Richard Short/Archives nationales du Canada/C-354; **2.63**: Claude Duflos, 1708/ Musée de l'Amérique française/Photo Pierre Soulard; **2.64**: Musée des religieuses Hospitalières de Saint-Joseph, Montréal; **2.65**: Musée de l'Amérique française/Archives du Séminaire de Québec; **2.66**: Archives nationales du Canada/C-8986; **2.67**: Hugues Pommier/Archives des Ursulines de Québec; **2.70**: George Heriot/Metropolitan Toronto Reference Library/J. Ross Robertson Collection (T15727); **2.71**: Richard Short/Archives nationales du Canada/C-352; **2.73**: Service historique de la Marine, Vincennes; **2.80**: P. Brunet/Publiphoto.

CHAPITRE 5

P. 166: Illustration Michel Juneau; **3.1**: Dessin tiré des *Manuscrits du chevalier de Lévis*; **3.2**: Photo Patrick Altman/ Musée du Québec; **3.5**: Bibliothèque nationale de France, Paris; **3.12**: Louis Michel Van Loo/Archives nationales du Canada/C-604; **3.16**: Bibliothèque nationale du Québec; **3.19**: Archives nationales du Canada/C-62182; **3.22**: Janius Brutus Stearns/Archives nationales du Canada/ C-008983; **3.24**: Charles William Jefferys/Archives nationales du Canada/C-70232; **3.31**: Musée McCord d'histoire canadienne, Montréal/Archives photographiques Notman; **3.32**: Richard Short/Photo Patrick Altman/Musée du Québec; **3.33**: Adam Sherriff Scott/Archives nationales du Canada/C-0011043; **3.38**: Archives nationales du Canada/C-011250; **3.41**: Bibliothèque nationale de France, Paris; **3.49**: Archives nationales du Québec à Québec; **3.50**: Jules-Ernest Livernois/ Archives nationales du Canada/PA-23422; **3.52**: Mable B. Messer/Archives nationales du Canada/C-2833; **3.53**: Charles Walter Simpson/ Archives nationales du Canada/C-13959.

CHAPITRE 6

3.55: Publiphoto/Sygma; **3.56**: Charles William Jefferys/ Archives nationales du Canada/C-020587; **3.60**: Archives nationales du Canada/C-008852; **3.64**: William Evans/ Archives nationales du Canada/C-114133; **3.67**: Charles Walter Simpson/Archives nationales du Canada/C-013944; **3.71**: Archives nationales du Canada/C-038989; **3.74**: Archives nationales du Canada/C-006047; **3.85**: Dupré/ Musée de Blérancourt.

CHAPITRE 7

P. 222: Illustration Michel Juneau; **4.1**: Archives nationales du Québec à Québec; **4.2**: Archives nationales du Canada/ C-026818; **4.12**: Archives nationales du Canada/C-26166; **4.14**: Musée de l'Amérique française/Archives du Séminaire

de Québec; **4.15**: Thomas Wyon/Archives nationales du Canada/C-062191; **4.17**: Musée du château Ramezay, Montréal; **4.22**: Musée McCord d'histoire canadienne, Montréal; **4.25** et **4.36**: Graphiques tirés de l'ouvrage *Histoire économique et sociale du Québec: 1760-1850*, Fernand Ouellette, Montréal, Éditions Fides, 1966; **4.30**: Robert Auchmaty Sproule/Archives nationales du Canada/C-2642; **4.33**: Notman & Son/Archives nationales du Canada/ PA-125770; **4.37**: Musée des beaux-arts du Canada/6673; **4.41**: Archives nationales du Canada/C-005955; **4.42**: Dessin paru dans le *Canadian Illustrated News*, 5 février 1870/ Archives nationales du Canada/C-48663.

CHAPITRE 8

4.43: Archives nationales du Canada/PA-129833; **4.44** et **4.51**: Bibliothèque nationale du Québec, Montréal; **4.57**: Alfred Laliberté/Photo Patrick Altman/Musée du Québec; **4.62**: Charles William Jefferys/Archives nationales du Canada/C-006868; **4.66**: Henri Julien/Archives nationales du Canada/C-13493; **4.70**: Sir Thomas Lawrence/Archives nationales du Canada/C-005456; **4.80**: Musée du château Ramezay, Montréal; **4.85**: Archives nationales du Canada/ C-002726; **4.88**: Canadien National.

CHAPITRE 9

P. 282: Illustration Michel Juneau; **5.1**: Archives nationales du Canada/C-7299; **5.2**: Sarony & Major/Archives nationales du Canada/C-2813; **5.6**: Archives nationales du Canada/ C-69470; **5.11**: Caricature tirée du journal *The Grip*; **5.18**: Charles William Jefferys/Archives nationales du Canada/ C-70231; **5.21**: Archives nationales du Canada/C-733; **5.27**: Archives nationales du Canada/C-18056; **5.33**: Illustration tirée du journal L'*Opinion publique*, 1880/ Publications du Québec; **5.38**: Caricature tirée du journal *Le Perroquet*, 27 mars 1865/Bibliothèque nationale du Québec.

CHAPITRE 10

5.39 et **5.40**: Musée de l'Amérique française/Bibliothèque du Séminaire de Québec; **5.41**: Archives nationales du Canada/C-16447; **5.43**: Archives nationales du Canada/ C-86515; **5.47**: Archives nationales du Canada/C-68714; **5.48**: Caricature parue dans le journal *The Grip*, 23 mai 1885/Bibliothèque nationale du Québec; **5.53**: Archives nationales du Canada/C-58597; **5.57**: Caricature parue dans le journal *The Grip*, 22 décembre 1887/Musée de l'Amérique française/Bibliothèque du Séminaire de Québec; **5.59**, **5.61** et **5.70**: Archives nationales du Canada/ C-6533, C-95470 et C-65929; **5.74**: Archives Notman/ Musée McCord/Société d'histoire de Drummondville; **5.77**: Archives nationales du Québec à Québec/Fonds famille Livernois; **5.80**: Caricature parue dans le *Canadian Illustrated News*; **5.82**: Archives de la Ville de Toronto/ SC 244-137; **5.86**: Archives nationales du Canada/C-50089; **5.91**: Archives Notman/Musée McCord d'histoire canadienne, Montréal; **5.92**: Bibliothèque nationale du Québec; **5.93**: Archives nationales du Canada/C-17233.

CHAPITRE 11

P. 244 : Illustration Michel Juneau ; **6.1** : Archives publiques de l'Ontario/C 224-0-0-91, AO 2026 ; **6.2** : Henry G. Hines/ Archives nationales du Canada/PA-073511 ; **6.3** : Archives nationales du Canada/C-006859/Détail ; **6.4** et **6.5** : William James Topley/ Archives nationales du Canada/PA-011021 et PA-010254 ; **6.9** : Archives nationales du Canada/C-63482 ; **6.12** : Timbre reproduit avec la permission de la Canada Post Corporation ; **6.14** : Archives publiques de l'Ontario/ S1243 ; **6.18** : Collection Anne Bourassa/Archives nationales du Canada/C-027358 ; **6.19** : P. Longnus/Publiphoto ; **6.20** : Département de la Défense nationale/ Archives nationales du Canada/C-018734 ; **6.22** : Collection Canadian Vickers Limited/Archives nationales du Canada/C-032222 ; **6.29** : Illustration de J. Arthur Lemay ; **6.30** et **6.33** : Photographies Ville de Montréal/2-1582 et 2-97-2 ; **6.34** : Archives de l'Université Laval/Fonds Alfred Charpentier/P212-5-2 ; **6.37** : Le Droit ; **6.41** : Archives nationales du Québec à Québec/Coll. Initiale ; **6.47** : Studio Garcia/Archives nationales du Canada/C-0068508 ; **6.48** : La Rose/Archives nationales du Canada/C-0068509 ; **6.49** : Archives de l'Institut Notre-Dame du Bon-Conseil.

CHAPITRE 12

6.55 : Archives nationales du Québec/Direction de l'Ouest du Québec/Fonds Conrad Poirier ; **6.56** : Montreal Gazette/ Archives nationales du Canada/PA-129182 ; **6.70** : Archives nationales du Canada/PA-133372 ; **6.74** : Publiphoto ; **6.75** : Archives nationales du Canada/C-029396 ; **6.76** : Archives nationales du Canada/PA-35440 ; **6.77** : Société historique du Saguenay – Lac-Saint-Jean ; **6.80** : Archives nationales du Québec/Direction de l'Ouest du Québec/Fonds Conrad Poirier ; **6.84** : Archives nationales du Canada/C-080134 ; **6.89** et **6.94** : Archives nationales du Canada/PA-27509 et C-000687 ; **6.96** : Louis Rioux/ Bibliothèque nationale du Québec ; **6.97** : Archives nationales du Québec/Direction de l'Ouest du Québec/Fonds Conrad Poirier.

CHAPITRE 13

P. 396 : Illustration Michel Juneau ; **7.1** et **7.2** : Centre de documentation La Presse, 23 avril 1942 et 2 avril 1942 ; **7.3** : The Gazette/Archives nationales du Canada/PA-107910 ; **7.4** : Centre de documentation La Presse ; **7.6** : Publiphoto/ Keystone/Sygma ; **7.7** : Keystone ; **7.8** : Publiphoto/Sygma ; **7.9** : Centre de documentation La Presse ; **7.10** : Archives nationales du Canada/C-014160 ; **7.13** : Archives nationales du Canada/PA-137013 ; **7.14** : Archives nationales du Canada/C-091437 ; **7.17** : Tableau paru dans Le Canada en guerre, avril 1943 ; **7.18** : Centre de documentation La Presse ; **7.19** : Archives nationales du Canada/PA-192637 ; **7.22** et **7.23** : Archives nationales du Canada/PA-119766 et DND L-5664 ; **7.28** et **7.32** : Centre de documentation La Presse, 23 juillet 1939 et 20 avril 1942 ; **7.37** : Archives du Centre de recherche Lionel-Groulx/Fonds André-Laurendeau, P2/B, 311 ; **7.40** : Centre de documentation La Presse, 26 avril 1941 ; **7.41** : Jack Long/Archives nationales du Canada/ PA-112908.

CHAPITRE 14

7.47 : Keystone ; **7.48** : Centre de documentation La Presse, 4 avril 1957 ; **7.50** : Archives nationales du Québec, Mauricie – Bois-Francs/Fonds Roland Lemire, 1231/12 août 1964 ; **7.53** : Centre de documentation La Presse, 1956 ; **7.58** : R. Beauchamp/ Archives nationales du Canada/ PA-127037 ; **7.60** : Montreal Star/Archives nationales du Canada/PA-137319 ; **7.61** : Centre d'archives Hydro-Québec/ Fonds Hydro-Québec 1944-1963 ; **7.64** : La Terre de chez nous ; **7.67** : Montreal Star/Archives nationales du Canada/ PA-162990 ; **7.71** : Ville de Montréal ; **7.75** : Frank Royal/ NFB/Archives nationales du Canada/PA-151654 ; **7.79** : Archives du Séminaire de Trois-Rivières ; **7.83** : Bulletin des agriculteurs ; **7.88** : Montreal Gazette/ Archives nationales du Canada/PA-119877 ; **7.92** : McAllister/ Archives nationales du Canada/PA-151688 ; **7.97** : Louis Jacques/Archives nationales du Canada/PA-115232 ; **7.101** : Centre de documentation La Presse, 1948 ; **7.104** : Archives nationales du Canada/PA-93837 ; **7.105** : Vic Davidson/Montreal Gazette/ Archives nationales du Canada/C-053641 ; **7.106** : Dominion Textile.

CHAPITRE 15

7.111 : Archives de la STCUM ; **7.117** : Canapress ; **7.118** : Kipa/Publiphoto ; **7.120** : Archives nationales du Québec à Québec/ Fonds ministère des Communications ; **7.124** : Régie des installations olympiques ; **7.125** : Les Grandes Rivières de la Côte-Nord, Hydro-Québec, 1989, p. 2/Vice-présidence information et affaires publiques ; **7.130** : Archives nationales du Québec à Québec/Fonds ministère des Communications ; **7.132** et **7.133** : Centre de documentation La Presse ; **7.136** : Canapress ; **7.140**, **7.149** et **7.152** : Centre de documentation La Presse.

CHAPITRE 16

7.156 : (A) Teyss/Publiphoto, (B) Le Devoir, samedi 15 et dimanche 16 octobre 1994, (C) Guérin, éditeur, Montréal, 1994, (D) Éditions Libre Expression, (E) P. Panayiotis/ Publiphoto, (F) Illustration apparaissant sur la page couverture de La Question du Québec anglais, Gary Caldwell, IQRC, 1994, 124 p., (G) Publiphoto/Sygma ; **7.157** : Canapress ; **7.159** : Publications du Québec ; **7.160** : Centre de documentation La Presse, 21 mai 1980 ; **7.163** : Centre de documentation La Presse, 17 avril 1982 ; **7.166** : Centre de documentation La Presse, 19 septembre 1992 ; **7.170** : Centre de documentation La Presse, 23 septembre 1994 ; **7.171** : Centre de documentation La Presse, 18 janvier 1995 ; **7.176** : Centre de documentation La Presse, 13 janvier 1995 ; **7.177** : Photo Jacques Grenier ; **7.183** : M.J. Laurence/Publiphoto ; **7.187** : Canapress ; **7.190** : P.G. Adam/Publiphoto ; **7.194** : J.C. Hurni/Publiphoto ; **7.195** : Canapress ; **7.199** : P. Quittemelle/ Publiphoto ; **7.203** : P. Roussel/Publiphoto ; **7.204** : Centre de documentation La Presse ; **7.208** : M. Gabr/Publiphoto.

CONCLUSION

1 : Photo Jacques Grenier/Le Devoir, 6 octobre 1992 ; **2** : Le Devoir, 22 octobre 1992 ; **3** : Explorer/Publiphoto.

GLOSSAIRE – INDEX

INDEX DES NOMS DE PERSONNES